dictionnaire
du
vocabulaire
essentiel

dictionnaire
du
vocabulaire essentiel

(les 5 000 mots fondamentaux)

par

Georges MATORÉ
directeur des cours de civilisation française
à la Sorbonne

avec la collaboration de

Claude-Marie BARANGER, Jacques FILLIOLET,
Monique MERCIER, Monique TORRÈS
professeurs des cours de civilisation française

LAROUSSE . PARIS

17, rue du Montparnasse, et boulevard Raspail, 114

Le présent volume appartient à la dernière édition (revue et corrigée) de cet ouvrage. La date du copyright mentionnée ci-dessous ne concerne que le dépôt à Washington de la *première* édition.

ISBN 2-03-020135-9

PRÉFACE

La caractéristique principale du dictionnaire que nous présentons au public, c'est qu'il comporte un nombre de mots réduit. Pour des raisons que nous croyons justifiées, nous avons arrêté à 5 000 (compte non tenu des adverbes en -ment*) le nombre des mots dont nous fournissons une définition.*

Notre dictionnaire, qui s'adresse surtout aux étrangers pourvus d'une certaine culture, mais dont les connaissances de français ne sont pas étendues, est composé de mots appartenant aussi bien à la langue écrite qu'à la langue parlée ; l'ouvrage pourra éventuellement être utilisé par les élèves français de l'enseignement du premier degré et des classes inférieures du second degré. Nous offrons, aux uns et aux autres, un lexique de petit format, où ils ne trouveront que peu de mots, mais pourvus de définitions précises et accompagnées d'exemples aussi concrets que possible.

Nous ne nous étendrons pas sur les procédés que nous avons adoptés pour dresser la liste des 5 000 mots : il nous suffira de dire que, contrairement à nos collègues français ou étrangers qui ont établi des vocabulaires réduits, nous n'avons pas systématiquement eu recours aux dépouillements opérés sur textes oraux ou écrits. En l'absence de dépouillements exhaustifs, il nous a semblé préférable de nous référer à la conscience linguistique de Français cultivés et à l'expérience pédagogique que nous-mêmes, professeurs de français, avons pu acquérir dans la pratique de l'enseignement. Procédant par élimination, nous sommes partis de la liste des mots figurant dans un dictionnaire très usuel, en l'occurrence le Petit Larousse, *et nous avons rayé les notions et les mots qui nous paraissaient inutiles; les mots qui restaient ont fait l'objet de nouveaux tris, et nous avons abouti à un résultat que nous croyons satisfaisant; dans certains cas, pourtant, nous sommes intervenus de manière arbitraire en faisant figurer, pour représenter une famille de mots, soit le verbe (c'est le cas le plus fréquent), soit le nom; la plupart du temps, nous avons pu, empiriquement, déterminer quel était le mot le plus souvent employé; d'autre part, nous avons systématiquement éliminé les mots dont le sens pouvait se déduire des mots de la même famille définis dans une rubrique voisine du dictionnaire.*

•

Les définitions ont requis tous nos soins; on remarquera qu'elles ont été réalisées en partant d'un certain nombre de principes : d'abord, et cela était indispensable, nous les avons rédigées en n'utilisant que le vocabulaire de 5 000 mots dont nous disposions dans notre ouvrage, ce qui a pu entraîner dans la rédaction certaines gaucheries qui, croyons-nous, étaient inévitables. D'autre part, nous avons, autant que cela était possible, éliminé les définitions par synonymes qui encombrent les meilleurs ouvrages lexicographiques. Enfin, nous avons, dans la plupart des cas, défini indépendamment les mots d'une même famille (1)*; nous n'insistons pas sur les difficultés que présentent de telles définitions; leur avantage est que la lumière projetée isolément sur chacun des mots d'une même famille permet un éclairage plus complet et plus efficace de l'ensemble.*

•

Pour le sens des mots, nous avons essayé d'adopter un classement partant du sens étymologique : c'est le seul classement présentant un caractère objectif, et il offre des mérites didactiques

(1) Par exemple, nous essayons de définir *abriter* sans mentionner le mot *abri*. Et dans la définition de ce dernier mot, la forme *abriter* ne figure pas.

qui nous ont entraînés à l'adopter de préférence à tout autre. En ce qui concerne les verbes, nous avons commencé par le sens transitif, pour passer à l'intransitif et au pronominal (nous n'avons d'ailleurs mentionné l'existence de celui-ci que lorsque sa signification était différente). Pour les mots qui existent à la fois sous la forme d'un nom et d'un adjectif, nous avons commencé par ce dernier.

Mais le mot n'existe que dans un contexte; plus qu'un recueil de définitions, un dictionnaire doit être un répertoire d'exemples. Ceux que nous fournissons sont empruntés soit à la langue parlée, soit à une langue écrite de style familier, soit encore à une langue plus élaborée, celle que l'on trouve dans un article de journal rédigé simplement. Nous nous sommes efforcés d'apporter des exemples assez explicites pour éclairer véritablement le sens du mot précédemment indiqué et pour servir éventuellement de base à des exercices de vocabulaire; nous avons ainsi été entraînés à repousser les exemples trop courts. Un petit nombre de mots se trouvent définis sans exemple : ce sont des mots (termes grammaticaux, par ex.) dont nous avions besoin pour en définir d'autres, ou bien des termes que nous aurions pu éliminer sans trop de dommage de notre vocabulaire, mais que nous avons gardés pour différentes raisons.

Les indications grammaticales qui figurent dans notre ouvrage n'appelleront que peu de remarques; un lexique ne saurait d'ailleurs se substituer à un ouvrage de grammaire; indiquons seulement que nous n'avons classé comme transitifs que les verbes qui ont un complément d'objet direct; nous ne pouvions, en effet, dans un dictionnaire comme celui-ci, faire appel à la notion de « transitif indirect ». En ce qui concerne la conjugaison des verbes, ceux qui présentent des irrégularités font l'objet d'une mention qui renvoie à un certain nombre de verbes types dont la conjugaison figure à la fin de l'ouvrage. Cette disposition nous a permis de ne pas encombrer nos colonnes de conjugaisons qui, dans beaucoup de dictionnaires, gênent la lecture des articles proprement dits.

Nons avons fait figurer dans notre ouvrage la prononciation des mots transcrite au moyen de l'alphabet phonétique international.

Dans le cas où plusieurs prononciations du même mot sont possibles, nous avons indiqué celle qui nous a semblé la plus répandue dans les milieux cultivés.

•

J'ai l'agréable devoir de remercier ici mes jeunes collaborateurs des Cours de civilisation française : Mlles TORRÈS, BARANGER et MERCIER, ainsi que M. FILLIOLET ; ils ont travaillé avec un courage, une intelligence et un esprit d'équipe auxquels je me plais à rendre hommage.

Georges MATORÉ

Correspondance des signes phonétiques.

[i]	n*i*d	[p]	*p*ont
[e]	n*ez*	[b]	*b*on
[ɛ]	n*et*	[t]	*t*on
[a]	s*a*c	[d]	*d*ont
[ɑ]	t*as*	[k]	*c*ar
[ɔ]	f*o*rt	[g]	*g*are
[o]	f*aux*	[f]	*f*il
[u]	f*ou*	[v]	*v*ille
[y]	v*ue*	[s]	*s*ur
[œ]	s*œu*r	[z]	cau*s*e
[ə]	c*e*	[ʃ]	*ch*at
[ø]	c*eux*	[ʒ]	â*g*e
[ɛ̃]	b*ain*	[m]	po*mm*e
[ɔ̃]	b*on*	[n]	so*nn*e
[ɑ̃]	b*anc*	[ɲ]	pei*gn*e
[œ̃]	br*un*	[l]	*l*ent
		[r]	*r*ang

[j] n*i*er [w] n*oi*x [ɥ] n*u*it

à [a] prép. Indique un mouvement ou une orientation vers quelque chose ou quelqu'un : **1.** Le lieu où l'on va : *Je vais à Paris;* **2.** Par ext., une situation dans l'espace : *Je suis à la campagne. Hier, elle est restée toute la journée à la maison;* **3.** Une situation dans le temps : *Le train part à 20 heures. Le dentiste m'a donné un rendez-vous à 5 heures;* **4.** La destination : *Il a offert un livre à sa sœur. Comme il s'était perdu, il dut demander son chemin à un passant.* **5.** La possession : *A qui est ce livre? — Il est à moi;* **6.** L'orientation : *Cette ville est située à l'est de Paris. Il pense souvent à sa famille et à son pays;* **7.** La fonction d'un objet : *Une tasse à thé. Une machine à laver. Une machine à écrire;* **8.** La caractéristique : *Un moulin à vent. Un bateau à voiles. Un enfant aux yeux bleus;* **9.** Le moyen : *Nous avons parcouru 10 kilomètres à pied.*

abaisser [abɛse] v. tr. Faire descendre : *J'ai abaissé le rideau pour me protéger du soleil.*

abandon [abɑ̃dɔ̃] n. m. Action de laisser complètement : *L'abandon de famille est un crime.* ★ *A l'abandon,* laissé sans soins : *Cette maison est à l'abandon, elle tombe en ruine.*

abandonner [abɑ̃dɔne] v. tr. Laisser au pouvoir de quelqu'un ou de quelque chose : *La ville fut abandonnée aux ennemis.* ★ Quitter pour toujours : *Il abandonna son village et ses parents pour habiter en ville.*

abattre [abatr] v. tr. (Se conj. comme *battre.*) Faire tomber ce qui était debout : *Il abattit l'arbre à coups de hache.* ★ FIG. Diminuer les forces physiques ou morales : *Nous l'avons trouvé très abattu par la mort de son père.*

abbé [abe] n. m. Se dit, en général, de tout prêtre catholique : *Il faut demander à M. l'abbé de baptiser notre enfant.*

abeille [abɛj] n. f. Insecte qui produit le miel et la cire : *En cueillant*

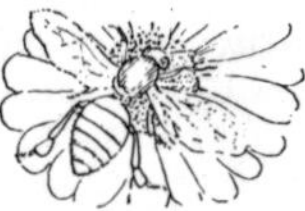

des fleurs, l'enfant a été piqué par une abeille.

abîmer [abime] v. tr. Mettre en mauvais état : *L'orage a abîmé le toit de la maison.*

abolition [abɔlisjɔ̃] n. f. Action de supprimer pour toujours : *Beaucoup de gens réclament aujourd'hui l'abolition de la peine de mort.*

abondance [abɔ̃dɑ̃s] n. f. Grande quantité : *Les pêcheurs étaient heureux de l'abondance du poisson.* ★ Richesse économique : *Certains pays vivent dans l'abondance, d'autres dans la pauvreté.*

abondant, e [abɔ̃dɑ̃, ɑ̃t] adj. Qui existe en grande quantité : *Il y a eu cette année une abondante récolte de blé.* ■ **Abondamment** adv.

abonnement [abɔnmɑ̃] n. m. Sorte de contrat qui assure un certain service pour un temps limité, et parfois à prix réduit : *J'ai pris un abonnement de six mois à ce journal.*

abord (d') [dabɔr] adv. Pour commencer : *Avant de prendre le train, il faut d'abord acheter un billet.*

aborder [abɔrde] v. tr. S'approcher d'une autre personne pour lui parler : *Un passant m'a abordé pour me demander son chemin.* ★ Commencer l'étude d'un problème : *La Chambre abordera demain l'examen du budget.* ■ V. intr. En parlant d'un bateau, toucher terre : *La barque traversa le fleuve et aborda sur l'autre rive.*

aboutir [abutir] v. intr. Toucher par un bout : *Les grandes lignes de chemin de fer français aboutissent à Paris.* ★ Avoir pour résultat : *Les négociations ont abouti à la signature d'un accord.*

aboyer [abwaje] v. intr. (Se conj. comme *payer.*) Faire entendre sa voix, en parlant d'un chien : *Le chien aboie quand les visiteurs entrent.*

abréger [abreʒe] v. tr. (voir tableau p. 354). Rendre plus court : *Il a abrégé ses vacances, à cause du mauvais temps.*

abréviation [abrevjasjɔ̃] n. f. Suppression de certaines lettres dans un mot ou dans un groupe de mots : *L'abréviation du mot « exemple » est « ex. ».*

abri [abri] n. m. Lieu où l'on ne peut pas être atteint : *Les ports offrent un abri aux bateaux.* ■ LOC. PRÉP. *A l'abri de,* dans un endroit qui protège du vent, du froid, etc. : *Le fermier a mis sa récolte à l'abri de la pluie.*

abriter [abrite] v. tr. Protéger (de quelque chose) : *Les arbres abritent la maison des vents du nord.* ■ **S'abriter** v. pron. Se mettre à l'abri : *Quand il pleut, je m'abrite sous un parapluie.*

absence [apsɑ̃s] n. f. Fait de ne pas être présent dans un certain lieu : *Pour les gens qui s'aiment, l'absence est le plus grand des maux.* ★ Temps pendant lequel on ne se trouve pas dans un lieu : *Le chien garde la maison pendant l'absence de son maître.*

absent, e [apsɑ̃, ɑ̃t] adj. Qui ne se trouve pas dans un certain lieu : *Elle était absente de chez elle quand son amie est venue la voir.*

absolu, e [apsɔly] adj. Complet et sans limites : *Dans une monarchie absolue, le roi exerce seul le pouvoir.* ■ **Absolument** adv.

absorber [apsɔrbe] v. tr. Laisser pénétrer : *La terre absorbe l'eau de pluie.* ★ Boire ou manger : *Vous absorberez ce cachet avec un peu d'eau.* ★ Occuper entièrement : *La lecture de ce roman policier absorbe complètement son attention.*

abstenir (s') [sapstənir] v. pron. (Se conj. comme *tenir.*) Se refuser à faire quelque chose : *Abstenez-vous de boire de l'alcool, votre santé ne vous le permet pas.*

abstraction [apstraksjɔ̃] n. f. Action de considérer à part un des éléments d'une chose en écartant les autres, jugés inutiles. ★ *Faire abstraction d'une chose,* ne pas en tenir compte : *Si l'on fait abstraction du prix, il n'y a rien à reprocher à cette voiture.* ★ Résultat de cette action, idée abstraite.

abstrait, e [apstrɛ, ɛt] adj. Qui ne peut être connu par les sens : *L'éternité est une notion abstraite.*

absurde [apsyrd] adj. Contraire à la raison : *Il est absurde de négliger sa santé.*

abus [aby] n. m. Usage exagéré ou mauvais : *L'abus du tabac empoisonne l'organisme.*

abuser [abyze] v. intr. User mal, ou trop, de quelque chose : *Il est tombé malade, car il a abusé de ses forces.*

accabler [akable] v. tr. Charger quelqu'un d'un poids trop lourd : *La maladie et les soucis l'accablent.*

accéder [aksede] v. intr. (Se conj. comme *céder.*) Parvenir à un lieu : *On accède au sommet de la colline par un petit chemin.* ★ Parvenir à une situation : *Ses qualités intellectuelles* *lui ont permis d'accéder à un emploi important.*

accélérer [akselere] v. tr. (Se conj. comme *céder.*) Rendre plus rapide : *La course à pied accélère les battements du cœur.* ■ V. intr. Aller plus vite : *Le coureur accéléra à 50 mètres du but.*

accent [aksɑ̃] n. m. Elévation de la voix sur la voyelle d'un mot. ★ Prononciation particulière à un groupe de gens : *Cet étranger prononce le français sans accent.* ★ Signe qui se met sur une voyelle et en modifie quelquefois le son : *Il y a trois sortes d'accents en français : l'accent aigu* (´), *l'accent grave* (`) *et l'accent circonflexe* (^).

accepter [aksɛpte] v. tr. Recevoir ce qui est proposé : *Elle accepta avec plaisir la tasse de café qu'on lui offrait.* ★ *Accepter de* (+ infinitif), consentir à ce qui est proposé : *Il accepte d'aller au bord de la mer pour les grandes vacances.*

accès [aksɛ] n. m. Possibilité d'approcher : *En hiver, la neige interdit souvent l'accès des villages de montagne.* ★ Brusque apparition d'un mal ou d'un sentiment : *Ma femme a certainement la grippe, car elle a eu ce matin un accès de fièvre.*

accident [aksidɑ̃] n. m. Evénement malheureux qu'on ne pouvait pas prévoir : *Il a été victime d'un accident de voiture.*

acclamation [aklamasjɔ̃] n. f. Cri de joie, d'admiration, etc., que pousse une foule ou une assemblée : *A la fin du concert, le pianiste fut salué par les acclamations du public.*

acclamer [aklame] v. tr. Accueillir par des acclamations : *Les spectateurs acclamèrent le champion.*

accompagner [akɔ̃paɲe] v. tr. Aller avec quelqu'un : *Jacques accompagne sa petite sœur à l'école.*

accomplir [akɔ̃plir] v. tr. Faire une action jusqu'au bout : *Quelles que soient les circonstances, vous devez accomplir votre devoir.*

accord [akɔr] n. m. Union qui est le résultat d'une manière commune de sentir ou de penser entre plusieurs personnes : *L'accord ne règne pas dans cette maison : le mari et la femme se disputent souvent.* ★ Relation entre des couleurs, des sons, etc. ★ Décision prise en commun, après discussion : *Des accords internationaux fixent le prix de l'or.* ★ *Se mettre d'accord, tomber d'accord,* décider en commun : *Ils sont tombés d'accord pour partir ensemble en voyage.* ★ GRAMM. Correspondance entre des mots qui varient l'un par rapport à l'autre : *On fait l'accord du verbe avec le sujet.*

accorder [akɔrde] v. tr. Céder une chose après réflexion : *J'ai accordé à ce garçon la main de ma fille.* ★ GRAMM. Faire l'accord d'un mot avec un autre : *Il faut accorder l'adjectif avec le nom.*

accoucher [akuʃe] v. intr. Donner naissance à un enfant.

accourir [akurir] v. intr. (Se conj. comme *courir.*) Venir très vite : *Les enfants ont accouru pour voir passer les soldats.*

accrocher [akrɔʃe] v. tr. Suspendre à quelque chose : *Accroche ce tableau au mur.*

accroissement [akrwasmɑ̃] n. m. Augmentation qui progresse : *L'accroissement de la population dans le monde pose des problèmes de ravitaillement.*

accueil [akœj] n. m. Manière de recevoir quelqu'un : *Les hôtels de la région offrent un accueil confortable aux voyageurs.*

accueillir [akœjir] v. tr. (Se conj. comme *cueillir.*) Recevoir une personne qui arrive : *Il est allé à la gare* *accueillir sa famille.* ★ FIG. Manifester ses sentiments en apprenant une nouvelle, une décision, etc. : *Le peuple accueillit avec joie la nouvelle de la signature de la paix.*

accumuler [akymyle] v. tr. Amasser, souvent dans l'intention de constituer une réserve : *Les habitants du village ont accumulé du bois en prévision de l'hiver.*

accusation [akyzasjɔ̃] n. f. Fait d'affirmer que quelqu'un est coupable.

accuser [akyze] v. tr. Dire qu'une personne est coupable : *On accuse l'enfant d'avoir mangé tous les bonbons.*

acharner (s') [saʃarne] v. pron. Faire une chose avec beaucoup de passion : *Au cours de la chasse, les chiens s'acharnèrent à poursuivre le loup.*

achat [aʃa] n. m. Action d'acquérir un objet en échange d'argent : *Il a fait des économies pour l'achat d'une voiture. Elle fait tous les jours des achats dans les grands magasins.* ★ Objet acheté.

acheter [aʃte] v. tr. (Se conj. comme *mener.*) Obtenir en donnant de l'argent : *On achète du pain chez le boulanger.*

achever [aʃve] v. tr. (Se conj. comme *mener.*) Mener jusqu'à la fin ce qu'on a commencé : *Il est resté jusqu'à minuit pour achever son travail.* ★ Tuer une personne ou un animal déjà blessé : *Le chasseur ramassa l'oiseau et l'acheva.*

acide [asid] adj. Qui a un goût piquant : *Le citron a un goût acide, même quand il est mûr.* ■ N. m. Substance qui attaque de nombreux corps, et en particulier les métaux.

acier [asje] n. m. Métal obtenu par fusion du fer avec du charbon pur : *L'acier est utilisé pour la fabrication des rails.*

acompte [akɔ̃t] n. m. Partie d'une somme que l'on donne ou que l'on reçoit avant le reste : *Je lui ai versé cent francs d'acompte et il a fait livrer l'appareil chez moi.*

acquérir [akerir] v. tr. (voir tableau p. 354). Obtenir la possession d'une chose en échange d'argent, de travail, etc. : *Il a acquis la villa pour en faire une pension de famille.*

acquitter [akite] v. tr. Déclarer par jugement un accusé non coupable : *Quand un accusé est acquitté, on le remet en liberté.* ■ **S'acquitter de** v. pron. Faire ce que l'on doit : *On lui a donné un travail difficile et il s'en est bien acquitté.*

acte [akt] n. m. Action décidée par la volonté : *Voler est un acte malhonnête.* ★ Papier écrit qui donne à un fait la garantie de la loi : *Nous signerons l'acte de vente chez mon notaire.* ★ Une des grandes divisions d'une pièce de théâtre : *Les tragédies classiques françaises sont des pièces en cinq actes.*

acteur, trice [aktœr, tris] n. Personne qui joue dans une pièce de théâtre ou dans un film : *Les acteurs sont revenus saluer à la fin de la pièce.*

actif, ive [aktif, iv] adj. Se dit d'une personne ou d'une chose qui montre de l'activité : *Ce grand port est un centre de commerce actif.* ★ GRAMM. *Forme active,* se dit du verbe lorsque le sujet fait l'action. ■ **Activement** adv.

action [aksjɔ̃] n. f. Manifestation d'une force ou d'une volonté : *Les bateaux à voiles se déplacent sous l'action du vent.* ★ Part, dans une entreprise financière ou commerciale : *Cet homme d'affaires possède la majorité des actions d'une société de transports.*

activité [aktivite] n. f. Force qui pousse à agir : *Les enfants en bonne santé sont pleins d'activité.* ★ Manifestation concrète de cette force : *Une grave maladie a obligé l'ingénieur à interrompre son activité.*

actualité [aktɥalite] n. f. Ensemble des événements qui viennent d'arriver : *Un journaliste doit suivre l'actualité.* ★ *Les actualités* n. f. pl. Reportage filmé des événements récents (politiques, sportifs, etc.).

actuel, elle [aktɥɛl] adj. Qui se place dans le moment où l'on parle : *Les vieillards critiquent souvent les modes actuelles.* ■ **Actuellement** adv.

adapter [adapte] v. tr. Agir pour que deux choses différentes puissent correspondre : *Il faut adapter les moyens au but.* ★ Transformer un ouvrage en pièce de théâtre ou en film : *On a adapté ce roman pour en faire un film.* ■ **S'adapter** v. pron. Se mettre en accord avec quelque chose : *Il est nécessaire de s'adapter aux circonstances.*

addition [adisjɔ̃] n. f. Opération par laquelle on ajoute : *L'addition de deux et deux donne quatre.* ★ Note ou texte ajoutés à ce qui a déjà été écrit. ★ *L'addition,* ce que l'on doit payer au restaurant ou au café : *A la fin du repas, le garçon présente l'addition au client.*

adhérer [adere] v. intr. (Se conj. comme *céder.*) Faire corps avec : *L'affiche adhère au mur.* ★ Etre inscrit à un parti : *J'ai adhéré au parti socialiste il y a dix ans.*

adieu [adjø] interj. Formule de politesse employée quand on quitte une personne pour toujours ou pour longtemps.

adjectif [adʒɛktif] n. m. GRAMM. Mot que l'on joint au nom, pour compléter l'idée qu'il exprime : *Dans la phrase : « Le cheval est blanc », blanc est un adjectif.*

adjoint, e [adʒwɛ̃, ɛ̃t] n. Personne placée auprès d'une autre pour l'assister dans ses fonctions : *Aujourd'hui, c'est l'adjoint du directeur qui signera le courrier.* ★ Conseiller municipal qui peut remplacer le maire. ■ Adj. : *Il a été engagé comme directeur adjoint.*

admettre [admɛtr] v. tr. (Se conj. comme *mettre.*) Considérer une chose comme vraie ou possible : *J'admets l'existence de Dieu.* ★ Accepter quelqu'un dans un groupe : *J'ai été admis à suivre les cours de français à l'université.*

administrateur [administratœr] n. m. Personne qui fait fonctionner une administration ou une affaire privée : *Le maire est l'administrateur de la commune.*

administratif, ive [administratif, iv] adj. Qui concerne l'administration : *Le règlement administratif de l'usine interdit qu'on la visite sans autorisation.*

administration [administrasjɔ̃] n. f. Action d'administrer : *Le préfet est chargé de l'administration d'un département.* ★ Organisme officiel qui fait fonctionner un service : *Il a passé un concours pour entrer dans l'administration des Finances.*

administrer [administre] v. tr. Assurer la marche d'un organisme industriel, commercial, politique, etc. : *Il est incapable d'administrer à lui seul une aussi grosse affaire.*

admirable [admirabl] adj. Qui provoque l'admiration : *Les tableaux de Renoir sont admirables.* ■ **Admirablement** adv.

admirateur, trice [admiratœr, tris] n. Personne qui admire : *L'acteur a été acclamé par ses admiratrices.*

admiration [admirasjɔ̃] n. f. Etonnement mêlé de plaisir et de respect qu'on ressent en présence du beau ou du bien.

admirer [admire] v. tr. Eprouver ou manifester de l'admiration : *Tous les touristes admirent Notre-Dame de Paris.*

admission [admisjɔ̃] n. f. Fait d'être accepté dans un lieu ou dans un groupe : *L'admission aux grandes écoles françaises est très difficile.*

adolescence [adɔlɛsɑ̃s] n. f. Période de la vie humaine située entre l'enfance et l'âge adulte : *L'adolescence est un âge difficile.*

adolescent, e [adɔlɛsɑ̃, ɑ̃t] n. Qui se trouve dans l'adolescence : *Le service de l'hygiène scolaire surveille la santé des adolescents.*

adopter [adɔpte] v. tr. Faire entrer légalement dans sa famille un enfant venu d'ailleurs : *Après la mort de ses parents, l'enfant fut adopté par une voisine.* ★ Choisir de préférence ou finir par accepter : *Les savants d'autrefois avaient adopté le latin pour correspondre entre eux. Je n'adopte pas votre manière de voir en cette affaire.*

adoucir [adusir] v. tr. Rendre plus doux : *On dit que la musique adoucit les mœurs.*

adresse [adrɛs] n. f. Ensemble des indications le plus souvent écrites sur l'enveloppe d'une lettre ou d'un paquet, et permettant de trouver le domicile d'une personne : *Le facteur porta le paquet à l'adresse indiquée.* ★ Habileté manuelle : *Il a réparé l'horloge avec beaucoup d'adresse.*

adresser [adrɛse] v. tr. Envoyer (généralement par la poste) un paquet, une lettre, etc. : *Je lui ai adressé une convocation, il devrait être là.*

adroit, e [adrwa, at] adj. Qui a de l'adresse : *Il faut être adroit pour jouer au tennis.* ■ **Adroitement** adv.

adulte [adylt] adj. Qui est parvenu à l'âge où l'on ne grandit plus : *L'homme est adulte aux environs de vingt ans.* ■ N. Personne qui est parvenue à l'âge adulte.

adverbe [advɛrb] n. m. GRAMM. Mot invariable qui modifie le sens d'un verbe, d'un adjectif ou d'un autre adverbe : *Beaucoup d'adverbes français se terminent en « ment ».*

adversaire [advɛrsɛr] n. Personne contre qui on lutte : *Le boxeur frappa son adversaire au menton.*

aérien, enne [aerjɛ̃, ɛn] adj. Qui se passe dans l'air. ★ Qui concerne l'aviation : *La navigation aérienne devient tous les jours plus rapide.* ★ *Ligne aérienne,* trajet déterminé que font à date fixe les avions commerciaux.

aéroport [aerɔpɔr] n. m. Ensemble des installations nécessaires au fonctionnement régulier des lignes aériennes : *Hier, j'ai pris l'avion pour New York à l'aéroport de Paris-Orly.*

affaiblir [afɛblir] v. tr. Rendre moins fort : *Le malade était affaibli par la fièvre.*

affaire [afɛr] n. f. Ce que l'on a à faire : *Réparer les chaussures est l'affaire du cordonnier.* ★ Pl. Ensemble des choses qui appartiennent à une personne (linge, objets de toilette, livres, etc.) : *Je n'avais pas assez de place dans ma valise et j'ai laissé la moitié de mes affaires à la maison.* ★ Entreprise commerciale ou financière : *Mon ami est comptable dans une affaire d'alimentation.* ★ Pl. Activités commerciales et financières : *Les affaires sont en pleine prospérité.* ★ *Faire une affaire,* vendre ou acheter à bon compte : *J'ai fait une affaire en achetant cette voiture.*

affection [afɛksjɔ̃] n. f. Sentiment qui vous attache à quelqu'un : *Les parents ont de l'affection pour leurs enfants.*

affectueux, euse [afɛktɥø, øz] adj. Qui montre de l'affection : *Cet* *enfant n'est pas très affectueux et il embrasse rarement ses parents.* ■ **Affectueusement** adv.

affiche [afiʃ] n. f. Avis destiné au public, imprimé, écrit ou illustré sur une feuille de papier que l'on colle sur un mur : *La publicité est souvent faite au moyen d'affiches.*

afficher [afiʃe] v. tr. Annoncer par affiche : *L'employé de la gare a affiché le nouvel horaire des trains.*

affirmation [afirmasjɔ̃] n. f. Opinion exprimée d'une manière qui écarte toute discussion : *Ses affirmations avaient fini par me convaincre que je m'étais trompé.*

affirmer [afirme] v. tr. Dire d'une manière qui écarte toute discussion : *Je vous affirme que vous avez tort de partir.*

affliger [afliʒe] v. tr. (Se conj. comme *manger.*) Causer des souffrances physiques ou morales : *Elle a été très affligée par la mort de son oncle.*

affoler [afɔle] v. tr. Faire perdre son sang-froid : *Affolé par l'orage, le cheval renversa son cavalier.*

affreux, euse [afrø, øz] adj. Qui est très laid ou très pénible : *Ce portrait est affreux. En entendant l'explosion, j'ai eu une peur affreuse.* ■ **Affreusement** adv.

affronter [afrɔ̃te] v. tr. Combattre avec courage : *Les pompiers ont dû affronter les flammes pour sauver l'enfant resté dans la maison.*

afin [afɛ̃]. *Afin de,* loc. prépos. (suivie de l'infinitif), *afin que,* loc. conj. (suivie du subjonctif), indiquent le but à atteindre : *Il travaille beaucoup afin d'obtenir de bonnes notes en classe. Les cultivateurs emploient des engrais afin que leurs récoltes soient bonnes.*

agacer [agase] v. tr. (Se conj. comme *annoncer.*) Irriter légèrement le corps ou l'esprit : *Il joue très mal du violon, et il agace ses voisins.*

âge [ɑʒ] n. m. Temps écoulé depuis la naissance : *A six ans, les enfants ont l'âge d'aller en classe.* ★ *Le Moyen Age,* période de l'histoire de l'Europe allant de la prise de Rome par les Barbares à la prise de Constantinople par les Turcs (395-1453).

âgé, e [ɑʒe] adj. Qui a un âge déterminé : *Les enfants âgés de moins de quatre ans voyagent gratuitement en chemin de fer.* ★ Qui a l'âge d'un vieillard : *Les personnes âgées ne devraient pas être obligées de travailler.*

agence [aʒɑ̃s] n. f. Organisme commercial qui facilite à ses clients certaines affaires : *Adressez-vous à une agence de voyages pour réserver votre place dans l'avion.*

agent [aʒɑ̃] n. m. Personne qui agit au nom de quelqu'un : *Cette société a des agents dans plusieurs pays.* ★ Fonctionnaire en uniforme, chargé de maintenir l'ordre public dans une ville : *Les agents règlent la circulation avec leur bâton blanc.*

aggraver [agrave] v. tr. Rendre plus grave, plus pénible à supporter : *Si vous continuez à mentir, vous allez aggraver votre cas.*

agile [aʒil] adj. Qui a des mouvements rapides, souples et précis : *Le chat est un animal très agile.*

agir [aʒir] v. intr. Exécuter une ou plusieurs actions : *Vous avez agi avec intelligence dans cette affaire.* ■ V. impers. *Il s'agit de,* il est question de : *Dans cette affaire, il s'agit des intérêts du pays.*

agitation [aʒitasjɔ̃] n. f. Activité qui donne une impression de désordre : *Avant le départ du bateau, une grande agitation règne sur le quai.*

agiter [aʒite] v. tr. Remuer en tous sens : *Le vent agite les feuilles des* *arbres.* ★ Exciter quelqu'un pour ou contre quelque chose : *Les habitants de ce pays sont agités par la propagande révolutionnaire.*

agrandir [agrɑ̃dir] v. tr. Rendre plus grand : *Il a agrandi sa propriété en achetant le pré voisin.*

agréable [agreabl] adj. Qui plaît à voir, à entendre, à faire, etc. : *J'ai fait ce matin une promenade très agréable dans la forêt. Cette dame est charmante et elle a une conversation agréable.* ■ **Agréablement** adv.

agréer [agree] v. tr. (employé surtout dans les formules de politesse). Accepter comme étant agréable : *Veuillez agréer, Monsieur, l'expression de mes sentiments les meilleurs.*

agricole [agrikɔl] adj. Qui a rapport à la culture de la terre : *L'emploi des machines agricoles facilite le travail des paysans.* ★ Qui s'occupe de l'agriculture : *Le Danemark est un pays agricole.*

agriculteur [agrikyltœr] n. m. Personne qui cultive ou fait cultiver des terrains de dimensions importantes.

agriculture [agrikyltyr] n. f. Culture du sol : *Les engrais ont fait faire de grands progrès à l'agriculture.*

aide [ɛd] n. f. Action d'aider quelqu'un : *J'ai besoin de ton aide pour payer mes dettes.* ■ N. Personne qui aide : *Le cuisinier a pris un aide pour préparer le repas de noces.*

aider [ɛde] v. tr. Mettre ses forces au service d'une personne qui en a besoin : *Comme mes valises étaient lourdes, il m'a aidé à les porter jusqu'à la gare.*

aigre [ɛgr] adj. Qui a un goût désagréable et piquant : *Le vin qui n'est pas bouché prend vite un goût aigre.*

aigu, ë [ɛgy] adj. Qui se termine en pointe. ★ *Accent aigu,* V. ACCENT. ★ FIG. Se dit d'un son qui donne l'impression de percer l'oreille : *Les enfants qui jouent poussent des cris aigus.*

aiguille [ɛgɥij] n. f. Pointe d'acier qui sert à coudre, à tricoter, à faire

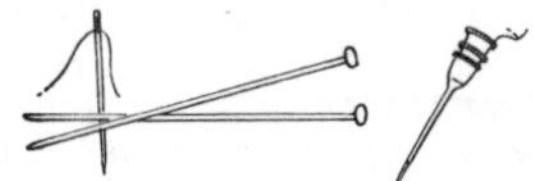

pénétrer un liquide sous la peau, etc. : *On coud généralement avec du fil et une aiguille.*

aile [ɛl] n. f. Membre qui sert à voler (oiseaux, insectes). Se dit aussi pour

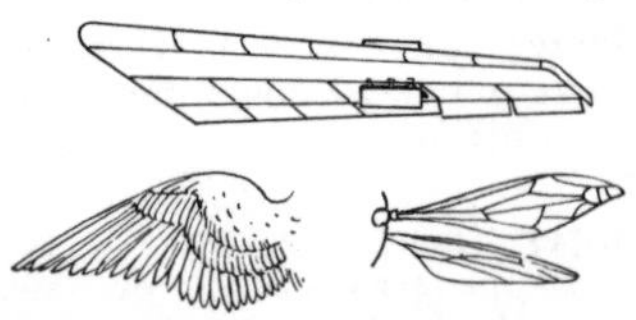

les avions, les moulins, etc. : *En atterrissant, l'avion brisa une de ses ailes. L'oiseau battait des ailes.*

ailleurs [ajœr] adv. Dans un autre lieu : *Je voulais aller à Paris, mais j'irai ailleurs.* ★ *D'ailleurs,* d'autre part : *Il fait trop froid pour sortir; d'ailleurs, je suis malade.*

aimable [ɛmabl] adj. Qui agit d'une manière agréable : *La vendeuse de ce magasin est très aimable.* ■ **Aimablement** adv.

aimer [ɛme] v. tr. Etre attiré par quelqu'un ou quelque chose. ★ Avoir de l'amour pour une personne du sexe opposé : *Mon frère aimait sa femme avec passion.* ★ Avoir une affection vive : *Il est très rare de voir une mère qui n'aime pas ses enfants.* ★ *Aimer bien, aimer beaucoup* (en parlant d'une personne), avoir de l'amitié : *La secrétaire aime beaucoup sa collègue.* ★ Avoir du goût pour quelque chose : *Je n'aime absolument pas le* *jazz, mais j'aime beaucoup la musique d'opéra.*

aîné, e [ɛne] n. Le plus âgé des enfants d'une famille : *L'aînée de mes filles est née cinq ans avant la plus jeune.* ■ Adj. : *Mon fils aîné est rentré hier.*

ainsi [ɛ̃si] adv. De cette manière : *En écrivant ainsi, vous faites une faute.*

air [ɛr] n. m. Mélange des gaz de l'atmosphère : *L'air de la campagne est plus pur que celui des villes.* ★ *Courant d'air,* air en mouvement. ★ *Avoir l'air,* paraître : *Il avait l'air de chercher quelque chose.* ★ Suite de sons de caractère musical.

ajouter [aʒute] v. tr. Joindre une chose à une autre qui était déjà là : *J'ai fait ajouter dix litres d'essence pour remplir le réservoir de la voiture.* ★ FIG. Dire en plus : *Il nous raconta son voyage, et il ajouta qu'il était heureux d'être rentré.*

alarme [alarm] n. f. Signal qui annonce un danger prochain : *Si vous tirez le signal d'alarme, le train s'arrête.*

alcool [alkɔl] n. m. Liquide obtenu à partir du vin ou de certaines plantes : *La vente de l'alcool est réglementée.*

alcoolique [alkɔlik] adj. Qui contient de l'alcool : *La bière et le vin sont des boissons alcooliques.* ★ Qui ruine sa santé en buvant trop d'alcool : *Il y a des gens qui sont alcooliques sans le savoir.* ■ N. Personne que l'abus de l'alcool a rendue malade : *On soigne les alcooliques dans les hôpitaux.*

alerte [alɛrt] n. f. Ce qui signale l'approche d'un danger : *Quand il entendit du bruit, le gardien donna l'alerte.*

algèbre [alʒɛbr] n. f. Sorte de calcul qui utilise des lettres à la place de certains nombres.

aligner [aliɲe] v. tr. Mettre sur une ligne droite : *Les élèves alignèrent les chaises le long du mur.*

aliment [alimɑ̃] n. m. Tout ce qui sert de nourriture : *Le pain est, en France, un des principaux aliments.*

alimentation [alimɑ̃tasjɔ̃] n. f. Action de nourrir : *L'alimentation des bébés se compose surtout de lait et de farine.*

alimenter [alimɑ̃te] v. tr. Fournir de la nourriture : *Vous alimenterez le malade au bouillon de légumes.*

allée [ale] n. f. Chemin tracé dans un jardin ou dans un bois : *Les enfants courent dans les allées du parc.*

aller [ale] v. intr. (voir tableau p. 354). Suivre une direction déterminée : *Ce train va de Paris à Rome. Cette route va de Paris à Orléans.* ★ *Aller et venir,* aller dans une direction, et revenir aussitôt à son point de départ : *Ce sont toujours les mêmes voitures qui vont et viennent sur une ligne de métro.* ★ Se porter (employé dans les formules de politesse) : *Comment vas-tu?* ★ En parlant d'un organisme, ou d'un mécanisme, fonctionner. ★ En parlant des vêtements, être adapté à la personne qui les porte : *Mon manteau ne me va pas, il est trop long.* ★ GRAMM. Employé avec un infinitif, forme un futur proche : *Nous allons partir à dix heures et nous n'avons que vingt minutes pour faire nos bagages.* ■ **S'en aller** v. pron. Quitter un lieu : *Nous nous en allons pour te laisser dormir.*

alliage [aljaʒ] n. m. Mélange de plusieurs métaux fondus ensemble : *Le bronze est un alliage de cuivre, d'étain et de zinc.*

alliance [aljɑ̃s] n. f. Accord officiel par lequel plusieurs personnes ou plusieurs Etats unissent leurs forces dans une intention déterminée : *Un traité d'alliance a été conclu entre les deux pays.* ★ Anneau de métal précieux que portent les gens mariés : *Il acheta deux alliances la veille de son mariage.*

allié, e [alje] adj. Se dit d'un pays lié à un ou plusieurs autres par un traité d'alliance : *En 1939, l'Italie était alliée à l'Allemagne.*

allocation [alɔkasjɔ̃] n. f. Somme donnée par l'Etat, par la commune, etc., à des personnes déterminées, en raison de leur situation particulière : *Les ouvriers sans travail touchent une allocation de chômage.*

allonger [alɔ̃ʒe] v. tr. (Se conj. comme *manger.*) Rendre plus long : *Cet enfant a grandi, il faudra allonger son manteau.* ★ Etendre un membre : *L'enfant allongea le bras pour atteindre le bouton électrique.* ■ **S'allonger** v. pron. Se mettre dans la position horizontale : *Comme il était fatigué, il s'est allongé sur son lit.*

allumer [alyme] v. tr. Mettre le feu : *Allume le gaz et mets la casserole sur le feu.* ■ V. intr. Donner de la lumière : *Il fait sombre, il va falloir allumer.*

allumette [alymɛt] n. f. Petit morceau de bois long et mince, dont un bout prend feu quand on le frotte : *Donne-moi une allumette pour allumer ma pipe.*

allure [alyr] n. f. Manière d'aller : *Le train roulait à vive allure.* ★ Façon de marcher ou de se présenter : *J'ai refusé de le suivre, car son allure m'inquiétait.*

allusion [allyzjɔ̃] n. f. Mot ou phrase qu'on emploie pour donner l'idée d'une chose ou d'une personne qu'on ne nomme pas. ★ *Faire allusion à*, parler d'une personne ou d'une chose d'une manière vague : *De qui parles-tu? Je ne comprends pas à qui tu fais allusion.*

alors [alɔr] adv. A ce moment-là : *Alors la tour Eiffel n'était pas encore construite.* ★ En ce cas : *S'il ne répond pas à ma lettre, alors j'irai le voir.*

alphabet [alfabɛ] n. m. Liste de toutes les lettres d'une langue : *L'alphabet français compte vingt-six lettres, de A à Z.*

alpiniste [alpinist] n. Sportif qui cherche à atteindre le sommet des montagnes : *Après plusieurs heures de marche, les alpinistes parvinrent au sommet du mont Blanc.*

alternative [altɛrnativ] n. f. Possibilité de choisir entre deux solutions : *Partir ou rester, il n'y a pas d'autre alternative.*

altitude [altityd] n. f. Hauteur d'un lieu au-dessus du niveau de la mer : *Le sommet du mont Blanc est à 4 807 mètres d'altitude.*

aluminium [alyminjɔm] n. m. Métal blanc, très léger : *On utilise de plus en plus l'aluminium dans l'aviation.*

amabilité [amabilite] n. f. Manière d'agir aimable : *Il eut l'amabilité de me tenir la porte ouverte.*

amant [amɑ̃] n. m. Homme lié à une femme qu'il n'a pas épousée : *Il vient de se marier avec la femme dont il était l'amant depuis dix ans.*

amasser [amase] v. tr. Réunir en une masse : *A sa mort, on s'est aperçu qu'il avait amassé une grande fortune.*

amateur [amatœr] adj. Se dit d'une personne qui aime une chose : *Il a pris un abonnement dans une bibliothèque, car il est amateur de lecture.* ■ N. m. Personne qui aime une chose déterminée : *Le restaurant où nous dînerons demain est connu des amateurs de bonne cuisine.* ★ Personne qui fait par plaisir un travail dont d'autres font leur métier : *Avant de devenir professionnel, ce grand acteur a joué dans une troupe d'amateurs.*

ambassade [ɑ̃basad] n. f. Bâtiment où sont installés un ambassadeur et ses bureaux : *Il y a ce soir un grand bal à l'ambassade.* ★ L'ambassadeur et les diplomates qui l'accompagnent : *La France envoya une ambassade au Pérou.*

ambassadeur [ɑ̃basadœr] n. m. Personne qui représente son pays auprès d'un gouvernement étranger : *Le pape a reçu hier l'ambassadeur de France.*

ambitieux, euse [ɑ̃bisjø, øz] adj. Qui a de l'ambition : *Cet enfant est ambitieux, il réussira dans ses études.*

ambition [ɑ̃bisjɔ̃] n. f. Désir de s'élever au-dessus de sa situation actuelle : *Il travaille beaucoup les mathématiques, depuis qu'il a l'ambition de devenir ingénieur.*

ambulance [ɑ̃bylɑ̃s] n. f. Voiture qui sert à transporter les malades ou les blessés : *On a envoyé une ambulance sur les lieux de l'accident.*

âme [ɑm] n. f. Principe de vie : *On s'est demandé si les animaux avaient une âme.* ★ Partie de l'homme, de nature spirituelle, qui est unie au corps pendant la vie : *Beaucoup d'hommes croient que l'âme est immortelle.*

amélioration [ameljɔrasjɔ̃] n. f. Action de rendre meilleur : *Nous travaillons à l'amélioration de nos relations avec les pays voisins.* ★ Changement qui apporte quelque chose de meilleur : *L'amélioration de sa santé lui permet de s'occuper à nouveau de ses affaires.*

améliorer [ameljɔre] v. tr. Rendre meilleur.

aménager [amenaʒe] v. tr. (Se conj. comme *manger.*) Disposer un lieu en vue d'un meilleur usage : *On aménagea le grenier pour en faire une chambre.*

amende [amɑ̃d] n. f. Somme que l'on est condamné à payer en punition d'une faute : *Il eut une amende pour avoir campé sans autorisation dans une propriété privée.*

amener [amne] v. tr. (Se conj. comme *mener.*) Conduire avec soi d'un endroit à un autre : *Il amène souvent chez lui des amis à déjeuner.*

amer, ère [amɛr] adj. Dont le goût désagréable s'oppose à celui du sucre : *L'écorce d'orange amère est souvent utilisée en pharmacie.* ■ **Amèrement** adv.

amertume [amɛrtym] n. f. Goût de ce qui est amer : *L'amertume de l'eau de mer empêche qu'on ne la boive.* ★ FIG. Sentiment de regret ou de dégoût.

ami, e [ami] n. Personne avec qui l'on est lié par des sentiments d'amitié : *Je serais heureux d'avoir un ami à qui je puisse confier tous mes soucis.*

amical, e, aux [amikal, o] adj. Qui manifeste de l'amitié : *Le chef de service reçut aimablement les ouvriers et leur parla de manière très amicale.* ■ **Amicalement** adv.

amitié [amitje] n. f. Sentiment d'affection qui unit entre elles deux personnes qui ne sont pas de la même famille : *Il éprouve toujours une vive amitié pour cet ancien camarade de classe.*

amnistie [amnisti] n. f. Acte par lequel le pouvoir législatif efface certaines catégories de délits et de peines : *Ils vivent en exil et attendent une loi d'amnistie pour rentrer dans leur patrie.*

amour [amur] n. m. Affection profonde qui unit deux personnes de sexe différent : *L'éloignement n'a pas diminué la force de leur amour.* ★ Affection qui unit les membres d'une famille ou d'un même groupe : *En passant sa vie à soigner son enfant malade, elle a donné un bel exemple d'amour maternel.* ★ Goût vif pour les choses qui peuvent donner du plaisir : *Il obtint les plus hauts emplois, mais ce ne fut pas par amour du pouvoir.*

amoureux, euse [amurø, øz] adj. Se dit d'une personne qui éprouve de l'amour : *Louis XIV était alors fort amoureux de sa maîtresse.* ■ N. Personne qui éprouve de l'amour : *Les amoureux se tenaient par la main.*

amour-propre [amur-prɔpr] n. m. Sentiment de dignité que l'on éprouve à l'égard de soi-même : *En l'accusant d'avoir menti, j'ai blessé son amour-propre.*

ampoule [ɑ̃pul] n. f. Tube de verre dont on a fermé les deux extrémités et dans lequel on conserve certains médicaments : *L'infirmière cassa les extrémités de l'ampoule pour en faire absorber le contenu au malade.* ★

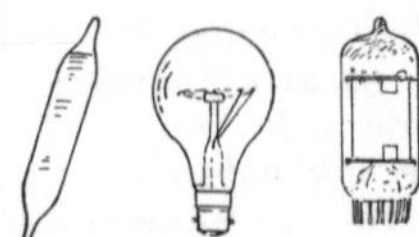

Enveloppe de verre à l'intérieur de laquelle un fil de métal produit de la lumière lorsqu'il est traversé par un courant électrique : *L'ampoule qui éclaire la cuisine ne donne pas assez de lumière; il faudra la remplacer.*

amputer [ɑ̃pyte] v. tr. Couper un membre à un être vivant, en se servant d'instruments de chirurgie : *On l'a amputé d'un bras à l'hôpital.*

amuser [amyze] v. tr. Occuper d'une manière agréable : *J'ai vu un film comique qui m'a beaucoup amusé. Sur la plage, les enfants s'amusaient à construire des châteaux de sable.*

an [ɑ̃] n. m. Suite de 365 jours : *Cet enfant a cinq ans.* ★ *Le nouvel an, le jour de l'an,* le premier janvier.

analyse [analiz] n. f. Opération par laquelle on sépare les uns des autres les éléments d'un tout pour en étudier la composition : *Si l'on fait l'analyse de son discours, on y trouve quatre parties.* ★ GRAMM. Etude de la nature et de la fonction des mots ou des propositions dans une phrase : *L'analyse logique permet de déterminer le nombre des propositions contenues dans une phrase; on étudie la nature et la fonction de chaque mot au moyen de l'analyse grammaticale.*

anarchie [anarʃi] n. f. Désordre qui se produit quand nul ne se fait plus obéir : *A la mort du roi, le pays tout entier tomba dans l'anarchie.*

ancêtres [ɑ̃sɛtr] n. m. plur. Hommes qui vivaient il y a très longtemps et dont on croit descendre : *Il est très fier de compter plusieurs hommes célèbres parmi ses ancêtres.*

ancien, enne [ɑ̃sjɛ̃, ɛn] adj. Qui existe depuis longtemps : *Elle n'aime que les meubles anciens.* ★ Qui existait il y a longtemps : *De toutes les langues anciennes, le latin est la plus connue.* ★ Qui n'exerce plus ses fonctions : *Nous avons rencontré l'ancien président de notre société.*

ancre [ɑ̃kr] n. f. Instrument de fer muni d'un câble, que l'on jette au fond

de l'eau pour fixer un bateau : *Le bateau jeta l'ancre dès son arrivée au port.*

âne, esse [ɑn, ɑnɛs] n. Animal domestique, sobre et résistant, plus

petit que le cheval et à longues oreilles droites.

anéantir [aneɑ̃tir] v. tr. Détruire de manière à ce qu'il ne reste rien : *La ville a été anéantie par un tremblement de terre.*

ange [ɑ̃ʒ] n. m. Esprit pur, intermédiaire entre Dieu et les hommes, et qu'on a l'habitude de représenter sous la figure d'un adolescent avec des ailes : *L'ange Gabriel vint annoncer à Marie qu'elle serait la mère du Christ.*

angle [ɑ̃gl] n. m. GÉOM. Figure formée par deux lignes droites qui par-

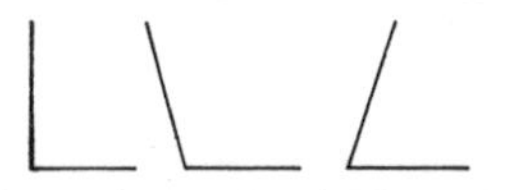

tent d'un même point. ★ Figure formée par la rencontre de deux ou plusieurs surfaces : *Il s'est cogné à un angle de la table.*

angoisse [ɑ̃gwas] n. f. Peur qui est accompagnée d'une sensation douloureuse : *Pendant le bombardement de la ville, l'angoisse lui serrait la gorge.*

animal, aux [animal, o] n. m. Etre vivant qui a la faculté de sentir, et qui peut se déplacer par lui-même : *Les animaux ne sont pas admis dans les magasins.*

animation [animasjɔ̃] n. f. Caractère de ce qui manifeste de la vie, du mouvement : *Quand les ouvriers sortent de l'usine, il y a beaucoup d'animation dans notre rue.*

animer [anime] v. tr. Donner de la vie, de l'intérêt : *A l'heure du déjeuner, la ville était peu animée.* ■ **S'animer** v. pron. Devenir plus vif : *Quand on se mit à parler politique, la conversation s'anima.*

anneau [ano] n. m. Petit cercle de métal ou de bois, qui sert à retenir quelque chose ou qui est utilisé comme bague : *Un des anneaux de la chaîne s'est rompu.*

année [ane] n. f. Période pendant laquelle la Terre accomplit un tour complet autour du Soleil : *L'année se compose de 365 ou de 366 jours.* ★ Espace de douze mois (quelle que soit l'époque à laquelle il commence) : *Avec mes économies de l'année dernière, j'ai pu m'acheter un poste de télévision.*

anniversaire [anivɛrsɛr] n. m. Jour correspondant au jour d'une année précédente, où s'est produit un événement dont on célèbre le souvenir : *Nous avons fêté hier l'anniversaire de ma femme.*

annonce [anɔ̃s] n. f. Avis, oral ou écrit, par lequel on fait savoir quelque chose : *Si vous désirez trouver du travail ou un logement, mettez une annonce plusieurs jours de suite dans le journal.*

annoncer [anɔ̃se] v. tr. (voir tableau p. 354). Faire savoir une nouvelle à quelqu'un, de manière plus ou moins officielle : *Il a annoncé à ses amis qu'il allait bientôt se marier.* ★ Prévoir que quelque chose va arriver : *Le baromètre annonce de la pluie pour demain.*

annuel, elle [anɥɛl] adj. Qui a lieu tous les ans : *Une cérémonie annuelle a lieu le 14 juillet, anniversaire de la prise de la Bastille.*

annuler [anyle] v. tr. Rendre nul, déclarer nul : *L'élection a été annulée, car elle n'était pas régulière.*

anonyme [anɔnim] adj. Dont on ne connaît pas le nom : *Dans les cathédrales, presque toutes les statues sont l'œuvre de sculpteurs anonymes.* ★ *Lettre anonyme,* lettre non signée, souvent écrite en vue de nuire.

anormal, ale, aux [anɔrmal, o] adj. Qui est contraire à la règle : *Il est anormal d'avoir aussi froid en juillet.* ■ **Anormalement** adv.

anse [ɑ̃s] n. f. Partie courbée en

demi-cercle, par laquelle on prend une tasse, un panier, etc.

antérieur, e [ɑ̃terjœr] adj. Se dit de ce qui précède dans le temps : *Dans une lettre antérieure à celle-ci, je vous disais que je comptais venir à Paris.* ★ Se dit de ce qui est situé en avant dans l'espace : *Le lapin a les pattes antérieures plus courtes que les pattes postérieures.* ★ GRAMM. *Passé antérieur,* temps qui exprime un fait isolé ayant eu lieu à un moment précis, avant un autre fait passé.

antibiotique [ɑ̃tibjɔtik] n. m. Médicament qui empêche certains microbes de se développer : *Il n'est pas indiqué d'employer des antibiotiques quand ils ne sont pas tout à fait nécessaires.*

antiquité [ɑ̃tikite] n. f. Epoque ou civilisation très ancienne : *L'Antiquité grecque nous a laissé des œuvres d'art remarquables.* ★ Pl. Objets ayant appartenu à une époque disparue : *J'ai acheté un fauteuil Louis XVI dans un magasin d'antiquités.*

août [u] n. m. Le huitième mois de l'année : *Le premier août, de très nombreux Français partent en vacances.*

apaiser [apɛze] v. tr. Rendre calme. ■ **S'apaiser** v. pron. Revenir au calme : *Après la tempête, la mer a mis longtemps à s'apaiser.*

apercevoir [apɛrsəvwar] v. tr. (Se conj. comme *recevoir.*) Voir d'une manière soudaine ou voir au loin : *Il aperçoit un homme au bout du chemin.* ■ **S'apercevoir** v. pron. Remarquer une chose à laquelle on n'avait pas d'abord fait attention : *Il pleut et je m'aperçois que j'ai oublié mon imperméable.*

à peu près [apøprɛ] adv. Pas tout à fait : *J'ai à peu près fini d'écrire mon courrier, je pourrai l'envoyer ce soir.*

aplanir [aplanir] v. tr. Supprimer le relief. ★ *Aplanir des difficultés,* les faire disparaître.

aplatir [aplatir] v. tr. Rendre plat : *Il a aplati un clou à l'intérieur de sa chaussure.*

aplomb [aplɔ̃] n. m. Equilibre d'un corps dans la position verticale. ■ **D'aplomb** adv. En position verticale et stable : *L'enfant sauta du mur et retomba d'aplomb sur ses pieds.*

apostrophe [apɔstrɔf] n. f. Signe en forme de virgule (') qui remplace une voyelle non prononcée devant une voyelle ou un *h* muet.

apparaître [aparɛtr] v. intr. (Se conj. comme *paraître* et, suivant le cas, avec l'auxiliaire *avoir* ou *être.*) Se présenter soudain aux regards : *Nous l'avons vu apparaître au coin de la rue. La vérité m'est apparue subitement.*

appareil [aparɛj] n. m. Ensemble d'organes ou de mécanismes travaillant en commun à une même fonction : *Certains mouvements de gymnastique font travailler l'appareil respiratoire. Les lampes des appareils de radio sont de plus en plus petites.*

apparence [aparɑ̃s] n. f. Aspect extérieur : *Il ne faut pas juger les gens sur leur apparence.* ★ *Sauver les apparences,* cacher avec adresse ce qui pourrait être critiqué.

apparent, e [aparɑ̃, ɑ̃t] adj. Que l'on peut voir : *Ces deux enfants ne sont pas de même taille, mais la différence qu'il y a entre eux est peu apparente.* ★ Qui n'est pas ce qu'il paraît être : *Ce sont les raisons apparentes de son refus, mais je n'en con-*

nais pas les raisons réelles. ■ **Apparemment** adv.

apparition [aparisjɔ̃] n. f. Action d'apparaître : *L'apparition d'un avion dans le ciel n'étonne plus personne.* ★ Se dit d'un phénomène qui commence à devenir visible : *Dans un Etat moderne, l'apparition du chômage est un phénomène inquiétant.*

appartement [apartəmɑ̃] n. m. Ensemble de pièces formant un logement complet : *En raison de la crise du logement, il est très difficile de trouver un appartement à louer.*

appartenir [apartənir] v. intr. (Se conj. comme *tenir.*) Etre la propriété légitime de quelqu'un : *Ce livre n'est pas à moi, il appartient à mon frère.* ★ Faire partie de : *L'amie de ma fille appartient à un milieu cultivé.*

appel [apɛl] n. m. Action de faire venir quelqu'un avec la voix, le geste, etc. : *Les appels du blessé furent entendus par les sauveteurs.* ★ *Faire l'appel,* prononcer à haute voix les noms de personnes dont on veut contrôler la présence : *Dans les casernes, tous les soirs, un sous-officier fait l'appel.* ★ *Faire appel à,* demander le secours de : *Pour payer ses dettes, mon frère a fait appel à une banque.*

appeler [aple] v. tr. (voir tableau p. 354). Prononcer à haute voix le nom d'une personne pour la faire venir : *La voisine se mit à la fenêtre et appela son fils qui jouait dans la cour.* ★ Faire venir : *La santé de cet enfant m'inquiète, il faudra appeler le médecin.* ■ **S'appeler** v. pron. Porter comme nom : *Comment vous appelez-vous? — Jacques Durand. En français, cet objet s'appelle une fourchette.*

appétit [apeti] n. m. Désir de nourriture, mais sans apparition de sensation pénible : *L'appétit des enfants étonne quelquefois les parents.* ★ *Bon appétit!,* souhait que l'on adresse à quelqu'un qui mange ou va manger.

applaudir [aplodir] v. tr. Battre des mains pour montrer que l'on est content : *A la fin de la pièce, le public a longtemps applaudi les acteurs.*

application [aplikasjɔ̃] n. f. Action d'appliquer : *L'application de cette loi sera difficile.* ★ Effort prolongé d'attention : *Cet élève n'est pas très intelligent, mais il a montré beaucoup d'application dans son travail.*

appliquer [aplike] v. tr. Mettre avec soin une chose sur une autre pour qu'elle y adhère : *Le peintre a appliqué une deuxième couche de peinture sur le mur.* ★ Mettre en pratique : *Cette loi a été votée, mais elle n'a jamais été appliquée.* ■ **S'appliquer** v. pron. Mettre toute son attention à faire quelque chose : *Je me suis appliqué à lui faire comprendre comment fonctionne notre service.*

apporter [apɔrte] v. tr. Porter quelque chose à quelqu'un : *Apporte-moi mon stylo que j'ai laissé dans le salon.* ★ Porter quelque chose avec soi dans le lieu où l'on arrive : *L'ouvrier avait oublié d'apporter ses outils.* ★ FIG. Faire preuve d'une qualité en agissant : *Les ingénieurs apportèrent beaucoup de soin à la construction du pont.*

apprécier [apresje] v. tr. Estimer à sa valeur quelqu'un ou quelque chose : *Ma femme apprécie beaucoup le confort de notre appartement.*

apprendre [aprɑ̃dr] v. tr. (Se conj. comme *prendre.*) Utiliser ses facultés intellectuelles pour acquérir la connaissance ou la pratique de quelque chose : *Elle a beaucoup de mémoire; elle a appris le français en quelques mois. Il a appris à danser pendant les vacances.* ★ Enseigner à quelqu'un : *Je lui ai appris à nager.* ★ Informer quelqu'un : *Vous m'apprenez là une nouvelle qui m'étonne.*

apprenti, e [aprɑ̃ti] n. Personne jeune qui apprend un métier manuel : *A quinze ans, il est entré comme apprenti chez un menuisier.*

apprentissage [aprɑ̃tisaʒ] n. m. Action d'apprendre un métier : *Beaucoup de grandes usines s'occupent elles-mêmes de l'apprentissage de leurs futurs ouvriers.* ★ Temps pendant lequel on apprend un métier : *Pendant mon apprentissage, je n'ai pas gagné beaucoup d'argent.*

approbation [aprɔbasjɔ̃] n. f. Action d'approuver : *Elle a choisi des meubles sans l'approbation de son mari.*

approcher [aprɔʃe] v. tr. Placer une chose auprès d'une autre : *Il approcha une chaise de la table et se mit à manger.* ■ V. intr. Arriver près de quelque chose ou de quelqu'un : *Vous approchez du but, ne vous découragez pas.* ★ Venir plus près : **1.** Dans l'espace : *Le navire approchait; on apercevait les passagers sur le pont;* **2.** Dans le temps : *Dépêchez-vous, l'heure de partir approche.* ■ **S'approcher (de)** v. pron. Venir se mettre près (de) : *Elle s'est approchée de la fenêtre pour voir s'il pleuvait.*

approuver [apruve] v. tr. Trouver bonne une manière de faire ou de penser : *Vous avez agi avec prudence, et j'approuve votre conduite.*

appui [apɥi] n. m. Objet dont on se sert pour en soutenir un autre. ★ FIG. Aide apportée à quelqu'un : *Son appui me permettra peut-être d'obtenir un emploi.*

appuyer [apɥije] v. tr. (Se conj. comme *payer.*) Peser sur quelque chose : *Après avoir longtemps hésité à la porte, elle appuya enfin son doigt sur la sonnette.* ★ Placer une chose contre une autre pour qu'elle ne tombe pas : *Il appuie une échelle contre l'arbre pour y monter.* ■ **S'appuyer** v. pron. Peser de tout son poids sur quelque chose ou sur quelqu'un : *Le vieillard marchait en s'appuyant sur une canne.*

après [aprɛ] prép. A la suite de : **1.** Dans le temps : *Après la pluie vient le beau temps. Après avoir applaudi les musiciens, le public quitta la salle;* **2.** Dans l'espace : *Pour aller à la gare, vous prendrez la première rue à droite après le cinéma.* ★ LOC. PRÉP. *D'après,* à l'imitation de : *Le tableau a été peint d'après nature;* si l'on croit : *D'après tous les témoins, l'accident aurait eu lieu vers 7 heures du matin.* ■ LOC. CONJ. *Après que* (+ indicatif) : *Après qu'il eut parlé, la discussion commença.* ■ ADV. Ensuite : *Terminez d'abord votre travail, vous partirez après.*

après-midi [aprɛmidi] n. m. inv. Partie de la journée comprise entre midi et le soir : *Après le déjeuner, les enfants passèrent l'après-midi dans le jardin.*

aptitude [aptityd] n. f. Qualité naturelle qui rend propre à une activité déterminée : *Cet enfant a beaucoup d'aptitude pour la musique.*

arbitrage [arbitraʒ] n. m. Décision prise par un arbitre.

arbitraire [arbitrɛr] adj. Se dit de ce que l'on fait en ne tenant compte que de sa propre volonté : *Le maire avait décidé d'augmenter les impôts de la commune, mais le conseil municipal s'opposa à cette décision arbitraire.*

arbitre [arbitr] n. m. Personne choisie pour régler un conflit : *Dans un référendum, le peuple est choisi comme arbitre.* ★ Celui qui est chargé de diriger une épreuve sportive et de veiller à sa régularité : *A la fin de la* *partie, le public protesta contre les décisions de l'arbitre.*

arbre [arbr] n. m. Plante dont la tige épaisse et dure, que l'on appelle tronc, se divise à une certaine hauteur

en branches et en feuilles : *Les racines de l'arbre s'enfonçaient dans la terre.*

arbuste [arbyst] n. m. Plante plus petite qu'un arbre, et qui a des branches à partir de sa base : *Au fond de mon jardin, il y a une haie d'arbustes aux feuilles piquantes.*

arc [ark] n. m. Arme composée d'une tige tendue par une corde, et dont on se sert pour lancer des

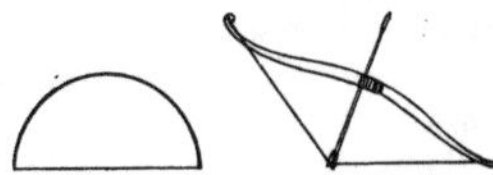

flèches : *On représentait autrefois l'Amour en train de tirer à l'arc.* ★ *Arc de cercle,* portion de circonférence.

arc-en-ciel [arkɑ̃sjɛl] n. m. Phénomène lumineux, en forme d'arc de cercle, qui se manifeste parfois dans le ciel pendant ou après la pluie : *Les sept couleurs de l'arc-en-ciel sont : rouge, orangé, jaune, vert, bleu, indigo, violet.*

architecte [arʃitɛkt] n. m. Personne dont le métier est de dessiner les plans et de diriger la construction d'édifices de toutes sortes : *Mon père, qui est architecte, a fait les plans de notre nouvelle maison.*

architecture [arʃitɛktyr] n. f. Art de construire et de décorer les édifices : *L'architecture moderne utilise souvent le béton.*

archives [arʃiv] n. f. plur. Documents écrits qui concernent l'histoire d'un peuple, d'un établissement, etc. : *Pour écrire son livre sur l'histoire de Paris, il consulta les archives de la ville.*

ardoise [ardwaz] n. f. Roche de couleur gris-bleu, employée sous forme de plaques minces pour couvrir les toits.

arête [arɛt] n. f. Nom que l'on donne aux os de certains poissons : *Les poissons qui ont beaucoup d'arêtes ne sont pas agréables à manger.* ★ Ligne qui marque la rencontre de deux plans.

argent [arʒɑ̃] n. m. Métal blanc et brillant qui sert surtout à fabriquer des pièces de monnaie, des bijoux, des couverts, etc. ★ Toute espèce de monnaie (pièces de métal, billets de banque) : *Il eut besoin d'une grosse somme d'argent pour payer son appartement.*

argument [argymɑ̃] n. m. Preuve qui sert à nier ou à affirmer un fait : *Je ne suis pas convaincu par les arguments qu'il nous a fournis.*

arme [arm] n. f. Instrument dont on se sert pour attaquer ou se défendre : *Il est interdit de porter une arme sur soi sans autorisation.*

armée [arme] n. f. Ensemble des forces militaires d'une nation : *Ce pays possède une armée bien entraînée.*

armement [arməmɑ̃] n. m. Ensemble des armes d'une troupe : *Les troupes allemandes disposaient en 1939 d'un excellent armement.*

armer [arme] v. tr. Donner des armes : *On décida d'armer très rapidement les nouveaux régiments.*

armoire [armwar] n. f. Grand meuble de forme haute, à une ou plusieurs portes, dans lequel on enferme linge, vêtements, etc. : *Elle rangea les draps et les serviettes dans l'armoire à glace de sa chambre à coucher.*

arracher [araʃe] v. tr. Tirer avec force sur une chose pour la détacher de l'endroit où elle est fixée : *Il faut que ces pieds de pommes de terre soient arrachés avant la fin du mois.* ★ S'emparer de quelque chose en employant la force : *Elle lui arracha le livre des mains.* ★ Obtenir quelque chose par la force ou la ruse : *Il m'a tellement questionné qu'il a fini par m'arracher mon secret.*

arranger [arɑ̃ʒe] v. tr. (Se conj. comme *manger.*) Mettre ou remettre en ordre ou en état de servir : *Les jeunes mariés ont très bien arrangé leur petit appartement.*

arrestation [arɛstasjɔ̃] n. f. En parlant de la police, action de priver quelqu'un de sa liberté, pour une durée plus ou moins longue : *Il protesta contre son arrestation qui lui semblait arbitraire.*

arrêt [arɛ] n. m. Action d'arrêter ou de s'arrêter : *Un seul arrêt est prévu entre Paris et Lyon. L'arrêt des affaires est dû à la situation internationale.* ★ Endroit où l'on s'arrête : *Quand il arriva à l'arrêt, plusieurs personnes attendaient déjà l'autobus.*

arrêter [arɛte] v. tr. Empêcher un être vivant ou une chose d'aller plus loin ou de continuer son action : *Quand je l'ai vu dans la rue, je l'ai arrêté pour lui parler. Ils furent obligés d'appeler le médecin pour arrêter l'hémorragie.* ★ En parlant de la police, se saisir de quelqu'un : *Il a été arrêté, car il n'avait pas de papiers d'identité.* ■ **S'arrêter** v. pron. Cesser de marcher, de parler, etc. : *L'automobiliste s'arrêta au feu rouge.*

arrière [arjɛr] n. m. Partie d'un véhicule à laquelle le conducteur tourne le dos : *Il a placé ses valises à l'arrière de la voiture.* ★ Partie d'un territoire située hors de la zone des combats : *Après avoir été blessé, il a été dirigé vers un hôpital de l'arrière.* ■ Loc. adv. *En arrière,* qui se trouve à une certaine distance derrière : *Nous marchions vite, et ceux d'entre nous qui étaient fatigués restaient en arrière.*

arrivée [arive] n. f. Action d'arriver : *Les journalistes attendaient avec impatience l'arrivée de la vedette.*

arriver [arive] v. intr. Parvenir au bout de sa route : *Il arriva chez lui avec un retard considérable.* ★ Avoir lieu, survenir : *Quand la guerre arriva, nous étions en vacances.* ■ V. impers. : *Il m'est arrivé un malheur, j'ai perdu mon portefeuille dans le métro.*

arrondissement [arɔ̃dismɑ̃] n. m. Division administrative du département ou de certaines grandes villes : *Paris est divisé en vingt arrondissements.*

arroser [aroze] v. tr. Faire tomber de l'eau ou tout autre liquide sur quelque chose : *Il n'a pas plu depuis longtemps, il faut arroser le jardin.* ★ En parlant d'une rivière, couler à travers : *La Seine arrose Paris.*

art [ar] n. m. Manière de faire un travail qui demande certaines qualités et qui exige l'emploi de règles déterminées : *La médecine n'est pas seulement une science, c'est un art qui exige de l'intuition.* ★ Moyens employés par l'homme pour exprimer le beau en utilisant certains procédés : *Pour le grand public, l'art de Picasso est difficile à comprendre.*

artère [artɛr] n. f. Canal qui part du cœur et qui, généralement, contient du sang rouge : *On peut observer le* *mouvement du sang en touchant l'artère du poignet.* ★ Rue ou route où la circulation est active : *Le boulevard Saint-Michel est une des principales artères de Paris.*

article [artikl] n. m. Chacune des parties d'un journal, d'une revue, d'un texte officiel, où il n'est question que d'un sujet déterminé : *Le journal de ce soir a publié un article remarquable sur la politique agricole de la France.* ★ Objet fabriqué, vendu dans un magasin : *Dans cette boutique, on ne trouve que des articles de luxe et surtout des bijoux et des parfums.* ★ GRAMM. Mot qui, dans certaines langues, sert à déterminer le nom : *Quand on apprend le français, il faut essayer de retenir à la fois le nom et l'article qui en indique le genre.*

articulation [artikylasjɔ̃] n. f. Union de deux ou plusieurs os, mobiles ou non les uns par rapport aux autres : *Depuis son accident, il a l'articulation du genou bloquée.*

artificiel, elle [artifisjɛl] adj. Fait par l'homme pour imiter la nature : *Je n'aime pas les fleurs artificielles, car elles n'ont aucun parfum.*

artillerie [artijri] n. f. Partie d'une armée spécialisée dans l'utilisation des canons : *Il a fait son service militaire dans l'artillerie.*

artisan [artizɑ̃] n. m. Travailleur exerçant un métier manuel, soit seul, soit avec l'aide d'un petit nombre de personnes, et pour son propre compte : *Le nombre des artisans a beaucoup baissé depuis la naissance de la grande industrie.*

artiste [artist] n. Personne qui conçoit, exécute ou interprète des œuvres d'art : *Michel-Ange a été l'un des plus grands artistes que le monde ait connus. Une artiste de cinéma gagne parfois des sommes considérables.*

ascenseur [asɑ̃sœr] n. m. Appareil qui monte et descend verticalement les personnes dans un édifice : *La vieille dame n'aime pas la sensation particulière que l'on éprouve quand l'ascenseur commence à descendre.*

aspect [aspɛ] n. m. Manière dont une chose apparaît aux regards : *Vue du jardin, la maison que j'ai fait construire a un aspect agréable.* ★ Caractère particulier que prend une idée, une question : *Cette affaire se présente sous un mauvais aspect.*

aspirateur [aspiratœr] n. m. Appareil ménager qui sert à nettoyer en absorbant la poussière : *Quand on a des tapis chez soi, un aspirateur est très utile.*

assaisonner [asɛzɔne] v. tr. Donner plus de goût à un plat, en y ajoutant certaines substances : Cette salade *n'est pas assaisonnée, vous avez dû oublier d'y ajouter du vinaigre.*

assassin [asasɛ̃] n. m. Personne qui tue quelqu'un après avoir prémédité son crime : *On a arrêté un homme qui était l'assassin de sa femme; il l'avait empoisonnée.*

assassinat [asasina] n. m. Crime commis après avoir été prémédité : *On ne connaît pas l'auteur de cet assassinat.*

assassiner [asasine] v. tr. Commettre un assassinat : *Le ministre fut assassiné par ses ennemis politiques.*

assemblée [asɑ̃ble] n. f. Ensemble organisé de personnes qui ont pour mission de faire un travail déterminé : *L'assemblée générale de notre société s'est tenue hier, sous la présidence d'une personnalité connue.*

assembler [asɑ̃ble] v. tr. Mettre ensemble : *Avant de bâtir la maison, on assembla les différents matériaux nécessaires à sa construction.*

asseoir [aswar] v. tr. (voir tableau p. 354). Mettre sur un siège : *Asseyez cet enfant sur sa chaise. Voici un fauteuil, donnez-vous la peine de vous asseoir.*

assez [ase] adv. D'une manière suffisante : *Allons-nous assez vite pour arriver avant la nuit?* ★ En quantité suffisante : *Il est inutile d'acheter du vin, nous en avons assez pour le dîner.* ★ *En avoir assez de,* ne plus pouvoir supporter : *J'en ai assez des mensonges que vous me racontez.*

assiéger [asjeʒe] v. tr. (Se conj. comme *abréger.*) Entourer avec des forces armées une ville ou une position tenue par l'ennemi : *Les ennemis assiégèrent la ville, et il fut impossible d'en sortir.*

assiette [asjɛt] n. f. Pièce de vaisselle plus ou moins creuse, dans laquelle chaque personne place ses

aliments : *On mange la soupe dans des assiettes creuses, la viande dans des assiettes plates.*

assimiler [asimile] v. tr. Absorber et transformer en sa propre substance : *L'organisme humain assimile mieux certains aliments que d'autres.* ★ FIG. Faire pénétrer en soi par la mémoire et l'intelligence : *Si l'on donne trop de choses à apprendre aux enfants, ils n'en assimilent qu'une partie.*

assis, e [asi, iz] adj. Dans la position intermédiaire entre la position

debout et la position couchée : *Assis dans son fauteuil, il lisait son journal.* ★ *Place assise,* dans un véhicule public, place où l'on peut s'asseoir.

assistance [asistɑ̃s] n. f. Action par laquelle on met à la disposition de quelqu'un ce dont il a besoin. ★ Personnes qui composent un public : *On demanda à l'assistance de donner son avis sur la proposition qui venait d'être faite.*

assister [asiste] v. intr. Etre présent quand il se passe quelque chose : *Etant malade ce jour-là, il n'a pu assister à la réunion.*

association [asɔsjasjɔ̃] n. f. Groupement de personnes qui se proposent un même but : *Il est président de l'association des anciens élèves de l'Ecole des mines.*

associer (s') [sasɔsje] v. pron. S'unir à quelqu'un pour participer à ce qu'il fait : *Ils se sont associés pour exploiter une ferme.*

assurance [asyrɑ̃s] n. f. Garantie qui donne toute sécurité : *Il m'a donné l'assurance qu'il me rendrait demain l'argent que je lui avais prêté.* ★ Contrat par lequel, en échange d'une somme que l'on paie, on est mis à l'abri d'un risque déterminé : *En France, il est interdit de conduire une voiture si l'on n'a pas pris une assurance.* ★ Confiance en soi-même : *Il est timide et manque d'assurance.*

assurer [asyre] v. tr. Affirmer : *Je vous assure que je l'ai vu.* ■ **S'assurer** v. pron. Prendre une assurance : *Il est prudent de s'assurer contre l'incendie.*

astre [astr] n. m. Corps lumineux situé dans le ciel : *Quand la nuit est claire, on voit les astres briller dans le ciel.*

astronomie [astrɔnɔmi] n. f. Science qui étudie les astres : *L'astronomie a fait de grands progrès depuis Newton.*

atelier [atəlje] n. m. Endroit couvert, situé à l'intérieur d'un bâtiment, et où travaillent ensemble des ouvriers : *Les ateliers de cette usine d'automobiles s'étendent sur plusieurs kilomètres carrés.* ★ Endroit où travaille un sculpteur, un peintre, etc. : *Un atelier de peintre doit être vaste, clair et haut de plafond.*

atmosphère [atmɔsfɛr] n. f. Masse des gaz qui enveloppent la Terre. ★ FIG. Impression qui se dégage d'une situation : *L'atmosphère de cette réunion est très cordiale.*

atome [atom] n. m. La plus petite partie d'un corps simple, intervenant dans une réaction chimique : *On dit quelquefois que l'atome ressemble à un minuscule système solaire.*

atomique [atɔmik] adj. Qui concerne l'atome : *La bombe atomique a été utilisée pour la première fois à Hiroshima.*

attacher [ataʃe] v. tr. Joindre des choses ou des personnes par un lien physique ou moral : *Il attacha les deux paquets avec une ficelle. Ma sœur est très attachée à son amie d'enfance.*

attaque [atak] n. f. Action d'attaquer : *L'attaque commença par un violent bombardement.*

attaquer [atake] v. tr. Commencer à porter des coups : *Il l'attendit au coin de la rue pour l'attaquer par surprise.* ★ Chercher à abattre : *L'avocat attaqua avec violence les témoins, car, selon lui, ils avaient menti.*

atteindre [atɛ̃dr] v. tr. (Se conj. comme *craindre*.) Réussir à toucher : *Le plafond est si bas que je puis l'atteindre en levant le bras. L'agent de police fut atteint dans le dos par une balle de revolver.* ★ Parvenir à un lieu : *Partie à sept heures de Paris, la voiture atteignit Lyon à trois heures de l'après-midi.*

attendre [atɑ̃dr] v. tr. (Se conj. comme *rendre*.) Compter sur la venue de quelqu'un ou de quelque chose, et rester en un lieu jusqu'à son arrivée : *J'ai attendu l'autobus si longtemps que je suis arrivé en retard au théâtre.* ★ Compter sur l'arrivée de quelqu'un ou de quelque chose : *Son fils rentre de vacances, il l'attend demain.*

attente [atɑ̃t] n. f. Temps pendant lequel on attend : *L'attente a été longue, mais il a fini par arriver.*

attentif, ive [atɑ̃tif, iv] adj. Qui agit avec attention : *Cet élève est très attentif en classe.* ■ **Attentivement** adv.

attention [atɑ̃sjɔ̃] n. f. Faculté qu'a l'esprit de se fixer sur un objet déterminé : *Ce travail est délicat, il exige de l'ouvrier une grande attention.* ★ *Faire attention à,* porter son attention sur : *Fais attention aux voitures en traversant la rue.*

atterrir [atɛrir] v. intr. Se poser sur le sol (se dit surtout en parlant des avions) : *L'hélicoptère atterrit sur la terrasse de la gare.*

attirer [atire] v. tr. Faire venir à soi : *Le sucre attire les abeilles.* ★ FIG. Susciter l'intérêt : *Il est attiré par l'Espagne.*

attitude [atityd] n. f. Position du corps : *Les attitudes de cette danseuse sont très gracieuses.* ★ Manifestation extérieure de ce que l'on ressent : *Son attitude prouvait qu'il ne comprenait pas la gravité de la situation.*

attraction [atraksjɔ̃] n. f. Action d'attirer : *La pesanteur est causée par l'attraction terrestre.* ★ Partie d'un spectacle organisée pour attirer et retenir le public : *Le dimanche, ce cinéma donne des attractions en plus du programme habituel.*

attraper [atrape] v. tr. Prendre une personne ou une chose qui est en mouvement : *L'enfant s'amusait à attraper des papillons dans le jardin.*

attribuer [atribɥe] v. tr. Donner en vertu d'une certaine autorité : *Le* *metteur en scène lui attribua le rôle principal du film.*

attribut [atriby] n. m. GRAMM. Adjectif ou nom rattaché par un verbe d'état au mot qu'il précise.

attributions [atribysjɔ̃] n. f. pl. Fonctions attribuées à une personne par un règlement, une loi, etc. : *Les attributions du président de la République sont déterminées par la Constitution.*

au, aux [o] art. contractés. *Au,* contraction de « à le »; *aux,* contraction de « à les » : *Je dîne au restaurant. Le professeur parle aux élèves.*

aucun, une [okœ̃, yn] adj. ou pron. Pas un, pas une : *Il n'y avait aucune femme dans cette réunion. De ces trois hommes, je n'en connais aucun.*

audace [odas] n. f. Courage qui porte à faire quelque chose de difficile ou de dangereux : *Il conduit sa voiture de course avec audace.*

au-dessous [odsu] adv. Se dit d'une chose ou d'une personne qui est dans un espace situé sous une autre chose ou sous une autre personne qu'elle ne touche pas : *De l'avion, il regardait le paysage qui s'étendait au-dessous.* ■ LOC. PRÉP. *Au-dessous de : Arrivé au sommet de la montagne, il aperçut un groupe de gens qui se trouvaient à cinquante mètres au-dessous de lui.*

au-dessus [odsy] adv. Se dit d'une chose ou d'une personne qui est dans un espace situé sur une autre chose ou sur une autre personne qu'elle ne touche pas : *Dans l'armoire, les draps étaient sur la planche du bas et les serviettes au-dessus.* ■ LOC. PRÉP. *Au-dessus de : Son appartement est au-dessus de celui de son frère.*

auditeur, trice [oditœr, tris] n. Personne qui écoute un concert, un discours, etc. : *Le présentateur de la radio expliqua aux auditeurs le sens de l'œuvre que l'on allait jouer.*

augmentation [ɔgmɑ̃tasjɔ̃] n. f. Action d'augmenter : *L'augmentation du prix de la vie a été continue en Europe depuis 1914.*

augmenter [ɔgmɑ̃te] v. tr. Rendre plus grand en ajoutant quelque chose : *Il augmente ses ressources en travaillant le soir chez lui.* ■ V. intr. Subir une augmentation : *Le prix du pain a augmenté de dix centimes par kilo.*

aujourd'hui [oʒurdɥi] adv. Au jour où nous sommes : *Hier, c'était mercredi, aujourd'hui nous sommes jeudi.*

auparavant [oparavɑ̃] adv. Avant une autre chose, une autre époque, etc. : *Tu peux sortir avec moi, mais auparavant il faut que tu fasses tes devoirs.*

auprès de [oprɛdə] loc. prép. Tout près de : *La maison était située auprès de la rivière.* ★ Comparé à : *Vos ennuis ne sont rien auprès des siens.*

auquel, auxquels, auxquelles [okɛl] pr. relatifs contractés. *Auquel,* contraction de « à lequel »; *auxquels,* contraction de « à lesquels »; *auxquelles,* contraction de « à lesquelles » : *Les personnes auxquelles vous pensez sont loin d'ici.*

aussi [osi] adv. Comme moi, comme toi, etc. : *Vous aimez la musique, moi aussi.* ★ De plus : *J'ai acheté du pain et aussi des gâteaux.* ★ *Aussi* (+ adj. ou adv.) *que,* s'emploie quand on établit une comparaison d'égalité : *Votre valise est aussi lourde que la mienne. Cette voiture roule aussi vite que le train.* ★ C'est pourquoi : *Le chauffage ne fonctionne pas, aussi fait-il très froid dans la maison.*

aussitôt [osito] adv. Au moment même : *Je suis arrivé, et aussitôt après il frappa à la porte.* ■ LOC. CONJ. *Aussitôt que* (+ indicatif), immédiatement après que.

autant [otɑ̃] adv. Marque l'égalité : *Il n'a pas eu autant de chance que son frère.*

auteur [otœr] n. m. Celui qui réalise une œuvre pensée par lui-même : *Ce savant est l'auteur d'une invention remarquable.* ★ Personne qui a écrit un livre, fait une œuvre d'art, etc. : *Victor Hugo est l'auteur des « Misérables ».*

authentique [otɑ̃tik] adj. Qui est exact : *Il nous a fait de son voyage un récit étonnant mais authentique.*

auto [oto] n. f. Abréviation pour *automobile.*

autobus [otɔbys] n. m. Grand véhicule automobile qui assure le transport des voyageurs dans une ville ou dans sa banlieue : *Le soir, l'autobus que je prends pour rentrer chez moi est souvent complet.*

autocar [otɔkar] n. m. Grand véhicule automobile qui assure le transport des touristes ou celui des voyageurs qui franchissent les limites d'une ville et de sa banlieue : *Le samedi, il prenait un autocar pour rejoindre sa femme, qui passait ses vacances au bord de la mer.*

automatique [otɔmatik] adj. Se dit d'un mécanisme qui fonctionne par lui-même : *Les machines à laver automatiques permettent de nettoyer le linge sans fatigue.* ■ **Automatiquement** adv.

automne [otɔn] n. m. Saison qui succède à l'été : *L'automne commence le 22 septembre.*

automobile [otɔmɔbil] adj. Se dit de tout véhicule ou appareil qui se déplace par lui-même. ■ N. f. Véhicule à quatre roues, fonctionnant grâce à un moteur, et qui peut transporter un petit nombre de personnes : *Le nombre des automobiles circulant dans Paris augmente sans cesse.*

autonomie [otɔnɔmi] n. f. Etat d'un pays qui peut se donner ses propres lois.

autorisation [otɔrizasjɔ̃] n. f. Action par laquelle on accorde la permission de faire quelque chose : *J'ai demandé au maire du village l'autorisation de faire construire une villa.*

autoriser [otɔrize] v. tr. Permettre à une personne de faire une chose qu'on pourrait lui interdire : *Le médecin l'a autorisé à reprendre son travail.*

autorité [otɔrite] n. f. Pouvoir naturel ou légal d'imposer l'obéissance : *Cet enfant est d'un caractère difficile, il ne reconnaît pas l'autorité de ses parents.* ★ Pl. Personnes qui représentent le pouvoir civil, militaire ou judiciaire.

autoroute [otorut] n. f. Route très large où les deux chaussées sont séparées.

autour [otur] adv. De tous côtés. ■ Loc. prép. *Autour de,* qui fait le tour de : *Il y a des arbres autour de la maison.*

autre [otr] adj. Qui n'est pas le même : *Je ne vous parle pas de ma maison de Paris, mais de mon autre maison, celle de la campagne.* ■ **Pron.** indéf. *Un autre, une autre, d'autres; l'un..., l'autre; l'une..., l'autre; les uns..., les autres; les unes..., les autres : Voici deux sœurs : l'une est brune, l'autre blonde.*

autrefois [otrəfwa] adv. Dans le passé : *Autrefois, disait ma grand-mère, tout était beaucoup mieux qu'aujourd'hui.*

autrement [otrəmɑ̃] adv. D'une autre manière : *A ta place, je ne ferais pas comme toi, mais tout autrement.*

autrui [otrɥi] pron. indéf. Un autre, les autres : *La morale nous interdit de prendre le bien d'autrui.*

auxiliaire [ɔksiljɛr] adj. Dont l'aide vient augmenter les moyens d'action d'une personne ou d'une chose : *En raison du grand nombre de clients, nous avons dû engager du personnel auxiliaire.* ■ N. m. GRAMM. Verbe servant à conjuguer les autres verbes : *Les auxiliaires « avoir » et « être » servent à former les temps composés.*

avaler [avale] v. tr. Faire descendre de la bouche dans l'estomac : *Il avait tellement faim qu'il avala son repas en quelques minutes.*

avance [avɑ̃s] n. f. Espace ou temps qui sépare une personne ou une chose d'une autre personne ou d'une autre chose, placée derrière ou après : *Ils sont partis à la même heure, mais le premier a sur le second une avance de dix kilomètres.* ★ *En avance,* avant l'heure prévue : *Il n'est pas encore midi, vous arrivez en avance pour déjeuner.*

avancer [avɑ̃se] v. tr. (Se conj. comme *annoncer.*) Porter en avant : **1.** Dans l'espace : *Il avança le bras et saisit la lampe;* **2.** Dans le temps : *Parce qu'il était pressé, le voyageur a avancé l'heure de son départ.* ■ V. intr. Aller en avant : *L'armée avance et occupe les positions ennemies.* ★ Aller trop vite en parlant d'une horloge, d'une montre, etc. : *Il est onze heures : votre montre avance de cinq minutes.*

avant [avɑ̃] prép. Introduit le nom de la personne ou de la chose qui en suit une autre déjà nommée : **1.** Dans le temps : *Il est arrivé au restaurant quelques minutes avant moi;* **2.** Dans l'ordre : *Le mois de novembre vient avant le mois de décembre;* **3.** Dans l'espace : *J'habite la première maison avant la mairie.* ★ LOC. PRÉP. *Avant de* (+ infinitif) : *Il frappa à la porte avant d'entrer.* ■ LOC. CONJ. *Avant que* (+ subjonctif) : *Rentrons à la maison avant qu'il ne pleuve.* ■ **Avant** adv. Dans un temps antérieur : *Venez me voir, mais prévenez-moi quelques jours avant.* ★ LOC. ADV. *En avant,* dans l'espace qui est devant : *Nous marchions, ma femme et moi, les enfants couraient en avant.*

avant [avɑ̃] n. m. Partie antérieure d'un véhicule : *Au cours de l'accident, l'avant de sa voiture a été détruit.*

avantage [avɑ̃taʒ] n. m. Chose qui donne une supériorité ou un profit supplémentaire : *Cet emploi offre de grands avantages : il est agréable et bien payé.*

avantageux, euse [avɑ̃taʒø, øz] adj. Qui procure un avantage : *Les hommes d'affaires estiment qu'il est avantageux de voyager en avion.* ■ **Avantageusement** adv.

avare [avar] adj. Se dit d'une personne qui amasse de l'argent sans vouloir le dépenser : *Il est si avare qu'il se prive des choses les plus nécessaires à la vie.* ■ N. Personne avare : *Dans une de ses comédies, Molière nous décrit le type même de l'avare.*

avec [avɛk] prép. Introduit la chose ou la personne en compagnie de laquelle on est : *Notre voisin est venu nous voir avec sa femme.* ★ Introduit un complément marquant la manière : *Dans cette affaire, il a agi avec prudence.* ★ Introduit un complément de moyen : *Il a tué le lapin avec son fusil.*

avenir [avnir] n. m. Le temps qui va venir : *L'avenir dira qui de nous deux avait raison.*

aventure [avɑ̃tyr] n. f. Evénement qui surprend la personne qui s'y trouve mêlée par hasard : *Il m'est arrivé une aventure désagréable : on a volé ma valise.* ★ Entreprise dans laquelle on se lance sans savoir comment elle se terminera : *Il a eu une vie pleine d'aventures.* ★ *Roman d'aventures,* ouvrage d'imagination décrivant des événements qui ne font pas partie de la vie quotidienne.

avenue [avny] n. f. Dans une ville, voie longue et large, généralement bordée d'arbres : *L'avenue des Champs-Elysées s'étend entre la place de l'Etoile et celle de la Concorde.*

avertir [avɛrtir] v. tr. Attirer l'attention d'une personne sur une chose qui peut se produire : *Je vous avertis que si vous travaillez mal, je serai obligé de vous mettre à la porte immédiatement.*

aveugle [avœgl] adj. Qui est privé de la vue : *Cet homme est devenu aveugle à la suite d'un accident.* ★ Se dit d'une personne qu'un sentiment violent prive de la faculté de juger : *L'amour rend aveugle.* ■ N. Personne qui est privée de la vue : *J'ai aidé un aveugle à traverser la rue.*

aviateur, trice [avjatœr, tris] n. Personne qui conduit un avion : *Cet aviateur n'a pas eu un seul accident pendant toute sa carrière.*

aviation [avjasjɔ̃] n. f. Système de transport utilisant l'avion : *Grâce à l'aviation, New York se trouve maintenant à quelques heures de Paris.*

avide [avid] adj. Qui éprouve un désir violent de quelque chose : *Cet acteur est heureux qu'on parle tant de lui, car il est avide de succès.*

avion [avjɔ̃] n. m. Appareil pourvu d'ailes, plus lourd que l'air, et capable

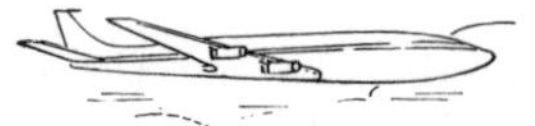

de se déplacer dans l'atmosphère : *Après une heure de vol, l'avion de Londres se posa sur l'aéroport de Paris.*

avis [avi] n. m. Opinion exprimée par quelqu'un : *Je partage votre avis au sujet de cette affaire.* ★ Conseil qu'on donne à quelqu'un : *Il s'est marié sans écouter l'avis de ses parents.*

avocat, e [avɔka, at] n. Personne qui a pour profession de défendre une cause en justice : *J'ai un procès avec mon voisin; il faudra que je choisisse un avocat.*

avoir [avwar] v. tr. (voir tableau p. 354). Indique le rapport existant entre quelqu'un et l'être ou la chose qui dépend de lui : *Mon père avait une maison de campagne.* ★ Indique le lien d'une personne avec une autre : *J'ai une femme et quatre enfants.* ★ Exprime le rapport avec une partie de son être : *Ce bébé n'a pas encore de dents.* ★ Marque le rapport avec une manière d'être ou d'agir : *Il a faim. Il a froid. Il doit être malade, car il a de la fièvre. Depuis quelques années, elle a des ennuis de santé.* ★ Par ext. : *La tour Eiffel a trois cent vingt mètres.* ★ GRAMM. Employé comme auxiliaire pour former, en précédant le participe passé, les temps composés de la plupart des verbes : *Il a dormi toute la nuit.* ★ Indique qu'une action doit être faite quand il précède la préposition *à,* suivie de l'infinitif : *J'ai un article à écrire pour demain.* ■ V. impers. Se construit avec *y* pour former le gallicisme : *Il y a, il y aura,* etc. *Il y a longtemps que je vous attends. Il y avait beaucoup de monde dans la boutique.*

avouer [avwe] v. tr. Reconnaître quelque chose comme vrai : *L'enfant avoua qu'il avait menti.*

avril [avril] n. m. Le quatrième mois de l'année.

axe [aks] n. m. Ligne droite autour de laquelle peut tourner un corps ou une figure géométrique : *L'axe de la roue a été brisé au cours de l'accident.*

B

bac [bak] n. m. V. BACCALAURÉAT.

baccalauréat [bakalɔrea] n. m. (abréviation : **bac**). Examen que l'on passe pour obtenir le grade universitaire qui termine les études secondaires (lycée ou collège) : *J'ai passé mon baccalauréat à dix-huit ans, je suis allé ensuite à l'université.*

bachelier, ère [baʃəlje, ɛr] n. Personne qui a passé le baccalauréat avec succès.

badaud [bado] n. m. Personne qui, en se promenant, se laisse intéresser par tout ce qu'elle peut voir : *Des badauds entouraient les ouvriers qui réparaient la chaussée.*

bafouer [bafwe] v. tr. Couvrir publiquement de ridicule.

bagage [bagaʒ] n. m. Ensemble des objets que l'on emporte avec soi en voyage (s'emploie le plus souvent au pluriel) : *Les passagers d'un avion n'ont droit qu'à vingt kilos de bagages.*

bagarre [bagar] n. f. Tumulte accompagné de violence, qui peut éclater au cours d'une dispute, d'une manifestation, etc. : *Deux hommes se disputaient dans un café, une bagarre éclata, on appela la police.*

bague [bag] n. f. Bijou en forme d'anneau, que l'on porte au doigt : *Il a offert à sa fiancée une bague garnie de diamants.*

baguette [bagɛt] n. f. Morceau de bois mince et souple : *L'enfant se fit un arc avec une baguette.* ★ Sorte de bâton mince : *On bat du tambour avec deux baguettes.*

baie [bɛ] n. f. Petit golfe : *La baie de Naples passe pour la plus belle du monde.* ★ Ouverture pratiquée dans un mur et servant de porte ou de fenêtre : *La salle à manger s'ouvre sur le jardin par une large baie.*

baie [bɛ] n. f. Nom donné à certains petits fruits dans lesquels les pépins sont entourés de chair : *Les enfants du fermier allaient souvent cueillir des baies sauvages dans la forêt.*

baigner [bɛɲe] v. tr. Plonger et maintenir dans un liquide : *On doit baigner les bébés tous les jours.* ★ Entourer ou limiter par de l'eau : *La mer Méditerranée baigne les côtes de la Corse.* ■ V. intr. Etre entouré d'un liquide : *On m'a servi au restaurant du poisson qui baignait dans la sauce.* ■ **Se baigner** v. pron. Prendre un bain : *Au bord de la mer, les enfants se sont baignés sous la surveillance de leurs parents.*

baignoire [bɛɲwar] n. f. Grand récipient où l'on peut prendre des

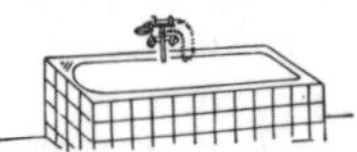

bains : *J'ai transformé mon cabinet de toilette en salle de bains, en y faisant installer une baignoire.*

bail [baj] n. m. (pl. **baux**). Contrat qui fixe à quel prix et pour combien de temps on loue une maison, un magasin, etc. : *Mon propriétaire m'a écrit pour me demander si je désirais renouveler mon bail.*

bâiller [bɑje] v. intr. Ouvrir involontairement la bouche toute grande : *La faim ou le sommeil font souvent bâiller.*

bain [bɛ̃] n. m. Fait de se plonger dans l'eau : *Le médecin lui a conseillé de prendre des bains d'eau de mer.* ★ *Prendre un bain de soleil, de vapeur,* etc., s'exposer au soleil, à la vapeur, etc. ★ Eau dans laquelle on se baigne : *Dès son arrivée à l'hôtel, il a demandé qu'on lui prépare un bain.*

baiser [bɛze] n. m. Action d'appliquer les lèvres sur le visage de quelqu'un en signe d'affection : *Quand il eut reconnu son père, l'enfant le couvrit de baisers.*

baisse [bɛs] n. f. Fait de baisser : *Dès le début de l'automne, il s'est produit une baisse sensible de température.*

baisser [bɛse] v. tr. Tirer vers le bas : *Le commerçant baissa le rideau métallique, avant de quitter son magasin.* ★ *Baisser la tête,* l'incliner. ★ *Baisser les yeux,* diriger son regard vers le sol. ★ *Baisser la voix,* parler moins fort. ■ V. intr. Descendre à un niveau inférieur : *L'été fut très sec, et les eaux de la rivière ont baissé.* ■ **Se baisser** v. pron. S'incliner vers le sol : *Il laissa tomber son livre et se baissa pour le ramasser.*

bal [bal] n. m. (pl. **bals**). Grande réunion, organisée spécialement pour danser : *Elle aimait danser et allait souvent au bal.*

balai [balɛ] n. m. Instrument garni de poils, ou fait de petites branches, auquel est adapté un long manche et

dont on se sert pour nettoyer le sol : *L'employé de la ville a rassemblé les feuilles mortes avec un balai.*

balance [balɑ̃s] n. f. Appareil qui sert à peser : *L'épicier posa un poids*

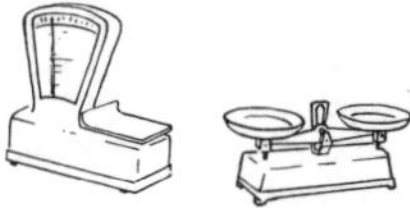

de 2 kilos sur un des plateaux de la balance.

balancer [balɑ̃se] v. tr. (Se conj. comme *annoncer.*) Faire déplacer dans une certaine direction de chaque côté d'un centre d'équilibre : *Le marin balançait les bras en marchant.*

balayer [balɛje] v. tr. (Se conj. comme *payer.*) Nettoyer avec un balai : *Il y avait des miettes dans la salle à manger, parce qu'on ne l'avait pas balayée.*

balcon [balkɔ̃] n. m. Plate-forme bordée par une balustrade et construite en saillie sur la façade d'une

maison, au niveau d'une fenêtre : *En se penchant, l'enfant est tombé du balcon.* ★ Dans un théâtre, chacune des plates-formes situées aux différents étages de la salle : *J'ai pris deux places de balcon, car c'est de là que l'on voit le mieux la scène.*

balle [bal] n. f. Boule, le plus souvent élastique, dont on se sert pour

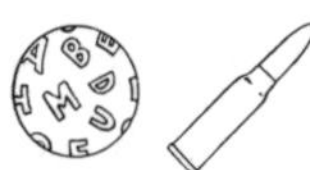

jouer : *Les enfants s'amusent dans le jardin avec une balle de caoutchouc.* ★ Projectile que lancent certaines armes à feu portatives : *Il a été blessé par une balle de mitrailleuse.*

ballet [balɛ] n. m. Spectacle théâtral où les artistes dansent au son de la musique. ★ Genre dramatique dont les moyens d'expression sont la danse, le geste et la musique : *Je n'aime pas le chant, c'est pourquoi je préfère le ballet à l'opéra.*

ballon [balɔ̃] n. m. Grosse balle utilisée dans les jeux d'enfants et dans certains sports : *Les ballons de football sont en cuir.* ★ Enveloppe gonflée d'un gaz plus léger que l'air : *L'enfant a laissé échapper son ballon rouge.*

ballottage [balɔtaʒ] n. m. Résultat d'une élection dans laquelle aucun candidat n'obtient la proportion des voix nécessaires pour être élu.

balustrade [balystrad] n. f. Sorte de clôture de bois, de pierre ou de métal, sur laquelle on peut s'appuyer pour regarder au-dehors : *Au sommet du monument, une balustrade empêche les visiteurs de tomber.*

banalité [banalite] n. f. Caractère de ce qui manque d'originalité : *L'architecture de certaines églises est d'une triste banalité.*

banc [bɑ̃] n. m. Siège de bois, de pierre ou de métal, sur lequel peuvent

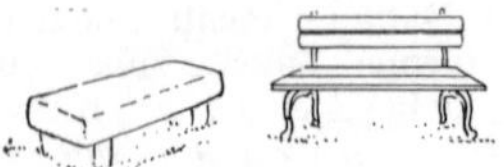

s'asseoir plusieurs personnes : *On a peint en vert les bancs du jardin public.* ★ Etendue de sable, de rochers, etc., située dans une mer ou un cours d'eau : *Des bancs de sable encombrent, en été, le lit de la Loire.* ★ Troupe innombrable de poissons, de taille moyenne ou petite : *Les pêcheurs ont rencontré un banc de sardines.*

bande [bɑ̃d] n. f. Morceau de papier, de tissu, de terrain, etc., beaucoup plus long que large : *Pour expédier un journal, on écrit l'adresse sur la bande de papier qui l'entoure.* ★ Groupe de personnes que rapproche momentanément une occupation commune (ce mot est souvent péjoratif) : *Le café a été envahi par une bande d'étudiants qui se sont mis aussitôt à chanter.*

bandit [bɑ̃di] n. m. Malfaiteur qui se livre à des attaques à main armée : *Les bandits disparaissent peu à peu des pays civilisés.*

banlieue [bɑ̃ljø] n. f. Ensemble des terrains, bâtis ou non, qui entourent une grande ville : *Comme il habitait en banlieue, il mettait une heure pour se rendre à son travail.*

banque [bɑ̃k] n. f. Etablissement spécialisé dans les affaires financières : *La banque m'a prêté de l'argent pour acheter un appartement.*

banquet [bɑ̃kɛ] n. m. Repas officiel où sont invitées un très grand nombre de personnes : *Les anciens élèves du lycée organisent un banquet tous les ans.*

banquier [bɑ̃kje] n. m. Personne qui possède ou dirige une banque.

baptême [batɛm] n. m. Chez les chrétiens, sacrement après lequel on fait partie de l'Eglise : *Dans les familles catholiques, le baptême d'un enfant a lieu d'habitude quelques jours après la naissance.*

baptiser [batize] v. tr. Donner le baptême : *Mon fils a été baptisé à l'église Saint-Nicolas.*

bar [bar] n. m. Sorte de café où les clients boivent debout, ou assis sur de très hauts tabourets : *Au lieu de travailler, il fréquentait les bars.*

baraque [barak] n. f. Maison légère et provisoire, construite en planches : *Les marchands de la foire s'étaient installés dans des baraques.*

barbare [barbar] n. m. Personne qui n'est qu'à demi civilisée : *Les Barbares normands dévastèrent les côtes de l'Europe occidentale pendant une partie du Moyen Age.* ■ Adj. Se dit de tout ce qui manque de sensibilité ou d'humanité : *L'esclavage est un usage barbare que condamnent les peuples civilisés.*

barbarie [barbari] n. f. Mépris des valeurs humaines : *Le massacre* *des prisonniers de guerre est un acte de barbarie.*

barbe [barb] n. f. Ensemble des poils qui poussent sur les joues et le menton de l'homme : *Ce vieillard a une barbe blanche.*

baromètre [barɔmɛtr] n. m. Instrument qui sert à mesurer la pression de l'atmosphère : *Depuis hier, le baromètre indique le beau temps.*

barque [bark] n. f. Petit bateau :

Le pêcheur a traversé l'étang dans sa barque.

barrage [baraʒ] n. m. Ce qui empêche le passage : *Les gendarmes établirent un barrage pour empêcher les voitures d'approcher du lieu de l'accident.* ★ Construction établie en travers d'un cours d'eau, pour ménager une réserve ou une chute d'eau : *On a construit un barrage qui permettra de fournir de l'électricité à toute la ville.*

barre [bar] n. f. Pièce de bois ou de métal étroite et longue : *Tu mettras cette barre de bois en travers de la porte pour en interdire l'accès.*

barreau [baro] n. m. Barre de bois ou de métal qui sert à soutenir ou à fermer : *Les fenêtres de la prison sont fermées par des barreaux.*

barrer [bare] v. tr. Empêcher le passage : *Cet enfant est insupportable; il a encore barré le couloir avec des chaises.* ★ Tirer un trait sur un mot, une phrase, etc., pour les annuler : *Barrez ce mot que vous avez mal écrit.*

barrière [barjɛr] n. f. Pièces de bois ou de métal assemblées pour fermer un passage : *L'enfant entra dans le champ en passant sous la barrière.* ★ Obstacle naturel difficile à franchir : *Les Pyrénées forment une barrière entre l'Espagne et la France.*

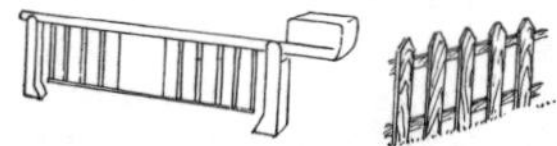

bas, basse [bɑ, bɑs] adj. Qui a peu de hauteur : *L'enfant écrivait mal, car la table était trop basse pour lui.* ★ *Parler à voix basse,* en faisant le moins de bruit possible. ■ ADV. Doucement, sans bruit : *On lui demanda de parler tout bas, car le malade s'était endormi.*

bas [bɑ] n. m. Partie d'un objet qui se trouve la plus proche du sol : *L'enfant suivait sa mère en la tenant par le bas de sa robe.* ■ LOC. ADV. *En bas,* dans la partie la plus basse : *Il n'y a plus de vin? Tu en trouveras en bas, dans la cave.*

bas [bɑ] n. m. Vêtement de femme, qui couvre le pied et presque toute la jambe : *Elle porte des bas très fins.* ★

Sorte de chaussette en très grosse laine, que l'on porte jusqu'au-dessous du genou, en montagne, à la chasse, etc. : *L'alpiniste portait des bas de sport à carreaux verts et rouges.*

basculer [baskyle] v. intr. Tomber d'une seule pièce, d'un seul bloc, à partir de sa base : *Un des deux camions a basculé sous le choc et s'est couché dans le fossé.*

base [bɑz] n. f. Partie inférieure d'un corps sur laquelle il repose : *L'explosion a ébranlé la base de la maison.* ★ Lieu où l'on rassemble les moyens matériels d'entreprendre ou de poursuivre une expédition : *Le camp de base des militaires a été établi près du village.* ★ Principe essentiel sur lequel repose un système économique, politique, etc. : *L'égalité devant la loi est la base de la démocratie.*

baser [bɑze] v. tr. Prendre comme base, dans l'exposé d'une théorie, dans une démonstration : *Vous basez votre raisonnement sur l'idée que l'homme est naturellement bon.*

bassin [basɛ̃] n. m. Construction peu profonde, creusée ou élevée pour y conserver de l'eau : *Allez donc voir les poissons rouges dans le bassin.* ★ GÉOGR. Ensemble des régions où coulent un fleuve et ses affluents : *Le bassin de la Loire représente à peu près le cinquième du territoire français.* ★ Important gisement de houille ou de minerai.

bataille [bataj] n. f. Combat dans lequel deux armées opposent une partie importante de leurs forces : *Des milliers d'hommes périrent dans les batailles de la Première Guerre mondiale.* ★ Combat quelconque : *Les enfants organisèrent une bataille de boules de neige à la sortie de l'école.*

bateau [bato] n. m. Nom qui désigne tout ce qui navigue, sauf les

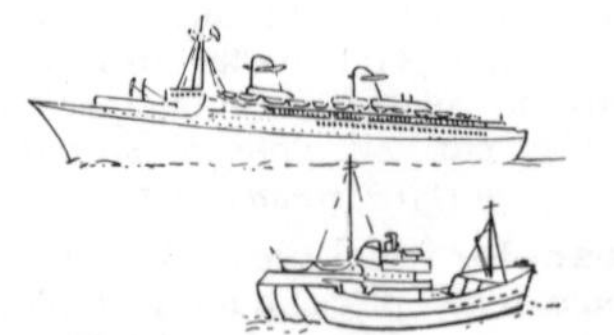

navires de guerre : *Il y a maintenant dans le port un bateau de pêche et un gros bateau qui débarque du ciment et du plâtre.*

bâtiment [bɑtimɑ̃] n. m. Construction en maçonnerie : *Les bâtiments du Louvre longent la Seine sur six cents mètres.* ★ Navire de guerre ou de commerce : *Une flotte de quinze bâtiments entra dans le port.*

bâtir [bɑtir] v. tr. Elever une construction en pierre, en ciment, etc. : *Nous venons de faire bâtir une maison à la campagne.*

bâton [bɑtɔ̃] n. m. Morceau de bois rond, long et étroit, que l'on peut tenir à la main : *Rappelle ton chien, ou je lui donne un coup de bâton.*

battement [batmɑ̃] n. m. Mouvement, accompagné ou non d'un bruit, qui se répète à intervalles plus ou moins réguliers : *L'oiseau s'est envolé avec de grands battements d'ailes.* ★ Intervalle entre deux moments : *Il y a cinq minutes de battement entre l'arrivée et le départ du car.*

battre [batr] v. tr. (voir tableau p. 354). Donner des coups à quelqu'un ou à quelque chose : *Il est interdit aux maîtres de battre les enfants à l'école.* ★ Vaincre un ennemi : *L'ennemi capitula avant d'être complètement battu.* ■ V. intr. Avoir des mouvements réguliers et répétés : *Il a couru et son cœur bat très vite.* ★ *Battre en retraite,* reculer devant l'ennemi.

bavard, e [bavar, ard] adj. Qui parle beaucoup : *Les gens bavards font généralement perdre leur temps aux autres.*

bavardage [bavardaʒ] n. m. Action de bavarder : *Pierre s'est fait punir en classe pour bavardage.* ★ Ce que l'on dit en bavardant : *Je ne sais pas ce qu'il raconte, car je n'écoute pas ses bavardages.*

bavarder [bavarde] v. intr. Parler pour le plaisir, en ne disant généralement que des choses peu importantes : *Elle a invité des amis à prendre le thé, afin de bavarder un moment.*

beau, belle, beaux [bo, bɛl, bo] adj. (**bel** devant un nom masculin commençant par une voyelle ou un *h* muet). Qui provoque l'admiration en raison de sa perfection physique :

Mon frère est le plus bel homme de la famille. ★ Qui provoque l'admiration en raison de sa perfection morale ou intellectuelle : *C'est une belle chose que de se sacrifier aux progrès de la science.* ★ *Un beau jour, un beau matin,* sans que l'on s'y attende : *Un beau matin, il est arrivé sans prévenir.* ★ *Avoir beau* (+ infinitif), s'efforcer en vain de... : *Vous avez beau courir, vous allez manquer le train.*

beau, belle, beaux [bo, bɛl, bo] adjectif entrant en composition dans un certain nombre de mots indiquant des rapports de parenté légale. (V. BEAU-FRÈRE, BEAU-PÈRE, BEAUX-PARENTS, BELLE-FILLE, BELLE-MÈRE, BELLE-SŒUR.)

beaucoup [boku] adv. Indique une grande quantité : **1.** Avec un nom : *Il faut beaucoup de patience pour apprendre une langue étrangère. L'épidémie a fait beaucoup de victimes;* **2.** Avec un verbe : *Il a beaucoup lu et beaucoup réfléchi.*

beau-frère [bofrɛr] n. m. Frère de l'un des deux époux par rapport à l'autre : *Ma sœur s'est mariée récemment; mon beau-frère est médecin.*

beau-père [bopɛr] n. m. Père de l'un des deux époux par rapport à l'autre : *Mon père est le beau-père de ma femme.* ★ Mari d'une femme par rapport aux enfants nés d'un précédent mariage : *Son beau-père l'avait élevé exactement comme son propre fils.*

beauté [bote] n. f. Caractère de ce qui éveille une idée de perfection physique ou morale : *Admirez la beauté du paysage. La beauté du corps est moins importante que la bonté ou l'intelligence.*

beaux-parents [boparɑ̃] n. m. pl. Les parents de l'un des deux époux par rapport à l'autre : *Il préfère ses parents à ses beaux-parents.*

bébé [bebe] n. m. Enfant encore tout petit : *Ma sœur a trois enfants, dont un bébé de six mois.*

bec [bɛk] n. m. Partie dure de la tête des oiseaux, qui avance en saillie et leur sert à se nourrir, à se

battre, etc. : *La poule se sauvait avec un morceau de pain dans son bec.* ★ Partie en saillie d'un récipient.

bêche [bɛʃ] n. f. Lame d'acier en forme de rectangle, fixée à un manche

long et solide, et qui sert à retourner la terre.

bel, belle [bɛl] adj. V. BEAU.

belle-fille [bɛlfij] n. f. Fille d'un premier mariage de la femme ou du mari : *Il arrive que la belle-mère déteste sa belle-fille, dont elle est jalouse.* ★ Femme du fils par rapport aux parents de celui-ci : *Mon fils vient de se marier, j'ai une belle-fille charmante.*

belle-mère [bɛlmɛr] n. f. Mère de l'un des deux époux par rapport à l'autre.

belle-sœur [bɛlsœr] n. f. Sœur de l'un des deux époux par rapport à l'autre.

bénéfice [benefis] n. m. Profit que l'on retire en vendant un objet plus cher qu'on ne l'a payé : *Quand il vend cent francs un objet qui lui en a coûté quatre-vingt-dix, le marchand se contente d'un petit bénéfice.* ★ Avantage que l'on retire d'une activité quelconque : *Il a fait toutes sortes de démarches, mais il n'en a tiré aucun bénéfice.*

bénéficier [benefisje] v. intr. Eprouver un avantage : *Cet élève a bénéficié de l'indulgence de ses professeurs.*

bénir [benir] v. tr. Appeler par une cérémonie la protection de Dieu sur des personnes : *Le pape a béni la foule.* ★ Donner par une cérémonie un caractère sacré à certains objets : *Le prêtre a béni les alliances des jeunes époux.*

bénit, e [beni, it] adj. Se dit d'un objet qui a été béni par un prêtre : *En entrant dans l'église, elle prit de l'eau bénite.*

bercer [bɛrse] v. tr. (Se conj. comme *annoncer*.) Balancer un bébé couché, d'un mouvement doux et régulier, pour l'endormir : *La mère berçait son enfant en chantant doucement.*

béret [berɛ] n. m. Coiffure d'étoffe,

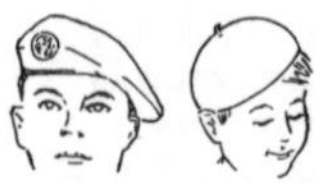

ronde et plate : *Le paysan portait un béret de laine bleue.*

berger, ère [bɛrʒe, ɛr] n. Personne qui garde les moutons : *La bergère avait eu le temps de faire rentrer ses bêtes avant l'orage.*

besoin [bəzwɛ̃] n. m. Etat dans lequel on manque des choses nécessaires à la vie. ★ *Avoir besoin de*, sentir la nécessité de : *Je suis fatigué, j'ai besoin de dormir. Ces fleurs ont besoin d'eau.*

bétail [betaj] n. m. Ensemble des animaux (bœufs, moutons, porcs, etc.) élevés dans une ferme, sauf la volaille : *Pendant la belle saison, le bétail vit dans les champs.*

bête [bɛt] n. f. Tout animal autre que l'homme : *Donne donc du pain au chien, cette pauvre bête meurt de faim.*

bête [bɛt] adj. (familier). Qui n'est pas intelligent : *Il est si bête qu'il n'a jamais pu apprendre à lire.*

bêtise [bɛtiz] n. f. Manque d'intelligence : *La bêtise de certaines personnes peut se lire dans leur regard.* ★ Parole ou action qui révèle un défaut d'intelligence, un manque d'attention, etc. : *J'ai fait une bêtise : j'ai oublié de remonter mon réveil.*

béton [betɔ̃] n. m. Mélange d'eau, de sable, de ciment et de cailloux, qui durcit et qui est employé dans la construction : *Pour construire le barrage, on a employé des centaines de tonnes de béton.*

beurre [bœr] n. m. Corps gras, de couleur jaune clair, obtenu en battant la crème du lait : *Je préfère la cuisine au beurre à la cuisine à l'huile.*

bible [bibl] n. f. Livre qui renferme les textes sacrés des religions juive et chrétienne (prend une majuscule) : *La Genèse est le premier livre de la Bible.*

bibliothèque [biblijɔtɛk] n. f. Meuble dans lequel sont rangés les livres : *J'ai placé mes dictionnaires dans le bas de ma bibliothèque.* ★ Bâtiment où l'on garde les livres : *Les étudiants peuvent emprunter des livres à la bibliothèque de l'université.* ★ Ensemble des livres appartenant à une personne : *Il avait une très belle bibliothèque de livres anciens.*

bicyclette [bisiklɛt] n. f. Véhicule à deux roues que l'on fait avan-

cer avec un système de chaîne et de pédales : *Nous allons nous promener à bicyclette.*

bien [bjɛ̃] adv. D'une manière avantageuse ou satisfaisante : *Il est très adroit, il fait bien tout ce qu'il fait.* ★ Peut remplacer *très* devant tous les adjectifs et certains adverbes : *Vous avez une bien belle maison!* ★ *Vouloir bien,* consentir à : *Venez-vous au cinéma?—Oui, je veux bien.* ★ *Aimer bien,* éprouver de l'affection pour quelqu'un ou du goût pour quelque chose. ■ Interj. *Eh bien!,* marque la surprise, l'interrogation, la concession, etc. : *Il est parti, eh bien! jamais je ne l'aurais cru.* ■ LOC. CONJ. *Bien que* (+ subjonctif), marque la concession : *Je sortirai, bien qu'il pleuve.*

bien [bjɛ̃] n. m. Ce qui procure un avantage ou une satisfaction : *La liberté est le plus précieux de tous les biens.* ★ Ce qui est conforme à la morale : *L'éducation doit apprendre aux enfants à distinguer le bien du mal.* ★ *Dire du bien de quelqu'un,* faire son éloge. ★ *Faire du bien,* procurer un plaisir ou un avantage.

biens [bjɛ̃] n. m. pl. Ce que l'on possède.

bienfait [bjɛ̃fɛ] n. m. Bien que l'on fait à quelqu'un. ★ Par ext. Bien que quelque chose fait à quelqu'un : *La disparition des épidémies est un des bienfaits de la médecine moderne.*

bientôt [bjɛ̃to] adv. Dans peu de temps : *Nous sommes au mois de novembre, c'est bientôt l'hiver.*

bière [bjɛr] n. f. Boisson fermentée, faite à partir de l'orge germée : *La bière blonde est moins forte que la bière brune.*

bifteck [biftɛk] n. m. Tranche de bœuf que l'on fait griller ou que l'on fait cuire à la poêle : *Les Français mangent souvent le bifteck accompagné de frites.*

bijou [biʒu] n. m. (pl. **bijoux**). Objet précieux par la matière ou par le travail, et qui sert d'ornement : *De tous ses bijoux, elle préférait son collier de perles.*

bilingue [bilɛ̃g] adj. Qui parle deux langues : *La secrétaire était bilingue; elle parlait et écrivait l'espagnol aussi bien que le français.* ★ Qui est rédigé en deux langues : *Les dictionnaires bilingues anglais-français sont très répandus.*

bille [bij] n. f. Petite boule de pierre, de bois ou de métal. ★ *Crayon à bille,* V. CRAYON.

billet [bijɛ] n. m. Papier qui prouve que l'on a payé pour entrer dans les salles de spectacle, ou pour prendre certains moyens de transport : *J'ai pris deux billets pour le concert de ce soir.* ★ *Billet de banque,* ou, simplement, *billet,* papier imprimé par l'Etat, représentant une certaine somme d'argent, et que l'on utilise comme monnaie : *Voulez-vous que je vous paie en billets de cinquante ou de cent francs?*

biographie [bjɔgrafi] n. f. Histoire de la vie d'une personne : *La biographie des grands hommes est souvent plus intéressante que les romans.*

biscuit [biskɥi] n. m. Petit gâteau sec : *Pour le goûter, on nous a servi du thé et des biscuits.*

bizarre [bizar] adj. Se dit de ce qui a quelque chose d'étrange et d'inquiétant : *Je le trouvais bizarre depuis quelques jours; il ne parlait plus à personne.*

blâme [blɑm] n. m. Jugement défavorable que l'on exprime : *Cette mauvaise action mérite le blâme.* ★ Punition morale dont on frappe un employé coupable d'une faute : *Le directeur du service a reçu un blâme du ministre.*

blâmer [blɑme] v. tr. Porter une condamnation morale contre une personne ou une chose qui mérite de graves reproches : *On ne saurait assez* *blâmer les gens qui conduisent trop vite.* ★ Punir d'un blâme : *Le facteur a été blâmé pour avoir perdu des lettres.*

blanc, blanche [blɑ̃, blɑ̃ʃ] adj. Qui a une couleur rappelant celle du lait ou de la neige : *Le vieillard avait de beaux cheveux blancs.* ★ *Nuit blanche,* nuit pendant laquelle on ne peut pas dormir. ■ N. m. Couleur blanche : *Le blanc se trouve entre le bleu et le rouge dans le drapeau français.* ★ Partie blanche d'une chose : *Le blanc d'œuf.* ■ N. Personne de race blanche : *Les Blancs s'habituent mal au climat des pays tropicaux.*

blancheur [blɑ̃ʃœr] n. f. Aspect de ce qui est blanc : *Sous le soleil, la neige est d'une blancheur éblouissante.*

blanchir [blɑ̃ʃir] v. tr. Rendre blanc : *L'âge blanchit les cheveux.* ■ V. intr. Devenir blanc.

blanchisseur, euse [blɑ̃ʃisœr, øz] n. Personne qui a pour métier de laver le linge : *Elle a porté hier un sac de linge sale chez la blanchisseuse.*

blé [ble] n. m. Céréale dont on tire la farine employée pour faire le pain :

En France, on coupe généralement le blé au mois d'août.

blessé, e [blɛse] n. Personne qui a une blessure : *Après l'accident, on transporta immédiatement les blessés à l'hôpital.*

blesser [blɛse] v. tr. Provoquer une plaie ou une fracture : *Il a été blessé au bras d'un coup de couteau.* ★ Porter atteinte à l'amour-propre de quelqu'un : *Il m'a blessé en me traitant de menteur.*

blessure [blɛsyr] n. f. Plaie provoquée par un coup : *La blessure qu'il avait à la tête était profonde, et le sang coulait abondamment.*

bleu, e [blø] adj. Se dit de la couleur qui rappelle celle du ciel pur : *Le soleil brille, il n'y a pas un seul nuage et le ciel est tout bleu.* ■ N. m. Couleur bleue : *Le bleu du ciel se reflète dans la mer.* ★ Coup qui laisse une trace bleue sur la peau : *En me cognant, je me suis fait un bleu à la jambe.*

blindé, e [blɛ̃de] adj. Qui est recouvert d'acier : *La salle où l'on garde les coffres-forts a une porte blindée.* ■ N. m. Véhicule automobile de combat, protégé par une enveloppe d'acier.

bloc [blɔk] n. m. Gros morceau de matière compacte : *D'énormes blocs de pierre tombés sur la route empêchaient les voitures de passer.* ★ *Faire bloc,* former un ensemble dont les éléments ne peuvent être séparés les uns des autres : *Les socialistes ont fait bloc contre les propositions de la droite.*

blocus [blɔkys] n. m. Action militaire ou économique qui coupe les communications d'une ville, d'un pays, etc., avec l'extérieur : *On manquait de vivres, car l'ennemi faisait le blocus de la ville.*

blond, e [blɔ̃, blɔ̃d] adj. Se dit surtout des cheveux et des poils du visage quand leur couleur se rapproche du jaune : *Il avait une moustache blonde.* ★ Se dit d'une personne qui a les cheveux blonds : *Ma petite sœur est blonde comme les blés.* ■ N. m. Couleur blonde : *Elle a les cheveux d'un blond tirant sur le roux.* ■ N. Personne qui a les cheveux blonds : *Certains hommes préfèrent les blondes, d'autres aiment mieux les brunes.*

bloquer [blɔke] v. tr. Empêcher le mouvement : *Il y a eu un accident au carrefour, et les voitures ont été bloquées sur le pont pendant une heure.*

Pour empêcher une hausse, le gouvernement a bloqué le prix du beurre.

blouse [bluz] n. f. Vêtement sans doublure que l'on met par-dessus les autres pour ne pas les salir : *Les chirurgiens portent de longues blouses*

blanches. ★ Vêtement féminin léger qui couvre le buste : *La jeune fille était vêtue d'une jupe et d'une blouse de soie.*

bobine [bɔbin] n. f. Petit cylindre sur lequel s'enroule un fil de métal,

de coton, etc. : *Elle eut besoin d'acheter une bobine de fil pour finir de coudre sa robe.*

bœuf [bœf] n. m. (pl. **bœufs** [bø]). Animal domestique à cornes, rendu incapable de reproduire, que l'on emploie pour le travail des champs, et

dont la chair sert à l'alimentation : *Il n'aime pas le porc et ne mange que du bœuf.*

boire [bwar] v. tr. (voir tableau p. 354). Avaler un liquide : *Buvez ce bol de café au lait.* ■ V. intr. Consommer trop d'alcool.

bois [bwa] n. m. Lieu planté d'arbres : *Le bois de Boulogne s'étend à l'ouest de Paris.* ★ Matière dure dont sont composés le tronc et les branches d'un arbre : *Les élèves travaillent sur des tables de bois.*

boisson [bwasɔ̃] n. f. Ce que l'on boit : *Le thé est la boisson la plus répandue en Chine.*

boîte [bwat] n. f. Petit coffre de bois mince, de métal léger, etc., où l'on met des objets de petite taille : *Le facteur déposait chaque matin le*

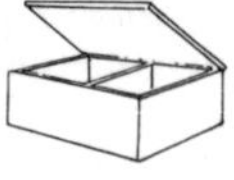

courrier dans la boîte aux lettres. ★ Contenu d'une boîte : *Les enfants ont mangé toute la boîte de bonbons.*

boiter [bwate] v. tr. Marcher en posant d'une manière inégale les pieds sur le sol : *Il avait mal à la jambe et boitait en s'appuyant sur une canne.*

bol [bɔl] n. m. Récipient demi-sphérique, sans anse, et qui sert pour boire : *Prenez-vous votre café dans un bol ou*

dans une tasse? ★ Contenu d'un bol : *Il a bu à son petit déjeuner un grand bol de lait.*

bombardement [bɔ̃bardəmɑ̃] n. m. Action de bombarder : *Le dernier bombardement a détruit la moitié de la ville.*

bombarder [bɔ̃barde] v. tr. Lancer sur un certain lieu des projectiles le plus souvent explosifs : *Pendant la guerre, de nombreuses villes ont été bombardées par avion.*

bombe [bɔ̃b] n. f. Projectile explosif : *Pendant la guerre, plusieurs bombes éclatèrent autour de la cathédrale.*

bon, bonne [bɔ̃, bɔn] adj. Qui a de la bonté : *Mes amis ont été très* *bons pour moi, lorsque j'ai été malade.* ★ Qui a les qualités qu'il doit avoir en raison de sa nature ou de son usage : *C'est une bonne voiture, économique et robuste.* ★ Qui est agréable au goût ou à l'odeur : *Ah! que ce gâteau est bon!* ■ Adv. *Il fait bon,* la température est agréable : *En hiver, il fait bon au soleil.* ★ *Sentir bon,* avoir une odeur agréable : *Que ces roses sentent bon!* ■ Interj. *Bon!,* exclamation marquant l'approbation.

bonbon [bɔ̃bɔ̃] n. m. Petit morceau de matière sucrée, que l'on suce pour son goût agréable : *Mes enfants aiment beaucoup les bonbons au chocolat.*

bondé, e [bɔ̃de] adj. Aussi rempli de personnes que possible : *A sept heures du soir, à Paris, le métro est bondé.*

bondir [bɔ̃dir] v. intr. Sauter en s'élançant d'une manière souple et rapide : *Le chat a bondi sur la souris.*

bonheur [bɔnœr] n. m. Sentiment éprouvé lorsqu'on est heureux : *Son bonheur fut grand lorsqu'il apprit la naissance de son fils.* ★ Circonstance qui rend heureux : *Puisque j'ai le bonheur de vous rencontrer, venez dîner avec moi.*

bonjour [bɔ̃ʒur] n. m. Formule de politesse employée pour saluer quelqu'un : *Bonjour, monsieur, comment allez-vous?*

bonne [bɔn] n. f. Femme ou jeune fille salariée, qui habite et prend ses repas dans la maison où elle est employée aux travaux du ménage : *La bonne s'occupe des enfants en l'absence de leur mère.*

bonnet [bɔnɛ] n. m. Coiffure qui couvre les cheveux : *Elle met un bonnet de bain pour nager, afin de ne pas se mouiller les cheveux.*

bonsoir [bɔ̃swar] n. m. Formule de politesse employée pour saluer quelqu'un le soir : *L'enfant dit bonsoir à ses parents avant de monter dans sa chambre.*

bonté [bɔ̃te] n. f. Qualité morale qui porte à faire du bien aux autres : *Sa bonté le porte à excuser les faiblesses de tout le monde.*

bord [bɔr] n. m. Endroit où s'arrête une surface : *Le vase était posé trop près du bord de la cheminée ; en passant, je l'ai fait tomber.* ■ Loc. prép. *Au bord de,* le long du bord de : *Le pêcheur s'était assis au bord de l'eau.* ★ *A bord de,* à l'intérieur de : *Il y avait cinq cents passagers à bord du paquebot.* ■ Loc. adv. *A bord,* à l'intérieur : *L'avion d'Air France vient de se poser avec cent personnes à bord.*

border [bɔrde] v. tr. Mettre le long du bord : *Vous borderez de dentelles le col de ma robe.* ★ Etre le long du bord : *Des arbres bordent la route.*

bordure [bɔrdyr] n. f. Ce qui borde : *J'ai mis une bordure de fleurs autour de la pelouse.*

borne [bɔrn] n. f. Bloc de pierre qui indique une limite : *Des bornes kilométriques sont placées le long de la route.*

borner [bɔrne] v. tr. Limiter en formant obstacle : *Les Pyrénées bornent la France au sud.* ■ **Se borner** v. pron. Se contenter volontairement de : *Pour l'instant, je me borne à lui apprendre à lire ; ensuite, je lui apprendrai à compter.*

bosse [bɔs] n. f. Grosseur naturelle : *Le chameau a deux bosses.* ★ Endroit où le terrain est un peu plus élevé : *Nous avancions péniblement sur ce terrain couvert de bosses.* ★ Grosseur provoquée par une chute, un choc : *Le bébé s'est fait une bosse au front en tombant.*

botte [bɔt] n. f. Chaussure qui protège la jambe jusqu'au genou : *Il a* *tellement plu que j'ai dû mettre des bottes pour travailler dans le jardin.*

botte [bɔt] n. f. Plantes liées ensemble : *Combien vendez-vous la botte de roses?*

bouche [buʃ] n. f. Ouverture située à la partie inférieure du visage, qui sert à boire, à manger, à parler, etc. : *Il est incorrect de parler la bouche pleine.*

bouchée [buʃe] n. f. Quantité d'aliment que l'on met dans la bouche en une seule fois : *Il avait tellement faim qu'il a tout mangé en deux bouchées.*

boucher, ère [buʃe, ɛr] n. Commerçant qui vend de la viande de bœuf, de veau et de mouton : *La bonne est allée acheter un rôti de veau chez le boucher.* ★ *Garçon boucher,* V. GARÇON.

boucher [buʃe] v. tr. Fermer une ouverture ou un trou en y enfonçant quelque chose : *Le maçon a bouché les trous du mur avec du plâtre.* ★ *Par ext. : Le camion, arrêté au milieu de la route, bouchait le passage.*

bouchon [buʃɔ̃] n. m. Tout ce qui sert à boucher : *Le bouchon de la bouteille de champagne a sauté jusqu'au plafond.*

boucle [bukl] n. f. Sorte d'anneau traversé par un axe, et qui sert à fixer une ceinture, un vêtement, etc. ★ Mèche de cheveux ayant la forme d'un anneau : *Cette petite fille a de jolies boucles blondes.*

boue [bu] n. f. Mélange de terre et d'eau formant un liquide épais : *A la campagne, après la pluie, les chemins sont couverts de boue.*

bouger [buʒe] v. intr. (Se conj. comme *manger.*) Changer de place : *Les enfants ne pouvaient rester assis dans le train; ils bougeaient tout le temps.*

bouillir [bujir] v. intr. (voir tableau p. 354). Se transformer en vapeur sous l'action de la chaleur : *L'eau bout à 100 °C.* ★ *Faire bouillir,* mettre un corps solide dans de l'eau qui bout : *Elle fait bouillir des pommes de terre dans une grande casserole.* ★ FIG. Etre agité par un sentiment violent : *Il bouillait de colère en écoutant mes reproches.*

bouillon [bujɔ̃] n. m. Eau dans laquelle ont bouilli de la viande ou des légumes : *Pendant votre maladie, ne mangez rien, ne buvez que du bouillon de légumes.*

boulanger, ère [bulɑ̃ʒe, ɛr] n. Commerçant(e) qui fait et vend le pain : *La boulangère n'avait plus que du gros pain.*

boule [bul] n. f. Corps sphérique

que l'on peut faire rouler : *La terre est ronde comme une boule.*

boulevard [bulvar] n. m. Rue très large et plantée d'arbres, qui souvent entoure une ville : *Beaucoup de Parisiens se promènent le dimanche sur les Grands Boulevards.*

bouleversement [bulvɛrsəmɑ̃] n. m. Trouble violent et profond : *Après ces bouleversements politiques, le pays aura de la peine à retrouver son équilibre.*

bouleverser [bulvɛrse] v. tr. Mettre dans un désordre complet : *Il avait bouleversé l'armoire pour trouver sa cravate.* ★ Jeter dans un trouble profond : *Il a été bouleversé par la mort de son ami.*

bouquet [bukɛ] n. m. Fleurs dont les tiges sont liées ensemble : *J'ai offert un bouquet de roses à la maîtresse de maison.*

bourdonner [burdɔne] v. intr. Produire un bruit sourd et continu, semblable à celui que font en volant certains insectes : *Les abeilles se posaient en bourdonnant sur les fleurs du jardin.*

bourgeois, eoise [burʒwa, az] adj. et n. Qui appartient à la bourgeoisie : *Les quartiers bourgeois sont souvent situés à l'ouest des grandes villes.*

bourgeoisie [burʒwazi] n. f. De nos jours, catégorie sociale qui comprend les personnes ayant largement de quoi vivre, et n'exerçant pas de métier manuel : *La bourgeoisie industrielle s'est développée au XIXe siècle.*

bourgeon [burʒɔ̃] n. m. Ensemble des petites feuilles poussant à l'extrémité d'une tige, et qui enferme ce qui deviendra une feuille, une fleur, un fruit, etc. : *Au printemps, les premiers bourgeons apparaissent sur les arbres.*

bourreau [buro] n. m. Celui qui exécute les personnes condamnées à mort par les juges civils. ★ Personne qui, par plaisir, en fait souffrir une autre : *Ce père est un bourreau d'enfants, il traite sa fille avec brutalité.*

bourse [burs] n. f. Petit sac où l'on met de l'argent. ★ Somme versée à quelqu'un pour lui permettre de poursuivre ses études, de faire des voyages éducatifs, etc. : *Ce garçon est un bon élève; on lui a donné une bourse pour terminer ses études.* ★ Bâtiment public où s'assemblent les hommes de finance pour les opérations commerciales ou financières : *Le cours de la Bourse,* le cours quotidien des valeurs qui sont achetées et vendues en Bourse.

boursier, ère [bursje, ɛr] n. Etudiant qui touche une bourse : *Les boursiers de l'Etat ne paient pas les droits d'examen.*

bousculer [buskyle] v. tr. Pousser brusquement et en tous sens : *Au cours de la manifestation, il a été bousculé par la foule.*

boussole [busɔl] n. f. Instrument dont l'aiguille indique la direction du

nord : *C'est grâce à l'invention de la boussole que Christophe Colomb a découvert l'Amérique.*

bout [bu] n. m. Partie qui termine un objet que l'on considère dans le sens de la longueur : *On tape à la machine avec le bout des doigts.* ★ FAM. Petit morceau d'un objet : *Le petit garçon mange une tranche de pain et un bout de chocolat pour son goûter.* ★ *En venir à bout,* parvenir à vaincre une difficulté : *L'affaire est difficile, mais je vais en venir à bout.* ★ *Tirer à bout portant,* tirer un coup de feu de très près. ■ LOC. PRÉP. *Au bout de,* après un certain temps : *Au bout de trois mois de traitement, vous serez guéri.*

bouteille [butɛj] n. f. Récipient portatif en verre, où l'on enferme les liquides : *Il y a des bouteilles d'huile*

et de vin dans le buffet de la cuisine. ★ Contenu d'une bouteille : *Au restaurant, nous avons bu deux bouteilles de vin à nous cinq.*

boutique [butik] n. f. Local ouvrant sur la rue, où un commerçant expose les marchandises pour les vendre au détail : *La boutique de l'épicier est pleine de monde à midi.*

bouton [butɔ̃] n. m. Fleur qui n'est pas encore ouverte. ★ Petit disque d'une matière quelconque, que l'on coud sur les vêtements et qui sert à les tenir fermés : *Il demanda à sa femme de lui recoudre un bouton de chemise.* ★ Partie saillante appliquée sur un objet et que l'on manœuvre pour ouvrir ou fermer une porte, allumer l'électricité, le gaz, etc. : *Le bouton de la porte est en fonte.* ★ Petite grosseur, souvent de couleur rouge, qui soulève la peau : *Elle a mangé trop de charcuterie, et elle a des boutons sur le visage.*

boutonner [butɔne] v. tr. Fermer ses vêtements à l'aide de boutons : *Boutonne ton imperméable, pour que la pluie ne mouille pas ta robe.*

boxe [bɔks] n. f. Sport qui oppose deux adversaires se battant avec les poings protégés par de gros gants : *Il a assisté à un match de boxe.*

boxeur [bɔksœr] n. m. Personne qui se livre au sport de la boxe.

bracelet [braslɛ] n. m. Bijou que l'on porte au bras : *Elle avait au poignet un bracelet de pierres précieuses.*

branche [brɑ̃ʃ] n. f. Tige de bois qui pousse sur le tronc d'un arbre : *En hiver, il n'y a plus de feuilles aux branches.*

brandir [brɑ̃dir] v. tr. Montrer en tenant au-dessus de la tête : *Les grévistes défilaient en brandissant des pancartes.*

braquer [brake] v. tr. Tourner une arme à feu vers une cible : *Quand le voleur apparut, le policier braqua sur lui son revolver.* ★ Orienter les roues d'une voiture : *Il faut braquer davantage pour vous garer près du trottoir.*

bras [bra] n. m. Chacun des deux membres supérieurs de l'homme et du singe : *En été, les femmes se promènent souvent les bras nus.* ★ Partie d'un objet qui rappelle la forme ou la position d'un bras : *Il a cassé le bras du fauteuil en s'asseyant dessus.*

brave [brav] adj. Qui n'a pas peur du danger : *Cet enfant est brave : il s'est jeté à l'eau pour sauver son frère.* ★ Se dit d'une personne honnête, modeste et bonne (*brave* se place alors devant le nom) : *Mon jardinier est un brave homme.* ■ **Bravement** adv.

bravo [bravo] interj. Exclamation dont on se sert pour applaudir : *Bravo! crièrent les députés quand le président eut parlé.* ■ N. m. Applaudissement : *A la fin de la pièce, les bravos firent revenir plusieurs fois les comédiens.*

brèche [brɛʃ] n. f. Démolition formant une ouverture à travers un mur, une haie, etc. : *Les enfants profitèrent d'une brèche du mur pour passer dans le jardin du voisin.*

bref, ève [brɛf, brɛv] adj. Qui dure peu de temps : *Sa visite a été très brève, car il avait un rendez-vous urgent.* ★ Qui comporte peu de mots : *Faites-moi donc un article très bref sur ce livre.* ■ Adv. Pour résumer : *Vous achèterez du pain, du vin, des œufs, bref tout ce qu'il faut pour le repas.* ■ **Brièvement** adv.

brevet [brəvɛ] n. m. Nom que portent certains diplômes : *Je cherche une secrétaire qui ait le brevet commercial.* ★ Titre que le gouvernement délivre pour protéger l'auteur d'une invention contre ceux qui voudraient s'en servir sans autorisation : *Il a mis au point un nouveau moteur et a pris un brevet.*

bricoler [brikɔle] v. intr. Faire de petits travaux manuels, de petites réparations chez soi : *Mon mari aime bien bricoler, et il a fait de nombreuses installations dans notre cuisine.*

brièveté [brijɛvte] n. f. Caractère de ce qui est bref : *Excusez la brièveté de ma visite, mais je pars en voyage ce soir.*

brillant, e [brijɑ̃, ɑ̃t] adj. Qui brille : *Les étoiles sont très brillantes par les belles nuits d'été.* ★ FIG. Qui attire l'attention par des qualités exceptionnelles : *C'est un brillant chirurgien qui a réussi des opérations très délicates.* ■ **Brillamment** adv.

briller [brije] v. intr. Emettre une vive lumière : *Le soleil brille quand il n'y a pas de nuages.* ★ FIG. Se faire remarquer par une qualité quelconque : *Cet étudiant brille par son intelligence.*

brin [brɛ̃] n. m. Tige, souvent végétale, souple et menue : *Au printemps, on voit des brins d'herbe pousser dans le jardin.*

brique [brik] n. f. Petit bloc de terre cuite au four ou durcie au soleil, qu'on emploie pour la construction : *Une maison en pierre est plus solide qu'une maison en brique.*

briquet [brikɛ] n. m. Petit appareil utilisant l'essence ou le gaz, qui sert

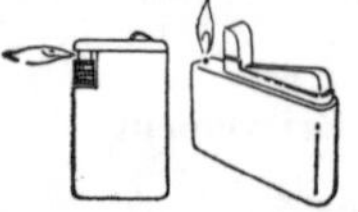

à produire du feu : *Il m'emprunta mon briquet pour allumer sa pipe.*

briser [brize] v. tr. Casser en plusieurs morceaux par un choc violent : *L'enfant brisa un verre en le laissant tomber sur les carreaux de la cuisine.*

bronze [brɔ̃z] n. m. Métal dur, composé de cuivre et d'étain, qui sert à faire des cloches, des statues, etc.

bronzé, e [brɔ̃ze] adj. Se dit de la peau brunie par le soleil : *Elle est revenue de vacances toute bronzée.*

brosse [brɔs] n. f. Plaque de bois, de matière plastique, etc., dont une des faces est garnie de poils, et avec

laquelle on frotte ce que l'on veut nettoyer : *Après une marche sur la route, mes chaussures ont besoin d'un coup de brosse. Il n'oublie jamais sa brosse à dents quand il part en voyage.*

brosser [brɔse] v. tr. Frotter avec une brosse : *J'ai brossé ma jupe, qui était couverte de poussière.*

brouillard [brujar] n. m. Sorte de vapeur qui flotte dans l'air et qui gêne la vue : *Le brouillard était si épais que les phares des voitures ne pouvaient le percer.*

brouiller [bruje] v. tr. Rendre moins clair : *La voiture avançait lentement, car la pluie brouillait la vue du conducteur.* ★ Mettre en désordre : *L'assassin eut soin de brouiller les traces de son passage, avant de quitter la maison.* ★ *Brouiller une émission de radio,* empêcher que l'on ne comprenne une émission, en se servant de la même longueur d'onde. ■ V. pron. *Se brouiller avec quelqu'un,* rompre les bonnes relations que l'on avait avec une personne : *Il s'est brouillé avec ses frères, à propos d'un héritage.*

brousse [brus] n. f. Région non cultivée, plantée d'herbes et d'arbustes tropicaux.

broyer [brwaje] v. tr. (Se conj. comme *payer.*) Ecraser un corps dur et le réduire en morceaux très petits : *Va voir au moulin la grosse meule qui broie le blé.*

bruit [brɥi] n. m. Son de caractère non musical : *Le train passa sur les rails avec un bruit métallique.* ★ Nouvelle dont on ignore si elle est vraie : *Le bruit court que le prix du vin va augmenter.*

brûlant, e [brylɑ̃, ɑ̃t] adj. Qui est trop chaud : *Fais attention en prenant la casserole, la queue en est brûlante.* ★ Dont il ne faut parler qu'avec précaution ou après réflexion : *Le désarmement général est une des questions brûlantes qui se posent de nos jours.*

brûler [bryle] v. tr. Détruire, altérer ou blesser par l'action du feu ou de la trop grande chaleur : *L'incendie a brûlé une partie de la forêt. Le café est trop chaud, il me brûle la gorge.* ■ V. intr. Etre en feu : *Le bois vert brûle en dégageant beaucoup de fumée.* ★ Produire de la chaleur ou de la lumière : *Ma lampe a brûlé tard, hier soir, car j'ai lu une partie de la nuit.* ★ Subir un feu trop vif : *Ce gâteau a brûlé, car la cuisinière l'a laissé trop longtemps dans le four.* ★ Etre trop chaud : *Ne posez pas la main sur ce radiateur, il brûle.*

brûlure [brylyr] n. f. Blessure plus ou moins profonde causée par le feu, la chaleur : *Je me suis fait une brûlure à la main, en sortant le poulet du four.*

brume [brym] n. f. Brouillard qui se produit surtout au-dessus de l'eau, et qui empêche de distinguer les objets : *Perdu dans la brume, le bateau s'est jeté contre les rochers.*

brun, brune [brœ̃, bryn] adj. Dont la couleur se situe entre le rouge et le noir (se dit surtout des cheveux ou des poils du visage quand leur couleur se rapproche du noir) : *Il avait une barbe brune.* ★ Se dit d'une personne dont les cheveux sont bruns : *Ma fille a les yeux noirs et elle est brune.* ■ N. Personne dont les cheveux sont bruns : *Notre voisine est une petite brune très sympathique.*

brunir [brynir] v. tr. Rendre brun. ■ V. intr. Devenir brun (en général sous l'action du soleil) : *Les enfants avaient bruni pendant leur séjour au bord de la mer.*

brusque [brysk] adj. Qui agit d'une manière soudaine et violente : *La brusque arrivée de la pluie nous a obligés à nous mettre à l'abri sous les arbres.* ■ **Brusquement** adv.

brut, e [bryt] adj. Qui n'a été soumis à aucun travail de transformation : *Le camion transportait dix tonnes de pierres brutes.* ■ N. f. *Une brute,* une personne grossière et violente.

brutal, e, aux [brytal, o] adj. Qui agit avec brutalité : *La voiture l'a heurté de manière si brutale qu'on a dû le conduire à l'hôpital.* ■ **Brutalement** adv.

brutaliser [brytalize] v. tr. Traiter quelqu'un avec violence ou sans égards : *Elle a quitté son mari, qui la brutalisait.*

brutalité [brytalite] n. f. Caractère de ce qui est violent et grossier : *La brutalité de sa conduite l'a déjà fait condamner pour coups et blessures.*

bruyant, e [brɥijɑ̃, ɑ̃t] adj. Qui fait beaucoup de bruit : *Des enfants qui jouent sont toujours bruyants.* ★ Où il y a beaucoup de bruit : *Les camions qui passent rendent la rue bruyante.* ■ **Bruyamment** adv.

budget [bydʒɛ] n. m. Ensemble des recettes et des dépenses que prévoient une administration, un Etat, ou même une personne ordinaire : *Elle a de la peine à maintenir son budget, car elle dépense trop.*

buffet [byfɛ] n. m. Meuble où l'on range les ustensiles de cuisine, la vaisselle, etc. : *Quand tu auras lavé les assiettes, tu les remettras dans le buffet.* ★ Restaurant installé dans une gare : *J'ai le temps de prendre un sandwich au buffet, avant le départ du train.* ★ Tables sur lesquelles les personnes invitées à une réunion trouvent de la nourriture froide et des boissons : *On avait préparé un buffet à l'extrémité du grand salon.*

buisson [bɥisɔ̃] n. m. Masse d'arbustes sauvages : *Ce buisson porte des fruits qui ne sont pas bons à manger.*

bulletin [byltɛ̃] n. m. Papier imprimé qui constate une chose de manière officielle : *On m'a délivré à la gare un bulletin de bagages.* ★ Papier imprimé qui désigne le candidat pour qui l'on vote. *Bulletin blanc,* bulletin sur lequel il n'y a rien d'écrit, et que déposent les électeurs qui n'acceptent aucun des candidats. ★ Copie des notes obtenues par un élève : *Le lycée vient de m'envoyer les bulletins de mes filles.*

bureau [byro] n. m. Table spéciale où l'on se met pour écrire : *Le médecin s'est assis à son bureau pour écrire*

son ordonnance. ★ Pièce dont le bureau est le meuble principal : *Le directeur est dans son bureau, en train de dicter son courrier.* ★ Endroit où travaillent des employés : *Le bureau de poste ouvre à 8 heures du matin.* ★ Partie d'une administration spécialisée dans le règlement de certaines questions : *Pour la carte de travail, adressez-vous au quatrième bureau.* ★ Membres élus par une assemblée pour en diriger les séances : *Les élections syndicales l'avaient désigné comme membre du bureau.* ★ *Bureau de tabac,* endroit où l'on vend tout ce qu'il faut pour fumer.

buste [byst] n. m. Partie supérieure du corps humain. ★ Représentation peinte ou sculptée de la partie supérieure du corps humain : *Il a placé un buste de marbre sur la cheminée de son salon.*

but [by] n. m. Tout ce que l'on veut atteindre : *Le bois de Boulogne est un agréable but de promenade.* ★ *Aller droit au but,* agir de manière rapide et directe. ★ En termes de sport, endroit où l'on doit faire pénétrer le ballon pour marquer un point (football, rugby, etc.).

buter [byte] v. intr. Rencontrer un obstacle physique ou moral qui empêche d'aller plus loin : *Le petit garçon buta contre une pierre et tomba.*

C

ç' pron. dém. V. CE.

ça [sa] pron. dém. neutre. FAM. Contraction de « cela » : *Qu'est-ce que c'est que ça?*

cabane [kaban] n. f. Construction de bois petite et grossière, en forme

de maison : *Tu mettras les outils dans la cabane du jardin.*

cabine [kabin] n. f. Petite pièce où l'on s'isole (pour téléphoner, pour se déshabiller, etc.) : *Voici plus d'un quart d'heure que cette dame téléphone dans la cabine.* ★ Petite chambre à bord d'un bateau : *Je suis resté dans ma cabine du Havre à New York, car j'avais le mal de mer.*

cabinet [kabinɛ] n. m. Pièce de très petites dimensions : *Il est au cabinet de toilette, en train de se laver.* ★ *Les cabinets,* les W.-C. ★ Pièce où l'on travaille et où l'on reçoit ses clients : *J'ai été reçu hier dans le cabinet du directeur de la société.* ★ Ensemble des collaborateurs immédiats qui aident un homme d'Etat ou un haut fonctionnaire.

câble [kɑbl] n. m. Très grosse corde, souvent métallique : *Le navire est rattaché au quai par un câble.*

cacher [kaʃe] v. tr. Mettre hors de vue : *La mère a caché le paquet de bonbons, pour empêcher les enfants de tout manger.* ★ Ne pas faire connaître : *Il lui avait caché qu'il partait pour ne pas lui faire de peine.*

cachet [kaʃɛ] n. m. Se dit de différentes sortes de marques, et spécialement de la marque imprimée par la poste sur une enveloppe, un paquet, etc. : *Le cachet de la poste indique la date du départ de la lettre.* ★ Petite quantité de médicament en poudre, qu'on avale sans mâcher avec l'enveloppe qui la renferme : *Je vais vous donner un cachet qui fera disparaître votre mal de tête.*

cadavre [kadavr] n. m. Corps d'un homme ou d'un animal mort : *Les eaux du fleuve emportaient les cadavres d'animaux domestiques.*

cadeau [kado] n. m. Ce que l'on donne à quelqu'un pour lui faire plaisir : *J'ai donné une poupée à ma fille, comme cadeau d'anniversaire.*

cadence [kadɑ̃s] n. f. Répétition de gestes, de sons, etc., qui se succèdent d'une façon régulière : *L'usine produit des voitures à la cadence de vingt mille par mois.*

cadran [kadrɑ̃] n. m. Surface sur laquelle se déplacent une ou plusieurs aiguilles qui indiquent tantôt l'heure, tantôt la vitesse, le poids, etc. : *Sur le cadran de l'horloge, les aiguilles marquaient midi.*

cadre [kadr] n. m. Bordure qui entoure un tableau, une glace, etc. : *J'ai mis un cadre de bois à ce tableau.* ★ Ensemble des objets ou des paysages au milieu desquels on se trouve : *Grâce à quelques jolis meubles, elle vit dans un cadre agréable.* ★ Pl. Ensemble des personnes (directeurs, ingénieurs, etc.) qui dirigent une entreprise : *Le développement d'une industrie dépend de la qualité de ses cadres.*

café [kafe] n. m. Grains végétaux qu'on fait griller et qu'on moud pour en préparer une boisson noire : *On achète chez l'épicier du café en grains ou en poudre.* ★ Boisson noire et excitante faite avec le café : *Au petit* *déjeuner, la plupart des Français boivent du café au lait.* ★ Lieu public où l'on sert du café et d'autres boissons : *Allons prendre un verre de bière au café.*

cafetière [kaftjɛr] n. f. Ustensile qui sert à préparer ou à servir le café.

cage [kaʒ] n. f. Sorte de caisse dont un ou plusieurs côtés sont faits de grilles ou de grillages, et qui sert à

enfermer toutes sortes d'animaux vivants : *J'ai ouvert la porte de la cage, et l'oiseau s'est envolé.*

cahier [kaje] n. m. Feuilles de papier cousues ensemble : *L'écolier a recopié ses devoirs sur son cahier.*

caillou [kaju] n. m. (pl. **cailloux**). Petite pierre dure : *Il s'est blessé au genou en tombant sur les cailloux du chemin.*

caisse [kɛs] n. f. Grosse boîte en bois où l'on emballe des objets pour les transporter : *On a déchargé du camion trente caisses de fruits.* ★ Coffre ou tiroir où un commerçant met l'argent qu'il reçoit : *Il a pris trente centimes dans la caisse pour me rendre la monnaie.* ★ Dans un magasin, une banque, etc., bureau où l'on verse ou reçoit de l'argent : *La caisse ferme à midi.*

caissier, ère [kɛsje, ɛr] n. Employé(e) qui tient la caisse dans une maison de commerce ou dans une banque : *J'ai payé à la caisse du magasin, et la caissière m'a rendu la monnaie.*

calcul [kalkyl] n. m. Opération que l'on fait avec des nombres : *J'achète un objet cent francs, je le revends cent vingt; faites le calcul de ce que j'ai gagné.* ★ Science qui étudie les opérations d'arithmétique élémentaire : *Cet élève est bon en français, mais il est nul en calcul.*

calculer [kalkyle] v. tr. Trouver, grâce à des opérations, un nombre que l'on ne connaît pas encore : *Dix mètres de tissu coûtent cent francs, calculez le prix du mètre.* ★ Réfléchir sur ce qu'il faut faire pour arriver à un résultat : *Avant de se présenter à l'examen, l'étudiant a calculé ses chances de réussite.*

caleçon [kalsɔ̃] n. m. Vêtement léger que les hommes portent sous le pantalon.

calendrier [kalɑ̃drije] n. m. Tableau imprimé qui fait connaître la suite des jours, des mois et des saisons : *J'ai consulté le calendrier, car j'ignorais la date de Pâques.*

calme [kalm] adj. Tranquille, qui montre du calme : *La mer est calme ce matin, les enfants vont pouvoir se baigner.* ■ N. m. Etat dans lequel ne se produit aucune forme d'activité : *C'est à peine si, dans le calme de la nuit, on entendait couler la rivière.*

calmer [kalme] v. tr. Rendre calme : *Il s'est mis en colère et j'ai mis longtemps à le calmer.* ★ FIG. : *On a donné un cachet au blessé, pour calmer sa douleur.* ■ **Se calmer** v. pron. Devenir calme, retrouver son calme : *Le malade s'est calmé vers six heures et, depuis, il dort.* ★ Perdre de sa force : *La pluie se calme depuis que le vent a chassé l'orage.*

calomnie [kalɔmni] n. f. Fausse accusation faite pour nuire à quelqu'un : *Les hommes politiques et les jolies femmes sont souvent les victimes de la calomnie.*

camarade [kamarad] n. Personne avec qui l'on travaille, l'on joue, et avec qui on a des rapports familiers et souvent amicaux : *Le dimanche, je ne sors pas avec mes camarades d'atelier, car je les vois pendant la semaine.*

cambrioler [kɑ̃brijɔle] v. tr. Voler des objets dans une maison où l'on a pénétré de force : *Il a été arrêté dans l'appartement qu'il cambriolait.*

caméra [kamera] n. f. Appareil qui prend des vues pour le cinéma ou la télévision : *Depuis qu'il a une caméra, il rapporte de vacances des films magnifiques.*

camion [kamjɔ̃] n. m. Grande et grosse automobile qui sert à transporter plusieurs tonnes de marchandises : *Chaque matin, de nombreux camions apportent des légumes au marché.*

camionnette [kamjɔnɛt] n. f. Automobile faite pour transporter moins d'une tonne et demie de marchandises : *Mon épicier se sert d'une camionnette pour livrer ses marchandises à domicile.*

camp [kɑ̃] n. m. Installation temporaire de tentes ou d'autres constructions légères : *On a installé au bord de la mer un camp de vacances pour les jeunes de l'usine.* ★ *Camp de concentration,* ensemble de constructions, isolées par des clôtures impossibles à franchir, et où sont enfermées, dans des conditions souvent pénibles, les personnes jugées dangereuses par un gouvernement.

campagne [kɑ̃paɲ] n. f. Etendue de terrain couverte de champs, de bois, etc., qui est située loin des villes : *Il va passer huit jours à la campagne pour se reposer.* ★ Ensemble des opérations militaires qui se déroulent entre deux moments précis : *En 1944, les Américains ont franchi le Rhin, après la campagne de France.*

camper [kɑ̃pe] v. intr. S'installer quelque part de manière provisoire : *Les soldats qui campaient depuis deux jours le long de la rivière sont partis ce matin.* ★ Vivre par goût en plein air, en couchant sous la tente : *Pendant nos vacances, nous irons camper dans les Alpes.*

campeur, euse [kɑ̃pœr, øz] n. Personne qui campe sous la tente : *Cet été, une famille de campeurs a passé huit jours près de la plage.*

canal [kanal] n. m. Voie d'eau artificielle : *Grâce aux canaux d'irrigation, on fait pousser des légumes dans des terrains secs.*

canalisation [kanalizasjɔ̃] n. f. Système de conduites qui sert à amener l'eau, le gaz ou l'électricité dans les maisons : *Le froid a fait éclater les canalisations d'eau.*

canard [kanar] n. m. Oiseau sauvage ou domestique, qui vit souvent sur l'eau et dont la chair est bonne à manger : *Mon père élève des poules et des canards à la campagne.*

cancer [kɑ̃sɛr] n. m. Maladie souvent mortelle, causée par la multiplication de certaines cellules : *Les savants cherchent un remède contre le cancer.*

candidat, e [kɑ̃dida, at] n. Personne qui sollicite un poste, ou qui demande à subir un examen ou un concours : *Les candidats au baccalauréat sont de plus en plus nombreux.*

★ Personne qui se présente à une élection : *Les socialistes ont un candidat dans tous les cantons.*

candidature [kɑ̃didatyr] n. f. Acte par lequel on signale qu'on est candidat à un poste déclaré libre : *Il a posé sa candidature à l'Académie française.*

canon [kanɔ̃] n. m. Arme non portative, dont le tube lance de gros projectiles explosifs : *Quand la reine arriva, on tira cent coups de canon.*

★ Dans une arme à feu portative, tube par où passe le projectile : *Je nettoie le canon de mon fusil en passant un chiffon à l'intérieur.*

canot [kano] n. m. Petit bateau :

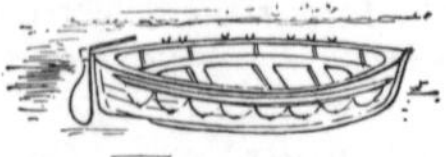

Le pêcheur s'était installé dans son canot, au milieu de la rivière.

cantine [kɑ̃tin] n. f. Etablissement dont l'accès est réservé aux membres d'une usine, d'une société, etc., qui peuvent y boire et y manger à prix réduit : *Tout le personnel est nourri à midi à la cantine de l'usine.*

canton [kɑ̃tɔ̃] n. m. En France, division de l'arrondissement : *Les foires de campagne ont souvent lieu au chef-lieu de canton.* ★ Chacun des Etats qui composent la Confédération suisse.

caoutchouc [kautʃu] n. m. Matière élastique et imperméable qui sert à fabriquer des tuyaux, des pneumatiques, etc. : *Les électriciens se servent de gants de caoutchouc.*

cap [kap] n. m. Pointe de terre qui s'allonge dans la mer : *Le cap de Bonne-Espérance est situé au sud de l'Afrique.*

capable [kapabl] adj. Qui peut faire quelque chose : *Si tu ne te soignes pas la jambe, tu ne seras plus capable de marcher.*

capacité [kapasite] n. f. Ce que peut contenir un récipient. ★ Aptitude nécessaire pour occuper un poste : *Il a donné des preuves de sa capacité comme pilote.*

capitaine [kapitɛn] n. m. Dans l'armée française, grade situé entre celui de commandant et celui de lieutenant : *Notre capitaine porte trois galons tout neufs à son képi.* ★ Dans la marine marchande, celui qui commande à bord d'un navire : *On dit que le capitaine est le seul maître à bord, après Dieu.* ★ Dans une équipe de sportifs, celui qui dirige les joueurs au cours d'un match.

capital, e, aux [kapital, o] adj. Ce qui est plus important que tout le reste : *Pour qu'une affaire marche, il faut qu'elle soit bien dirigée; c'est capital.*

capital [kapital] n. m. Argent qui sert à faire marcher une affaire : *Le capital de son usine s'élève à cent millions.*

capitale [kapital] n. f. Ville où siège le gouvernement d'un pays : *Washington est la capitale des Etats-Unis.*

capitalisme [kapitalism] n. m. Régime économique dans lequel les capitaux et les moyens de production appartiennent à des personnes privées.

capitaliste [kapitalist] adj. Qui est fondé sur la propriété privée des moyens de production : *Karl Marx a fait la critique du système capitaliste.* ■ N. Personne qui possède des capitaux.

capitulation [kapitylasjɔ̃] n. f. Acte par lequel on se reconnaît vaincu : *La capitulation de l'ennemi a été due à la famine.*

capituler [kapityle] v. intr. Se reconnaître vaincu par l'ennemi : *Les derniers défenseurs du fort capitulèrent quand ils n'eurent plus de munitions.*

caporal [kapɔral] n. m. Le grade le moins élevé de l'armée française : *Le caporal a envoyé deux hommes balayer la cour.*

captivité [kaptivite] n. f. Condition des prisonniers de guerre : *Les officiers ne sont pas obligés de travailler en captivité.*

capturer [kaptyre] v. tr. Réussir à saisir un animal ou une personne : *La police a fini par capturer les voleurs qui s'étaient cachés dans la cave.*

car [kar] conj. Mot qui introduit l'explication de ce qu'on vient de dire : *J'ai mis mon manteau, car il fait froid.*

car [kar] n. m. Abrév. de AUTOCAR :

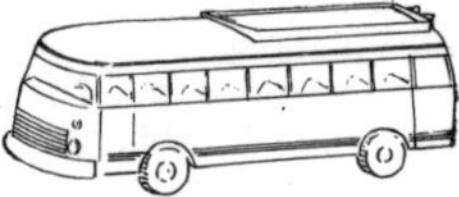

On voit à Paris des cars venus de tous les pays d'Europe.

caractère [karaktɛr] n. m. Manière d'être particulière qui distingue une chose d'une autre : *Cette pièce de théâtre a un caractère comique.* ★ Ensemble des dispositions naturelles ou morales qui dominent chez une personne : *Cet homme a un caractère difficile; il ne s'entend avec personne.* ★ *Avoir bon caractère,* accepter sans se fâcher les petits ennuis de tous les jours : *Il faut avoir bon caractère pour supporter cet enfant désagréable.* ★ *Avoir mauvais caractère,* se fâcher de tout. ★ *Avoir du caractère,* avoir de la force morale.

caractéristique [karakteristik] adj. Se dit de ce qui est un caractère essentiel d'une personne ou d'une chose : *Cette église est un exemple caractéristique de l'art religieux du XVIIIe siècle.* ■ N. f. Caractère essentiel, particulier, d'une personne ou d'une chose : *Les problèmes posés par la circulation sont une des caractéristiques de notre époque.*

carafe [karaf] n. f. Large bouteille

dans laquelle on sert l'eau ou le vin.

carburant [karbyrɑ̃] n. m. Corps liquide que consomment les moteurs : *Les carburants les plus répandus aujourd'hui sont l'essence et le mazout.*

cardinal, e, aux [kardinal, o] adj. Qui exprime le nombre, la quantité : *« Un » est le premier des nombres cardinaux.* ★ *Les points cardinaux,* le nord, le sud, l'est et l'ouest.

cardinal [kardinal] n. m. Prince de l'Eglise, qui participe à l'élection du pape : *Les cardinaux sont vêtus de rouge.*

caresser [karɛse] v. tr. Passer la main doucement en signe d'affection sur une personne ou sur un animal : *Quand on caresse un chien, il remue la queue.*

cargaison [kargɛzɔ̃] n. f. Marchandise que transporte un navire de commerce : *Le capitaine a pris une cargaison de laine à destination de Dunkerque.*

cargo [kargo] n. m. Navire qui ne transporte que des marchandises.

caricature [karikatyr] n. f. Dessin qui représente une personne ou une chose en exagérant ses traits caractéristiques, pour la rendre ridicule : *L'élève a été puni parce qu'il avait fait une caricature de son maître.*

carnassier, ère [karnasje, ɛr] adj. Se dit des animaux qui se nourrissent de chair : *Le lion est le plus gros des animaux carnassiers.*

carnet [karnɛ] n. m. Petit cahier qu'on peut mettre dans sa poche : *J'écris tous les soirs mes impressions de voyage sur un carnet.*

carotte [karɔt] n. f. Racine pota-

gère de couleur rouge, utilisée comme légume.

carré [kare] adj. Qui a la forme d'un carré. ★ Se dit de la mesure qui exprime la surface d'un corps : *Cette pièce a 4 mètres sur 3, sa surface est de 12 mètres carrés.* ■ N. m. GÉOM. Surface limitée par quatre côtés égaux se coupant à angle droit : *La cour de l'école forme un carré.*

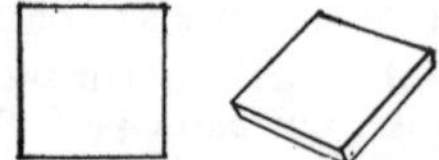

carreau [karo] n. m. Morceau de pierre, de terre cuite, etc., de forme plate et carrée, dont on recouvre le sol ou les murs : *J'ai fait poser des carreaux de faïence sur les murs de ma salle de bains.* ★ Vitre d'une fenêtre ou d'une porte : *L'enfant a cassé un carreau avec une balle.* ★ Dessin de forme carrée : *Elle portait une robe à carreaux noirs et rouges.* ★ L'une des deux couleurs rouges du jeu de cartes.

carrefour [karfur] n. m. Endroit où se croisent des rues ou des routes, etc. : *La station de métro est juste au carrefour des deux rues.*

carrière [karjɛr] n. f. Profession dont l'exercice demande des qualités spéciales : *La carrière d'ingénieur n'est pas à la portée de n'importe qui.*

carrosserie [karɔsri] n. f. Dans les automobiles, parties en tôle ou en matière plastique qui abritent le moteur, les voyageurs, les marchandises, etc. : *Dans l'accident, le moteur n'a pas été touché, mais la carrosserie a été complètement défoncée.*

carte [kart] n. f. Feuille de carton souple et peu épaisse. ★ *Carte à jouer,* carte portant des figures et servant à jouer : *J'ai acheté un jeu de cartes au bureau de tabac.* ★ *Carte postale,* carte qu'on envoie par la poste, sans la mettre sous enveloppe. ★ *Carte de visite,* petite carte où l'on fait imprimer son nom, son adresse, etc. ★ *Carte géographique,* feuille sur laquelle on a représenté la Terre ou l'une de ses parties : *Avant de partir pour Bruxelles, j'achèterai une carte de Belgique.* ★ *Carte d'identité,* carte sur laquelle on a collé une photo et inscrit le signalement et l'état civil d'une personne. ★ *Carte d'électeur,* carte qui donne le droit de voter. ★ *La carte,* la liste des plats, avec leur prix, qu'on peut se faire servir dans un restaurant : *Le garçon lui tend la carte pour qu'il choisisse son menu.*

carton [kartɔ̃] n. m. Matière fabriquée avec de la pâte de papier durcie. ★ Boîte en carton : *J'ai rapporté mes chaussures neuves dans un carton.*

cartouche [kartuʃ] n. f. Petit tube en carton ou en métal, contenant la charge d'une arme à feu portative : *Je n'emporte que dix cartouches, quand je vais à la chasse.*

cas [kɑ] n. m. Situation qui résulte d'un événement quelconque. ★ Exemple d'une maladie : *Les cas de tuberculose des os deviennent rares.* ★ *En tout cas,* quelles que soient les circonstances : *Qu'il pleuve ou non, en tout cas j'irai me promener.* ■ LOC. PRÉP. *En cas de,* s'il y a : *En cas de pluie, je ne viendrai pas.* ■ LOC. CONJ. *Au cas où,* si par hasard : *Au cas où tu rentrerais avant moi, je laisse la clef au concierge.*

case [kɑz] n. f. Construction légère qui sert de maison dans certains pays tropicaux.

caserne [kazɛrn] n. f. Ensemble de bâtiments construits pour loger les soldats : *Pendant leur service militaire les soldats habitent à la caserne.*

casque [kask] n. m. Coiffure rigide qui protège le crâne des chocs, du

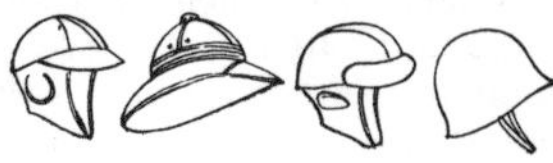

soleil, etc. : *Pendant la guerre, les soldats portent des casques de métal pour se protéger.*

casquette [kaskɛt] n. f. Coiffure de tissu dont la partie antérieure pro-

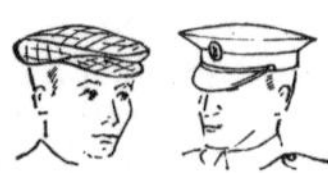

tège le front et les yeux : *Les officiers de marine sont coiffés de casquettes plates.*

casser [kɑse] v. tr. Mettre, volontairement ou non, en plusieurs morceaux : *Il a cassé l'assiette en la laissant tomber par terre.*

casserole [kasrɔl] n. f. Ustensile de cuisine, creux et muni d'un manche,

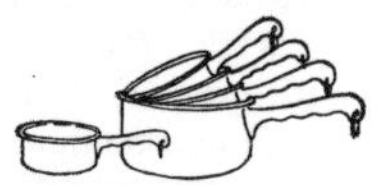

dans lequel on fait cuire des aliments, bouillir de l'eau, etc.

catalogue [katalɔg] n. m. Liste des objets qui composent une collection : *Le catalogue de la bibliothèque municipale est sur fiches.*

catastrophe [katastrɔf] n. f. Evénement inattendu qui a des conséquences tragiques : *L'avion a explosé et tous les voyageurs ont péri dans la catastrophe.*

catéchisme [kateʃism] n. m. Enseignement oral de la religion chrétienne : *Le curé du village faisait le catéchisme aux enfants le jeudi.*

catégorie [kategɔri] n. f. Groupe particulier auquel appartiennent des êtres ou des choses de même nature : *Les prix des hôtels varient selon leur catégorie.*

cathédrale [katedral] n. f. Eglise, généralement de grandes dimensions, où se trouve le siège de l'évêque : *La cathédrale de Chartres est le monument le plus élevé de la ville.*

catholicisme [katɔlisism]. Religion chrétienne dont le pape est reconnu comme le chef sur la terre : *Le catholicisme est la religion officielle de l'Espagne.*

catholique [katɔlik] adj. Qui appartient au catholicisme : *Les églises catholiques sont plus ornées que les temples protestants.* ■ N. Chrétien qui reconnaît l'autorité du pape : *Les catholiques vont à la messe le dimanche.*

cause [koz] n. f. Evénement qui en amène un autre : *Le mauvais temps est la cause des inondations.* ★ Ensemble des intérêts que l'on veut défendre : *Ce syndicat défend la cause des ouvriers.* ■ LOC. PRÉP. *A cause de,* en raison de : *Je n'ai pas pu sortir à cause du mauvais temps.*

causer [koze] v. tr. Etre la cause de quelque chose, provoquer : *Le vent a causé des dégâts aux arbres du jardin.* ■ V. intr. *Causer avec quelqu'un,* avoir une conversation familière avec quelqu'un : *Ma voisine aime causer avec la concierge.*

cavalerie [kavalri] n. f. Partie d'une armée composée de soldats à cheval, et aujourd'hui d'unités blindées : *La cavalerie jouait un rôle important dans les guerres d'autrefois.*

cavalier, ère [kavalje, ɛr] n. Personne qui va à cheval : *Il monte à cheval depuis son enfance, il est bon cavalier.*

cave [kav] n. f. Partie de la maison creusée sous le rez-de-chaussée : *On garde le vin à la cave pour le tenir frais.*

ce [sə] adj. dém. m. sing. ; **cet** [sɛt] m. sing. devant une voyelle ou un *h* muet; **cette** [sɛt] f. sing. ; **ces** [sɛ] pl. des deux genres. Marque la personne ou la chose que l'on désigne : *Ce livre est épais. Cet homme est grand. Cette fleur sent bon. Regardez ces petits garçons et ces petites filles qui partent pour l'école.*

ce [sə] pron. dém. (**c'** devant une voyelle). Indique la personne ou la chose dont on parle : *Qui est-ce? — C'est notre professeur. Qu'est-ce que c'est? — C'est un livre rare. Ce sont des fleurs de notre jardin.*

ceci [səsi] pron. dém. Cette chose-ci.

céder [sede] v. tr. (voir tableau p. 355). Renoncer à garder quelque chose : *Les enfants devraient céder la place aux vieillards dans l'autobus.* ■ V. intr. Renoncer à résister à quelqu'un ou à quelque chose : *L'intérêt particulier doit céder à l'intérêt public.*

ceinture [sɛ̃tyr] n. f. Bande de tissu ou de cuir que l'on met autour de la taille : *Votre sœur porte sur sa robe une jolie ceinture de cuir noir.*

cela [səla] pron. dém. Cette chose-là.

célèbre [selɛbr] adj. Connu de tout le monde : *Les personnes les plus célèbres de notre époque sont souvent les vedettes de cinéma.*

célébrer [selebre] v. tr. (Se conj. comme *céder.*) Accomplir une cérémonie en présence de nombreuses personnes : *Les obsèques du grand écrivain ont été célébrées en présence d'une foule considérable.*

célibataire [selibatɛr] n. Personne adulte non mariée.

celle, celles [sɛl] pron. dém. f. V. CELUI.

cellule [selyl] n. f. Très petite chambre d'une prison où l'on isole un prisonnier : *Le gardien a conduit le prisonnier dans sa cellule.* ★ Elément organisé extrêmement petit qui constitue les tissus vivants : *Le savant examina au microscope des cellules végétales.*

celui [səlɥi] pron. dém. m. sing. ; **celle** [sɛl] pron. f. sing. ; **ceux** [sø] pron. m. pl. ; **celles** [sɛl] pron. f. pl. Servent à représenter des personnes ou des choses : *Ce livre vert est celui de Pierre. Cette montre est celle de ma sœur. Ces gants sont ceux qui me vont le mieux. Ces cravates sont celles que mon mari préfère.* ★ *Celui-ci, celle-ci,* etc., servent à représenter ce qui est le plus proche. *Celui-là, celle-là,* etc., servent à représenter ce qui est le plus éloigné : *J'ai deux enfants, celui-ci est le plus jeune.*

cendre [sɑ̃dr] n. f. Poudre qui reste quand on a brûlé une matière quelconque : *Il a répandu de la cendre de cigarette sur son veston.*

cendrier [sɑ̃drije] n. m. Récipient servant à recevoir les cendres : *Il écrasa sa cigarette dans le cendrier.*

censure [sɑ̃syr] n. f. Organisme par lequel le gouvernement fait surveiller (pour des raisons politiques ou morales) les journaux, les livres et les films : *La censure est plus sévère en temps de guerre qu'en temps de paix.*

censurer [sɑ̃syre] v. tr. Supprimer officiellement certains passages d'un livre, d'un article, d'un film, etc. : *J'ai vu hier un film qui avait été censuré parce qu'il contenait des scènes peu convenables.*

cent [sɑ̃] adj. num. Dix fois dix. ★ *Pour cent,* pour une quantité de cent : *Il a emprunté de l'argent à cinq pour cent.*

centaine [sɑ̃tɛn] n. f. Groupe qui compte — soit exactement, soit environ — cent unités.

centenaire [sɑ̃tnɛr] adj. Qui a cent ans ou plus. ■ N. m. Centième anniversaire d'un événement : *Le centenaire de la naissance de Victor Hugo a eu lieu en 1902.*

centième [sɑ̃tjɛm] adj. num. Indique la place qui suit la quatre-vingt-dix-neuvième. ■ N. m. Partie d'un objet que l'on a divisé en cent parties égales.

centime [sɑ̃tim] n. m. La centième partie du franc.

centimètre [sɑ̃timɛtr] n. m. La centième partie du mètre.

central, e, aux [sɑ̃tral, o] adj. Qui est situé au centre : *Notre appartement est très commode pour les communications, car il est central.*

centre [sɑ̃tr] n. m. Géom. Point situé à l'intérieur d'une circonférence ou d'une sphère et à égale distance de tous les points de la circonférence ou de la surface de la sphère : *La pesanteur attire les corps vers le centre de la Terre.* ★ Ce qui se trouve à peu près au milieu d'une surface quelconque : *Il y avait une table au centre de la pièce.* ★ Lieu où est concentrée une activité intellectuelle, commerciale, industrielle : *Paris est le centre mondial des arts.*

cependant [səpɑ̃dɑ̃] adv. Malgré cela : *Elle plaisante, et cependant elle est triste.*

cercle [sɛrkl] n. m. Géom. Surface limitée par une circonférence. ★ Fig. Groupe de personnes qui trouvent

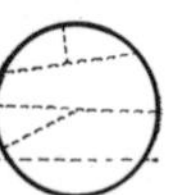

agréable de se fréquenter : *Nous avons formé à la campagne un cercle d'amis très sympathiques.*

cercueil [sɛrkœj] n. m. Caisse où l'on enferme le corps d'un mort.

céréale [sereal] n. f. Plante dont les grains servent à la nourriture de l'homme et des animaux : *Le blé, l'orge et le riz sont des céréales.*

cérémonie [seremɔni] n. f. Ensemble réglé de gestes, auquel on se livre quand on veut donner un caractère impressionnant à certaines manifestations sociales : *Le député a fait un discours devant le monument aux morts, à la fin de la cérémonie.*

cerise [səriz] n. f. Fruit rouge, de la grosseur d'une bille, dont le noyau

est entouré d'une chair à la fois acide et sucrée : *J'ai acheté des cerises pour le dessert de notre déjeuner.*

certain, e [sɛrtɛ̃, ɛn] adj. Qui est considéré comme vrai, sans discussion ni doute possible : *Il est certain que la terre tourne.* ★ Qui est sûr de ce qu'il dit : *Bien qu'il prétende le contraire, je suis certain de l'avoir vu hier soir.* ■ Adj. indéf. S'emploie quand on ne veut pas s'exprimer avec précision : *Certaines eaux minérales sont bonnes pour les maux d'estomac.* ■ Pron. indéf. pl. Quelques-uns, quelques-unes : *Certains aiment la chasse, d'autres préfèrent la pêche.* ■ **Certainement** adv.

certificat [sɛrtifika] n. m. Papier écrit, qui garantit qu'une chose est vraie : *Pour emprunter des livres à la bibliothèque, j'ai dû fournir un certificat de domicile.*

certifier [sɛrtifje] v. tr. Affirmer oralement ou par écrit qu'une chose est certaine : *Je vous certifie que ce n'est pas moi qui ai fait cette erreur.*

certitude [sɛrtityd] n. f. Qualité de ce qui est certain : *J'ai la certitude que vous saurez vaincre les difficultés de cette entreprise.* ★ Ce dont on est certain : *Pour lui, l'existence de Dieu est une certitude.*

cerveau [sɛrvo] n. m. Masse nerveuse qui remplit l'intérieur du crâne.

cervelle [sɛrvɛl] n. f. Substance du cerveau. ★ Cerveau des animaux propre à l'alimentation : *Ma femme a préparé à midi des cervelles de mouton.*

ces [sɛ] adj. dém. V. CE.

cesser [sɛse] v. tr. Interrompre; mettre fin à : *Les ouvriers de cette usine cessent le travail à six heures.* ■ V. intr. S'arrêter, de façon provisoire ou non : *Nous pouvons sortir, car la pluie a cessé.*

c'est-à-dire [sɛtadir] loc. adv. Cela signifie : *En vacances, je me repose, c'est-à-dire que je me lève tard et que je me promène.*

cet [sɛt] adj. dém. V. CE.

cette [sɛt] adj. dém. V. CE.

ceux [sø] pron. dém. V. CELUI.

chacun, chacune [ʃakœ̃, yn] pron. indéf. Tout objet ou personne pris isolément à l'intérieur d'un groupe : *Chacune de ces cinq personnes a une opinion différente.* ★ Toute personne : *Chacun est libre de faire ce qui lui plaît.*

chagrin [ʃagrɛ̃] n. m. Souffrance morale profonde : *En apprenant la mort de son amie d'enfance, ma femme a éprouvé un grand chagrin.*

chaîne [ʃɛn] n. f. Longue file d'anneaux de métal pris les uns dans les autres : *J'ai acheté une chaîne pour attacher mon chien.* ★ Masse de montagnes qui s'étendent en longueur : *La chaîne des Alpes couvre une partie de l'Europe centrale.*

chair [ʃɛr] n. f. Substance molle, formée surtout par les muscles de l'homme ou de l'animal : *La chair du poulet est blanche.* ★ Masse formée par le tissu végétal qui entoure le noyau de certains fruits : *La chair de la pêche est jaune clair.*

chaise [ʃɛz] n. f. Siège sans bras, ayant quatre pieds et un dossier : *Les*

invités se sont assis sur des chaises autour de la table.

chaleur [ʃalœr] n. f. Ce que l'on sent près d'un corps dont la température est élevée : *Les plantes ont besoin de la chaleur du soleil.*

chambre [ʃɑ̃br] n. f. Pièce d'un logement, et surtout pièce où l'on se couche : *Le mobilier de sa chambre à coucher se compose d'un lit et d'une armoire.* ★ Assemblée élue pour délibérer : *Les dernières élections ont amené à la Chambre une majorité de droite.*

champ [ʃɑ̃] n. m. Terrain mis en culture : *Le paysan ramassait les pommes de terre de son champ.* ★ Terrain que l'on a choisi et aménagé en vue d'une activité déterminée : *Je suis allée au champ de courses pour y admirer les chevaux.* ■ **Sur-le-champ** adv. Tout de suite.

champignon [ʃɑ̃piɲɔ̃] n. m. Plante molle, sans feuilles ni racine, qui pousse très vite dans les endroits humides, et dont certaines espèces se mangent, alors que d'autres renferment un poison : *Les enfants vont*

cueillir des champignons, le matin, dans la forêt.

champion, onne [ʃɑ̃pjɔ̃, ɔn] n. Vainqueur d'une épreuve sportive : *Il est champion du monde de boxe.*

chance [ʃɑ̃s] n. f. Ce qui peut arriver en bien ou en mal : *Il y a une chance sur deux pour qu'il pleuve demain.* ★ Ensemble de circonstances favorables : *J'ai eu la chance de retrouver mon parapluie, que j'avais oublié dans le train.*

chandail [ʃɑ̃daj] n. m. Vêtement de tricot, sans boutons, qui couvre le buste : *Le marin portait un chandail de laine bleue.*

change [ʃɑ̃ʒ] n. m. Action d'échanger les monnaies de deux pays étrangers : *Avant mon départ pour les Etats-Unis, je suis allé au bureau de change acheter des dollars.*

changement [ʃɑ̃ʒmɑ̃] n. m. Action de changer : *Il y a deux changements pour aller par le train de Lille à Perpignan.* ★ Résultat de cette action : *La Révolution a entraîné des changements politiques considérables.*

changer [ʃɑ̃ʒe] v. tr. (Se conj. comme *manger.*) Remplacer un objet dont on ne veut plus par un autre : *J'ai dû changer l'ampoule électrique qui était cassée.* ★ *Changer de l'argent,* échanger une monnaie contre une monnaie étrangère. ■ V. intr. Subir une transformation : *Votre fille a grandi; comme elle a changé pendant ses vacances!*

chanson [ʃɑ̃sɔ̃] n. f. Poésie simple que l'on chante sur un air facile : *On dit que les Français sont gais et que, chez eux, tout finit par des chansons.*

chant [ʃɑ̃] n. m. Action de chanter : *On entend, au printemps, le chant des oiseaux.* ★ Art de chanter : *L'instituteur a donné une leçon de chant aux enfants.* ★ Ensemble composé de paroles et de musique, destiné à être chanté : *Le chant de guerre de l'armée du Rhin s'appela par la suite « la Marseillaise ».*

chantage [ʃɑ̃taʒ] n. m. Action d'exiger quelque chose de quelqu'un, en le menaçant de dire publiquement des choses qu'il veut tenir cachées.

chanter [ʃɑ̃te] v. tr. Former avec la voix une suite de sons musicaux : *L'enfant chantait une chanson qu'il venait d'apprendre.*

chapeau [ʃapo] n. m. Coiffure à bords, que les hommes mettent pour sortir : *Voilà un homme mal élevé,*

qui ne retire pas son chapeau quand il entre chez moi. ★ Coiffure de femme, ayant un bord ou non.

chapelle [ʃapɛl] n. f. Toute petite église. ★ Partie réservée au culte catholique dans un hôpital, une école, etc. : *Le prêtre a dit la messe dans la chapelle du lycée.* ★ Lieu situé à l'intérieur d'une église et où l'on peut dire la messe : *La chapelle Saint-Joseph est à droite, en entrant dans la cathédrale.*

chapitre [ʃapitr] n. m. Chacune des parties d'un livre formant un ensemble complet : *Le dernier chapitre de ce roman nous décrit la mort du héros.*

chaque [ʃak] adj. indéf. sing. Indique que la personne, l'animal ou l'objet dont il s'agit est séparé par la pensée du groupe dont il fait partie : *A l'hôpital, le nom de chaque malade est inscrit sur un registre.*

char [ʃar] n. m. Véhicule blindé de combat, dont les roues entraînent de chaque côté une grosse chaîne plate qui lui permet de se déplacer sur tous les terrains : *Dans les armées modernes, le rôle des chars est très important.*

charbon [ʃarbɔ̃] n. m. Matière noire et dure qu'on extrait de la terre ou qu'on obtient en brûlant du bois et qui est employée pour chauffer les maisons ou les machines : *On va nous livrer notre provision de charbon pour l'hiver.*

charcutier, ère [ʃarkytje, ɛr] n. Personne qui prépare et vend du porc cuit ou cru : *Je suis allé chez le charcutier pour acheter du saucisson et du jambon.*

charge [ʃarʒ] n. f. Poids que l'on porte : *Le camion transporte une charge de cinq tonnes.* ★ Dépenses qu'on est obligé de supporter : *Avec sa femme et six enfants, il a de lourdes charges de famille.*

chargement [ʃarʒəmɑ̃] n. m. Action de charger un véhicule ou un navire : *Le chargement du wagon à bestiaux a demandé une heure.* ★ Ce qui fait la charge d'un camion, d'un navire, etc. : *Le camion emportait un chargement de caisses vides.*

charger [ʃarʒe] v. tr. (Se conj. comme *manger.*) Mettre une charge dans un véhicule ou un bateau. ★ *Charger une arme,* la garnir de projectiles : *Faites attention, ce revolver est chargé.* ★ Confier à quelqu'un un travail, une responsabilité : *Le gouvernement l'a chargé d'une mission diplomatique.* ■ **Se charger de quelqu'un, de quelque chose** v. pron. S'occuper, avoir la responsabilité de quelqu'un ou de quelque chose : *Ne vous occupez pas de cette affaire, je m'en charge.*

charité [ʃarite] n. f. Sentiment qui pousse à aider les personnes pauvres ou malheureuses.

charmant, e [ʃarmɑ̃, ɑ̃t] adj. Très agréable à regarder, à entendre, à habiter : *Ma mère habite un charmant appartement au bord de la Seine.* ★ En parlant des personnes, qui séduit d'une manière qu'on ne peut définir.

charme [ʃarm] n. m. Qualité de ce qui plaît extrêmement : *Cette femme n'est pas très jolie, mais elle a beaucoup de charme.*

charpente [ʃarpɑ̃t] n. f. Ensemble des pièces de bois ou de métal assemblées qui soutiennent certains éléments dans une construction : *On achève la charpente du toit demain, et on pose les tuiles tout de suite après.*

charrue [ʃary] n. f. Machine tirée par un animal ou par un tracteur, qui

sert à labourer : *Dans certaines régions, les charrues sont encore traînées par des chevaux ou des bœufs.*

chasse [ʃas] n. f. Action de capturer ou de tuer des animaux sauvages : *Il va souvent à la chasse au canard.* ★ *Ouverture ou fermeture de la chasse,* date à partir de laquelle il est permis ou interdit de chasser : *Nous n'avons rien tué le jour de l'ouverture de la chasse.*

chasser [ʃase] v. tr. Pratiquer la chasse : *On chasse le lièvre dans cette forêt.* ★ Faire s'enfuir hors d'un lieu quelconque : *Le roi a été chassé de son pays par une révolution.*

chasseur [ʃasœr] n. m. Personne qui pratique la chasse : *Un vrai chasseur a toujours son fusil en bon état.*

chat, chatte [ʃa, ʃat] n. Mammifère carnassier à fourrure douce et à longues moustaches, dont l'espèce

domestique détruit les souris et les rats : *Les chats voient la nuit.*

château [ʃɑto] n. m. Grande et solide construction d'autrefois, défendue par des fossés, des tours, etc., où vivait un seigneur, avec sa famille et ses soldats. ★ Vaste et élégante construction, située à la campagne : *Le banquier a acheté un château situé dans un parc magnifique.*

chaud, e [ʃo, ʃod] adj. Qui dégage de la chaleur : *C'est en été que le soleil est le plus chaud.* ★ *Il fait chaud,* la température est élevée. ★ *Avoir chaud,* éprouver une sensation de chaleur : *J'ai trop chaud, je vais éteindre le feu.*

chauffage [ʃofaʒ] n. m. Ce qui sert à chauffer un bâtiment ou une machine : *Le chauffage électrique est pratique et propre, mais il revient cher.* ★ *Chauffage central,* système qui permet de chauffer tout un bâtiment avec un seul foyer.

chauffer [ʃofe] v. tr. Rendre chaud : *Un seul radiateur chauffe toute la pièce.* ■ V. intr. Devenir chaud : *Pour faire du café, j'ai mis de l'eau à chauffer sur le gaz.*

chauffeur [ʃofœr] n. m. Employé qui s'occupe du chauffage dans une maison, dans une usine, sur une locomotive, etc. ★ Celui qui conduit une automobile, un camion : *Il fit un signe au chauffeur de taxi, qui s'arrêta.*

chaussée [ʃose] n. f. Partie de la route où passent les voitures : *Les enfants doivent faire attention quand ils traversent la chaussée.*

chaussette [ʃosɛt] n. f. Sorte de bas dans lequel on enfile le pied et la partie inférieure de la jambe : *La grand-mère tricote des chaussettes de laine pour son petit-fils.*

chausson [ʃosɔ̃] n. m. Chaussure d'appartement, sans talon : *En rentrant de l'école, le petit garçon enleva ses chaussures pour mettre ses chaussons.*

chaussure [ʃosyr] n. f. Tout ce qui sert à protéger le pied pour éviter le contact avec le sol : *Les chaussures de femme à talons très hauts ne sont pas recommandées par les médecins.*

chauve [ʃov] adj. Qui n'a pas ou presque pas de cheveux : *Mon père était chauve à quarante ans.*

chauvinisme [ʃovinism] n. m. Manière étroite et aveugle de concevoir le patriotisme : *Le chauvinisme de cet homme le porte à critiquer tout ce qu'il voit à l'étranger.*

chef [ʃɛf] n. m. Celui ou celle qui, se trouvant à la tête d'un groupe de personnes, exerce une autorité sur celles-ci : *Le président de la République est le chef de l'Etat. Ce jeune chef d'orchestre dirige remarquablement ses musiciens.*

chef-d'œuvre [ʃɛdœvr] n. m. (pl. **chefs-d'œuvre**). Ouvrage qui inspire une admiration sans réserve : *Beaucoup de pièces de Shakespeare sont des chefs-d'œuvre.* ★ Ouvrage qui est mieux réussi que les autres : *« Phèdre » passe pour le chef-d'œuvre de Racine.*

chef-lieu [ʃɛfljø] n. m. (pl. **chefs-lieux**). Ville où, en France, sont installées les autorités administratives d'un département, d'un arrondissement ou d'un canton : *La préfecture se trouve toujours au chef-lieu du département.*

chemin [ʃəmɛ̃] n. m. Espace qu'il faut parcourir pour aller d'un endroit à un autre : *La ligne droite est le plus* *court chemin d'un point à un autre.* ★ Passage entre des champs, des bois, etc. : *Les enfants suivirent un petit chemin qui faisait le tour du lac.* ★ *Chemin de fer,* train circulant sur des rails.

cheminée [ʃəmine] n. f. Endroit qui, dans une maison, communique avec l'extérieur par un tuyau, et où l'on peut faire du feu : *En hiver, j'aime me chauffer au coin de la cheminée.*

★ Canalisation par où s'échappe la fumée : *Pour éviter un incendie, faites nettoyer votre cheminée.* ★ Partie de la cheminée qui se trouve au-dessus d'une maison, d'une usine, d'une locomotive, etc. : *De nombreuses cheminées d'usine dominent cette petite ville.*

cheminot [ʃəmino] n. m. Membre du personnel des chemins de fer : *Il n'y a aucun train aujourd'hui à cause de la grève des cheminots.*

chemise [ʃəmiz] n. f. Vêtement de tissu léger, qu'on porte en général directement sur la peau.

chêne [ʃɛn] n. m. Arbre d'Europe, parfois très haut, dont le bois dur sert surtout à faire des meubles et des

planchers : *Les fruits du chêne servent à l'alimentation des porcs.*

chèque [ʃɛk] n. m. Billet délivré par une banque, avec lequel on peut retirer l'argent déposé dans cette banque : *Pour payer, il signa un chèque et le remit au commerçant.*

cher, ère [ʃɛr] adj. Pour qui l'on éprouve beaucoup d'affection : *Mes enfants sont ce que j'ai de plus cher.* ★ Formule employée quand on s'adresse à quelqu'un que l'on connaît bien ou pour qui on a de l'affection : *Cher monsieur, chère madame, cher ami.* ★ Dont le prix est élevé : *Ce bijou est très cher.* ■ Adv. : *Cet objet me revient cher, je l'ai payé cher.*

chercher [ʃɛrʃe] v. tr. Essayer de trouver ou de découvrir : *Depuis qu'il a perdu son emploi, il en cherche un autre.* ★ *Chercher à,* faire des efforts pour : *Ouvrez la porte au chat, il cherche à sortir.* ★ *Aller chercher,* aller à un endroit d'où l'on veut rapporter un objet ou ramener quelqu'un : *Quand mon bébé est malade, je vais tout de suite chercher le médecin.*

cheval, aux [ʃəval, o] n. m. Animal domestique qui tire les voitures, les charrues, etc., et sur lequel montent les cavaliers : *Le cheval est de moins*

en moins employé comme moyen de transport. ★ *Etre à cheval,* être sur un cheval. ★ *Etre à cheval sur quelque chose,* être assis sur quelque chose avec une jambe de chaque côté.

cheveu, eux [ʃəvø] n. m. Chacun des poils qui poussent sur la tête de l'homme : *Quand ma mère a eu des cheveux gris, elle a voulu se les faire teindre.*

chèvre [ʃɛvr] n. f. Animal domestique à cornes, aux poils longs et raides, et dont on consomme le lait :

Les chèvres sont des animaux très agiles.

chez [ʃe] prép. Dans l'habitation de : *Il aime rester chez lui le soir à écouter la radio.* ★ Dans la personne de : *Il y a chez les enfants une grande curiosité d'esprit.* ★ Dans l'œuvre de : *Ce que j'admire chez ce peintre, ce sont ses portraits.*

chic [ʃik] n. m. (ne s'emploie pas au pluriel). FAM. Habileté à faire quelque chose : *Mon fils a le chic pour faire des réparations à la maison.* ★ Elégance dont on sent l'effet sans pouvoir l'expliquer : *Cette dame ne porte pas des vêtements très chers, elle a pourtant beaucoup de chic.* ■ Adj. inv. Qui est élégant : *Au théâtre, ce soir, elle avait une robe très chic. Les gens chic,* les gens de la bonne société.

chien, chienne [ʃjɛ̃, ʃjɛn] n. Animal domestique, dont il existe de nombreuses races, qui garde la mai-

son ou les troupeaux, et qui aide l'homme à chasser : *Le chien de mon voisin aboie beaucoup, mais il ne mord pas.*

chiffon [ʃifɔ̃] n. m. Tissu usé dont on peut se servir pour essuyer, nettoyer, etc. : *Après avoir brossé et ciré tes chaussures, tu les frotteras avec un chiffon.*

chiffre [ʃifr] n. m. Signe que l'on emploie pour représenter les nombres : *1, 2, 3, 4 sont des chiffres.* ★ Nombre représenté par des chiffres : *Le chiffre de mes dépenses s'élève à mille francs.*

chimie [ʃimi] n. f. Science qui étudie la constitution et les propriétés des corps : *Son fils s'est brûlé en faisant une expérience de chimie.*

chimique [ʃimik] adj. Qui appartient à la chimie : *Ce laboratoire est spécialisé dans l'analyse chimique des corps gras.*

chimiste [ʃimist] n. Savant qui étudie la chimie ou technicien spécialisé dans certaines applications de la chimie : *L'usine cherche un chimiste qui connaisse les produits colorants.*

chirurgien [ʃiryrʒjɛ̃] n. m. Médecin qui soigne les blessures graves, les fractures, etc., et qui pratique des opérations : *Il faut que les chirurgiens soient très habiles pour réussir les opérations du cerveau.*

choc [ʃɔk] n. m. Action subie par un corps contre lequel vient frapper un autre corps animé d'un mouvement rapide : *Quand la voiture s'est jetée contre le camion, on a entendu un choc violent.* ★ Coup qui vient frapper quelqu'un dans sa santé, sa raison, ses affections, etc. : *Elle a appris que son fiancé l'abandonnait et elle a mal supporté le choc.*

chocolat [ʃɔkɔla] n. m. Aliment de couleur brune, fait de sucre mélangé au fruit d'une plante tropicale nommé cacao : *Au goûter, nos enfants mangent du pain et un morceau de chocolat.*

choisir [ʃwazir] v. tr. Désigner, parmi d'autres, la personne ou la chose que l'on préfère : *J'ai choisi pour toi le meilleur morceau du plat.*

choix [ʃwa] n. m. Action ou possibilité de choisir : *Le choix d'un métier est difficile pour celui qui n'a rien appris.*

chômage [ʃomaʒ] n. m. Arrêt volontaire ou forcé du travail : *La crise économique a réduit beaucoup d'ouvriers au chômage.*

chômeur, euse [ʃomœr, øz] n. Ouvrier ou employé qui se trouve sans travail : *En France, l'Etat accorde une indemnité de secours aux chômeurs.*

chose [ʃoz] n. f. Mot qui désigne d'une manière indéterminée une réalité concrète ou abstraite, mais jamais un être vivant : *Il y a beaucoup de choses dans ce magasin.* ★ *Quelque chose,* V. QUELQUE.

chrétien, enne [kretjɛ̃, ɛn] n. Personne dont la religion est le christianisme. ■ Adj. Qui appartient au christianisme : *La religion chrétienne interdit de se marier à nouveau après le divorce.*

christianisme [kristjanism] n. m. Religion de ceux qui considèrent Jésus-Christ comme le fils de Dieu et Dieu lui-même : *Les trois religions qui appartiennent au christianisme sont le catholicisme, le protestantisme et la religion orthodoxe.*

chute [ʃyt] n. f. Action de tomber : *La chute des feuilles a lieu en automne.* ★ FIG. : *La politique financière du ministère entraînera sa chute.*

ci [si] adv. Mot ajouté à des adjectifs ou à des pronoms démonstratifs pour indiquer que ce que l'on désigne est proche : *Lequel des deux gâteaux veux-tu : celui-ci ou celui-là?*

cible [sibl] n. f. Objet sur lequel on s'exerce à tirer : *Il a mis trois balles dans la cible.*

cicatrice [sikatris] n. f. Marque laissée sur la peau par une plaie qui a guéri : *Le champion de boxe avait le visage couvert de cicatrices.*

ciel [sjɛl] n. m. Partie de l'espace qui se trouve au-dessus de l'horizon et qui ressemble à une demi-sphère : *Le ciel est bleu quand il fait beau.* ★ Région que beaucoup de religions considèrent comme le séjour de Dieu et le paradis : *Le prêtre expliqua à la petite fille que sa maman était allée au ciel après sa mort.*

cigarette [sigarɛt] n. f. Petit rouleau de papier rempli de tabac : *Je ne fume que des cigarettes, et jamais la pipe.*

ciment [simɑ̃] n. m. Mélange de poudres minérales auxquelles les maçons ajoutent de l'eau pour former une pâte qui, en séchant, devient dure comme de la pierre : *Les poteaux électriques sont souvent en ciment aujourd'hui.*

cimetière [simtjɛr] n. m. Lieu où l'on enterre les morts : *L'enterrement de notre ami a eu lieu dans un cimetière de campagne.*

cinéma [sinema] n. m. (abrév. de *cinématographe.*) Procédé permettant d'enregistrer et de projeter des films : *Le cinéma paraissait à ses débuts une invention extraordinaire.* ★ Composition et production des films : *Le cinéma est appelé le septième art.* ★ Etablissement où l'on projette des films : *Le samedi soir, les gens font la queue à l'entrée des cinémas.*

cinq [sɛ̃k] adj. num. Quatre plus un : *Nous avons cinq doigts à chaque main.*

cinquante [sɛ̃kɑ̃t] adj. num. Dix fois cinq.

cinquième [sɛ̃kjɛm] adj. num. qui indique la place qui suit la quatrième. ■ N. m. L'une des parties d'un tout que l'on a divisé en cinq parties égales.

circonférence [sirkɔ̃ferɑ̃s] n. f. Ligne courbe et fermée, dont tous les

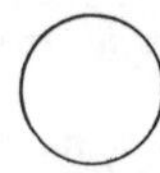

points sont à égale distance d'un même point intérieur appelé *centre.*

circonflexe [sirkɔ̃flɛks] adj. V. ACCENT.

circonstance [sirkɔ̃stɑ̃s] n. f. Chacun des faits particuliers dont l'ensemble forme une certaine situation : *On fait une enquête pour déterminer les circonstances de l'accident.*

circulaire [sirkylɛr] adj. Qui a la forme d'un cercle : *La piste du cirque est de forme circulaire.* ■ N. f. Lettre tirée à un grand nombre d'exemplaires et adressée à des personnes différentes : *Le commerçant a envoyé une circulaire à tous ses clients pour les avertir de son changement d'adresse.*

circulation [sirkylasjɔ̃] n. f. Action de circuler : *Dans les grandes villes, la circulation pose de graves problèmes.* ★ *Circulation du sang,* mouvement du sang à travers le corps.

circuler [sirkyle] v. intr. En parlant du sang, se déplacer à travers le corps : *Le sang circule dans les artères et dans les veines.* ★ Aller et venir : *A midi, beaucoup de monde circule dans les rues.*

cire [sir] n. f. Substance jaune produite par les abeilles, et dans laquelle elles déposent leur miel : *On emploie la cire pour faire briller les meubles.*

cirer [sire] v. tr. Couvrir de cire ou de pâte un objet de cuir, de bois, etc., qui devient brillant quand on le frotte : *Je cire mes chaussures tous les matins.*

cirque [sirk] n. m. Vaste local où l'on montre sur une piste circulaire un spectacle d'animaux dressés, de tours d'adresse, de force, etc. : *Si vous êtes sages, mes enfants, vous irez au cirque pour voir les lions.*

ciseaux [sizo] n. m. pl. Instrument fait de deux lames d'acier croisées,

dont on se sert pour couper le tissu, le papier, etc. : *Le vendeur a coupé trois mètres de tissu avec une paire de ciseaux.*

citer [site] v. tr. Rapporter de vive voix ou par écrit un texte ou les paroles de quelqu'un : *Pour appuyer ce qu'il disait, l'avocat a cité une phrase de Victor Hugo.* ★ Donner comme preuve ou comme exemple : *On cite souvent les actes de courage des anciens Romains.*

citoyen, enne [sitwajɛ̃, ɛn] n. Personne à qui un Etat reconnaît des droits politiques et impose des devoirs déterminés : *Tous les citoyens français ont le droit de vote et le devoir de payer l'impôt.*

citron [sitrɔ̃] n. m. Fruit jaune clair, d'une forme ovale, ayant un goût

acide : *Mettez-vous du citron dans votre thé ou le préférez-vous avec du lait?*

civil, e [sivil] adj. Relatif aux citoyens (s'emploie par opposition à *politique, militaire,* etc.) : *Les citoyens français ont des droits civils et politiques.* ■ N. m. S'emploie pour désigner une personne par opposition à « militaire ». ★ *En civil,* s'emploie par opposition à *en uniforme : Les officiers ont le droit de s'habiller en civil quand ils ne sont pas de service.*

civilisation [sivilizasjɔ̃] n. f. Ensemble des institutions (sociales, politiques et religieuses), des valeurs morales, des notions scientifiques et des formes de l'art qui caractérisent un peuple ou un ensemble de peuples déterminé : *Au XVIIIe siècle, la civilisation française a rayonné sur l'Europe entière.* ★ Ensemble des caractères communs aux sociétés les plus cultivées de la terre : *On peut espérer que les progrès de la civilisation permettront de supprimer la guerre et la misère.*

civilisé, e [sivilize] adj. Qui appartient à une civilisation avancée : *Les Egyptiens étaient civilisés bien avant les Grecs.*

civique [sivik] adj. Qui est le propre du citoyen : *L'assassin a été condamné à la perte de ses droits civiques.*

clair, e [klɛr] adj. Qui donne ou reçoit une vive lumière : *Les appartements modernes qui ont de grandes fenêtres sont plus clairs que ceux d'autrefois.* ★ Qui n'est pas d'une couleur foncée : *En été, les femmes portent des robes claires.* ★ Qui est transparent (en parlant d'un liquide, d'une vitre, etc.) : *A table, il ne boit que de l'eau claire, car il n'aime ni le vin ni la bière.* ★ Ce que l'esprit comprend sans effort : *Je ne comprends pas ce qu'il veut dire, car il n'a pas les idées claires.* ■ N. m. *Clair de lune,* lumière que donne la lune pendant la nuit : *Quand il va geler, il y a un beau clair de lune.* ■ Adv. *Voir clair,* voir très bien et sans effort : *Mon oncle est très âgé, il ne voit plus clair sans lunettes. Votre affaire est compliquée, je n'y vois pas clair.* ■ **Clairement** adv.

clandestin, e [klɑ̃dɛstɛ̃, in] adj. Qui se fait ou qui agit d'une façon cachée : *Pendant l'occupation étrangère, les patriotes organisèrent des réunions clandestines.* ■ **Clandestinement** adv.

clarté [klarte] n. f. Qualité de la lumière qui rend les objets visibles : *Ils travaillèrent à la clarté d'une lampe électrique.* ★ FIG. Qualité de ce qui est facile à comprendre : *La clarté est le principal mérite de la langue française.*

classe [klɑs] n. f. Ensemble des citoyens qui, dans un Etat, ont les mêmes droits politiques, le même rang social et le même rôle économique : *Autrefois, la classe ouvrière ne jouait aucun rôle politique.* ★ Catégorie correspondant à un rang ou à une qualité déterminée : *Les wagons de première classe sont plus confortables que ceux de seconde.* ★ Groupe des élèves qui, pendant une année scolaire, suivent les mêmes cours : *Ce professeur a une classe de vingt élèves.* ★ *Par ext.* La salle où le professeur enseigne à sa classe. ★ *Faire la classe,* enseigner à des enfants.

classique [klasik] adj. Qui est utilisé dans l'enseignement : *Cette librairie ne vend que des livres classiques.* ★ Qui peut être considéré comme le modèle d'un certain genre : *Il porte le vêtement classique des paysans de cette région.* ★ Qui appartient à l'Antiquité ou aux auteurs fidèles à celle-ci : *Les écrivains classiques ont souvent emprunté leurs sujets à l'Antiquité.*

clef ou **clé** [kle] n. f. Pièce de métal qui sert à manœuvrer le mécanisme

de sûreté d'une serrure : *J'ai fermé la porte et j'ai mis la clef dans ma poche.* ★ *Fermer à clef,* fermer avec une clef.

client, e [klijɑ̃, ɑ̃t n. Personne qui fait des achats : *Il passe en une journée des milliers de clients dans ce magasin.* ★ Personne qui a recours aux services d'un médecin, d'un avocat, etc. : *Il y avait cinq clients dans la salle d'attente du dentiste.*

clientèle [klijɑ̃tɛl] n. f. Ensemble des clients d'un commerçant, d'un médecin, etc. : *Il s'est installé depuis deux ans et il a déjà une belle clientèle.*

climat [klima] n. m. Ensemble des conditions naturelles (pluie, vent, etc.) auxquelles est soumise une région : *C'est à la fin du printemps que le cli-*

mat de la région parisienne est le plus agréable.

clinique [klinik] n. f. Etablissement, généralement privé, où opèrent des chirurgiens et où l'on soigne des malades : *Elle est entrée à la clinique pour se faire opérer de l'estomac.*

cloche [klɔʃ] n. f. Instrument de métal sonore, en forme de vase renversé, qu'on fait sonner pour appeler ou avertir un grand nombre de gens : *Les cloches de l'église ont sonné pour annoncer le mariage.*

clocher [klɔʃe] n. m. Tour faisant corps avec une église, où sont suspendues les cloches : *On voit de loin le clocher du village.*

clôture [klotyr] n. f. Barrière qui empêche de pénétrer sur un terrain ou

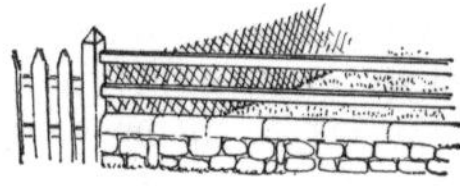

d'en sortir : *Les enfants sont entrés dans le jardin en sautant par-dessus la clôture.*

clou [klu] n. m. Petite tige de métal pointue d'un bout, aplatie de l'autre, qu'on enfonce avec un marteau et qui

sert à fixer ou à suspendre : *Il a planté un clou au mur pour accrocher un tableau.*

clouer [klue] v. tr. Fixer avec un ou plusieurs clous : *Il a cloué le couvercle de la caisse avant de l'expédier.*

cochon [kɔʃɔ̃] n. m. Nom familier du porc.

code [kɔd] n. m. Recueil de lois d'un pays, concernant une certaine matière : *Napoléon a pris une part importante à la rédaction du Code civil.*

cœur [kœr] n. m. Muscle que l'on sent battre à gauche, dans la poitrine, et qui assure la circulation du sang. ★ FAM. *Avoir mal au cœur,* avoir envie de vomir. ★ Organe considéré comme le siège des passions et des

sentiments : *Si vous n'avez pas pitié des malheureux, c'est que vous n'avez pas de cœur.* ★ *Avoir bon cœur,* manifester de la bonté. ★ *Savoir par cœur,* être capable de réciter un texte sans le lire. ★ L'une des deux couleurs rouges du jeu de cartes.

coffre [kɔfr] n. m. Caisse, généralement en bois, où l'on met des objets de natures diverses. ★ *Coffre-fort,* ou *coffre,* sorte de caisse blindée, munie de serrures, dans laquelle on enferme des objets de valeur : *Les voleurs n'ont pas réussi à percer le coffre-fort du magasin.* ★ Partie d'une automobile dans laquelle on enferme les bagages : *Avant de partir, il mit sa valise dans le coffre de sa voiture.*

cogner [kɔɲe] v. intr. Frapper fortement : *Il fut obligé de cogner plusieurs fois à la porte pour qu'on vienne lui ouvrir. Je me suis cogné le bras contre l'angle de la porte.*

coiffer [kwafe] v. tr. Couvrir le haut de la tête pour le protéger du froid, du soleil, etc. : *Avant d'aller* *promener son bébé, la mère l'a coiffé d'un joli bonnet.* ★ Disposer les cheveux d'une certaine façon : *Le coiffeur a très bien coiffé ma fille la semaine dernière.*

coiffeur, euse [kwafœr, øz] n. Personne dont le métier est de couper, d'arranger, de teindre, etc., les cheveux et la barbe : *Mes cheveux sont trop longs, il faut que j'aille chez le coiffeur demain.*

coiffure [kwafyr] n. f. Manière de disposer les cheveux : *Cette jeune fille a eu tort de se faire couper les cheveux : sa nouvelle coiffure ne lui va pas.* ★ Ce que l'on met sur la tête.

coin [kwɛ̃] n. m. Sommet d'un angle constitué par deux lignes ou deux plans : *Vous m'attendrez au coin de la rue et du boulevard.*

coïncidence [kɔɛ̃sidɑ̃s] n. f. Rencontre inattendue de deux choses ou de deux événements : *Nos deux lettres ont été écrites le même jour, c'est une curieuse coïncidence.*

coïncider [kɔɛ̃side] v. intr. Se produire en même temps : *Comme mon départ coïncide avec le tien, nous voyagerons ensemble.*

col [kɔl] n. m. Partie d'un vêtement qui entoure le cou : *Il a relevé le col de son manteau, car il avait froid.* ★ Passage élevé, naturel, permettant de passer d'un côté à l'autre d'une montagne : *Après avoir franchi le col, nous verrons un paysage beaucoup plus vaste.*

colère [kɔlɛr] n. f. Sentiment violent qu'on laisse éclater contre quelqu'un : *Quand il vit que je lui résistais, sa colère éclata.* ★ *Se mettre en colère,* se fâcher avec violence contre quelqu'un ou quelque chose.

colis [kɔli] n. m. En général, tout objet (sauf les lettres ou les journaux) qu'on expédie par la poste, par le chemin de fer, etc. : *Je viens de recevoir le colis de livres que j'avais commandé.*

collaborateur, trice [kɔlabɔratœr, tris] n. Personne qui travaille avec d'autres à une œuvre commune : *Les collaborateurs du directeur de l'usine sont tous ingénieurs.*

collaboration [kɔlabɔrasjɔ̃] n. f. Action de travailler en commun avec quelqu'un : *Un directeur doit pouvoir compter sur la collaboration de ses employés.*

collaborer [kɔlabɔre] v. intr. Travailler avec quelqu'un dans le même esprit, pour atteindre un but commun : *Des centaines de savants de tous les pays ont collaboré aux découvertes médicales.*

colle [kɔl] n. f. Substance dont on se sert pour faire adhérer deux objets : *Mets un peu de colle pour faire tenir l'étiquette sur ton livre.*

collectif, ive [kɔlɛktif, iv] adj. Se dit de ce qui est fait par plusieurs personnes travaillant ensemble pour atteindre un même but : *Le barrage est une œuvre collective à laquelle de nombreuses personnes ont collaboré.*

collection [kɔlɛksjɔ̃] n. f. Ensemble d'objets de même nature que l'on rassemble, parce qu'ils sont rares ou qu'ils présentent un intérêt scientifique ou esthétique : *Un de mes amis a réuni, au cours de ses voyages, une fort belle collection de timbres rares.*

collège [kɔlɛʒ] n. m. Etablissement d'enseignement secondaire : *On éprouve toujours un certain plaisir à se retrouver avec ses amis de collège.*

collègue [kɔllɛg] n. Personne qui remplit la même fonction ou qui travaille dans le même bureau : *Le professeur bavardait dans la cour du lycée avec plusieurs de ses collègues.*

coller [kɔle] v. tr. Faire adhérer avec de la colle : *J'ai collé un timbre sur l'enveloppe.*

collier [kɔlje] n. m. Bijou qui se porte autour du cou : *Elle portait un collier d'or et de pierres précieuses.*

colline [kɔlin] n. f. Relief du sol peu élevé et de forme arrondie : *Du sommet de la colline, on domine la plaine.*

colon [kɔlɔ̃] n. m. Personne qui a quitté sa patrie pour aller s'installer dans une colonie.

colonel [kɔlɔnɛl] n. m. Officier supérieur qui commande un régiment : *Dans l'armée française, les colonels ont cinq galons.*

colonial, e, aux [kɔlɔnjal, o] adj. Qui se rapporte aux colonies : *Il y avait sur le quai du port des tonnes de produits coloniaux.*

colonie [kɔlɔni] n. f. Possession d'un Etat sur un autre continent. ★ *Colonie de vacances,* groupe d'enfants installés à la campagne, à la mer, etc., pendant la période des vacances.

colonisation [kɔlɔnizasjɔ̃] n. f. Action d'imposer à un pays généralement moins développé une civilisation étrangère.

colonne [kɔlɔn] n. f. Pilier vertical, souvent en forme de cylindre, qui sert de soutien ou d'ornement à une construction : *Les colonnes jouent un rôle important dans l'architecture grecque.* ★ Ce qui s'élève en forme de colonne : *Longtemps après l'incendie, une colonne de fumée s'éleva vers le ciel.* ★ *Les colonnes d'un journal,* bandes verticales qui composent une page de journal. ★ *Colonne vertébrale,* série continue des os qui, chez l'homme et chez certains animaux, vont de la base du crâne à l'extrémité inférieure du tronc.

colorer kɔlɔre] v. tr. Donner de la couleur : *Le soleil colore les nuages quand il se couche.*

combat [kɔ̃ba] n. m. Action au cours de laquelle se battent les soldats de deux armées ennemies : *La nuit a fait cesser le combat, et nous avons pu ramener nos blessés vers l'arrière.* ★ *Par ext.* Lutte que soutient un homme ou un groupe d'hommes contre les hommes, contre la nature, etc.

combattant [kɔ̃batɑ̃] n. m. Soldat qui prend part ou a pris part à des combats : *On a élevé un monument aux combattants de la dernière guerre.*

combattre [kɔ̃batr] v. tr. (Se conj. comme *battre.*) Lutter contre quelqu'un ou quelque chose : *La science combat les maladies.*

combien [kɔ̃bjɛ̃] adv. interr. Mot qui s'emploie généralement pour poser une question relative à la quantité, au prix, au degré : *Combien ce livre coûte-t-il? — Cinq francs. Combien d'enfants avez-vous? — J'en ai trois.*

combinaison [kɔ̃binɛzɔ̃] n. f. Procédé qui, pour obtenir un résultat déterminé, met en œuvre plusieurs éléments : *L'eau est produite par la combinaison de deux gaz.* ★ Vêtement féminin sans manche qui se porte sous la robe : *J'ai offert à ma sœur une jolie combinaison de soie.*

combiner [kɔ̃bine] v. tr. Arranger plusieurs choses dans un certain ordre, en vue d'une réussite : *En combinant nos efforts, nous obtiendrons un bon résultat.*

comédie [kɔmedi] n. f. Pièce de théâtre destinée à faire rire : *Dans la comédie qui a pour titre « l'Avare », Molière met en scène un personnage ridicule et très comique.* ★ *Jouer la comédie,* jouer une pièce de théâtre, et, au *fig.*, montrer des sentiments que l'on n'éprouve pas.

comique [kɔmik] adj. Qui fait rire : *Un coup de vent a fait tomber son chapeau : c'était un spectacle comique.*

comité [kɔmite] n. m. Petit nombre de personnes choisies dans un groupe et chargées de s'occuper d'une affaire déterminée : *L'usine est dirigée par un comité de direction qui a un ingénieur à sa tête.*

commandant [kɔmɑ̃dɑ̃] n. m. Le moins élevé en grade des officiers supérieurs : *Les commandants portent quatre galons dans l'armée française.* ★ Officier qui commande un bateau de guerre : *Le commandant du sous-marin a donné l'ordre de plonger.*

commande [kɔmɑ̃d] n. f. Demande de livraison d'une marchandise ou d'exécution d'un travail : *L'usine a reçu une commande de dix mille paires de chaussures.*

commander [kɔmɑ̃de] v. tr. Donner un ordre à quelqu'un : *L'officier a commandé à ses soldats de se réunir dans la cour.* ★ Charger quelqu'un de faire un ouvrage ou de livrer une marchandise : *J'ai commandé un costume chez le tailleur.* ■ V. intr. Décider ce que doivent faire d'autres personnes : *Dans la famille, les parents commandent et les enfants obéissent.*

comme [kɔm] conj. Marque la comparaison : *Il est grand comme son père. Il fait beau comme je l'espérais.* ★ Marque la cause : *Comme j'avais froid, j'ai mis un manteau.* ★ Marque le temps : *Il est arrivé comme nous partions.* ■ Adv. Introduit une exclamation : *Comme il fait chaud cet été!*

commencement [kɔmɑ̃smɑ̃] n. m. Première partie d'une chose, que suivent toutes les autres, dans le temps ou dans l'espace : *J'étais inquiet au commencement de cette affaire, mais je me suis rassuré ensuite.*

commencer [kɔmɑ̃se] v. tr. (Se conj. comme *annoncer.*) Faire le commencement de : *J'ai commencé ma lettre sans savoir si je pourrais la finir ce soir.* ■ V. intr. Avoir son commencement : *Le déjeuner a commencé à midi et s'est terminé vers une heure.* ★ *Commencer à* (+ l'infinitif), donner un commencement à une activité : *J'ai commencé à lire votre livre hier soir.*

comment [kɔmɑ̃] adv. De quelle manière : *Comment allez-vous?* Votre santé est-elle bonne ?

commerçant, e [kɔmɛrsɑ̃, ɑ̃t] n. Patron(onne) d'un magasin ou d'une boutique : *La plupart des commerçants ferment leur magasin le dimanche.* ■ Adj. Se dit d'un endroit où se trouve un grand nombre de magasins ou de boutiques : *Nous avons tous les magasins à proximité, car nous habitons dans une rue très commerçante.* ★ Se dit de personnes qui ont le talent de réussir dans le commerce.

commerce [kɔmɛrs] n. m. Achat et vente de marchandises qui ont pour but de réaliser un bénéfice : *Le commerce est très actif dans les ports.* ★ FAM. *Un commerce,* un magasin, une boutique.

commercial, e, aux [kɔmɛrsjal, o] adj. Qui est relatif au commerce : *Le gouvernement va modifier les règlements commerciaux sur l'importation du blé.* ■ **Commercialement** adv.

commettre [kɔmɛtr] v. tr. (Se conj. comme *mettre.*) Faire une chose considérée comme une faute : *Après avoir commis son crime, l'assassin s'est livré lui-même à la police.*

commissaire [kɔmisɛr] n. m. *Commissaire de police,* fonctionnaire chargé de faire régner l'ordre dans un quartier d'une ville : *A la suite du vol de ma voiture, le commissaire de police a fait faire une enquête.*

commissariat [kɔmisarja] n. m. *Commissariat de police,* lieu où se trouvent les bureaux du commissaire de police : *J'ai trouvé des clefs dans la rue, je suis allé les porter au commissariat.*

commission [kɔmisjɔ̃] n. f. Réunion de personnes chargées temporairement d'une mission par une autorité quelconque : *Les membres de la commission d'enquête ont remis leur rapport au gouvernement.* ★ Course ou achat qu'une personne fait à la place d'une autre qui le lui a demandé : *Si vous allez voir ma mère, je vous chargerai peut-être d'une commission.* ★ FAM. *Faire les commissions,* faire les achats de tous les jours.

commode [kɔmɔd] adj. Facile à employer : *Ma sœur a acheté un sac très commode, car il peut contenir beaucoup d'objets.* ■ **Commodément** adv.

commode [kɔmɔd] n. f. Meuble bas, composé de tiroirs où l'on range

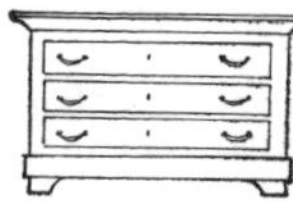

du linge : *Elle a placé les mouchoirs dans le second tiroir de la commode.*

commun, une [kɔmœ̃, yn] adj. Qui concerne tout le monde : *L'intérêt commun s'oppose souvent aux intérêts particuliers.* ★ Dont plusieurs personnes ont l'usage ou la propriété : *Le garage à bicyclettes est commun à tous les locataires de l'immeuble.* ★ *En commun,* avec d'autres : *Je possède cette usine en commun avec mes associés.* ★ Qui indique une mauvaise éducation : *Il mange malproprement et il a des manières communes.* ★ GRAMM. *Nom commun,* v. NOM. ■ **Communément** adv.

commune [kɔmyn] n. f. Portion du territoire administrée par un maire et des conseillers municipaux : *Dans les petites communes, l'instituteur est souvent un personnage important.*

communication [kɔmynikasjɔ̃] n. f. Action de communiquer avec quelqu'un. ★ *Moyen de communication,* tout ce qui permet de communiquer avec quelqu'un ou de se rendre en un lieu : *Dans certaines régions d'Afrique, le seul moyen de communication est l'avion.* ★ *Communication téléphonique,* conversation au moyen du téléphone. ★ Remarque, avis que l'on communique : *Le directeur de l'usine a fait une communication importante à ses ingénieurs.*

communion [kɔmynjɔ̃] n. f. Union de ceux qui ont les mêmes idées, les mêmes croyances, etc. : *Il existe parfois une communion profonde entre les gens d'un même métier.* ★ Un des sacrements de la religion chrétienne : *La première communion est considérée par les chrétiens comme une étape importante de la vie.*

communiquer [kɔmynike] v. tr. Faire connaître quelque chose à quelqu'un : *J'ai une triste nouvelle à vous communiquer, votre tante est très malade.* ■ V. intr. Entrer en relation avec quelqu'un : *Les avions modernes communiquent constamment par radio avec les aéroports.*

communisme [kɔmynism] n. m. Doctrine politique qui a pour but de réaliser par la révolution une certaine forme de socialisme : *Le communisme a de nombreux partisans dans ce pays.* ★ Système politique et économique qui, sous l'autorité d'un parti puissant, assure à la collectivité la propriété des moyens de production et d'échange : *Le communisme a triomphé en Russie en 1917.*

communiste [kɔmynist] adj. Relatif au communisme : *Après la guerre, certains écrivains ont adhéré au parti communiste.* ■ N. Partisan du communisme : *A l'Assemblée nationale, les communistes ont voté contre le gouvernement.*

compagnie [kɔ̃paɲi] n. f. Présence d'une ou de plusieurs personnes auprès de quelqu'un : *Ma grand-mère aime les visites et elle apprécie la compagnie de ses amis.* ★ *Tenir compagnie à quelqu'un,* rester auprès d'une personne : *J'ai tenu compagnie à mon frère pendant sa maladie.* ★ *En compagnie de,* avec. ★ Société industrielle ou commerciale : *Mon ami travaille dans une compagnie d'assurances.*

compagnon [kɔ̃paɲɔ̃] n. m. Celui qui participe habituellement à la vie, aux occupations de quelqu'un : *Il a été au lycée mon compagnon d'études.*

comparaison [kɔ̃parɛzɔ̃] n. f. Action de comparer : *Goûtez ces deux vins, vous ferez la comparaison.*

comparer [kɔ̃pare] v. tr. Action de rapprocher par l'esprit deux ou plusieurs choses, pour déterminer dans quelle mesure elles sont semblables : *Si vous comparez ces deux tapis, vous remarquerez que l'un est plus épais que l'autre.*

compartiment [kɔ̃partimɑ̃] n. m. Une des parties aménagées à l'aide de séparations à l'intérieur d'une boîte, d'un tiroir, etc. ★ Partie d'un wagon de voyageurs séparée des autres par une cloison : *Dans le compartiment, j'occupais une place près de la fenêtre.*

compatriote [kɔ̃patrijɔt] n. Personne qui a la même patrie qu'une autre : *Quand je suis à l'étranger, j'aime parler français avec des compatriotes.*

compétent, e [kɔ̃petɑ̃, ɑ̃t] adj. Qui connaît bien ce dont il parle et ce qu'il a à faire : *Pour construire notre maison, nous nous sommes adressés à un architecte compétent.*

complément [kɔ̃plemɑ̃] n. m. Ce qu'il faut ajouter à une chose pour la rendre complète : *Les journalistes demandèrent à l'orateur de leur fournir un complément d'informations.* ★ GRAMM. Mot ou groupe de mots qui complète le sens d'un nom, d'un adjectif ou d'un verbe : *Quand on dit : « Il mange du pain », « pain » est le complément d'objet du verbe « mange ».*

complet, ète [kɔ̃plɛ, ɛt] adj. Qui possède tous les éléments nécessaires pour former un tout : *Nous achèterons les œuvres complètes de Racine.* ★ Où chaque place est occupée : *Le train était complet et j'ai dû faire le voyage debout.* ■ **Complètement** adv. Tout à fait. ■ N. m. Costume d'homme comportant un veston et un pantalon du même tissu : *Le tailleur vient de me livrer un complet gris.*

compléter [kɔ̃plete] v. tr. (Se conj. comme *céder.*) Ajouter à un objet l'élément qui lui manquait pour qu'il soit complet : *Vous n'avez pas indiqué sur votre demande tous les renseignements nécessaires : complétez-la.*

complexe [kɔ̃plɛks] adj. Qui se compose de plusieurs éléments liés entre eux : *L'avocat déclara que la question était complexe et qu'il fallait en étudier tous les aspects.* ■ N. m. Trouble déterminé dans la vie physique ou morale d'une personne par un souvenir inconscient.

complication [kɔ̃plikasjɔ̃] n. f. Caractère de ce qui est compliqué. ★ Ensemble des choses qui rendent une affaire, une situation, etc., plus difficile : *Le malade va mieux, mais on peut toujours craindre des complications.*

complice [kɔ̃plis] adj. et n. Se dit d'une personne qui aide à commettre un crime ou un délit : *Le voleur a avoué qu'un complice lui avait fourni la clef de la porte.*

complicité [kɔ̃plisite] n. f. Aide que l'on apporte à quelqu'un qui commet un crime ou un délit : *Sa complicité dans le vol des bijoux lui a valu cinq ans de prison.*

compliment [kɔ̃plimɑ̃] n. m. Paroles agréables que l'on dit à une personne pour la féliciter : *La jeune fille portait une très jolie robe, dont on lui fit beaucoup de compliments.*

compliqué, e [kɔ̃plike] adj. Difficile à comprendre en raison du trop grand nombre d'éléments qui le composent : *Ce problème est trop compliqué pour que nous puissions le résoudre rapidement.*

complot [kɔ̃plo] n. m. Projet dirigé en secret contre une personne ou une institution : *La police a découvert un complot contre le Premier ministre.*

composer [kɔ̃poze] v. tr. Former un tout en assemblant différentes parties : *La maîtresse de maison composa avec soin le menu de son dîner.* ★ Créer une œuvre artistique : *Ce grand musicien a composé plusieurs symphonies.*

composition [kɔ̃pozisjɔ̃] n. f. Manière dont est constitué un ensemble, dans lequel les parties restent distinctes : *La chimie étudie la composition des corps.* ★ Action de composer une œuvre d'art : *La composition de son roman lui a demandé plusieurs mois de travail.* ★ Travail scolaire dont on surveille l'exécution et qui permet de classer les élèves : *Cet élève a obtenu la meilleure note à la composition de calcul.*

compréhensible [kɔ̃preɑ̃sibl] adj. Que l'on peut comprendre : *Cette lettre est si mal écrite qu'elle est à peine compréhensible.*

comprendre [kɔ̃prɑ̃dr] v. tr. (Se conj. comme *prendre.*) Contenir en soi plusieurs choses qui font partie de l'ensemble : *Cette maison comprend trois étages.* ★ Saisir par la pensée : *Il lit bien le français, et il le comprend mieux qu'il ne le parle.*

comprimé [kɔ̃prime] n. m. Médicament qui se présente sous la forme d'un petit disque.

compromettre [kɔ̃prɔmɛtr] v. tr. (Se conj. comme *mettre.*) Mettre en danger une entreprise, une négociation, une réputation, etc. : *Le surmenage a compromis sa santé.*

compromis [kɔ̃prɔmi] n. m. Accord qui satisfait plusieurs personnes dont les avis étaient auparavant opposés.

comptable [kɔ̃tabl] n. Employé qui tient les comptes dans une maison de commerce, dans une administration, etc. : *Les comptables se servent maintenant de machines à calculer.*

comptant [kɔ̃tɑ̃] adv. *Payer comptant,* payer au moment où l'on achète : *J'ai fait des économies pour acheter un poste de radio, et je l'ai payé comptant.*

compte [kɔ̃t] n. m. Calcul d'une quantité : *La petite fille faisait le compte de ses poupées : elle en avait huit.* ★ Etat de ce qui est dû : *Quand on vous rend de l'argent, vérifiez votre compte.* ★ Pl. Tableau des recettes ou des dépenses : *En revenant du marché, la mère de famille fait ses comptes.* ★ *Compte en banque,* somme que l'on confie à une banque et dont on peut disposer. ★ *Rendre compte de,* faire un rapport précis sur. ★ *Se rendre compte de quelque chose,* prendre conscience de quelque chose.

compter [kɔ̃te] v. tr. Calculer le nombre qui mesure une quantité : *L'enfant demanda si l'on pouvait compter les étoiles du ciel.* ★ Mettre au nombre de : *Je le compte parmi mes ennemis.* ★ Avoir l'intention de : *Que comptez-vous faire pendant les vacances?* ■ V. intr. Croire que l'on peut avoir confiance en quelqu'un : *Ne comptez pas trop sur vos amis.*

concentrer [kɔ̃sɑ̃tre] v. tr. Réunir en un point déterminé : *L'artillerie* *concentra son tir sur le fort ennemi.* ★ Réduire à un volume moindre : *On vend actuellement beaucoup de jus de fruits concentrés.*

conception [kɔ̃sɛpsjɔ̃] n. f. Action de créer ou d'inventer : *La conception de cet ouvrage a précédé de deux ans son exécution.* ★ Idée ou sentiment que l'on se forme sur quelque chose : *Ses conceptions politiques sont à l'opposé des miennes.*

concerner [kɔ̃sɛrne] v. tr. Avoir un rapport avec quelqu'un ou quelque chose : *Cette affaire ne me concerne pas, je n'ai donc pas à m'en occuper.*

concert [kɔ̃sɛr] n. m. Séance musicale : *Cet orchestre a donné plusieurs concerts pendant les fêtes de Noël.*

concession [kɔ̃sɛsjɔ̃] n. f. Abandon volontaire d'un droit, d'une position, etc., que l'on fait à quelqu'un : *Dans un ménage, la bonne entente est faite de concessions réciproques.*

concevoir [kɔ̃səvwar] v. tr. (Se conj. comme *recevoir*.) Donner naissance à un être, à une idée, etc. : *Il a conçu le projet de se retirer à la campagne.* ★ Se former une opinion sur quelque chose; comprendre : *Je conçois fort bien que vous soyez d'un avis différent du mien.*

concierge [kɔ̃sjɛrʒ] n. Personne qui garde un bâtiment où elle est logée : *Notre concierge balaie l'escalier tous les matins.*

concilier [kɔ̃silje] v. tr. Mettre en harmonie deux choses qui paraissaient opposées : *Il est difficile de concilier le travail et le plaisir.*

conclure [kɔ̃klyr] v. tr. (voir tableau p. 355). Aboutir après discussion à un résultat : *Après de nombreuses difficultés, la paix a enfin été conclue.* ★ Parvenir à une conclusion : *D'après ce que vous dites, je conclus qu'il a menti.*

conclusion [kɔ̃klyzjɔ̃] n. f. Partie qui termine un exposé oral ou un texte écrit : *L'écrivain a ajouté à son ouvrage une longue conclusion.* ★ Résultat auquel on arrive après avoir réfléchi, discuté, etc. : *Après ces longs discours, je ne vois pas quelle conclusion nous pourrions adopter.*

concours [kɔ̃kur] n. m. Aide qu'une personne apporte à d'autres personnes : *Je vous remercie de m'aider en cette affaire, votre concours me sera précieux.* ★ Ensemble des épreuves auxquelles sont soumises des personnes en concurrence qui désirent recevoir un prix, un poste, etc. : *Mon frère a été reçu à l'Ecole des mines après un concours difficile.*

concret, ète [kɔ̃krɛ, ɛt] adj. Qui exprime quelque chose de réel, de particulier ou de vivant (opposé à *abstrait*) : *« Blancheur » est un terme abstrait, « neige » un terme concret.*

concurrence [kɔ̃kyrɑ̃s] n. f. Rivalité d'intérêts qui oppose des personnes dans un domaine déterminé : *Le commerçant est obligé de vendre bon marché, car il est en concurrence avec un voisin.*

condamnation [kɔ̃danasjɔ̃] n. f. Jugement qui déclare coupable un accusé : *Ce criminel mérite une condamnation aux travaux forcés.* ★ Action de prononcer un jugement défavorable sur quelqu'un ou sur quelque chose : *Ce qu'il fait est la condamnation de l'éducation qu'il a reçue.*

condamner [kɔ̃dane] v. tr. Prononcer une peine contre un coupable : *Le voleur a été condamné à cinq ans de prison.* ★ Déclarer qu'une personne ou une chose doit être blâmée : *J'ai condamné son attitude qui manquait de tact.*

condenser [kɔ̃dɑ̃se] v. tr. Rendre plus dense, plus épais, plus court, etc. :

J'ai été obligé de condenser un article trop long.

condition [kɔ̃disjɔ̃] n. f. Situation dans laquelle on se trouve, en raison de certaines circonstances : *Les conditions de vie sont meilleures aujourd'hui qu'autrefois.* ★ Circonstance dont dépend la réalisation de quelque chose : *Le travail est une des conditions du succès.* ★ Convention qui rend un acte valable ou non : *Les deux commerçants ont discuté les conditions de cette affaire.* ★ *Dans ces conditions,* dans cet état de choses. ■ LOC. PRÉP. *A condition de* (+ infinitif), si. ■ LOC. CONJ. *A condition que* (+ subjonctif), si, pourvu que.

conditionnel [kɔ̃disjɔnɛl] n. m. Mode du verbe exprimant que la réalisation d'une action dépend d'une condition introduite par *si : Quand je dis « si tu venais, je serais content », le second verbe est au conditionnel.*

conducteur, trice [kɔ̃dyktœr, tris] adj. Qui a la propriété de transmettre la chaleur ou l'électricité : *Le caoutchouc est mauvais conducteur de l'électricité.* ■ N. Personne qui conduit une voiture quelconque : *Il est interdit de parler au conducteur de l'autobus.*

conduire [kɔ̃dɥir] v. tr. (voir tableau p. 355). Mener quelqu'un en lui servant de guide : *L'aveugle est conduit par son chien.* ★ Diriger un véhicule quelconque *: Il a conduit un char pendant la guerre.* ■ **Se conduire** v. pron. Avoir une conduite déterminée : *Il se conduit mal depuis qu'il a quitté ses parents.*

conduite [kɔ̃dɥit] n. f. Action de conduire. ★ Manière habituelle d'être ou d'agir : *Il boit au lieu de travailler, et il a une mauvaise conduite.* ★ Tuyau qui amène l'eau, le gaz, etc., jusqu'aux lieux d'utilisation : *Le froid a fait éclater les conduites d'eau.*

confection [kɔ̃fɛksjɔ̃] n. f. Fabrication en série de vêtements : *Je vais chez le tailleur, car je n'aime pas les vêtements de confection.*

conférence [kɔ̃ferɑ̃s] n. f. Réunion de personnes qui étudient en commun certaines questions : *Une conférence internationale s'est réunie pour étudier le problème du désarmement.* ★ Discours que fait une personne sur un sujet choisi d'avance : *Un médecin a fait hier sur la psychanalyse une conférence qui a eu beaucoup de succès.*

confesser [kɔ̃fɛse] v. tr. Avouer volontairement une faute que l'on a faite : *Je me suis mis en colère, je confesse que j'ai eu tort.* ■ **Se confesser** v. pron. Avouer volontairement ses péchés à un prêtre catholique.

confiance [kɔ̃fjɑ̃s] n. f. Sentiment que l'on éprouve lorsqu'on sait pouvoir compter sur quelqu'un ou sur quelque chose : *J'ai peur de collaborer avec ce monsieur, car je n'ai pas confiance en lui.*

confier [kɔ̃fje] v. tr. Remettre aux soins de quelqu'un : *En l'absence de ses parents, l'enfant a été confié à sa grand-mère.* ★ Dire à quelqu'un quelque chose qu'il ne doit pas répéter : *Si vous étiez moins bavard, je vous confierais un secret.*

confirmer [kɔ̃firme] v. tr. Déclarer comme certain : *J'ai reçu une lettre de mon père qui me confirme la date de son arrivée.*

confiture [kɔ̃fityr] n. f. Produit obtenu en faisant cuire longuement des fruits avec du sucre : *A leur petit déjeuner, mes enfants boivent du thé et prennent du pain et de la confiture.*

conflit [kɔ̃fli] n. m. Lutte qui oppose deux ou plusieurs personnes, deux ou plusieurs Etats, etc. : *On pouvait prévoir, en 1939, qu'un conflit international allait éclater.*

confondre [kɔ̃fɔ̃dr] v. tr. (Se conj. comme *rendre*.) Prendre une chose ou une personne pour une autre qui lui ressemble : *Certains jumeaux se ressemblent tellement qu'on les confond.*

conforme [kɔ̃fɔrm] adj. Qui correspond ou s'accorde à quelque chose : *Il mène une vie qui n'est pas conforme à ses moyens.* ■ **Conformément** adv.

conformer (se) [kɔ̃fɔrme] v. pron. Obéir à une loi, à une décision, etc. : *Le préfet a invité les automobilistes à se conformer aux règlements de la circulation.*

confort [kɔ̃fɔr] n. m. Ensemble des installations qui rendent un endroit agréable à habiter : *J'ai acheté un petit appartement avec le confort, dans un quartier animé.*

confortable [kɔ̃fɔrtabl] adj. Qui rend la vie plus facile ou plus agréable : *En rentrant le soir, il aime fumer sa pipe dans un fauteuil confortable.* ■ **Confortablement** adv.

confus, use [kɔ̃fy, yz] adj. Qui se présente dans un état de désordre : *La situation est confuse, on ne voit pas comment on pourrait en sortir.* ★ Fig. Qui est troublé ou ému : *Je suis confus de vous déranger.* ■ **Confusément** adv.

confusion [kɔ̃fyzjɔ̃] n. f. Désordre dont il paraît difficile de sortir : *Un incendie ayant éclaté dans la salle de spectacle, il en résulta une grande confusion.* ★ Erreur qui consiste à prendre une personne ou une chose pour une autre : *La police a arrêté un homme à tort; elle a commis une regrettable confusion.*

congé [kɔ̃ʒe] n. m. Période pendant laquelle on ne travaille pas : *Les écoliers ont deux jours de congé par semaine : le dimanche et le jeudi.* ★ *Donner congé à quelqu'un,* faire savoir à un locataire qu'on ne lui accorde plus le droit d'occuper un local qu'il louait.

congrès [kɔ̃grɛ] n. m. Réunion de personnes qui ont à discuter de questions déterminées : *Un congrès de médecine se réunira cet été à la Sorbonne.*

conjonctif, ive [kɔ̃ʒɔ̃ktif, iv] adj. Gramm. Qui sert à lier des mots ou des propositions.

conjonction [kɔ̃ʒɔ̃ksjɔ̃] n. f. Mot invariable qui sert à réunir soit deux mots, soit deux propositions : *Et, ou, ni, mais, car, donc, comme, sont des conjonctions.*

conjugaison [kɔ̃ʒygɛzɔ̃] n. f. Ensemble des formes que prend un verbe pour indiquer la personne, le temps, le mode, etc. : *Les étrangers ont de la peine à se souvenir de la conjugaison des verbes irréguliers « coudre » et « bouillir ».*

conjuguer [kɔ̃ʒyge] v. tr. Enumérer les formes différentes d'un verbe, de manière à exprimer le temps, le mode, la personne, etc. : *Conjuguez « prendre » au passé composé. — J'ai pris, tu as pris, etc.*

connaissance [kɔnɛsɑ̃s] n. f. Idée complète que l'on a d'une chose : *La connaissance des lois est indispensable à un avocat.* ★ *Faire la connaissance de quelqu'un,* entrer en relation avec quelqu'un. ★ *Perdre connaissance,* s'évanouir.

connaître [kɔnɛtr] v. tr. (Se conj. comme *paraître*.) Avoir acquis la connaissance d'une personne ou d'une chose par une expérience plus ou moins complète : *J'ai beaucoup entendu parler de votre frère, mais je ne le connais pas, car je ne l'ai jamais vu. Je connais bien cette ville, où je vais souvent. Il connaît toutes les difficultés de la langue française.*

conquérir [kɔ̃kerir] v. tr. (Se conj. comme *acquérir*.) S'emparer d'un territoire par la force : *Au XVI*[e] *siècle, les Portugais ont conquis le Brésil.*

conquête [kɔ̃kɛt] n. f. Action de conquérir : *La conquête de la Sibérie par les Russes s'est faite lentement.* ★ Chose conquise : *En moins d'un an, Napoléon perdit toutes ses conquêtes.*

conscience [kɔ̃sjɑ̃s] n. f. Connaissance de l'existence de quelque chose : *Il serre la main brutalement, car il n'a pas conscience de sa force.* ★ *Perdre ou reprendre conscience,* perdre ou retrouver la connaissance de sa propre existence : *Le malade qui avait été endormi a repris conscience peu de temps après l'opération.* ★ Sentiment qui permet de distinguer le bien et le mal que l'on fait : *Votre conscience devrait vous interdire de faire cette mauvaise action.*

conscìencieux, euse [kɔ̃sjɑ̃sjø, øz] adj. Se dit des personnes qui font leur travail sérieusement et avec soin : *Cet ouvrier est consciencieux, et son patron l'apprécie beaucoup.* ★ Se dit de ce qui est fait avec soin. ■ **Consciencieusement** adv.

conseil [kɔ̃sɛj] n. m. Avis donné ou demandé sur une action qui est à faire : *Il croit avoir toujours raison, et il ne tient pas compte des conseils qu'on lui donne.* ★ Réunion de personnes qui sont chargées de discuter certaines affaires : *Le maire est le président du conseil municipal.*

conseiller [kɔ̃sɛje] n. m. Personne qui donne des conseils : *Le roi a su s'entourer de conseillers honnêtes et intelligents.*

conseiller [kɔ̃sɛje] v. tr. Donner des conseils à quelqu'un : *Dans cette affaire difficile, j'ai été conseillé par un avocat. Je vous conseille de travailler.*

consentir [kɔ̃sɑ̃tir] v. intr. (Se conj. comme *sentir.*) Accepter de faire quelque chose qu'on pourrait refuser de faire : *Le directeur consent à lui accorder deux jours de congé.*

conséquence [kɔ̃sekɑ̃s] n. f. Suite naturelle d'un acte, d'une idée : *Les enfants ne prévoient pas les conséquences de leurs actions.*

conséquent (par) [kɔ̃sekɑ̃] loc. adv. Comme conséquence, comme suite de quelque chose : *Je prends le train ce soir, par conséquent je ne pourrai vous voir demain.*

conservateur, trice [kɔ̃sɛrvatœr, tris] adj. Hostile à tout changement. ■ N. m. Fonctionnaire à qui est confiée la responsabilité d'une collection d'objets rares (livres, tableaux, etc.) : *Après avoir terminé ses études d'histoire de l'art, il a été nommé conservateur du musée de Lyon.*

conserve [kɔ̃sɛrv] n. f. (S'emploie souvent au pluriel.) Aliment qu'on a conservé dans une boîte très soigneusement fermée : *La plupart des Français préfèrent les légumes frais aux conserves.* ★ *En conserve,* conservé dans une boîte fermée.

conserver [kɔ̃sɛrve] v. tr. Maintenir en bon état. ★ Garder avec soin (un secret, un objet, etc.) : *Elle conserve dans sa maison toutes sortes de choses inutiles.*

considérable [kɔ̃siderabl] adj. Qui impressionne par sa taille, sa force, sa valeur, etc. : *Cet ingénieur occupe un poste considérable dans son usine.* ■ **Considérablement** adv.

considérer [kɔ̃sidere] v. tr. (Se conj. comme *céder.*) Regarder avec attention : *L'artiste considéra son œuvre avec satisfaction.*

consigne [kɔ̃siɲ] n. f. Instruction précise que l'on donne à un employé, à un soldat, etc. : *Le chef de bureau avait donné à la dactylo la consigne de l'appeler au téléphone, si le directeur arrivait.* ★ Endroit d'une gare où les voyageurs déposent leurs bagages, qu'ils reprendront ensuite : *Voilà l'heure du train, je vais retirer la valise que j'ai laissée tout à l'heure à la consigne.*

consister [kɔ̃siste] v. intr. *Consister en,* être composé de : *L'alimentation des bébés consiste surtout en lait et en sucre.*

consoler [kɔ̃sɔle] v. tr. Aider quelqu'un à supporter son chagrin : *Il est difficile de consoler une mère qui a perdu son enfant.*

consommateur [kɔ̃sɔmatœr] n. m. Personne qui achète des produits destinés à être consommés : *A Paris, les consommateurs se plaignent du prix élevé de la viande.*

consommer [kɔ̃sɔme] v. tr. Employer pour son alimentation : *Les Français consomment plus de viande et moins de pain qu'autrefois.* ★ Employer pour son fonctionnement : *Le moteur de ma voiture consomme trop d'huile, il faut que je le fasse examiner.*

consonne [kɔ̃sɔn] n. f. Chacun des bruits produits, quand on parle, par le passage de l'air à travers la gorge et la bouche, et qui est généralement accompagné d'une voyelle. ★ Chacune des lettres utilisées pour représenter ces bruits : *La consonne B se prononce avec les lèvres.*

constatation [kɔ̃statasjɔ̃] n. f. Action de constater.

constater [kɔ̃state] v. tr. Etablir l'existence d'un fait, prendre connaissance de : *L'architecte constata que les fondations de la maison n'étaient pas solides.*

constituer [kɔ̃stitɥe] v. tr. Former un tout à partir de plusieurs éléments : *Le bureau de la société est constitué de quatre membres.*

constitution [kɔ̃stitysjɔ̃] n. f. Manière dont une chose est composée : *On ignorait encore, il y a deux siècles, la constitution de l'air et de l'eau.* ★ Lois fondamentales d'après lesquelles se gouverne un Etat : *La constitution actuelle de la France assure au président de la République un pouvoir important.*

construction [kɔ̃stryksjɔ̃] n. f. Action de bâtir en utilisant certains matériaux : *La construction de cette cathédrale a demandé deux siècles.* ★ Bâtiment construit par l'homme ou par certains animaux : *Cette ville possède de très belles constructions : églises, maisons, palais, etc.*

construire [kɔ̃strɥir] v. tr. (Se conj. comme *conduire.*) Bâtir un édifice, en suivant un certain plan : *Les ouvriers construisent un pont sur la rivière.* ★ Assembler les différentes parties d'une machine, d'un appareil, etc. : *Cette usine construit deux cents voitures par jour.*

consulat [kɔ̃syla] n. m. Bureaux de la personne qui est officiellement désignée pour défendre dans un pays étranger les intérêts de ses compatriotes : *Comme j'ai perdu mon passeport pendant mon séjour à Rome, je me suis adressé au consulat de France pour en obtenir un autre.*

consultation [kɔ̃syltasjɔ̃] n. f. Opinion que donne, par écrit ou non, un médecin ou un avocat, après avoir étudié un cas qu'on lui a soumis : *Au cours de la consultation, le docteur m'a examiné les poumons et le cœur.*

consulter [kɔ̃sylte] v. tr. Interroger une personne pour connaître son avis, dans un cas particulier : *Cet homme ne prend aucune décision sans consulter sa femme.*

contact [kɔ̃takt] n. m. Surface par laquelle deux objets se touchent : *On se brûle au contact du feu.*

contagieux, euse [kɔ̃taʒjø, øz] adj. Se dit des maladies qui se transmettent par le contact : *La grippe est une maladie contagieuse.*

contagion [kɔ̃taʒjɔ̃] n. f. Transmission d'une maladie par contact : *Les médecins évitent difficilement la contagion de certaines maladies.*

conte [kɔ̃t] n. m. Récit assez court, imaginé en vue de distraire : *Cet écrivain a composé de nombreux contes pour enfants.*

contemporain, e [kɔ̃tɑ̃pɔrɛ̃, ɛn] adj. Qui est de la même époque : *Molière et Racine étaient contemporains.*

contenir [kɔ̃tnir] v. tr. (Se conj. comme *tenir.*) Tenir à l'intérieur de ses limites : *Ce litre contient-il de l'eau ou de l'essence?*

content, e [kɔ̃tɑ̃, ɑ̃t] adj. Qui éprouve de la satisfaction : *Cet enfant a un caractère difficile, il n'est jamais content.*

contenter [kɔ̃tɑ̃te] v. tr. Rendre quelqu'un heureux, de manière qu'il ait ce qu'il souhaite : *Vous avez des goûts simples, et il est facile de vous contenter.*

contenu [kɔ̃tny] n. m. Ce que contient quelque chose : *Versez dans l'eau le contenu de cette boîte de savon en poudre.*

contester [kɔ̃tɛste] v. tr. Refuser de reconnaître un droit à quelqu'un : *Je vous conteste le droit de me parler sur ce ton.* ★ Nier la vérité d'un fait : *Certaines personnes contestent encore l'existence des microbes.*

continent [kɔ̃tinɑ̃] n. m. Immense étendue de terre entourée par des océans : *Le continent américain a été découvert à la fin du XVe siècle.*

continu, e [kɔ̃tiny] adj. Qui n'est pas interrompu : *Dans un cinéma permanent, le spectacle est continu.*

continuer [kɔ̃tinɥe] v. tr. Poursuivre ce qu'on a commencé : *Je me suis arrêté plusieurs jours et n'ai pu continuer ce travail.*

contraction [kɔ̃traksjɔ̃] n. f. Réduction de volume, de longueur, etc. : *« Ça » est la contraction de « cela ».*

contradiction [kɔ̃tradiksjɔ̃] n. f. Action de faire savoir à quelqu'un qu'on n'est pas d'accord avec lui : *Il est têtu et ne supporte pas la contradiction.* ★ Action de ne pas être d'accord avec ce que l'on a soi-même déjà fait ou dit : *Les contradictions de l'accusé ont été relevées par la police.*

contrainte [kɔ̃trɛ̃t] n. f. Action par laquelle on oblige quelqu'un à faire ce qu'il ne voulait pas faire : *C'est seulement par la contrainte qu'il arrive à faire travailler son fils.*

contraire [kɔ̃trɛr] adj. Opposé à quelqu'un ou à quelque chose : *Il est parti dans une direction contraire à la vôtre.* ■ N. m. Ce qui est opposé : *Vous faites le contraire de ce que vous dites.* ■ LOC. ADV. *Au contraire,* tout autrement : *Pleut-il? — Au contraire, il fait beau!*

contrat [kɔ̃tra] n. m. Ecrit par lequel des personnes prennent des engagements les unes envers les autres : *Je viens d'acheter une maison; le propriétaire et moi venons de signer le contrat de vente.*

contre [kɔ̃tr] prép. Marque l'opposition où la rencontre : *Je me suis cogné contre le mur. J'appuie l'échelle contre l'arbre.* ★ Indique ce qui représente un obstacle : *L'armée a marché contre l'ennemi.* ★ *Echanger une chose contre une autre,* donner une chose et en recevoir une autre à la place.

contrebande [kɔ̃trəbɑ̃d] n. f. Introduction ou commerce clandestin de marchandises dont la circulation est interdite ou soumise à des droits : *A la frontière française, la douane a saisi du tabac introduit en contrebande.*

contremaître, tresse [kɔ̃trəmɛtr, trɛs] n. Employé qui surveille et dirige des ouvriers dans un atelier : *L'ingénieur a réuni dans son bureau les contremaîtres de l'usine.*

contribuable [kɔ̃tribɥabl] n. Personne qui paie des contributions : *Depuis la dernière guerre, de lourds impôts pèsent sur les contribuables.*

contribution [kɔ̃tribysjɔ̃] n. f. Part que chacun apporte à un effort commun : *Chaque habitant apporta sa contribution à l'organisation de la fête du village.* ★ Pl. Somme que les contribuables d'un pays paient à l'Etat chaque année.

contrôle [kɔ̃trol] n. m. Action qui consiste à vérifier si une chose est conforme à ce qui est exigé : *Dans un théâtre, le contrôle des billets se fait à l'entrée.*

contrôler [kɔ̃trole] v. tr. Exercer une vérification : *Un employé du chemin de fer passe dans les wagons pour contrôler les billets des voyageurs.*

convaincre [kɔ̃vɛ̃kr] v. tr. (Se conj. comme *vaincre.*) Amener quelqu'un, à force de raisonnements, à reconnaître ce qu'on croit vrai : *Je lui ai dit qu'il devrait renoncer à ce mariage, et je crois que je l'ai convaincu.*

convenir [kɔ̃vnir] v. intr. (Se conj. comme *venir.*) Etre en rapport, en harmonie avec certains caractères de quelqu'un ou de quelque chose : *L'air marin n'a pas convenu à mon fils qui est nerveux.* ★ Prendre en commun une décision : *Les deux amis convinrent de passer les vacances ensemble.* ★ Accepter comme vrai ce que dit ou fait une personne : *Vous m'avez convaincu, et je conviens que vous avez raison.*

convention [kɔ̃vɑ̃sjɔ̃] n. f. Ce qui est généralement admis : *Les conventions internationales interdisent de maltraiter les prisonniers de guerre.*

conversation [kɔ̃vɛrsasjɔ̃] n. f. Echange de paroles entre plusieurs personnes : *Au cours du dîner, la conversation s'engagea sur la politique.*

conviction [kɔ̃viksjɔ̃] n. f. État d'esprit de quelqu'un qui croit une chose vraie : *J'ai la conviction que dans cette affaire il a agi par intérêt.*

convocation [kɔ̃vɔkasjɔ̃] n. f. Lettre envoyée à une personne pour lui demander de se présenter à l'heure et à l'endroit indiqués : *J'ai reçu une convocation de la société dont je suis membre; la réunion a lieu demain à cinq heures.*

convoi [kɔ̃vwa] n. m. Suite de wagons, de voitures ou de navires de transport qui voyagent ensemble : *Un convoi de cinq navires chargés de troupes partit de Londres.*

convoquer [kɔ̃vɔke] v. tr. Ordonner ou demander officiellement à quelqu'un de venir près de soi : *Je suis convoqué dans le bureau du directeur demain matin.*

copie [kɔpi] n. f. Reproduction d'un texte, d'un document, etc.

copier [kɔpje] v. tr. Reproduire un texte écrit ou une œuvre d'art sans rien y changer : *L'enfant copia sur son cahier le texte que son maître avait écrit au tableau noir.*

coq [kɔk] n. m. Oiseau domestique,

mâle de la poule : *Le coq chante dès que le soleil se lève.*

coquillage [kɔkijaʒ] n. m. Petit animal qui vit dans l'eau et qui se trouve à l'intérieur d'une coquille : *A marée basse, on peut pêcher des coquillages dans les rochers.* ★ Coquille vidée de son contenu, que la mer dépose sur les côtes : *Les enfants ramassèrent des coquillages sur la plage.*

coquille [kɔkij] n. f. Enveloppe plus ou moins dure qui entoure les œufs et protège certains animaux ou certains fruits : *Elle cassa les œufs dans la poêle et jeta les coquilles dans la boîte à ordures.*

corbeille [kɔrbɛj] n. f. Sorte de panier sans anse : *La femme de mé-*

nage a oublié de vider la corbeille à papiers.

corde [kɔrd] n. f. Réunion de fils de matières végétales tordus ensemble : *La barque était attachée au*

bord par une corde. ★ Fil dont on tire des sons et qui constitue l'élément principal de certains instruments de musique : *Le violon est un instrument à quatre cordes.*

cordial, e, aux [kɔrdjal, o] adj. Qui réconforte en témoignant de l'affection : *« Cordial, cordialement » sont souvent employés dans les formules de politesse.* ■ **Cordialement** adv.

cordonnier [kɔrdɔnje] n. m. Celui qui répare les chaussures : *Le talon de mon soulier est abîmé, il faut que je le porte au cordonnier.*

corne [kɔrn] n. f. Pointe qui arme la tête de certains animaux : *Cette vache est méchante, elle a donné un coup de corne à mon chien.* ★ Matière dure dont sont faites les cornes des bœufs, des vaches : *J'ai acheté un joli peigne en corne.*

corps [kɔr] n. m. Toute substance matérielle : *L'eau est un corps liquide, le fer est un corps solide.* ★ Chez l'homme et les animaux, ensemble des parties matérielles qui composent l'organisme : *On divise le corps en trois parties : la tête, le tronc et les membres.* ★ Ce qui reste d'un être humain après sa mort : *La famille se réunit autour du corps de la mère, qui venait de mourir.* ★ Ensemble de personnes qui se reconnaissent les mêmes titres et les mêmes devoirs : *Le corps enseignant réclame une modification de cet examen.*

correct, e [kɔrekt] adj. Conforme à la règle : *Le devoir de cet élève a été écrit dans un style correct, mais peu élégant.* ■ **Correctement** adv.

correction [kɔrɛksjɔ̃] n. f. Rectification des fautes d'un texte : *J'ai dû apporter de nombreuses corrections à la lettre que ma secrétaire avait tapée.* ★ Manière de se conduire conforme à la politesse : *Bien que mon collègue ne m'aime pas, il a toujours agi envers moi avec la plus grande correction.*

correspondance [kɔrɛspɔ̃dɑ̃s] n. f. Echange de lettres : *Les deux amis échangèrent pendant vingt ans une correspondance régulière.* ★ Les lettres mêmes : *Il a reçu aujourd'hui une correspondance abondante.* ★ Relation établie entre deux véhicules : *Mon train a du retard, je crains de manquer à Marseille ma correspondance pour Nice.*

correspondre [kɔrɛspɔ̃dr] v. intr. (Se conj. comme *rendre*.) Etre en rapport de proportion, de ressemblance, etc., avec quelqu'un ou quelque chose : *La fin du livre ne correspond pas au commencement.* ★ Echanger des lettres avec quelqu'un : *Il correspond avec les savants du monde entier.*

corriger [kɔriʒe] v. tr. (Se conj. comme *manger*.) Rendre meilleur, en parlant des personnes ou des choses : *Sa femme l'a corrigé de son habitude de fumer.* ★ Signaler les fautes : *L'instituteur a corrigé les devoirs de ses élèves.*

costume [kɔstym] n. m. Ensemble des vêtements particuliers à un pays, à une époque, etc. : *La femme de l'ambassadeur de l'Inde portait avec élégance son costume national.* ★ Ensemble des différentes pièces d'un vêtement d'homme : *Il s'est fait faire chez le tailleur un costume sur mesure.*

côte [kot] n. f. Chacun des os qui forment la partie latérale de la poitrine, chez l'homme et chez certains animaux : *De quelqu'un qui est maigre, on dit qu'on pourrait compter ses côtes.* ★ Pente d'un terrain : *Il y a beaucoup de côtes sur cette route.* ★ Partie du rivage qui forme le bord de la mer : *En Bretagne, la côte est souvent constituée par des rochers.*

côté [kote] n. m. La partie droite ou gauche du corps de l'homme et de certains animaux. ★ *Avoir un point de côté,* éprouver une douleur dans cette région (si l'on a trop couru, par ex.). ★ L'une des limites d'un corps : *Une île est entourée par la mer de tous côtés.* ★ *Mettre de côté,* écarter ou mettre en réserve. ■ LOC. PRÉP. *Du côté de,* dans la direction de. ★ *A côté de,* à peu de distance de.

coton [kɔtɔ̃] n. m. Matière textile obtenue à partir du fruit d'un arbuste tropical, et dont le fil sert à fabriquer des vêtements légers : *Elle s'est acheté une robe en coton pour l'été.*

cou [ku] n. m. Partie du corps qui unit la tête au tronc : *Il fait froid, tu devrais te mettre un foulard autour du cou.*

couche [kuʃ] n. f. Ce qui recouvre une surface et adhère à elle : *Une épaisse couche de neige recouvrait le sol.*

coucher [kuʃe] v. tr. Mettre dans une position horizontale : *La mère a couché son enfant dans son petit lit.* ■ V. intr. Passer la nuit : *Il coucha le soir dans un hôtel de campagne.* ■ **Se coucher** v. pron. Se mettre au lit : *Mes enfants se couchent tous les soirs à neuf heures.* ★ Disparaître à l'horizon : *Le soleil se couche derrière la montagne.*

coude [kud] n. m. Partie extérieure du bras, à l'endroit où il se plie : *Il n'est pas poli de manger en mettant*

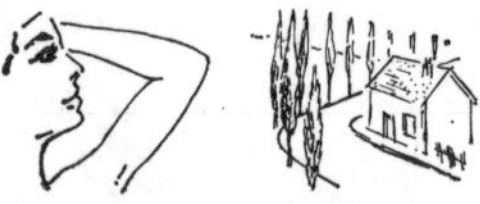

les coudes sur la table. ★ Endroit où une route, un cours d'eau tourne brusquement : *En arrivant devant la colline, le chemin fait un coude.*

coudre [kudr] v. tr. (voir tableau p. 355). Faire tenir ensemble en faisant des points avec du fil et une aiguille : *J'ai perdu un bouton de chemise, veux-tu m'en coudre un autre?*

couler [kule] v. intr. En parlant d'un liquide, aller vers le bas, d'un mouvement continu : *De Lyon à la mer, le Rhône coule du nord au sud.* ★ S'enfoncer dans l'eau : *Pendant la tempête un bateau a coulé.*

couleur [kulœr] n. f. Impression que fait sur l'œil la lumière renvoyée par la surface des objets : *Le violet, le bleu, le vert sont des couleurs.* ★ Matière qui sert à colorer : *Je suis allé* *acheter un pot de peinture chez le marchand de couleurs.*

couloir [kulwar] n. m. Passage étroit ménagé dans un logement, un théâtre, etc., et sur lequel s'ouvrent plusieurs portes : *La cuisine est à droite dans le couloir, en face de la salle à manger.*

coup [ku] n. m. Choc violent de deux corps : *Il a donné un coup de poing sur la table.* ★ Bruit produit par un choc : *Les douze coups de minuit sonnèrent à l'église du village.* ★ FIG. Acte qui atteint quelqu'un dans ses affections, ses intérêts, etc. : *La mort de son fils lui a donné un coup dont il ne s'est jamais remis.* ★ *Un coup de tête,* une action que l'on fait sans y avoir réfléchi. ★ *Un coup de théâtre,* un événement qui renverse une situation.

coupable [kupabl] adj. Se dit d'une personne qui a commis une faute : *Vous êtes coupable d'avoir menti.* ■ N. : *Le coupable a avoué son crime à la police.*

couper [kupe] v. tr. Diviser en deux ou plusieurs parties au moyen d'un instrument tranchant : *Le père prit son couteau et coupa du pain pour ses enfants.* ★ *Couper la parole,* interrompre quelqu'un qui parle, en parlant soi-même. ■ **Se couper** v. pron. Se blesser avec une lame : *Je me suis coupé en me rasant.*

cour [kur] n. f. Portion de terrain non recouverte, bordée de murs ou de bâtiments : *Mon salon donne sur la rue, mais ma cuisine donne sur la cour.* ★ Société qui se tient autour d'un roi, d'un prince, etc. ★ *Faire la cour à une femme,* faire ce qu'il faut pour lui plaire.

courage [kuraʒ] n. m. Force qui fait que l'on méprise le danger ou la fatigue : *Avec beaucoup de courage, le soldat alla chercher sous le feu de l'ennemi son camarade blessé.* ★ *Perdre courage,* se décourager.

courageux, euse [kuraʒø, øz] adj. Qui montre du courage : *Il a eu pendant la guerre une conduite courageuse.* ■ **Courageusement** adv.

courant, e [kurɑ̃, ɑ̃t] adj. Se dit de ce qui fait partie de la vie quotidienne : *Les embouteillages causés par les voitures sont une chose courante à Paris.*

courant [kurɑ̃] n. m. Mouvement continu d'une masse d'eau ou d'air qui se déplace dans une certaine direction : *Les côtes de Bretagne sont réchauffées par un courant marin. Les bateaux vont plus vite quand ils descendent le courant du fleuve.* ★ *Courant électrique,* déplacement de l'électricité le long de fils conducteurs : *Une panne d'électricité a privé la ville de courant pendant plusieurs heures.* ★ *Au courant de,* informé de.

courbe [kurb] adj. Se dit de la ligne dont la direction change progressivement sans former aucun angle : *La circonférence constitue une ligne courbe parfaite.* ■ N. f. Ligne courbe : *La route fait une courbe, avant d'arriver au village.*

courber [kurbe] v. tr. Rendre courbe : *L'enfant courba une baguette pour s'en faire un arc.*

coureur [kurœr] n. m. Personne qui participe à une course sportive : *Les coureurs du Tour de France prirent le départ le 4 juillet.*

courir [kurir] v. intr. (voir tableau p. 355). Se déplacer très rapidement, en se servant de ses jambes ou de ses pattes : *Quand il vit le lapin, le chien se mit à courir à toute vitesse.* ★ FIG. Circuler (bruit, nouvelle, etc.) : *Le bruit court que Jean va se marier avec sa cousine.* ■ V. tr. Participer à une course sportive : *Le champion a couru un 100 mètres et il a battu le record* *du monde.* ★ Etre exposé à : *Vous courez de grands dangers en faisant ce voyage.*

courrier [kurje] n. m. Ensemble des lettres ou des imprimés que l'on envoie ou que l'on reçoit : *Le facteur apporte le courrier chaque matin.*

cours [kur] n. m. Mouvement continu d'une eau courante : *Le Rhin a un cours plus rapide que la Seine.* ★ Suite des événements dans le temps. ★ Prix auquel s'achètent ou se vendent les choses : *Après les informations, la radio annonça les cours de la bourse.* ★ Leçon ou ensemble de leçons formant un enseignement complet : *Le professeur a fait un cours très intéressant sur la littérature classique.* ■ LOC. PRÉP. *Au cours de, en cours de,* pendant la durée de.

course [kurs] n. f. Sport qui consiste à parcourir le plus vite possible une distance déterminée : *Il est champion de course à pied.* ★ Déplacements que l'on fait à l'intérieur d'une même ville pour effectuer des achats ou pour régler des affaires : *Je suis parti de bonne heure pour faire des courses dans le quartier.*

court, e [kur, kurt] adj. Qui a peu de longueur, peu de durée : *Les cheveux très courts sont à la mode cette année. On trouve le temps court quand on s'amuse.*

cousin, ine [kuzɛ̃, in] n. Enfant de l'oncle ou de la tante d'une personne : *Ma cousine et moi, nous ressemblons beaucoup à notre grand-père.*

coussin [kusɛ̃] n. m. Sac rempli de laine, de plume, etc., qui rend confortable un siège ou un lit.

couteau [kuto] n. m. Instrument

destiné à couper, fait d'une lame d'acier tranchante et d'un manche : *Quand on met la table, on place le couteau à droite de l'assiette.*

coûter [kute] v. tr. Demander de la peine, du travail, etc. : *Ce travail m'a coûté beaucoup d'efforts.* ■ V. intr. Avoir un prix déterminé : *Les légumes verts sont rares et coûtent cher en hiver.*

coutume [kutym] n. f. Manière d'agir passée depuis longtemps dans les mœurs : *Chaque pays a ses coutumes.*

couture [kutyr] n. f. Action ou art de coudre : *Ma fille aime la couture.* ★ Suite de points faits à l'aiguille par lesquels deux morceaux d'étoffe, de cuir, etc., sont assemblés : *Les coutures de ce vêtement sont mal faites, il faudra les refaire.*

couturier [kutyrje] n. m. Personne qui crée des vêtements de femme : *La femme de l'ambassadeur s'habille chez les grands couturiers.*

couturière [kutyrjɛr] n. f. Personne qui coud, par profession ou non.

couvercle [kuvɛrkl] n. m. Partie mobile avec laquelle on couvre une casserole, une boîte, etc. : *La cuisi-*

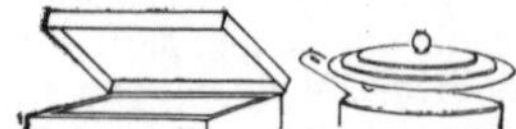

nière souleva le couvercle de la casserole et goûta la sauce.

couvert [kuvɛr] n. m. Tout ce que l'on met sur une table pour le service du repas : *Tu as mis le couvert, mais tu as oublié les serviettes.* ★ Une fourchette et une cuiller.

couverture [kuvɛrtyr] n. f. Grande pièce d'étoffe, avec laquelle on se protège du froid au lit, en voiture, etc. : *Voici l'hiver qui vient, il faudra mettre sur le lit une couverture de laine.*

couvrir [kuvrir] v. tr. (Se conj. comme *ouvrir.*) Mettre une chose sur une autre pour la protéger, lui tenir chaud, etc. : *Sa tête était couverte d'un grand chapeau.* ★ FIG. *Au bal, une dame était couverte de bijoux.* ★ Etre répandu sur une surface : *En automne, les feuilles mortes couvrent les chemins dans la forêt.* ■ **Se couvrir** v. pron. Devenir nuageux, en parlant du ciel : *Le ciel s'est couvert rapidement, il va sans doute pleuvoir.*

cracher [kraʃe] v. tr. Rejeter une chose que l'on a dans la bouche : *La mère fit cracher à l'enfant le caillou qu'il allait avaler.* ■ V. intr. Rejeter de la salive par la bouche : *Il est défendu de cracher dans les autobus.*

craie [krɛ] n. f. Pierre blanche et tendre, utilisée pour écrire au tableau noir.

craindre [krɛ̃dr] v. tr. (voir tableau p. 355). Manifester un sentiment de peur devant quelqu'un ou quelque chose : *Je ne crains qu'une chose, c'est que mes enfants ne tombent malades.*

crainte [krɛ̃t] n. f. Sentiment de peur provoqué par ce que l'on redoute : *Les alpinistes ont regagné le camp, par crainte du mauvais temps.*

crâne [krɑn] n. m. Sorte de boîte formée par les os de la tête qui pro-

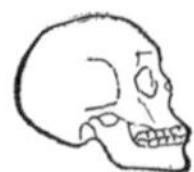

tègent le cerveau : *Il s'est fait une fracture du crâne en tombant de cheval.*

craquer [krake] v. intr. Produire un bruit sec en éclatant, en se déchirant, etc. : *Le bois mort craque en brûlant.*

cravate [kravat] n. f. Bande d'étoffe que portent surtout les hommes, et dont on fait un nœud sous le col de la chemise : *Je me suis acheté*

une cravate de soie rouge pour la mettre avec mon costume gris.

crayon [krɛjɔ̃] n. m. Cylindre de bois renfermant une mine et qui sert à écrire ou à dessiner : *L'enfant avait reçu pour Noël une boîte de crayons de couleur.* ★ *Crayon à bille,* sorte de crayon contenant une encre épaisse qui est entraînée par une bille.

création [kreasjɔ̃] n. f. Action de faire quelque chose de rien : *La Bible raconte la création du monde.*

crédit [kredi] n. m. Confiance manifestée par un commerçant qui accepte de ne pas être payé comptant : *Le boulanger ne fait pas crédit à ses clients.* ■ LOC. ADV. *A crédit,* en réglant un achat par paiements successifs et à des dates fixées d'avance : *Nous avons acheté à crédit un appareil de télévision; nous n'avons à payer que cent francs par mois.*

créer [kree] v. tr. Tirer du néant : *Dieu a créé le ciel et la terre.* ★ Composer une œuvre n'existant pas auparavant. ★ Etablir une maison, un commerce, etc. : *Cette société a été créée il y a vingt ans.*

crème [krɛm] n. f. Matière grasse du lait, dont on fait le beurre. ★ Dessert fait généralement de lait, d'œufs et de sucre : *Au dîner, j'ai mangé de la crème au chocolat.* ★ Produit, généralement gras, utilisé pour protéger la peau : *Elle se met de la crème avant de s'exposer au soleil.*

creuser [krøze] v. tr. Faire un trou : *Il creusa une fosse dans son jardin pour y enterrer des ordures.*

creux, euse [krø, øz] adj. Se dit de quelque chose dont l'intérieur est vide : *Cet arbre est mort, il est tout creux.* ★ Dont la surface présente une dépression plus ou moins profonde : *On sert la soupe dans des assiettes creuses.*

crever [krəve] v. tr. (Se conj. comme *mener.*) Faire éclater en appuyant dessus : *L'enfant a crevé le ballon d'un coup de poing.* ■ V. intr. Eclater sous l'effet d'une pression : *Le pneu creva alors que nous roulions rapidement.* ★ FAM. En parlant d'un animal, mourir : *Il y avait un chien crevé dans la rivière.*

cri [kri] n. m. Eclat de voix : *Quand elle a vu son enfant tomber, la femme a poussé un cri.*

crier [krije] v. intr. Lancer un cri : *L'enfant se brûla la main et cria de douleur.* ★ Parler très fort : *Vous ne pouvez pas discuter sans crier.*

crime [krim] n. m. Faute grave contre la loi morale ou civile : *Il a commis un crime il y a vingt ans; il a tué son frère.*

criminel, elle [kriminɛl] adj. Se dit d'une faute grave contre la loi morale ou civile : *Provoquer volontairement un incendie est un acte criminel.* ■ N. Personne qui a commis un crime : *Le criminel a été condamné à dix ans de prison.*

crise [kriz] n. f. Période grave et soudaine, dans une maladie : *Le malade allait mieux, mais une crise s'est déclarée et on a appelé le médecin.* ★ FIG. Période grave dans l'évolution des choses : *Si le gouvernement néglige de s'occuper des salaires, une crise politique peut éclater.*

critique [kritik] adj. Se dit d'une circonstance qui peut entraîner soit une amélioration, soit une suite défavorable : *Aurons-nous la paix ou la guerre? Nous sommes au moment critique où les choses vont se décider.* ★ *Esprit critique,* esprit qui examine avant de se former une opinion. ■ N. m. Personne qui, dans les journaux ou dans des livres, porte un jugement sur des ouvrages littéraires ou artistiques : *Mon ami est critique littéraire dans une revue.* ■ N. f. Jugement porté sur une œuvre littéraire ou artistique : *J'ai lu dans le journal une excellente critique de ce film.* ★ Jugement sévère que l'on porte sur les personnes ou sur les choses : *Il est très orgueilleux et il ne peut supporter la critique.*

critiquer [kritike] v. tr. Faire voir les défauts des personnes ou des choses : *On a beaucoup critiqué la politique du gouvernement.*

crochet [krɔʃɛ] n. m. Petite pièce de métal à laquelle on peut suspendre quelque chose : *Un jambon pendait à un crochet fixé à une poutre du grenier.*

croire [krwar] v. tr. (voir tableau p. 355). Penser que quelque chose est vrai : *Je crois que Jean viendra demain, car il me l'a écrit.* ★ *Croire quelqu'un,* penser qu'une personne dit la vérité : *Je crois mon fils, car il ne ment jamais.* ■ V. intr. *Croire à quelqu'un, à quelque chose,* croire à l'existence de quelqu'un ou de quelque chose : *Les chrétiens croient à la vie éternelle.* ★ *Croire en Dieu,* croire à l'existence de Dieu.

croisement [krwazmɑ̃] n. m. Endroit où se coupent deux voies de communication : *Il est arrivé un accident grave au croisement des deux routes; un camion a écrasé un cycliste.*

croiser [krwaze] v. tr. Disposer en forme de croix. ★ *Croiser les bras, les jambes,* les faire passer l'un sur l'autre : *Le maître ordonna aux élèves de croiser les bras pendant la leçon.* ★

Rencontrer quelqu'un sans s'arrêter : *Je l'ai croisé dans la rue, mais je ne lui ai pas parlé.* ■ **Se croiser** v. pron. Aller dans des directions opposées en passant en un même point : *Les deux routes se croisent au carrefour. Les deux voitures se sont croisées devant la mairie.*

croix [krwa] n. f. Instrument en bois où l'on attachait autrefois les condamnés à mort : *Jésus-Christ est mort sur la croix.* ★ Objet religieux ou bijou dont la forme rappelle celle

de la croix de Jésus-Christ : *Elle portait à son cou une croix d'or et de pierres précieuses.* ★ Figure dessinée par deux lignes qui se coupent à angle droit : *Les personnes qui ne savent pas écrire signent leur nom en dessinant une croix.*

croûte [krut] n. f. Partie extérieure du pain qui a été durcie sous l'action du feu : *Je n'aime pas le pain dont la croûte est brûlée.* ★ Tout ce qui se durcit sur quelque chose qui sèche : *En séchant, le sang a formé une croûte sur la plaie.*

cru, e [kry] adj. Se dit des aliments qui n'ont pas été cuits : *Beaucoup de gens mangent le bifteck presque cru.*

cruel, elle [kryɛl] adj. Qui aime faire souffrir : *Il est défendu d'être cruel envers les animaux.* ★ Qui est difficile à supporter : *Pendant sa maladie, il a subi de cruelles souffrances.* ■ **Cruellement** adv.

cube [kyb] n. m. Solide qui a pour

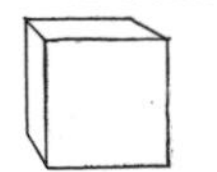

faces six carrés égaux. ■ Adj. Se dit de la mesure qui exprime le volume d'un corps : *Un mètre cube de liquide contient mille litres.*

cueillir [kœjir] v. tr. (voir tableau p. 355). Détacher de leurs tiges des fruits ou des fleurs : *Ma fille a cueilli des fleurs et en a fait un bouquet.*

cuiller ou **cuillère** [kɥijɛr] n. f. Ustensile servant à porter à la bouche

les aliments liquides ou mous : *N'oublie pas de mettre les cuillers sur la table, car nous mangeons de la soupe.*

cuir [kɥir] n. m. Peau d'animal travaillée en vue d'usages divers : *Pour aller à la chasse, je porte des chaussures en cuir épais.*

cuire [kɥir] v. intr. (Se conj. comme *conduire.*) Devenir bon à manger grâce à l'action du feu : *Les pommes de terre cuisent dans la poêle.* ★ *Faire cuire,* préparer les aliments en les exposant au feu : *Les premiers hommes ne savaient pas faire cuire la viande, ils la mangeaient crue.*

cuisine [kɥizin] n. f. Lieu où l'on fait cuire les aliments : *Son petit appartement est composé de deux pièces et d'une cuisine.* ★ Art de préparer les aliments : *La cuisine française est très appréciée à l'étranger.* ★ Aliments préparés d'une certaine façon : *J'aime la cuisine faite au beurre.*

cuisinier, ère [kɥizinje, ɛr] n. Personne qui fait la cuisine : *Le cuisinier de ce grand restaurant est un véritable artiste.* ■ N. f. Appareil qui sert à cuire les aliments : *Elle hésita beaucoup entre une cuisinière à gaz et une cuisinière électrique.*

cuisse [kɥis] n. f. Partie de la jambe située entre le genou et le tronc.

cuivre [kɥivr] n. m. Métal rouge ou jaune, assez mou, utilisé, par exemple, pour fabriquer des fils électriques : *Les alliages du cuivre sont très employés dans l'industrie.*

culotte [kylɔt] n. f. Vêtement de dessus masculin qui s'étend de la taille au genou et qui couvre chacune des jambes : *Le petit garçon attacha la*

ceinture qui retenait sa culotte. ★ Vêtement de dessous féminin qui couvre la partie inférieure du tronc.

culte [kylt] n. m. Ensemble des manifestations par lesquelles l'homme exprime sa religion : *Certains peuples rendaient un culte au soleil.*

cultivateur, trice [kyltivatœr, tris] n. Personne dont la profession est de cultiver la terre : *La sécheresse inquiète les cultivateurs cette année.*

cultiver [kyltive] v. tr. Travailler la terre pour la rendre fertile : *Dans cette région, les paysans cultivent leurs champs avec des tracteurs.* ★ Faire pousser une plante : *La Beauce est une région où l'on cultive du blé.* ★ *Personne cultivée,* personne dont les études, les lectures ou les conversations ont développé le goût et l'intelligence : *Cette dame est non seulement instruite, mais cultivée.*

culture [kyltyr] n. f. Action de cultiver des plantes : *Sur la Côte d'Azur, la culture des fleurs est très développée.* ★ Terrains cultivés : *Dans ce pays, l'étendue des forêts est plus grande que celle des cultures.* ★ Ensemble des connaissances littéraires, artistiques, etc., propres à perfectionner le goût et l'intelligence : *Mon ami a beaucoup réfléchi sur ses lectures, il a une grande culture.* ★ Partie d'une civilisation qui intéresse l'homme, l'éducation, les arts, etc. : *Cet homme est étranger, mais il a fait ses études à Paris; il est de culture française.*

curé [kyre] n. m. Prêtre catholique qui a la charge d'une paroisse : *La messe a été dite par le curé du village.*

curieux, euse [kyrjø, øz] adj. Qui a une grande envie de voir, de connaître, etc. : *Mon enfant est curieux, il s'intéresse à tout.* ★ Qui aime connaître les secrets des autres : *Cette personne est si curieuse qu'elle regarde par le trou de la serrure.* ★ Propre à attirer l'attention : *On a découvert un objet curieux dont on ignore l'origine.* ■ **Curieusement** adv.

curiosité [kyrjozite] n. f. Besoin de voir, de connaître : *Le professeur a su développer la curiosité de ses élèves.* ★ Désir de connaître les affaires des gens : *Il a eu la curiosité de lire une lettre qui ne lui était pas adressée.*

cuvette [kyvɛt] n. f. Récipient fixe ou portatif, de porcelaine, de métal, de matière plastique, etc., qui sert à

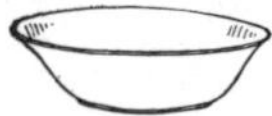

contenir de l'eau : *Il n'y a pas de lavabo chez elle, et elle se débarbouille dans une cuvette.*

cycliste [siklist] n. Personne qui se sert d'une bicyclette : *Un cycliste qui roulait à gauche de la route a été écrasé par une voiture.*

cylindre [silɛ̃dr] n. m. Volume dont les deux bases sont des cercles parallèles reliés par un nombre infini de

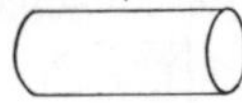

lignes droites parallèles : *Le tuyau par où arrive l'eau a la forme d'un long cylindre.*

dactylo [daktilo] n. f. (abrév. de *dactylographe*). Employée dont le travail consiste à se servir d'une machine à écrire : *La dactylo a tapé la lettre que le directeur lui avait dictée.*

dactylographier [daktilɔgrafje] v. tr. Ecrire en se servant d'une machine à écrire : *N'envoyez pas à vos amis des lettres dactylographiées, écrivez-leur à la main.*

dame [dam] n. f. Se dit pour « femme », par respect ou par politesse : *Ce petit garçon est bien élevé, il a cédé sa place à une dame dans l'autobus.*

danger [dɑ̃ʒe] n. m. Situation qui peut amener un dommage : *Les soldats sont exposés à de grands dangers pendant la guerre.*

dangereux, euse [dɑ̃ʒrø, øz] adj. Qui fait craindre un danger : *L'aviation est un sport dangereux.* ■ **Dangereusement** adv.

dans [dɑ̃] prép. Marque la situation d'une personne ou d'une chose à l'intérieur d'un lieu : *Il a jeté un papier dans le feu.* ★ Marque la situation d'une personne ou d'une chose à l'intérieur d'un espace de temps : *Il a eu une maladie grave dans son enfance.* ★ Marque la situation à la fin d'un espace de temps futur : *Mon frère arrive dans quinze jours.* ★ Indique une situation à l'intérieur d'un milieu moral, social, etc. : *Si vous continuez à dépenser ainsi, vous tomberez dans la misère.*

danse [dɑ̃s] n. f. Ensemble d'attitudes, de gestes, de mouvements successifs réglés par la musique : *Une troupe d'artistes étrangers présentera demain soir un spectacle de chants et de danses.*

danser [dɑ̃se] v. tr. Exécuter une danse : *Après le dîner, les invités dansèrent dans le salon.*

date [dat] n. f. Moment précis

(année, mois et jour) où un fait a eu lieu : *Le 14 juillet 1789 est une date importante de l'histoire de France.*

dater [date] v. tr. Inscrire une date : *Je ne sais pas exactement quand il m'a écrit, car sa lettre n'est pas datée.* ■ V. intr. Exister depuis une certaine date : *Notre amitié date de notre enfance.*

davantage [davɑ̃taʒ] adv. En plus grande quantité : *Je n'ai pas assez de sucre dans mon café, donnez-m'en davantage, s'il vous plaît.*

de [də] prép. Indique, d'une façon générale, l'origine, le point de départ : **1.** Dans l'espace : *Je reviens de la campagne, où j'ai passé huit jours;* **2.** Dans le temps : *Je resterai à Paris de la fin du mois de janvier au commencement du mois de mars.* Par ext., sert aussi à indiquer : **3.** La possession : *Ce livre n'est pas à moi; c'est celui de mon frère;* **4.** La cause : *J'ai trouvé un oiseau mort de froid dans mon jardin, cet hiver;* **5.** La personne ou la chose dont il est question : *Mon ami me parle souvent de son pays natal;* **6.** La matière : *Prenez une feuille de papier pour écrire;* **7.** La personne qui fait l'action, quand le verbe est à la forme passive : *Il est apprécié de tous ses amis;* **8.** La valeur : *Elle a acheté une bague de 10 000 francs;* **9.** La personne ou la chose que l'on sépare d'un groupe dont elle fait partie : *Ce matin, j'ai rencontré un de mes amis dans la rue. Voici le plus intelligent de tous les élèves de cette classe;* **10.** La dimension : *Ma chambre a 5 mètres de long.* ★ GRAMM. Utilisé pour former l'article défini contracté et l'article partitif. (V. DU.)

débarbouiller [debarbuje] v. tr. Laver le visage : *Le matin, les enfants se débarbouillent et se lavent les mains.*

débarquer [debarke] v. tr. Faire sortir d'un bateau, d'un avion, etc. : *Les marins débarquent les marchandises sur les quais.* ■ V. intr. Sortir d'un bateau, d'un avion, etc. : *Les passagers débarqueront sur le quai n° 3.*

débarrasser [debarase] v. tr. Enlever d'un endroit ce qu'on ne veut pas y laisser : *Débarrassez la table, car elle est encombrée.* ■ **Se débarrasser** v. pron. Ne pas garder quelque chose dont on ne veut plus.

débiter [debite] v. tr. Découper en morceaux. ★ Produire une certaine quantité de choses pendant un temps déterminé : *Cette usine débite des milliers de boîtes d'allumettes par jour.*

déborder [debɔrde] v. intr. Passer par-dessus les bords : *Ce fleuve déborde souvent après les pluies de printemps.* ★ *Etre débordé de travail*, avoir plus de travail qu'on ne peut en faire.

déboucher [debuʃe] v. tr. Oter ce qui bouche ou ce qui empêche le passage : *Débouchez donc la bouteille de vin.* ■ V. intr. Sortir d'un passage resserré et arriver dans un lieu plus large : *A la sortie du défilé, nous débouchâmes dans la plaine.*

debout [dəbu] adv. Droit sur ses pieds ou sur sa base : *Il y avait beaucoup de monde dans le train et nous sommes restés debout pendant tout le voyage.*

déboutonner [debutɔne] v. tr. Ouvrir un vêtement fermé par des boutons : *Pour avoir moins chaud, il déboutonna son pardessus.*

débris [debri] n. m. (S'emploie surtout au pluriel.) Restes d'un objet brisé : *Je vais ramasser les débris du vase que je viens de casser.*

débrouillard, e [debrujar, ard] adj. FAM. Qui sait se débrouiller : *Mon mari est débrouillard, il répare lui-même sa voiture.* ■ N. Personne qui sait se débrouiller.

débrouiller [debruje] v. tr. Rendre clair quelque chose de compliqué : *Le juge avait à débrouiller une affaire difficile.* ■ FAM. **Se débrouiller** v. pron. Sortir avec adresse d'une situation difficile.

début [deby] n. m. Ce qui se trouve tout à fait au commencement d'une chose : *Il s'est couché au début de sa maladie.* ★ Pl. Première manifestation d'une activité professionnelle : *Ce médecin a eu des débuts très difficiles.*

débuter [debyte] v. intr. Commencer : *Le repas débuta par un potage et finit par un dessert.*

décadence [dekadɑ̃s] n. f. Mouvement qui conduit quelque chose (mœurs, institutions, arts, etc.) à sa ruine : *La décadence de l'Empire romain dura plusieurs siècles.*

décéder [desede] v. intr. (Se conj. comme *céder*.) Mourir, en parlant d'une personne (surtout dans le style officiel).

décembre [desɑ̃br] n. m. Le dernier mois de l'année.

déception [desɛpsjɔ̃] n. f. Sentiment que l'on éprouve lorsqu'on n'a pas obtenu ce qu'on espérait : *Quand mon fils a échoué à son examen, il a éprouvé une vive déception.*

décès [desɛ] n. m. Terme officiel qui désigne la mort d'une personne : *Tout décès doit être constaté par un médecin.*

décevoir [desəvwar] v. tr. (Se conj. comme *recevoir*.) Causer une déception : *Le directeur n'a pas été aimable avec moi, son accueil m'a déçu.*

décharger [deʃarʒe] v. tr. (Se conj. comme *manger.*) Débarrasser quelqu'un ou quelque chose d'objets lourds : *Les ouvriers ont déchargé le camion devant la maison en construction.*

déchausser [deʃose] v. tr. Enlever les chaussures : *Quand le petit garçon revint de l'école, il se déchaussa et mit ses pantoufles.*

déchirer [deʃire] v. tr. Mettre en morceaux du papier, une étoffe, etc., en tirant dessus : *L'enfant déchira son cahier avec colère.* ★ Faire un trou à une étoffe, en tirant dessus : *Ma fille a déchiré sa robe à un clou.*

décider [deside] v. tr. Prendre une décision : *Le gouvernement a décidé que les impôts seraient augmentés.* ★ Amener quelqu'un à prendre une décision : *J'ai décidé mon ami à faire un voyage avec moi.* ■ **Se décider** v. pron. Prendre une résolution : *Je me suis enfin décidé à apprendre à nager.*

décision [desizjɔ̃] n. f. Action de choisir une manière d'agir : *J'ai pris la décision de ne plus fumer.*

déclaration [deklarasjɔ̃] n. f. Acte ou discours par lequel on déclare quelque chose : *Les journalistes se sont réunis pour entendre la déclaration du Premier ministre.* ★ *Déclaration de guerre,* acte par lequel un Etat fait savoir à un autre Etat qu'il se considère comme étant en guerre avec lui. ★ *Déclaration d'impôts,* feuille sur laquelle on inscrit les sommes d'argent qu'on a touchées dans l'année et qui sont soumises à l'impôt.

déclarer [deklare] v. tr. Faire connaître : *Il a déclaré qu'il partait en voyage.* ★ Dire d'une manière officielle : *J'ai déclaré à la douane que je transportais plusieurs paquets de cigarettes.*

décoller [dekɔle] v. tr. Séparer l'un de l'autre deux objets qui étaient collés : *Je décolle les timbres des enveloppes pour ma collection.* ■ V. intr. Se dit d'un avion qui quitte le sol pour s'élever dans l'air : *Les avions roulent sur la piste avant de décoller.*

décomposer [dekɔ̃poze] v. tr. Séparer chacun des éléments d'un tout. ★ Changer la nature d'un corps en séparant les éléments qui composent sa substance : *L'humidité décompose les feuilles mortes.*

décor [dekɔr] n. m. Ce que l'on voit autour de soi : *Il aime travailler dans un décor agréable.* ★ Ensemble des choses qui occupent la scène d'un théâtre quand on y joue.

décoration [dekɔrasjɔ̃] n. f. Arrangement, fait avec art, des rideaux, tapis, meubles, etc. : *Dans les maisons modernes, la décoration est beaucoup plus simple qu'au XIXᵉ siècle.* ★ Marque que l'on porte pour montrer que l'on a été décoré : *L'ambassadeur portait, ce jour-là, toutes ses décorations françaises et étrangères.*

décorer [dekɔre] v. tr. Orner en se servant de rideaux, de tapis, de meubles, de fleurs, etc. : *On a décoré l'église pour la nuit de Noël.* ★ Attribuer à quelqu'un le droit de porter une marque particulière qui lui fait honneur : *Mon collègue a été décoré par le ministre.*

découper [dekupe] v. tr. Couper en donnant une forme déterminée : *La maman découpa le poulet et en donna un morceau à chacun de ses enfants.*

découragement [dekuraʒmɑ̃] n. m. Etat dans lequel on n'a plus d'énergie : *Ne vous laissez pas aller* *au découragement, votre santé va s'améliorer.*

découverte [dekuvɛrt] n. f. Action de découvrir ce qui était caché ou inconnu : *La découverte de l'Amérique eut lieu en 1492.*

découvrir [dekuvrir] v. tr. (Se conj. comme *ouvrir.*) Oter ce qui couvrait. ★ Trouver une chose inconnue : *On a découvert les remèdes à beaucoup de maladies.*

décret [dekrɛ] n. m. Texte qui fait connaître une décision du gouvernement : *Il a été nommé ambassadeur par un décret du président de la République.*

décrire [dekrir] v. tr. (Se conj. comme *écrire.*) Expliquer en détail comment est une personne ou une chose : *Il m'a si bien décrit la ville où il habite que je crois l'avoir vue.*

dedans [dədɑ̃] adv. A l'intérieur : *Mon panier est vide, il n'y a plus rien dedans.* ★ *Là-dedans,* à l'intérieur de ce lieu. ■ N. m. Ce qui est à l'intérieur.

défaillance [defajɑ̃s] n. f. Perte soudaine des forces physiques ou morales : *Après avoir parlé pendant trois heures, l'avocat a eu une courte défaillance.*

défaire [defɛr] v. tr. (Se conj. comme *faire.*) Détruire le résultat d'une action : *Comme il faisait très chaud, il a défait le nœud de sa cravate.*

défaite [defɛt] n. f. Bataille perdue : *Après la défaite de l'ennemi, les soldats victorieux pénétrèrent dans la ville.*

défaut [defo] n. m. Manière d'être que nous n'aimons pas chez une personne ou dans une chose : *Ce livre a le défaut d'être trop long.*

défavorable [defavɔrabl] adj. Qui n'est pas favorable : *Il a sur moi une opinion défavorable.* ■ **Défavorablement** adv.

défendre [defɑ̃dr] v. tr. (Se conj. comme *rendre.*) Protéger ou aider ce qui est attaqué : *Les soldats se sont battus pour défendre leur patrie. L'accusé était défendu par un avocat de grand talent.* ★ Dire ou écrire qu'il ne faut pas faire quelque chose sous peine de punition : *La mère a défendu à ses enfants de jouer dans la rue.*

défense [defɑ̃s] n. f. Aide que l'on apporte à ce qui est attaqué : *Il a pris la défense d'une femme à qui un voleur voulait prendre son sac.* ★ Interdiction de faire quelque chose : *Dans les salles de cinéma, on voit souvent l'inscription « Défense de fumer ».*

déficit [defisit] n. m. Ce qui manque pour que les recettes soient égales aux dépenses : *Quand l'Etat dépense plus d'argent qu'il n'en reçoit, le budget est en déficit.*

défilé [defile] n. m. Passage étroit entre deux montagnes. ★ Mouvement de personnes qui se déplacent par files : *Quand j'étais enfant, j'admirais beaucoup les défilés militaires.*

défini, e [defini] adj. Qui est expliqué : *Ce mot est mal défini dans le dictionnaire.* ★ GRAMM. *Article défini,* petit mot que l'on place devant un nom pour indiquer qu'il s'agit d'un objet ou d'une personne définis dans l'esprit : *« Le », « la », « les » sont des articles définis.*

définir [definir] v. tr. Exprimer d'une manière précise la nature ou les caractères d'un objet, d'une pensée, d'un art, etc. : *On définit le triangle comme une figure qui a trois angles et trois côtés.*

définition [definisjɔ̃] n. f. Phrase par laquelle on définit quelque chose : *Une définition doit être exacte et claire.*

déformer [defɔrme] v. tr. Changer la forme de quelque chose : *Cette* *glace est mauvaise, elle déforme les images.*

dégager [degaʒe] v. tr. (Se conj. comme *manger.*) Libérer une personne ou une chose de ce qui la retenait, la recouvrait, etc. : *Au cours des travaux, on dégagea une statue très ancienne, dont on ignore l'origine.*

dégât [degɑ] n. m. (S'emploie souvent au pluriel.) Dommage causé aux choses par un accident ou une catastrophe : *L'incendie de l'usine a causé des dégâts matériels considérables.*

dégel [deʒɛl] n. m. Transformation naturelle de la glace ou de la neige en eau : *Au moment du dégel, la rivière a débordé.*

dégoût [degu] n. m. Réaction physique désagréable causée par quelque chose que les sens n'acceptent pas : *L'odeur du poisson pourri inspire du dégoût.* ★ FIG. : *J'ai éprouvé un profond dégoût devant la conduite malhonnête de cet homme.*

dégoûter [degute] v. tr. Causer du dégoût : *La saleté de cette cuisine le dégoûte.* ★ FIG. : *Ses échecs successifs aux examens l'ont dégoûté des études.*

degré [dəgre] n. m. Chacune des divisions qui servent à mesurer la température : *L'eau gèle à 0 degré et bout à 100 degrés.* ★ Chacune des divisions qui servent à mesurer les angles : *Il y a 90 degrés dans un angle droit.* ★ Chacune des divisions qui servent à mesurer la proportion d'alcool contenu dans un liquide : *Pour le repas, il a acheté une bouteille de vin à 10 degrés.* ★ FIG. Etat déterminé auquel est parvenue l'intensité d'un sentiment, d'une qualité, d'un défaut : *Il est paresseux à un tel degré qu'il ne travaille plus du tout.*

déguiser [degize] v. tr. Habiller d'un costume qui rend difficile à reconnaître : *Le petit garçon s'est déguisé en soldat.*

dehors [dəɔr] adv. A l'extérieur : *En été, mon chien couche dehors.* ★ *Au-dehors,* hors d'un lieu : *Il fit du feu dans la cheminée, car au-dehors il faisait froid.* ■ N. m. Ce qui est à l'extérieur.

déjà [deʒa] adv. Avant le moment où l'on parle ou dont on parle : *Je suis déjà venu plusieurs fois ce matin. Il n'est que 6 heures et vous êtes déjà levé !*

déjeuner [deʒœne] n. m. Repas que l'on prend vers midi : *Au déjeuner, il prit un plat de viande, des légumes et un fruit.* ★ *Petit déjeuner,* repas que l'on prend le matin : *Au petit déjeuner, je bois toujours du café au lait.*

déjeuner [deʒœne] v. intr. Prendre le repas du milieu de la journée : *Il a l'habitude de déjeuner à midi et demi.*

delà de (au-) [odladə] loc. prép. De l'autre côté, plus loin qu'un point déterminé : *Par rapport à la France, l'Italie se trouve au-delà des Alpes.* ★ FIG. : *Il est très gentil pour sa femme, il va toujours au-delà de ses désirs.*

délai [delɛ] n. m. Temps qui est accordé à quelqu'un pour faire quelque chose : *Vous avez un délai de trois mois pour payer vos impôts.*

déléguer [delege] v. tr. (Se conj. comme *céder.*) Se faire remplacer par quelqu'un en le chargeant d'exercer certaines fonctions déterminées : *Les ouvriers déléguèrent un de leurs camarades auprès du directeur.*

délibération [deliberasjɔ̃] n. f. Action de discuter une affaire en commun pour en trouver la solution : *Après une longue délibération, les grévistes ont décidé de reprendre le travail.*

délibérer [delibere] v. intr. (Se conj. comme *céder.*) Examiner en commun ce que l'on peut dire pour ou contre une personne, un projet, etc. : *Les jurés se sont retirés pour délibérer.*

délicat, e [delika, at] adj. Se dit des choses que recherchent les gens de goût raffiné : *Le parfum de la rose est le plus délicat des parfums naturels.* ★ Se dit des choses ou des personnes qui ont besoin de soins particuliers : *Cet enfant est de santé délicate, il va régulièrement chez le médecin.* ■ **Délicatement** adv.

délicieux, euse [delisjø, øz] adj. Très agréable au goût, à la vue, etc. : *Ce gâteau est délicieux, il faudra que vous m'en donniez la recette.*

délit [deli] n. m. Faute moins grave qu'un crime, mais que punissent les lois : *On commet un délit quand on chasse sans permis.*

délivrer [delivre] v. tr. Rendre libre : *Les prisonniers furent délivrés dès l'arrivée de l'armée victorieuse.* ★ FIG. Donner une chose à une personne après certaines formalités : *Le commissariat de police m'a délivré une carte d'identité.*

demain [dəmɛ̃] adv. Le jour qui suit celui où l'on est.

demande [dəmɑ̃d] n. f. Ce que l'on dit ou écrit pour obtenir quelque chose : *Je cherche une situation et j'ai fait paraître une demande d'emploi dans un journal.*

demander [dəmɑ̃de] v. tr. Faire savoir que l'on désire obtenir un objet, un renseignement, des nouvelles, etc. : *J'avais oublié mon portefeuille, et j'ai dû demander de l'argent à mon père. Le touriste demanda à un passant où se trouvait le château.*

démarche [demarʃ] n. f. Manière de marcher : *On voit à sa démarche que cet homme est pressé.* ★ Fait de chercher à obtenir quelque chose en intervenant personnellement auprès de quelqu'un : *La démarche que vous avez faite auprès du patron est inutile, vous n'obtiendrez pas d'augmentation.*

démarrer [demare] v. intr. Commencer à rouler ou à fonctionner : *Les locomotives électriques démarrent plus rapidement que les locomotives à vapeur.*

déménager [demenaʒe] v. tr. (Se conj. comme *manger*.) Transporter les meubles d'une maison dans une autre. ■ V. intr. Changer de logement : *Notre appartement est trop petit, il faudrait que nous déménagions.*

démentir [demɑ̃tir] v. tr. (Se conj. comme *sentir*.) Affirmer que ce qui a été dit est faux : *Après avoir annoncé le divorce de cette actrice, les journaux ont démenti la nouvelle.*

demeurer [dəmœre] v. intr. S'arrêter quelque temps dans un lieu. ★ Rester dans le lieu où l'on est, y habiter : *Depuis sa retraite, il demeure à la campagne.* ★ FIG. Continuer d'être dans un certain état : *Il est demeuré silencieux en écoutant mes reproches.*

demi, e [dəmi] adj. (Invariable devant le nom, il s'accorde en genre avec celui-ci quand il est placé après.) Qui est la moitié d'une chose mesurée : *J'ai marché pendant une demi-heure. L'émission de radio a duré une heure et demie.*

démission [demisjɔ̃] n. f. Acte par lequel on fait savoir qu'on n'occupera plus l'emploi ou la position qu'on avait : *Comme il était en désaccord avec le directeur, l'ingénieur a donné sa démission.*

démissionner [demisjɔne] v. intr. Renoncer volontairement à une fonction : *Il a démissionné en raison de son état de santé.*

démocratie [demɔkrasi] n. f. Forme de gouvernement dans laquelle tout pouvoir repose sur le peuple.

démocratique [demɔkratik] adj. Se dit d'un Etat, d'un régime, etc., dans lequel le peuple dispose du pouvoir politique : *Le régime démocratique est fondé sur les principes de l'égalité politique et de la liberté individuelle.* ★ Se dit des institutions, des idées, etc., qui sont conformes à la démocratie : *Les pays de dictature sont ennemis des idées démocratiques.* ■ **Démocratiquement** adv.

démodé, e [demɔde] adj. Qui n'est plus à la mode : *La vieille dame portait des vêtements démodés.*

démographie [demɔgrafi] n. f. Science qui détermine les variations de la population humaine et qui étudie les causes de ces variations.

démolir [demɔlir] v. tr. Détruire en faisant tomber morceau par morceau : *Notre maison tombait en ruine, on l'a démolie.*

démonstratif, ive [demɔ̃stratif, iv] adj. GRAMM. Se dit des adjectifs et des pronoms qui servent à montrer une personne ou une chose : *« Ce », « cet », « cette » et « ces » sont des adjectifs démonstratifs.*

démonstration [demɔ̃strasjɔ̃] n. f. Raisonnement par lequel on établit la vérité de quelque chose : *Le professeur de mathématiques a fait sa démonstration au tableau.* ★ Action de montrer par une expérience le fonctionnement de quelque chose : *Avant d'acheter un aspirateur, j'ai demandé au vendeur de me faire une démonstration.*

démonter [demɔ̃te] v. tr. Défaire un mécanisme en retirant un à un les éléments qui le constituent : *Le chasseur a démonté son fusil pour le nettoyer.*

démontrer [demɔ̃tre] v. tr. Prouver par le raisonnement : *Beaucoup de philosophes ont essayé de démontrer l'existence de Dieu.*

démoraliser [demɔralize] v. tr. Détruire les forces morales de quelqu'un : *Les mauvaises nouvelles que j'ai reçues de mon fils m'ont démoralisé.*

dénoncer [denɔ̃se] v. tr. (Se conj. comme *annoncer.*) Signaler un coupable à la police, à un chef, etc. : *Les écoliers n'aiment pas ceux d'entre eux qui dénoncent leurs camarades au maître.*

dense [dɑ̃s] adj. Lourd par rapport à son volume : *L'eau est plus dense que l'huile.* ★ FIG. Epais : *A Londres, le brouillard est souvent très dense en hiver.*

densité [dɑ̃site] n. f. Rapport du poids d'un corps au poids du même volume d'eau : *La densité du fer est de 7,88.* ★ Nombre moyen d'habitants au kilomètre carré.

dent [dɑ̃] n. f. Nom des petits os qui garnissent les mâchoires de l'homme et de certains animaux, et qui leur servent à déchirer ou à broyer la nour-

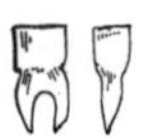

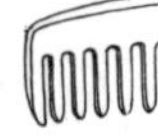

riture : *Mon fils a un an et il n'a pas encore de dents.* ★ Partie d'une chose dont la forme rappelle celle d'une dent : *Il manque plusieurs dents à ce peigne.*

dentifrice [dɑ̃tifris] n. m. Produit qui sert à nettoyer les dents : *J'ai acheté un tube de dentifrice chez le pharmacien.*

dentiste [dɑ̃tist] (ou **chirurgien-dentiste**) n. Personne dont la profession est de soigner les dents : *Il faut que j'aille chez le dentiste, car j'ai mal aux dents.*

départ [depar] n. m. Action de quitter un lieu : *Deux heures avant son départ, il n'avait pas encore fait ses valises.*

département [departəmɑ̃] n. m. Chacune des divisions du territoire français dont l'administration est confiée à un préfet : *La France est divisée en quatre-vingt-dix départements.*

dépasser [depase] v. tr. Aller au-delà de quelqu'un ou de quelque chose qui se trouvait devant : *La voiture dépassa l'autobus qui roulait lentement.* ★ Etre supérieur en taille, en intelligence, etc. : *Mon fils est très grand, il dépasse tous ses camarades.*

dépêcher (se) [depeʃe] v. pron. Accélérer la vitesse avec laquelle on fait un travail, un mouvement, etc. : *Dépêchez-vous de dîner, si vous ne voulez pas être en retard pour aller ensuite au théâtre.*

dépendre (de) [depɑ̃dr] v. intr. (Se conj. comme *rendre.*) Etre sous l'autorité de quelqu'un : *Les jeunes enfants dépendent complètement de leurs parents.* ★ Etre la conséquence : *Le succès dépend surtout du travail.* ★ FAM. *Ça dépend,* peut-être.

dépense [depɑ̃s] n. f. Action d'employer de l'argent pour obtenir quelque chose : *Cet acteur vient encore d'acheter un château, il fait de folles dépenses.*

dépenser [depɑ̃se] v. tr. Employer de l'argent pour obtenir quelque chose : *J'ai dépensé cinquante francs ce matin pour faire le marché.* ★ Employer du temps, des efforts, de l'intelligence, pour faire un travail : *Cet écrivain a dépensé beaucoup d'efforts pour achever son œuvre.*

dépeuplé, e [depœple] adj. Qui a perdu beaucoup de ses habitants : *En été, les villes sont dépeuplées, car leurs habitants sont nombreux à partir en vacances.*

déplacement [deplasmɑ̃] n. m. Mouvement qui fait passer un corps ou un objet d'une position à une autre : *Le déplacement d'air causé par l'explosion a arraché les volets.* ★ Voyage que l'on fait pour des raisons professionnelles : *Son travail l'oblige à effectuer de nombreux déplacements à l'étranger.*

déplacer [deplase] v. tr. (Se conj. comme *annoncer.*) Changer un objet de place : *Déplace ce verre qui est au bord de la table, sinon tu vas le faire tomber.*

déplaire [deplɛr] v. intr. (Se conj. comme *plaire.*) Provoquer un léger sentiment d'irritation et d'hostilité : *Il est mal élevé, et sa manière de se tenir à table me déplaît beaucoup.*

déporter [depɔrte] v. tr. Placer en dehors de sa direction naturelle. ★ Transporter et enfermer un condamné dans un camp de travail : *Pendant la guerre de 1939-1945, de nombreuses personnes ont été déportées pour des raisons politiques.*

déposer [depoze] v. tr. Poser ce que l'on portait : *Le chasseur déposa son fusil à la porte.* ★ Mettre en dépôt : *Ne garde pas cet argent chez toi, va le déposer à la banque.*

dépôt [depo] n. m. Endroit où l'on met certaines choses en attendant de venir les y reprendre : *Un libraire a transformé ce magasin en dépôt de livres.*

dépression [deprɛsjɔ̃] n. f. Endroit où une surface horizontale s'est enfoncée : *Un petit lac s'étendait dans une dépression de terrain.* ★ *Dépression nerveuse,* diminution des forces nerveuses.

depuis [dəpɥi] prép. A partir de (dans le temps) : *J'habite cette maison depuis vingt ans. Depuis quand êtes-vous malade?* ★ *Depuis peu,* il y a peu de temps. ★ A partir de (dans l'espace) : *Le train est direct depuis Paris jusqu'à Bordeaux.* ■ Adv. : *J'ai dîné avec Suzanne le mois dernier, et depuis, je ne l'ai pas revue.* ■ LOC. CONJ.

Depuis que (+ indic.), depuis le temps où : *Il fait beau depuis que je suis en France.*

député [depyte] n. m. Personne élue pour représenter la nation dans une assemblée chargée de délibérer sur les affaires du pays : *Les députés votent une fois par an le budget du pays.*

déranger [derɑ̃ʒe] v. tr. (Se conj. comme *manger.*) Mettre en désordre, en changeant un objet de place : *On a encore dérangé mes papiers, je ne retrouve plus la lettre que j'ai reçue.* ★ Troubler quelqu'un dans son travail ou son repos : *L'arrivée de mes amis m'a dérangé dans mon travail.* ■ **Se déranger** v. pron. Quitter sa place ou ses occupations : *Ne vous dérangez pas, je ne resterai qu'un instant chez vous.*

dérégler [deregle] v. tr. (Se conj. comme *céder.*) Empêcher le fonctionnement régulier d'un mécanisme : *Le froid dérègle les montres.*

dernier, ière [dɛrnje, jɛr] adj. Qui se trouve après tous les autres : **1.** dans le temps : *Décembre est le dernier mois de l'année;* **2.** dans un lieu, dans un rang, etc. : *Je suis arrivé aux dernières pages de mon livre. C'est le dernier élève de la classe.* ★ *En dernier lieu,* pour terminer. ★ *L'année dernière, le mois dernier, la semaine dernière,* l'année, le mois, la semaine qui précède celui ou celle où l'on est. ■ **Dernièrement** adv.

déroulement [derulmɑ̃] n. m. Mouvement continu qui entraîne une suite d'événements vers une fin déterminée : *Au cours de ce travail, le déroulement des opérations s'est effectué normalement.*

derrière [dɛrjɛr] prép. Du côté opposé au visage d'une personne ou à la face que l'on voit d'une chose : *Il y avait un grand jardin derrière la maison.* ■ Adv. : *Je marchais moins vite qu'eux et je suis resté derrière.* ★ Loc. adv. *Par-derrière,* dans l'espace *qui est derrière.* ■ N. m. La partie qui est derrière : *Le chien courait difficilement, car une de ses pattes de derrière était blessée.*

des [dɛ] art. déf. pl. Contraction de « de les » : *Le sommet des montagnes est couvert de neige.* ■ Art. indéf. pl. (V. un.)

dès [dɛ] prép. Immédiatement après le temps que l'on désigne : *Dès ce soir, vous pourrez partir.* ■ Loc. conj. *Dès que* (+ indic.), aussitôt que : *Il ne fait plus nuit dès que le soleil éclaire l'horizon.*

désaccord [dezakɔr] n. m. Contradiction entre deux opinions, deux situations, etc. : *Le mari et la femme sont en désaccord au sujet de leurs enfants.*

désagréable [dezagreabl] adj. Qui déplaît à voir, à entendre, à faire, à fréquenter, etc. : *Ce fromage est bon, mais il a une odeur désagréable.* ■ **Désagréablement** adv.

désapprouver [dezapruve] v. tr. Faire savoir qu'on n'est pas d'accord avec les actes ou les paroles de quelqu'un : *Je désapprouve totalement votre manière d'élever les enfants.*

désarmement [dezarməmɑ̃] n. m. Action de réduire ou de supprimer les forces militaires : *Le désarmement général est nécessaire pour que s'établisse une paix durable.*

désarmer [dezarme] v. tr. Enlever ses armes à une personne : *Le bandit a été désarmé par les policiers.* ■ V. intr. En parlant d'un Etat, renoncer à disposer d'armes offensives : *Aucun gouvernement ne veut désarmer le premier.*

désastre [dezastr] n. m. Catastrophe qui entraîne des conséquences très graves : *La sécheresse de ces* *derniers mois fut un désastre pour l'agriculture.*

désastreux, euse [dezastrø, øz] adj. Qui a le caractère d'un grand malheur : *La bataille de Waterloo a été désastreuse pour Napoléon.*

désavouer [dezavwe] v. tr. Affirmer qu'on est en désaccord avec ce qu'a dit ou fait une personne : *Le sénateur a désavoué les opinions que lui attribuait ce journal.*

descendre [dɛsɑ̃dr] (Se conj. comme *rendre.*) v. tr. (Se conj. avec *avoir.*) Suivre de haut en bas le cours de quelque chose : *L'enfant a descendu l'escalier en courant.* ★ Mettre ou porter plus bas : *Avant de partir en vacances, nous avons descendu les valises du grenier.* ■ V. intr. (avec *être*) Aller vers le bas : *Il descendit de la montagne et arriva au village.* ★ Mettre le pied sur le sol : *Il est descendu de voiture pour réparer un pneu.* ★ S'installer provisoirement dans un endroit, au cours d'un voyage : *Quand je vais à Lyon, je descends toujours à l'hôtel.*

descente [dɛsɑ̃t] n. f. Action de descendre : *A sa descente d'avion, il fut reçu par son fils.* ★ Chemin en pente, par lequel on descend : *Au bas de la descente, la voiture, emportée par son poids, alla s'écraser contre un arbre.*

description [dɛskripsjɔ̃] n. f. Explication montrant en détail comment est une personne ou une chose : *Il m'a fait une description pleine d'enthousiasme des villes qu'il a visitées.*

déséquilibre [dezekilibr] n. m. Trouble apporté dans un organisme par l'activité anormale d'une fonction : *Certains chefs d'entreprise, surmenés par un travail intense, souffrent d'un déséquilibre nerveux.* ★ Différence de proportion entre deux forces : *Le déséquilibre des effectifs rendait inévitable la défaite de l'ennemi.*

désert, e [dezɛr, ɛrt] adj. Se dit d'un lieu où il n'y a personne : *Les rues sont désertes à trois heures du matin.* ■ N. m. Région inhabitée : *Le plus grand désert du monde est le Sahara.*

désespérer [dezɛspere] v. tr. (Se conj. comme *céder.*) Faire perdre tout espoir : *Cet enfant désespère ses parents par sa paresse.* ■ V. intr. Ne plus avoir d'espoir : *Il y a une solution à tout, il ne faut jamais désespérer.*

désespoir [dezɛspwar] n. m. Etat dans lequel se trouve une personne qui a perdu l'espérance : *En apprenant son échec à l'examen, le jeune homme eut une véritable crise de désespoir.*

déshabiller [dezabije] v. tr. Enlever les vêtements : *La maman déshabilla l'enfant pour le coucher.*

déshonneur [dezɔnœr] n. m. Perte ou destruction de l'honneur : *Ce jeune homme a volé de l'argent, il est le déshonneur de sa famille.*

déshonorer [dezɔnɔre] v. tr. Détruire l'honneur : *Il a déshonoré son nom en ne remboursant pas ses dettes.*

désigner [deziɲe] v. tr. Montrer du doigt : *Regardez, me dit-il, en désignant une voiture blanche.* ★ Choisir quelqu'un en raison de ses titres ou de sa valeur pour occuper un poste : *Avant de partir en voyage, le directeur désigna quelqu'un pour le remplacer.*

désillusion [dezillyzjɔ̃] n. f. Sentiment pénible éprouvé quand on s'aperçoit qu'une personne ou une chose ne répond pas à ce qu'on espérait d'elle : *J'ai éprouvé une grande désillusion en apprenant qu'il m'avait menti.*

désintéressé, e [dezɛ̃terɛse] adj. Qui agit sans se préoccuper de gagner personnellement quelque chose : *La première vertu d'un homme politique, c'est d'être désintéressé.*

désintéresser (se) [dezɛ̃terɛse] v. pron. Cesser de manifester de l'intérêt : *Trop occupé par son métier, il se désintéressait de ses enfants.*

désir [dezir] n. m. Force qui pousse à la possession d'une chose que l'on n'a pas : *La plupart des gens éprouvent le désir de devenir riches.*

désirer [dezire] v. tr. Eprouver un désir plus ou moins violent : *Il y a longtemps que je désire visiter la cathédrale de Reims.* ★ *Je désirerais,* formule polie pour demander à être servi : *Bonjour, madame. Je désirerais une cravate en soie.*

désobéir [dezɔbeir] v. intr. Faire le contraire de ce qui a été commandé ou défendu : *Les parents aimeraient que leurs enfants ne leur désobéissent jamais.*

désobéissance [dezɔbeisɑ̃s] n. f. Fait d'agir contrairement à ce qui est ordonné ou prescrit : *L'enfant a été puni pour sa désobéissance.*

désoler [dezɔle] v. tr. Causer une très grande tristesse : *Le départ de notre fils nous a désolés.* ★ *Je suis désolé,* formule de politesse employée pour exprimer le regret que cause quelque chose : *Je suis désolé d'arriver si tard.*

désordre [dezɔrdr] n. m. Absence d'ordre : *Il y a un tel désordre dans sa bibliothèque qu'il ne trouve pas le livre qu'il cherche.* ★ Trouble causé par la destruction d'un ordre physique ou moral.

désormais [dezɔrmɛ] adv. A partir de maintenant : *Vous avez eu tort d'agir ainsi; désormais vous ferez attention.*

desquels [dɛkɛl] pron. rel. m. pl., contraction de « de lesquels »; **desquelles** f. pl., contraction de « de lesquelles ». ■ Pron. interr. pl. : *Voici des bonbons au chocolat et d'autres au café; desquels prendrez-vous?*

dessert [dɛsɛr] n. m. Aliment sucré ou fruit par lequel on termine les principaux repas : *Comme dessert, l'enfant mangea un biscuit et une orange.*

dessin [dɛsɛ̃] n. m. Image dessinée : *L'élève a fait un dessin qui représente une locomotive.* ★ Art ou technique qui permet de représenter une personne ou une chose avec des traits : *Un ingénieur doit connaître le dessin industriel. Pour peindre un tableau, il faut avoir appris le dessin.*

dessiner [dɛsine] v. tr. Représenter avec des traits une personne ou un objet soit pour en conserver l'image (dessin d'art), soit pour en indiquer la construction (dessin industriel) : *La petite fille a dessiné une pomme sur son cahier.*

dessous [dəsu] adv. Indique qu'une personne ou une chose est placée sous une autre : *Pour graisser une voiture, il faut pouvoir se mettre dessous.* ★ Loc. adv. *Par-dessous,* en passant dessous : *La porte est mal fermée et l'air arrive par-dessous.* ★ *En dessous,* dans la partie qui est dessous. ■ Loc. prép. *Par-dessous : Les voitures passent par-dessous la ligne de chemin de fer.* ■ N. m. Partie d'un objet dirigée vers le sol : *Je ne peux plus courir, car je me suis blessé le dessous du pied.*

dessus [dəsy] adv. Sur la partie dirigée vers le ciel : *Cette chaise n'est pas solide, ne vous asseyez pas dessus.* ★ Loc. adv. *Par-dessus,* en passant dessus et souvent de manière à couvrir. ■ Loc. prép. *Par-dessus : Il porte un veston par-dessus son gilet.* ■ N. m.

Partie d'un objet dirigée vers le ciel : *Essuyez le dessus de la table, il y reste de la poussière.*

destin [dɛstɛ̃] n. m. Ensemble des événements qui constituent la vie de quelqu'un : *Cet homme a eu un destin tragique; il s'est tué dans un accident d'automobile.*

destinataire [dɛstinatɛr] n. Personne à qui l'on envoie une lettre, un paquet, etc. : *Il écrivit sur l'enveloppe le nom du destinataire.*

destiner [dɛstine] v. tr. Fixer un but à une personne ou à une chose : *J'ai fait des économies, je les destine à l'achat d'une voiture.*

destruction [dɛstryksjɔ̃] n. f. Action de détruire ou résultat de cette action : *On a mis des années à réparer les destructions causées par la guerre.*

détacher [detaʃe] v. tr. Séparer une personne, une chose de ce qui la retient : *Il détache son chien pour que celui-ci puisse courir.*

détail [detaj] n. m. Partie d'un objet que l'on considère en l'isolant de l'ensemble : *Il y a des gens qui ne font attention qu'aux détails.* ★ *En détail,* en considérant une chose dans toutes ses parties : *Il m'a raconté l'accident en détail.* ★ Forme de commerce qui consiste à vendre ou à acheter des marchandises par petites quantités : *L'épicier vend au détail le beurre qu'il a acheté en gros.*

détenu, e [detny] adj. Se dit d'une personne enfermée en prison par ordre d'un tribunal. ■ N. Personne qui est détenue : *Les détenus politiques sont soumis à un régime particulier.*

déterminer [detɛrmine] v. tr. Préciser à l'avance au moyen de calculs : *Le ministre arriva à l'heure déterminée.* ★ GRAMM. Préciser le sens d'un mot.

détester [detɛste] v. tr. Manifester de la haine ou du dégoût pour quelqu'un ou pour quelque chose : *Mon frère ne fume plus, et maintenant il déteste le tabac.*

détour [detur] n. m. Chemin que l'on parcourt quand on s'écarte de la route directe : *La rue étant barrée par des travaux, j'ai dû faire un long détour.*

détourner [deturne] v. tr. Diriger une personne ou une chose dans une autre direction : *Avant de construire le barrage, on a détourné la rivière.*

détromper [detrɔ̃pe] v. tr. Montrer à quelqu'un son erreur : *Cet homme a confiance en tout le monde, et il est difficile de le détromper.*

détruire [detrɥir] v. tr. (Se conj. comme *conduire.*) Abattre une construction, une organisation, etc. : *Autrefois, les villes, construites en bois, étaient souvent détruites par un incendie.*

dette [dɛt] n. f. Somme que doit une personne, un Etat, etc., qui a emprunté de l'argent ou fait un achat : *Il dépense plus qu'il ne gagne, et il a dû faire des dettes.*

deuil [dœj] n. m. Douleur causée par la mort d'une personne qu'on aimait : *La mort du roi fut un jour de deuil public.* ★ Signes extérieurs du deuil, et, en particulier, vêtements noirs que l'on porte après la mort d'un parent : *Elle est en deuil de son frère.*

deux [dø] adj. num. Un plus un. ★ FAM. Quelques : *J'habite à deux pas d'ici.* ■ N. m. Nom de nombre égal à un plus un. ★ *Tous les deux,* l'un et l'autre.

deuxième [døzjɛm] adj. num. Indique la place qui suit la première. (On dit aussi SECOND.)

dévaluation [devalɥasjɔ̃] n. f. Baisse de la valeur légale d'une monnaie, décidée par un gouvernement :

La dévaluation est fréquente quand un Etat a trop de dettes.

devant [dəvɑ̃] prép. Dans l'espace qu'une personne peut voir en regardant en face d'elle : *J'ai très mal vu le film, car il y avait une personne trop grande devant moi.* ★ Dans l'espace qu'une chose a en face d'elle : *Notre jardin s'étend devant la maison.* ■ Adv. Dans la direction du regard : *Nous nous promenions, ma femme et moi; les enfants marchaient devant.* ★ LOC. ADV. *Par-devant,* dans l'espace qui est devant. ■ N. m. La partie qui est devant : *Le devant de cette maison donne sur un jardin.* ★ *Aller au-devant de quelqu'un,* aller à la rencontre de quelqu'un.

développer [devlɔpe] v. tr. Donner de l'accroissement, de la force : *La chaleur développe les microbes. L'instruction permet de développer l'intelligence.* ★ Expliquer longuement ce qui est contenu à l'intérieur d'une idée, d'une théorie : *Au cours d'une conversation, l'orateur a développé en détail le thème de son discours.* ■ **Se développer** v. pron. Prendre des dimensions de plus en plus grandes : *La civilisation occidentale s'est d'abord développée autour de la Méditerranée.*

devenir [dəvnir] v. intr. (Se conj. comme *venir.*) Cesser d'être ce qu'on était pour être autre chose : *Les arbres deviennent verts au printemps.*

deviner [dəvine] v. tr. Découvrir quelque chose grâce à l'intuition, à des suppositions, etc. : *Il avait l'air gêné, et j'ai deviné qu'il mentait.*

devise [dəviz] n. f. Formule frappante et brève, qui fixe, en le résumant, un programme d'action : *« Liberté, égalité, fraternité » est la devise de la République française.* ★ Pl. En style administratif, la monnaie d'un pays : *Vous devez déclarer à la douane les devises étrangères que vous avez sur vous.*

devoir [dəvwar] v. tr. (voir tableau p. 355). Etre tenu à quelque chose : **1.** Par la nécessité : *Tous les hommes doivent mourir;* **2.** Par la loi ou la conscience : *Tous les enfants doivent aller à l'école.* ★ Avoir à payer une somme d'argent, ou avoir à fournir quelque chose : *Je dois vingt mille francs à un ami. Notre femme de ménage nous doit trois journées de travail.* ★ Attribuer à quelqu'un ou à quelque chose un certain résultat : *Je dois la vie à mon médecin, qui a découvert l'origine de ma maladie.* ★ Suivi d'un infinitif, indique la nécessité, l'intention ou la supposition : *Sa femme doit l'accompagner en voyage. Il doit avoir près de cinquante ans.*

devoir [dəvwar] n. m. Ce que la loi, la morale, un règlement, etc., oblige à faire ou à subir : *Le devoir des enfants est d'obéir à leurs parents.* ★ Travail que l'on donne à faire aux élèves : *L'instituteur corrige les devoirs de géographie des élèves de sa classe.*

dévoué, ée [devwe] adj. Sur qui l'on peut compter complètement : *Cet ami est très dévoué, il a fait des démarches pour me procurer un emploi.*

diable [djabl] n. m. Dans certaines religions, esprit du mal.

dialogue [djalɔg] n. m. Conversation entre deux ou plusieurs personnes : *Un dialogue s'engagea entre les deux voyageurs.*

diamant [djamɑ̃] n. m. Pierre précieuse extrêmement dure et brillante : *Il a offert à sa fiancée une bague ornée de diamants.*

diamètre [djamɛtr] n. m. Ligne qui sépare un cercle en deux parties égales en passant par le centre.

dictature [diktatyr] n. f. Régime politique dans lequel les individus ne disposent pas de droits politiques et où tous les pouvoirs sont entre les mains d'un homme ou d'un parti : *Dans les pays de dictature, la police et l'armée sont très puissantes.*

dictée [dikte] n. f. Exercice scolaire qui consiste à écrire un texte à mesure qu'on l'entend : *Son fils a une mauvaise orthographe et il lui fait faire une dictée tous les jours.*

dicter [dikte] v. tr. Lire un texte qu'une autre personne doit reproduire par écrit à mesure qu'on le lit : *Le directeur dicta une lettre à sa dactylo.*

dictionnaire [diksjɔnɛr] n. m. Livre dans lequel on trouve les mots d'une langue, avec leurs sens, classés par ordre alphabétique : *Comme il n'était pas sûr de l'orthographe du mot, il consulta son dictionnaire.* ★ Livre dans lequel on trouve les mots d'une langue accompagnés de leur traduction : *Quand je suis à Londres, j'ai toujours dans ma poche un dictionnaire français-anglais.*

dieu [djø] n. m. Etre conçu par certaines religions comme le créateur du monde (en ce sens, prend une majuscule) : *Le chrétien met toute sa confiance en Dieu.* ★ Etre, masculin ou féminin (dans ce dernier cas, il porte le nom de *déesse*), qui, selon certaines religions, appartient à un groupe supérieur à l'humanité : *Les Grecs croyaient que les dieux et les déesses habitaient sur l'Olympe.*

différence [diferɑ̃s] n. f. Caractère qui permet de distinguer une chose d'une autre : *Il y a de grandes différences entre un paysage italien et un paysage anglais.* ★ Résultat de la soustraction : *3 est la différence entre 10 et 7.*

différent, e [diferɑ̃, ɑ̃t] adj. Qui n'est pas pareil à un autre : *Bien qu'élevés ensemble, les deux frères avaient des idées très différentes.*

difficile [difisil] adj. Qui n'est pas facile à faire : *Jouer du violon est un art difficile.* ★ Qui n'est pas facile à satisfaire : *Il y avait dans le restaurant un client difficile : il ne trouvait rien à son goût.* ■ **Difficilement** adv.

difficulté [difikylte] n. f. Caractère de ce qui est difficile : *Voici un problème d'une grande difficulté, dont nous ne trouvons pas la solution.*

diffusion [difyzjɔ̃] n. f. Action par laquelle des ondes de radio se répandent dans toutes les directions : *Une station de radio a assuré la diffusion du concert.* ★ FIG. : *La diffusion de l'instruction a permis celle des livres et des journaux.*

digérer [diʒere] v. tr. (Se conj. comme *céder.*) Faire la digestion : *Je ne mange jamais de gâteaux à la crème, car je les digère mal.*

digestion [diʒɛstjɔ̃] n. f. Ensemble des transformations chimiques que l'estomac et l'intestin font subir à la nourriture : *On donne aux petits enfants des aliments légers, dont la digestion est facile.*

digne [diɲ] adj. Qui mérite une récompense ou une punition : *Cet élève est digne de recevoir le premier prix de dessin.* ★ Qui mérite d'être comparé à, qui est conforme à, en rapport avec : *Le fils de ce grand savant ne veut pas travailler en classe, il n'est pas digne de son père.* ■ **Dignement** adv.

dimanche [dimɑ̃ʃ] n. m. Premier jour de la semaine, généralement consacré au repos : *La plupart des magasins sont fermés le dimanche.*

dimension [dimɑ̃sjɔ̃] n. f. Chacune des grandeurs qui donnent la mesure de quelque chose : *Avant de commencer son travail, le peintre a pris les dimensions de la pièce.*

diminuer [diminɥe] v. tr. Rendre moins grand : *Il faudra diminuer la longueur de cette robe.* ■ V. intr. Devenir moins grand; devenir moins cher : *Les forces du malade diminuaient chaque jour.*

diminution [diminysjɔ̃] n. f. Action de réduire la dimension, la quantité ou la valeur de quelque chose : *J'ai obtenu du marchand une diminution de prix.*

dîner [dine] n. m. Repas du soir : *Le dîner commença par un potage.*

dîner [dine] v. intr. Prendre le repas du soir : *Nous dînons généralement vers 7 heures du soir.*

diplomate [diplɔmat] n. m. Personne qui est chargée de s'occuper des rapports entre son pays et un pays étranger : *Ce diplomate vient d'être nommé ambassadeur de France à Londres.*

diplomatique [diplɔmatik] adj. Relatif aux rapports internationaux : *Les relations diplomatiques ont été rompues entre les deux pays.*

diplôme [diplom] n. m. Pièce officielle donnée par un établissement d'enseignement, après un certain examen : *Il a terminé ses études à la faculté de médecine, et il a maintenant le diplôme de docteur.*

dire [dir] v. tr. (voir tableau p. 355). Faire connaître par la parole : *Je suis venu vous dire de venir chez moi pour déjeûner.* ★ Faire connaître par écrit : *Il m'a dit, dans sa dernière lettre, que sa mère était très malade.* ★ **C'est-à-dire,** v. ÊTRE.

direct, e [dirɛkt] adj. Qui est sans détour : *Le chemin n'est pas direct, il fait des lacets avant d'aboutir au sommet de la montagne.* ★ *Voiture directe, train direct,* qui permet d'arriver à une certaine ville sans changement. ★ GRAMM. *Complément direct,* complément introduit sans l'intermédiaire d'une préposition. ■ **Directement** adv.

directeur, trice [dirɛktœr, tris] n. Personne qui dirige un établissement ou un service : *La directrice de l'école siffla pour annoncer la fin de la récréation.*

direction [dirɛksjɔ̃] n. f. Sens dans lequel une chose est dirigée : *L'aiguille de la boussole indique la direction du nord.* ★ Administration d'une affaire confiée à un directeur : *A la mort du patron, son fils prit la direction de la maison de commerce.*

diriger [diriʒe] v. tr. (Se conj. comme *manger.*) Déplacer dans une certaine direction : *L'homme, qui ne m'avait pas encore vu, dirigea son regard vers moi.* ★ Etre à la tête d'une affaire et la faire fonctionner : *Il dirige avec habileté une entreprise de construction.* ■ **Se diriger** v. pron. Se déplacer vers un but : *Notre voisin se dirige vers nous; nous allons pouvoir lui parler.*

discipline [disiplin] n. f. Règlement imposé, qui assure la bonne marche de certaines institutions (école, armée, etc.) : *Le directeur imposait une sévère discipline aux élèves de l'école.*

discours [diskur] n. m. Morceau d'éloquence, lu ou improvisé, prononcé sur un sujet déterminé devant plusieurs personnes : *Le maire de la ville a fait un discours pour la distribution des prix du lycée.* ★ Propos que l'on tient dans la conversation : *Il m'a fait de longs discours pour me prouver qu'il avait raison.*

discussion [diskysjɔ̃] n. f. Echange d'arguments ou d'opinions : *Une discussion a eu lieu au Conseil des ministres au sujet de la politique financière.* ★ Conversation au cours de laquelle se manifeste un désaccord : *La discussion qu'il a eue avec sa femme s'est transformée en dispute.*

discuter [diskyte] v. intr. Parler avec une ou plusieurs personnes d'une question dont on examine les différents aspects : *Le directeur du théâtre discuta de la nouvelle pièce avec les acteurs.*

disparaître [disparɛtr] v. intr. (Se conj. comme *paraître.*) Cesser d'être visible : *Le soir, le soleil disparaît à l'horizon.* ★ Cesser d'exister : *Depuis les progrès de la médecine, la tuberculose disparaît peu à peu.*

disposer [dispoze] v. tr. Arranger dans un certain ordre : *Le couvert était disposé avec goût sur la table de la salle à manger.* ■ V. intr. Pouvoir utiliser : *Il dispose de beaucoup d'argent.*

dispute [dispyt] n. f. Querelle entre deux ou plusieurs personnes : *Une dispute éclata dans un café entre des joueurs de cartes.*

disputer (se) [dispyte] v. pron. Echanger des paroles violentes avec une ou plusieurs personnes : *Les deux hommes se disputèrent et ils commencèrent à se battre.*

disque [disk] n. m. Plaque circulaire de matière plastique sur laquelle

on a enregistré des sons : *Je voudrais écouter un disque de musique de danse.*

dissimuler [disimyle] v. tr. Ne pas laisser voir : *L'avare dissimulait sa fortune.*

dissiper [disipe] v. tr. Faire disparaître : *Le soleil dissipe les nuages.* ★ FIG. Faire cesser : *Je l'ai rassuré et j'ai réussi à dissiper son inquiétude.*

dissoudre [disudr] v. tr. (voir tableau p. 356). Faire fondre un corps solide dans un liquide : *Elle faisait dissoudre un morceau de sucre dans son café.* ★ Supprimer légalement : *Après la mort de son président, la société a été dissoute.*

distance [distɑ̃s] n. f. Intervalle qui sépare deux points : *Il y a une distance de huit cents kilomètres entre Marseille et Paris.*

distinguer [distɛ̃ge] v. tr. Connaître une chose par les sens ou par l'esprit, en la séparant de ce qui l'entoure : *Je n'arrive pas à distinguer l'avion dans le brouillard.*

distraction [distraksjɔ̃] n. f. Manque d'attention : *J'oublie souvent mes affaires et mes amis se moquent de ma distraction.* ★ Ce qu'on fait pour occuper agréablement son esprit : *La lecture est une saine distraction.*

distraire [distrɛr] v. tr. (Se conj. comme *traire.*) Détourner l'esprit d'une occupation : *Ne parlez pas quand les enfants font leurs devoirs; vous les distrayez.* ■ **Se distraire** v. pron. Occuper agréablement son esprit : *Je me distrais en regardant la télévision.*

distribution [distribysjɔ̃] n. f. Action de répartir entre plusieurs personnes ou entre plusieurs lieux : *A Paris, la distribution du courrier se fait trois fois par jour.*

divan [divɑ̃] n. m. Sorte de lit garni de coussins : *Dans les maisons mo-*

dernes, le lit est souvent remplacé par un divan.

divers, es [divɛr, ɛrs] adj. pl. Qui sont de nature ou de qualité différente : *Les vacances nous offrent des plaisirs divers : la promenade, le repos, les sports, etc.*

diviser [divize] v. tr. Séparer en plusieurs parties : *Le territoire fran-*

çais est divisé en départements. ★ FIG. : *Ce pays est divisé par les querelles politiques.* ★ Faire une division : *Le jeune élève ne savait pas diviser 48 par 5.*

division [divizjɔ̃] n. f. Action de séparer en plusieurs parties : *La division de la propriété s'est faite entre les enfants après la mort de leur père.* ★ Chacune des parties d'un tout égales entre elles : *La minute est une des soixante divisions de l'heure.* ★ Opération par laquelle on cherche combien de fois un nombre est contenu dans un autre : *La division de 66 par 3 donne 22.*

divorce [divɔrs] n. m. Séparation légale de deux personnes mariées : *Le divorce n'est pas reconnu par l'Eglise catholique.*

dix [dis] adj. num. Neuf plus un : *Dix et dix font vingt.* ■ N. m. Nom de nombre égal à neuf plus un.

dixième [dizjɛm] adj. num. Indique la place qui suit la neuvième. ■ N. m. Chacune des parties d'un tout divisé en dix parties égales.

dizaine [dizɛn] n. f. Groupe qui compte soit exactement, soit environ dix unités : *Je viendrai vous voir dans une dizaine de jours.*

docteur [dɔktœr] n. m. Personne qui a obtenu le plus haut grade dans une faculté : *Ce professeur est docteur ès lettres.* ★ Médecin, docteur en médecine (dans ce cas, il peut faire au f. *doctoresse*) : *Cet enfant est malade, il faudra appeler le docteur.*

doctrine [dɔktrin] n. f. Ensemble d'opinions ou de croyances d'une école littéraire, d'une religion, etc. : *Il ne reste presque plus rien des doctrines scientifiques du Moyen Age.*

document [dɔkymɑ̃] n. m. Renseignement écrit ou objet quelconque pouvant servir à prouver ou à montrer quelque chose : *Cette exposition comprenait des objets d'art et des documents photographiques.*

doigt [dwa] n. m. Chacune des parties mobiles qui terminent les mains et les pieds de l'homme et de quelques

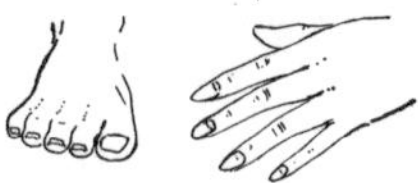

animaux : *Le singe peut utiliser les doigts de ses pieds comme ceux de ses mains.*

domaine [dɔmɛn] n. m. Grande propriété située à la campagne : *Sa famille possédait un vaste domaine composé de bois et de prairies.* ★ FIG. Etendue des choses dont s'occupe un art, une science ou une activité déterminés : *Dans le domaine des arts, la France joue depuis longtemps un rôle important.*

domestique [dɔmɛstik] adj. Qui concerne la maison : *Sa femme n'a pas de profession, elle s'occupe des travaux domestiques.* ★ Se dit d'un animal qui vit près de l'homme et qui sert à ses besoins ou à ses plaisirs : *De tous les animaux domestiques, celui que je préfère est le chat.* ■ N. Personne qui assure un travail domestique en échange de la nourriture, du logement et d'un salaire : *En l'absence de leur mère, une domestique gardait les enfants.*

domicile [dɔmisil] n. m. Maison où habite généralement une personne : *Mon domicile est à Paris, mais j'ai aussi une villa au bord de la mer.*

dominer [dɔmine] v. tr. Etre maître de : *Napoléon Ier voulut dominer toute l'Europe.* ★ Occuper une position plus élevée : *L'église, construite sur une colline, domine toute la ville.*

dommage [dɔmaʒ] n. m. Perte ou dégât subi par quelqu'un ou quelque chose : *L'orage a causé de grands dommages à la récolte.* ★ *C'est dommage,* c'est une chose que l'on regrette : *C'est dommage qu'elle ait un grand nez, sinon elle aurait été jolie.*

donc [dɔ̃k] conj. Marque la conséquence ou la conclusion : *Un philosophe a dit : « Je pense, donc je suis. »*

donner [dɔne] v. tr. Accorder quelque chose à une personne à qui on ne demande rien en échange : *J'ai donné un livre à ma fille pour sa fête. Il lui a donné un baiser sur la joue avant de partir.* ■ V. intr. *Donner sur,* être au-dessus ou en face de : *Cette fenêtre donne sur un jardin.*

dont [dɔ̃] pron. rel. des deux genres et des deux nombres, mis pour *de qui, duquel, de quoi,* etc. : *Il ne comprenait pas ce dont il s'agissait. C'est la personne dont je vous ai parlé.*

doré, e [dɔre] adj. Qui a la couleur de l'or : *L'arbre de Noël était garni d'étoiles en papier doré.*

dormir [dɔrmir] v. intr. (Se conj. comme *sentir.*) Etre dans le sommeil : *Les enfants dorment plus que les grandes personnes.*

dos [do] n. m. Partie postérieure du tronc, chez l'homme et quelques ani-

maux : *Je ne dors pas bien quand je suis couché sur le dos.* ★ Partie postérieure d'une chaise, d'un livre, etc.

dossier [dosje] n. m. Partie d'un siège contre laquelle on appuie le dos : *Les chaises de ma salle à manger ont un dossier de cuir.* ★ Ensemble de pièces écrites concernant une affaire, placées dans une enveloppe de papier ou de carton : *L'avocat ouvrit le dossier du procès et en tira plusieurs documents.*

douane [dwan] n. f. Administration chargée de faire payer certains droits sur les marchandises importées ou exportées. ★ Bureaux de cette administration : *En arrivant des Etats-Unis, j'ai dû faire examiner mes bagages à la douane de l'aéroport.*

double [dubl] adj. Qui est deux fois plus grand, plus cher, plus lourd, etc. : *Cette pièce a deux mètres sur quatre, sa longueur est double de sa largeur.* ■ N. m. Quantité deux fois supérieure : *Ce meuble est trop cher, le marchand veut le vendre le double de sa valeur.* ★ Copie d'un document.

doubler [duble] v. tr. Rendre double : *Je voudrais bien que mon patron double le chiffre de mon salaire.* ★ Garnir un vêtement d'une étoffe intérieure : *Ce manteau d'hiver est très chaud, il est doublé de laine.* ★ Dépasser une personne, un lieu, un véhicule : *Sa voiture, qui est puissante, lui permet de doubler toutes les autres automobiles.*

doublure [dublyr] n. f. Etoffe dont un vêtement est doublé : *Son manteau a une doublure de soie.*

douche [duʃ] n. f. Jet d'eau dirigé sur le corps : *Comme il avait chaud, il prit une douche froide.*

douleur [dulœr] n. f. Souffrance physique ou morale : *Il est allé chez le dentiste, car il ressentait une douleur à une dent. Le départ de son fils lui a causé une vive douleur.*

doute [dut] n. m. Etat d'esprit intermédiaire entre l'ignorance et la certitude : *Il était absent le jour du crime, et son innocence ne fait aucun doute.* ■ LOC. ADV. *Sans doute,* probablement : *Il viendra sans doute demain.*

doux, douce [du, dus] adj. Qui plaît aux sens (toucher, vue, etc.) par quelque chose d'agréable et de délicat : *La soie est douce au toucher. Le vert pâle et le bleu ciel sont des couleurs douces. A Paris, la température est douce au printemps.* ★ FIG. Qui manifeste de la modération : *Je ne l'ai jamais vu en colère : il a un caractère très doux.* ■ **Doucement** adv.

douzaine [duzɛn] n. f. Groupe qui compte soit exactement, soit environ douze unités : *Va au marché acheter une douzaine d'œufs.*

douze [duz] adj. num. Onze plus un. ■ N. m. Nom de nombre égal à onze plus un : *Il est arrivé le cinq novembre et il est reparti le douze.*

dramatique [dramatik] adj. Relatif au théâtre : *Corneille, Racine et Molière sont les plus grands auteurs dramatiques de l'époque classique.* ★ Qui émeut violemment : *Il ne peut nourrir sa famille; sa situation est dramatique.*

drame [dram] n. m. Désigne différentes sortes de pièces de théâtre dont l'action tragique peut s'accompagner d'éléments réalistes, comiques, etc. : *« Hernani » est sans doute le meilleur drame de Victor Hugo.* ★ Evénement tragique se produisant dans la vie réelle : *Un drame a eu lieu à Rouen : un fou a tué deux personnes.*

drap [dra] n. m. Sorte d'étoffe de laine : *Il a acheté trois mètres de drap pour se faire faire un costume de sport.* ★ Chacune des deux grandes pièces de toile entre lesquelles on s'allonge dans un lit.

drapeau [drapo] n. m. Morceau d'étoffe attaché à un bâton et qui

porte les couleurs permettant de distinguer une nation, une société, etc. : *J'accroche un drapeau à ma fenêtre le 14 juillet, jour de la fête nationale.*

dresser [drɛse] v. tr. Mettre droit et dans une position verticale : *On a dressé un mât devant la mairie.* ★ Instruire un enfant ou un animal : *Ce chien est mal dressé, il n'obéit pas.*

droit [drwa] n. m. Pouvoir de faire quelque chose conformément à certaines règles : *J'ai le droit de dépenser mon argent comme je l'entends.* ★ Ensemble des règles qui déterminent les rapports des hommes en société : *Pour être avocat, il faut avoir fait des études de droit.* ★ Taxe que l'on doit verser pour obtenir certaines choses : *Il a payé des droits de douane sur l'alcool qu'il avait rapporté de l'étranger.*

droit, e [drwa, at] adj. Qui n'est pas courbe : *La ligne droite est le plus court chemin d'un point à un autre.* ★ Qui est du côté opposé au côté gauche : *La plupart des gens écrivent avec leur main droite.* ★ *Angle droit,* angle de 90°. ■ LOC. ADV. *A droite,* du côté droit : *Pour aller à l'église, vous prenez la première rue et vous tournez à droite.* ■ N. f. *La droite,* ensemble des partis politiques opposés au socialisme, et qui siègent à droite dans les assemblées élues.

drôle [drol] adj. Qui fait rire : *Il a un caractère triste : les histoires les plus drôles le font à peine sourire.* ★ FAM. Qui présente un caractère ou un aspect bizarre : *Vous avez là une drôle d'idée et je ne suis pas d'accord avec vous.*

du [dy] art. déf. m. sing., contraction de « de le » : *Les oreilles du chien sont pointues.* ■ Art. partitif m. sing. (fém. *de la;* pl. *des*). Un morceau de, une partie de : *Pour leur goûter, les enfants mangent du pain et de la confiture, et boivent du lait.*

duquel [dykɛl] pron. rel. m. sing., contraction de « de lequel » (fém. *de laquelle;* pl. *desquels, desquelles*). ■

Pron. interr. : *Vous avez vu deux films, duquel préférez-vous parler?*

dur, e [dyr] adj. Qui est ferme au toucher ou qui résiste au choc : *Le fer est plus dur que le bois.* ★ Qui offre une résistance ou provoque une difficulté physique ou morale : *L'escalier est dur à monter. Il est dur de perdre ses parents.*

durcir [dyrsir] v. tr. Rendre dur : *Le grand froid durcit la neige.* ■ V. intr. Devenir dur : *La boue durcit en séchant.*

durée [dyre] n. f. Espace de temps pendant lequel dure une chose : *Il était pauvre, et il a dû travailler pendant toute la durée de ses études.*

durer [dyre] v. intr. Continuer d'être : *L'hiver a duré longtemps, cette année.*

dureté [dyrte] n. f. Caractère de ce qui est dur au toucher ou de ce qui résiste au choc. ★ Caractère de ce qui est dur moralement ou pénible à supporter : *En refusant d'aider son ami, il a montré de la dureté de cœur.*

dynamique [dinamik] adj. FAM. Qui manifeste de l'énergie : *C'est un homme jeune et dynamique qui réussira dans la vie.*

E

eau [o] n. f. Liquide transparent qui constitue la mer, les rivières et les lacs : *J'ai dans mon jardin un réservoir qui recueille l'eau de pluie.* ★ *Eau douce* (par opposition à *eau de mer*), eau non salée.

ébéniste [ebenist] n. m. Ouvrier qui fabrique des meubles de luxe : *J'ai acheté à un ébéniste la table de mon salon.*

éblouir [ebluir] v. tr. Empêcher de voir en projetant dans les yeux une trop forte lumière : *En arrivant au sommet de la montagne, nous fûmes éblouis par la blancheur de la neige.* ★ FIG. Etonner quelqu'un par des promesses, par une apparence physique remarquable, etc. : *J'ai été ébloui quand il m'a proposé un poste aussi important.*

ébranler [ebrɑ̃le] v. tr. Faire remuer un objet qui était immobile en lui donnant un choc : *Le bruit des voitures ébranle les vitres de mon appartement.* ★ Rendre moins solide : *Les maisons ont été ébranlées par un tremblement de terre.*

écaille [ekaj] n. f. Chacune des petites plaques dures qui couvrent le corps des poissons, des serpents, etc. : *Avant de faire cuire le poisson, la cuisinière l'a gratté pour en enlever les écailles.*

écarter [ekarte] v. tr. Mettre de l'espace entre deux objets qui étaient près l'un de l'autre : *Il écarta les doigts et laissa tomber ce qu'il tenait.* ★ Eloigner une personne ou une chose de la direction qu'elle suivait : *L'agent de police écarta les badauds du lieu de l'accident.* ■ **S'écarter** v. pron. S'éloigner de : *Le jeune homme s'est écarté du balcon parce qu'il avait le vertige.*

échafaudage [eʃafodaʒ] n. m. Assemblage de poutres ou de tubes métalliques qui permet à des ouvriers de travailler à différentes hauteurs d'un bâtiment : *Un maçon vient de se blesser en tombant d'un échafaudage.*

échanger [eʃɑ̃ʒe] v. tr. (Se conj. comme *manger.*) Remettre une personne ou une chose et en recevoir une autre : *J'ai échangé mon appartement à Paris contre une petite maison à la campagne.*

échapper [eʃape] v. intr. Réussir à ne pas se faire prendre, reprendre ou retenir : *Le voleur a échappé aux policiers.* ■ **S'échapper** v. pron. Réussir à s'enfuir : *Au cirque, un lion s'est échappé de sa cage.*

échec [eʃɛk] n. m. Absence de résultats après un effort : *Après avoir subi deux échecs au baccalauréat, cet élève vient enfin d'être reçu.*

échelle [eʃɛl] n. f. Instrument portatif de bois ou de métal sur lequel

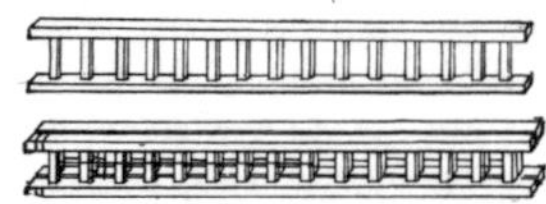

on monte pour atteindre quelque chose : *Le fermier appuya l'échelle contre l'arbre et monta cueillir les pommes.*

écho [eko] n. m. Son qui revient à l'oreille après s'être heurté à une surface qui l'a renvoyé : *Pendant l'orage, on entend l'écho du tonnerre dans la montagne.*

échouer [eʃwe] v. intr. Ne pas réussir : *Cette affaire, mal organisée, a échoué rapidement.*

éclair [eklɛr] n. m. Lumière éblouissante et brève, qui part d'un nuage chargé d'électricité : *L'orage éclate, regardez les éclairs.*

éclairage [eklɛraʒ] n. m. Action par laquelle on éclaire un lieu obscur. ★ Moyen d'éclairer : *L'éclairage le plus commode est l'éclairage électrique.* ★ Manière dont est éclairée une chose : *Cette pièce est au nord et son éclairage est mauvais.*

éclaircir [eklɛrsir] v. tr. Rendre clair ou plus clair : *Les assassins ont avoué, et le mystère qui entourait le crime est éclairci.* ■ **S'éclaircir** v. pron. Devenir moins sombre : *Il pleut encore, mais le temps commence à s'éclaircir.*

éclairer [eklɛre] v. tr. Répandre de la lumière : *La lune éclaire la terre pendant la nuit.* ■ V. intr. Produire de la lumière : *Cette ampoule électrique est usée, elle éclaire mal.*

éclat [ekla] n. m. Petit morceau de matière dure qui s'échappe de la masse sous l'effet d'un choc ou d'une explosion : *L'officier a eu la jambe brisée par un éclat d'obus.* ★ Lumière qui brille au point de fatiguer la vue : *Elle porte des lunettes noires en été, car elle ne peut supporter l'éclat du soleil.* ★ Bruit violent qui domine les autres : *On entend des éclats de voix quand les gens discutent avec passion.*

éclatant, e [eklatɑ̃, ɑ̃t] adj. Qui a de l'éclat, qui brille beaucoup (couleurs, sons, etc.) : *En été, le bleu éclatant de la Méditerranée fatigue la vue.* ★ Se dit de tout ce qui paraît s'imposer à l'admiration : *Ce général a rendu des services éclatants à son pays.*

éclater [eklate] v. intr. Se briser en éclats (souvent avec du bruit) : *Un obus avait éclaté près de lui, et il était devenu sourd.* ★ Crever sous l'effet d'une pression intérieure trop grande : *L'un des pneus de la voiture a éclaté alors que nous roulions à grande vitesse.* ★ FIG. Se produire d'une manière soudaine : *La guerre éclata pendant les vacances.* ★ *Eclater de rire*, rire d'une manière soudaine et bruyante : *Cette histoire était si drôle qu'elle m'a fait éclater de rire.*

école ekɔl] n. f. Etablissement où l'on enseigne : *Les enfants français entrent à six ans à l'école primaire.* ★ *Les grandes écoles*, en France, écoles qui forment une partie des cadres supérieurs de la nation : *A vingt-deux ans, il est sorti premier d'une grande école.* ★ FIG. Ensemble d'artistes, de savants, etc., qui se groupent pour appliquer et répandre les mêmes théories et les mêmes techniques : *L'école romantique a produit des chefs-d'œuvre.*

écolier, ère [ekɔlje, ɛr] n. Enfant qui va à l'école : *Des écoliers jouaient dans la cour de l'école.*

économie [ekɔnɔmi] n. f. Organisation qui, dans un pays, règle la production, la répartition et la consommation des richesses : *L'économie française a fait de grands progrès depuis 1945.* ★ Organisation qui permet d'éviter des dépenses inutiles : *Une bonne maîtresse de maison doit savoir établir son budget avec économie.* ★ Pl. Somme d'argent économisée : *Nous avons fait des économies pour acheter une machine à laver.*

économique [ekɔnɔmik] adj. Qui est en relation avec l'économie d'une maison, d'un groupe, et surtout d'un pays : *La situation économique de cette société est si mauvaise que l'on prévoit une faillite.* ★ Qui permet de dépenser moins : *Le chauffage au charbon est plus économique que le chauffage électrique.* ■ **Economiquement** adv.

économiser [ekɔnɔmize] v. tr. Epargner, par une utilisation économique, son argent, ses forces, etc. : *Les hommes d'affaires prennent sou-*

vent l'avion pour économiser du temps.

écorce [ekɔrs] n. f. Enveloppe extérieure qui protège le bois ou qui constitue l'enveloppe de certains fruits : *On utilise l'écorce du citron pour donner du goût à certains gâteaux.*

écorcher [ekɔrʃe] v. tr. Blesser légèrement en enlevant une petite partie de la peau : *Je me suis écorché le bras en tombant de bicyclette.*

écouler [ekule] v. tr. Réussir à vendre : *Le commerçant baissa ses prix pour écouler plus vite sa marchandise.* ■ **S'écouler** v. pron. Couler vers l'extérieur, d'un mouvement lent et régulier : *J'ai oublié de fermer le robinet du tonneau, et tout le vin s'est écoulé sur le sol.* ★ FIG. *Le temps s'écoule,* le temps passe : *Nous avons passé des vacances agréables, et le temps s'est écoulé rapidement.*

écouter [ekute] v. tr. Faire attention à ce que l'on entend : *Ecoutez bien ce que je dis, car c'est important.* ★ FIG. Suivre les conseils de quelqu'un : *Il n'aurait pas perdu son argent s'il avait écouté les avis qu'on lui donnait.*

écran [ekrɑ̃] n. m. Toile blanche sur laquelle on projette des images : *Quand je vais au cinéma, je n'aime pas être assis trop près de l'écran.*

écraser [ekrɑze] v. tr. Exercer sur un corps une force qui le rend plat ou qui le brise : *La voiture a écrasé une poule en traversant le village.* ■ **S'écraser** v. pron. Perdre sa forme en tombant sur le sol ou en heurtant un obstacle avec violence : *Si on laisse tomber un œuf, il s'écrase par terre.*

écrier (s') [sekrije] v. pron. Crier de manière soudaine, sous le coup d'une émotion : *En le voyant si fatigué, elle s'écria : « Tu travailles trop ! »*

écrire [ekrir] v. tr. (voir tableau p. 356). Tracer des lettres ou des chiffres : *Cet enfant ne s'applique pas ; ses devoirs sont très mal écrits.* ★ Exprimer sa pensée par l'écriture : *Ce journaliste a écrit qu'il était nécessaire de régler au plus vite le problème de la circulation.* ★ Faire une lettre : *Ma tante ne m'a pas écrit une seule lettre depuis son départ.* ★ Composer un livre, une pièce de théâtre, etc. : *Victor Hugo a écrit « les Misérables ».*

écriture [ekrityr] n. f. Moyen d'exprimer ce qu'on pense en traçant des lettres et des mots : *Les peuples primitifs ne connaissaient pas l'écriture.* ★ Ensemble des signes dont un peuple se sert pour écrire : *Les Russes n'ont pas la même écriture que les peuples d'Europe occidentale.* ★ *L'Ecriture sainte,* textes sacrés de la religion chrétienne.

écrivain [ekrivɛ̃] n. m. Personne qui écrit des livres : *Racine et Molière sont les plus grands écrivains français du siècle de Louis XIV.*

écrouler (s') [sekrule] v. pron. Tomber soudainement de toute sa masse et se briser : *Au cours de l'incendie, la cheminée de l'usine s'est écroulée.*

écurie [ekyri] n. f. Bâtiment où on loge les chevaux : *On dit que le cheval qui a faim se hâte de rentrer à l'écurie.* ★ Ensemble des chevaux qu'un propriétaire fait entraîner en vue des courses.

édifice [edifis] n. m. Très grand bâtiment : *Le palais de Versailles est l'un des plus beaux édifices de France.*

édition [edisjɔ̃] n. f. Impression et mise en vente d'un livre : *Cette maison est spécialisée dans l'édition des ouvrages scientifiques.* ★ Ensemble des exemplaires d'un ouvrage ou d'un journal publiés en même temps : *La première édition de ce journal sort à cinq heures du matin.*

éducation [edykasjɔ̃] n. f. Action par laquelle on développe, chez l'enfant et l'homme, les facultés physiques, morales et intellectuelles : *On ne frappe plus les enfants dans les écoles, car nos idées sur l'éducation ont beaucoup changé depuis un siècle.* ★ Ensemble des habitudes qui font qu'une personne est bien élevée : *Cette personne n'a aucune éducation, elle ne sait pas se tenir à table.*

effacer [ɛfase] v. tr. (Se conj. comme *annoncer.*) Faire disparaître ce qui a été écrit ou dessiné : *Le professeur prit une gomme et effaça complètement le dessin de son élève.*

effectif [ɛfɛktif] n. m. Nombre de personnes composant un groupe (écoliers, soldats, fonctionnaires, etc.) : *L'effectif de l'établissement est d'environ mille élèves.*

effectuer [ɛfɛktɥe] v. tr. Mettre une chose à exécution : *Grâce au beau temps, nous avons effectué une promenade en mer.*

effet [ɛfɛ] n. m. Résultat d'une cause : *Le médicament que lui a donné le médecin n'a eu aucun effet.* ★ *Les effets,* le linge, les vêtements que l'on porte. ■ LOC. CONJ. *En effet,* c'est vrai : *Je crois qu'il va pleuvoir. — En effet, le ciel est bien sombre.*

efficace [ɛfikas] adj. Qui produit l'effet qu'on attendait : *Il avait pris un remède si efficace que, le soir même, il n'avait plus de fièvre.*

effondrer (s') [sɛfɔ̃dre] v. pron. S'écrouler sous un poids trop lourd : *La bibliothèque, trop chargée de livres, s'est effondrée.*

efforcer (s') [sɛfɔrse] v. pron. (Se conj. comme *annoncer.*) Faire tous les efforts possibles pour arriver à un résultat : *Votre travail est difficile; efforcez-vous pourtant de le terminer.*

effort [ɛfɔr] n. m. Dépense de force physique ou intellectuelle que l'on fait pour obtenir un résultat : *J'étais pauvre, et j'ai dû faire de grands efforts pour terminer mes études.*

effrayer [ɛfrɛje] v. tr. (Se conj. comme *payer.*) Remplir de frayeur : *Le cheval a été effrayé par une voiture. L'enfant s'est effrayé en voyant le chien courir vers lui.*

effroyable [ɛfrwajabl] adj. Qui cause une grande peur : *La maison s'est écroulée dans un bruit effroyable.* ■ **Effroyablement** adv.

égal, e, aux [egal, o] adj. Se dit d'un objet qui a les mêmes dimensions, la même valeur, le même poids, etc., qu'un autre objet auquel on le compare : *Il travaille beaucoup moins que moi, et pourtant son salaire est égal au mien.* ★ Qui ne varie pas. ★ Qui a les mêmes droits que d'autres : *Les Français sont égaux devant la loi.* ★ *Cela m'est égal,* cela m'est indifférent. ■ **Egalement** adv.

égalité [egalite] n. f. Etat dans lequel se trouvent plusieurs objets, plusieurs personnes qui ont soit les mêmes dimensions, le même poids, le même prix, soit les mêmes droits : *L'égalité politique est un des principes de la démocratie.*

égard [egar] n. m. Action de montrer du respect à quelqu'un : *On doit des égards aux vieillards.* ■ LOC. PRÉP. *A l'égard de,* envers : *Il est généreux à l'égard de ses amis.*

égarer [egare] v. tr. Ne plus savoir où l'on a mis quelque chose : *Les gens étourdis égarent souvent leurs affaires.* ■ **S'égarer** v. pron. Quitter sans le vouloir le chemin que l'on suit : *Il est dangereux de s'égarer la nuit en montagne.*

église [egliz] n. f. Chaque société de chrétiens ayant une foi commune (avec une majusc. en ce sens) : *Le pape est le chef de l'Eglise catholique romaine.* ★ Edifice où se réunissent pour prier les fidèles du culte catholique : *Les cloches de l'église sonnent pour annoncer l'heure de la messe.*

égoïsme [egɔism] n. m. Défaut de l'homme qui ne pense qu'à soi : *Il ne s'intéresse qu'à son confort personnel, et sa famille lui reproche son égoïsme.*

égoïste [egɔist] adj. Se dit d'une personne qui ne pense qu'à elle et à son seul intérêt : *Les enfants égoïstes ne veulent jamais prêter leurs jouets.*

égout [egu] n. m. Canal souterrain qui évacue les eaux sales hors d'une maison, d'une ville, etc. : *L'égout sent parfois mauvais pendant l'été.*

élan [elɑ̃] n. m. Mouvement par lequel une personne se lance en avant : *Le champion prit son élan et sauta.* ★ FIG. Accélération communiquée au mouvement industriel ou commercial : *De récentes mesures ont donné un nouvel élan au commerce.*

élancer (s') [selɑ̃se] v. pron. (Se conj. comme *annoncer.*) Se lancer en avant d'un mouvement plus ou moins réfléchi : *Quand l'enfant vit arriver son grand-père, il s'élança vers lui pour l'embrasser.*

élargir [elarʒir] v. tr. Rendre plus large : *Les ouvriers élargissent la route.*

élastique [elastik] adj. Que l'on peut déformer, mais qui reprend aussitôt sa première forme : *Le caoutchouc est une matière élastique.* ■ N. m. Fil ou anneau de caoutchouc : *Il fit un paquet de ses lettres et les entoura d'un élastique.*

électeur, trice [elɛktœr, tris] n. Personne qui a le droit de voter.

élection [elɛksjɔ̃] n. f. Action de choisir une personne au moyen du vote : *Les élections ont donné la majorité aux socialistes.*

électoral, e, aux [elɛktɔral, o] adj. Qui concerne l'élection : *Pour prendre part à un vote, il faut être inscrit sur une liste électorale.*

électricien [elɛktrisjɛ̃] n. m. Personne dont le métier est d'installer l'électricité et de vendre des appareils électriques : *J'ai acheté du fil électrique et une ampoule chez l'électricien.*

électricité [elɛktrisite] n. f. Forme d'énergie que l'on transporte par fils ou par câbles et qui se transforme, selon l'appareil utilisé, en lumière, en chaleur ou en travail mécanique : *On s'éclaire de plus en plus à l'électricité.*

électrique [elɛktrik] adj. Qui est relatif à l'électricité : *Il peut être dangereux de toucher à un fil électrique.* ★ Qui fonctionne à l'électricité : *La maîtresse de maison a fait installer chez elle une cuisinière électrique.* ■ **Electriquement** adv.

électron [elɛktrɔ̃] n. m. Elément extrêmement petit de l'atome, chargé d'électricité négative.

électronique [elɛktrɔnik] adj. Qui a un rapport avec l'électron : *La correction de certains examens se fait à l'aide de machines électroniques.* ■ N. f. Science qui étudie les phénomènes électriques au niveau de l'électron.

électrophone [elɛktrɔfɔn] n. m. Appareil électrique reproduisant des sons enregistrés sur un disque : *Il vient d'acheter un électrophone, car il aime beaucoup la musique.*

élégance [elegɑ̃s] n. f. Manière de se distinguer par le soin qu'on apporte aux détails de sa toilette, à sa façon de s'exprimer, etc. : *Cette actrice s'habille avec une très grande élégance.*

élégant, e [elegɑ̃, ɑ̃t] adj. Qui se distingue par une certaine recherche dans la forme, dans les manières, etc. : *Il a dans son salon un élégant fauteuil Louis XV.* ★ Se dit particulièrement des personnes qui se distinguent par le soin qu'elles apportent à leur toilette : *Comme vous êtes élégante avec votre nouvelle robe!* ■ **Elégamment** adv.

élément [elemɑ̃] n. m. Chacun des principes qui constituent un corps quelconque, envisagé indépendamment de l'ensemble : *Plusieurs éléments entrent dans la fabrication de ce médicament. La bonne santé est l'élément essentiel du bonheur.* ★ Pl. Principes essentiels qui permettent l'étude d'une science, d'un art, etc.

élémentaire [elemɑ̃tɛr] adj. Qui est relatif aux premiers éléments d'une science, d'un art, etc. : *Ma fille n'a que sept ans, elle est encore dans une classe élémentaire.*

élevage [elvaʒ] n. m. Action d'élever des animaux utiles à l'homme : *Les terrains humides sont excellents pour l'élevage des vaches.*

élève [elɛv] n. Enfant ou adulte qui reçoit l'enseignement d'un maître : *L'instituteur a une classe de trente élèves. Cet artiste a été autrefois l'élève d'un peintre célèbre.*

élever [elve] v. tr. (Se conj. comme *mener.*) Porter de bas en haut : *La grue élève les pierres destinées à construire l'immeuble.* ★ Surveiller et favoriser le développement physique, intellectuel et moral d'un enfant : *Pour élever les enfants, il faut de l'affection et de la patience.* ★ Nourrir et soigner des animaux domestiques : *La fermière élève des poules pour vendre leurs œufs.* ■ **S'élever** v. pron. Parvenir à une certaine hauteur, à une certaine quantité : *Le clocher de la cathédrale s'élève à plus de soixante mètres.*

éliminer [elimine] v. tr. Mettre en dehors, considérer comme nul : *Le candidat a été éliminé, car il avait triché à l'examen.*

élire [elir] v. tr. (Se conj. comme *lire.*) Choisir en désignant par un vote : *Il a été élu député aux dernières élections.*

élite [elit] n. f. Ceux qui, à l'intérieur d'un groupe, l'emportent sur les autres par leurs qualités : *Ce congrès a réuni l'élite des savants de tous les pays.*

elle [ɛl] pron. pers. f. sing. ; **elles** f. pl. Désigne la personne ou la chose dont on parle : *J'avais posé une clef sur mon bureau, elle a disparu. Elle a un chapeau rouge, elle, moi j'en ai un noir. Cet après-midi, j'irai me baigner avec elle. Voici des cerises, elles sont mûres. Depuis que mes amies sont parties, je pense souvent à elles.*

éloge [elɔʒ] n. m. Ce que l'on dit ou écrit pour vanter le mérite d'une personne ou d'une chose : *Il a trouvé ce livre très intéressant et nous en fait un grand éloge.*

éloigner [elwaɲe] v. tr. Mettre loin ou plus loin : *Eloigne cette lampe, elle me fait mal aux yeux. Chaque jour nous éloigne un peu plus de notre enfance.*

éloquence [elɔkɑ̃s] n. f. Art de parler : *L'éloquence de l'avocat a sauvé la vie de l'accusé.*

emballage [ɑ̃balaʒ] n. m. Action d'emballer : *L'emballage d'un piano est une opération délicate.* ★ Ce qui sert à emballer : *Ne jette pas ce carton, il peut servir d'emballage.*

emballer [ɑ̃bale] v. tr. Envelopper de papier, ou mettre dans une caisse un objet qu'on veut transporter : *Avant de déménager, j'emballerai moi-même mon service de verres.*

embarquer [ɑ̃barke] v. tr. Faire entrer dans un bateau, dans un avion, etc. : *Les marins du cargo embarquèrent plusieurs tonnes de charbon.* ■ V. intr. Monter à bord d'un bateau, d'un avion : *Les passa-*

gers ont embarqué un quart d'heure avant le départ de l'avion.

embarras [ɑ̃bara] n. m. Ce qui embarrasse, ce qui fait obstacle : *Dans cette rue, il y a souvent des embarras de voitures.* ★ Etat dans lequel on ne sait que faire, que dire, etc. : *Il était gêné de m'avouer son mensonge, je l'ai tiré d'embarras en parlant d'autre chose.*

embarrasser [ɑ̃barase] v. tr. Gêner les mouvements : *Posez donc votre parapluie, il vous embarrasse.* ★ Mettre dans une situation où il est difficile de prendre une décision : *Il ne sait s'il doit partir ou non; il est très embarrassé.*

embaucher [ɑ̃boʃe] v. tr. Engager un ouvrier : *L'entrepreneur a embauché deux maçons.*

embouteillage [ɑ̃butɛjaʒ] n. m. Embarras qui empêche la circulation des bateaux, des voitures, etc. : *Un camion qui déchargeait des marchandises a créé un embouteillage au carrefour.*

embrasser [ɑ̃brase] v. tr. Prendre et serrer dans ses bras. ★ Donner un baiser : *Il embrassa sa fille avant le départ du train.*

embrouiller [ɑ̃bruje] v. tr. Mêler des choses de manière que l'on ne puisse plus les séparer : *En jouant, le petit chat a embrouillé tous les fils de la couturière.*

émettre [emɛtr] v. tr. (Se conj. comme *mettre.*) Lancer dans l'espace de la lumière, de la chaleur, des sons, etc. : *Cette station de radio émettra un programme de musique à partir de 15 heures.* ★ Mettre en circulation une monnaie, un chèque, etc. : *Il est interdit d'émettre de la fausse monnaie.* ★ Exprimer ce que l'on pense, ce que l'on souhaite, etc. : *A la fin de la représentation, on demanda à quelques critiques d'émettre leur avis sur le spectacle.*

émeute [emøt] n. f. Trouble provoqué par le mécontentement d'un groupe de personnes : *La révolution commença par une émeute au cours de laquelle dix personnes furent tuées.*

émigration [emigrasjɔ̃] n. f. Action d'émigrer : *Le manque de travail a provoqué l'émigration d'un grand nombre d'ouvriers vers des pays plus riches.*

émigrer [emigre] v. intr. Quitter sa patrie et se fixer dans un pays étranger, parfois pour toujours : *Beaucoup d'Irlandais ont émigré aux Etats-Unis.*

émission [emisjɔ̃] n. f. Production d'ondes lancées dans l'espace : *Dans notre quartier, les tramways gênent la réception des émissions de radio.* ★ Mise en circulation officielle de billets, de titres, etc. : *L'Etat vient d'annoncer l'émission d'un nouvel emprunt.*

emmener [ɑ̃mne] v. tr. (Se conj. comme *mener.*) Mener d'un lieu dans un autre : *J'ai emmené mon fils au cinéma.*

émotion [emosjɔ̃] n. f. Désordre violent et passager, provoqué dans l'âme et le corps par un événement qui nous touche : *Elle est à peine remise de l'émotion que lui a causée la nouvelle de l'accident.* ★ Agitation temporaire provoquée dans une assemblée, une foule, etc. : *Le discours du ministre a provoqué une vive émotion dans le pays.*

émouvoir [emuvwar] v. tr. (voir tableau p. 356). Provoquer de la pitié, de l'émotion : *Les jurés furent indulgents, car la jeunesse de l'accusé les avait émus. Il s'est ému du danger couru par son fils.*

emparer (s') [sɑ̃pare] v. pron. Prendre possession par la force :

L'ennemi s'empara de la ville après un siège de plusieurs jours.

empêcher [ɑ̃pɛʃe] v. tr. Faire obstacle à l'action de quelqu'un, mettre de l'opposition à un projet : *Ils ont tout fait pour empêcher le départ de leur fils. La pluie va m'empêcher de sortir.* ■ **S'empêcher (de)** v. pron. Réprimer en soi une tendance, un désir, une habitude, etc. : *Malgré les conseils du médecin, je ne peux pas m'empêcher de fumer.*

empereur [ɑ̃prœr] n. m. (fém. **impératrice**). Nom donné aux chefs de certains grands Etats : *Charlemagne est devenu empereur d'Occident en 800.*

empire [ɑ̃pir] n. m. Etat sur lequel règne un chef ayant le titre d'empereur : *L'empire de Napoléon s'étendait sur une grande partie de l'Europe.*

emploi [ɑ̃plwa] n. m. Action de se servir de quelque chose dans une intention déterminée : *L'emploi de ce produit est dangereux.* ★ *Mode d'emploi,* manière de se servir de quelque chose (outil, produit quelconque, etc.). ★ *Emploi du temps,* organisation des activités dans un temps donné. ★ Fonction pour laquelle on est payé : *Il a quitté le bureau où il travaillait, et il cherche un nouvel emploi.*

employé, e [ɑ̃plwaje] n. Personne qui, dans le commerce ou l'industrie, travaille en échange d'un salaire. ★ Salarié exerçant des fonctions secondaires : *Je suis allé à la poste, et j'ai demandé dix timbres à l'employé.*

employer [ɑ̃plwaje] v. tr. (Se conj. comme *payer.*) Se servir de quelque chose dans une intention déterminée : *On peut employer l'électricité pour se chauffer.* ★ Faire travailler quelqu'un à qui l'on donne un salaire : *Mon voisin a une usine où il emploie cinquante ouvriers.*

empoisonner [ɑ̃pwazɔne] v. tr. Tuer ou mettre la vie en danger en donnant du poison : *Certains champignons peuvent empoisonner les personnes qui les mangent.*

emporter [ɑ̃pɔrte] v. tr. Porter d'un lieu dans un autre : *On ramassa le blessé sur la route et on l'emporta à l'hôpital.* ■ **S'emporter** v. pron. Se laisser entraîner par la colère.

empreinte [ɑ̃prɛ̃t] n. f. Trace laissée en creux ou en relief par un objet qui a fait pression sur une matière molle : *Les voleurs ont laissé des empreintes de pas dans le jardin.* ★ Trace laissée par les doigts sur ce qu'ils touchent : *La police a examiné les empreintes laissées par l'assassin.*

emprunt [ɑ̃prœ̃] n. m. Action de se faire prêter quelque chose. ★ Somme d'argent que l'on emprunte : *J'ai dû faire un emprunt à la banque pour finir de construire ma maison.*

emprunter [ɑ̃prœ̃te] v. tr. Demander et obtenir quelque chose que l'on doit rendre : *Les gens qui empruntent des livres oublient souvent de les rendre.*

en [ɑ̃] prép. Indique le lieu : *Paris est en France. Il est allé en Grèce.* ★ Indique un moyen de transport à l'intérieur duquel on se trouve : *Il aime voyager en avion.* ★ Indique le temps : *Je prends mes vacances en juillet.* ★ Indique la durée : *Il est venu chez moi en cinq minutes.* ★ Indique l'état, la manière d'être ou d'agir : *L'arbre est en fleur. J'ai fait peindre en vert les murs de ma cuisine. Il m'a traité en ami.* ★ Indique la matière : *J'ai une montre en or.* ★ Placé devant un participe présent, indique une action qui se passe en même temps qu'une autre : *Il aime travailler en écoutant la radio.*

en [ɑ̃] pron. pers. inv. De lui, d'elle, d'eux, d'elles, de ceci, de cela, etc. : *Il prit un bâton et m'en donna un coup. Je voudrais des roses, en avez-*

vous? Connaissez-vous Marseille? — Non, mais j'en ai beaucoup entendu parler. Je suis en retard, j'en suis désolé. ★ D'un certain endroit : *Etes-vous allé à la boulangerie? — Oui, j'en viens.* ■ **En** adv. D'ici, de là (indique l'origine).

encadrer [ɑ̃kadre] v. tr. Placer dans un cadre : *J'ai donné un tableau à encadrer.*

encercler [ɑ̃sɛrkle] v. tr. Entourer d'un cercle. ★ Entourer un ennemi de tous côtés pour l'empêcher de s'échapper : *Le régiment a été encerclé, et tous les soldats ont été faits prisonniers.*

encombrer [ɑ̃kɔ̃bre] v. tr. Se trouver en trop grande quantité et empêcher le passage : *Autrefois, les appartements étaient encombrés de meubles.* ★ Gêner les mouvements à cause de son abondance, de son poids, etc. : *Quand elle revient du marché, elle a les mains encombrées de paquets.*

encore [ɑ̃kɔr] adv. Jusqu'au moment dont on parle : *A 6 heures du matin, la plupart des gens dorment encore.* ★ Jusqu'au moment où l'on parle : *Il est à table depuis deux heures et il mange encore!* ★ De nouveau (marque la répétition) : *Vous n'avez pas réussi à résoudre votre problème, essayez encore!*

encourager [ɑ̃kuraʒe] v. tr. (Se conj. comme *manger.*) Donner du courage : *Les enfants ont parfois besoin d'être encouragés dans leur travail.*

encre [ɑ̃kr] n. f. Liquide de couleur dont on se sert pour écrire ou pour imprimer : *L'écolier a rempli son stylo avec de l'encre bleue.*

endormir (s') [sɑ̃dɔrmir] v. pron. (Se conj. comme *sentir.*) Perdre conscience dans le sommeil : *Je m'endors dès que je suis au lit.*

endroit [ɑ̃drwa] n. m. Lieu déterminé : *Je connais dans la forêt un endroit très agréable.* ★ Côté par lequel on doit regarder quelque chose (par opposition à *envers*). ■ LOC. ADV. *A l'endroit,* du côté par lequel il faut regarder quelque chose : *Les couleurs de sa robe sont plus vives à l'endroit qu'à l'envers.*

énergie [enɛrʒi] n. f. Force par laquelle une personne manifeste son besoin d'agir : *A quatre-vingts ans, il travaille encore avec une énergie étonnante.* ★ Force qui rend une action, un procédé efficaces : *Il est intervenu avec énergie dans la discussion.* ★ En termes de physique, pouvoir que possède un corps de fournir de la chaleur, du travail : *Le charbon, le pétrole et l'électricité sont les principales sources d'énergie.*

énergique [enɛrʒik] adj. Qui montre de l'activité, qui est capable de prendre des décisions, etc. : *Les personnes énergiques ne comprennent pas qu'on puisse être paresseux.* ★ Qui produit un effet puissant : *Le remède que m'a donné le médecin est très énergique.*

énerver [enɛrve] v. tr. Faire perdre patience : *Cet enfant m'énerve, car il ne cesse de remuer. Il s'est énervé, car il n'arrivait pas à trouver ce qu'il cherchait.*

enfance [ɑ̃fɑ̃s] n. f. Période de la vie humaine qui va de la naissance à la douzième année environ : *On dit que l'enfance est l'âge le plus heureux de la vie.*

enfant [ɑ̃fɑ̃] n. Garçon ou fille qui n'est pas encore un adolescent : *Les enfants ont beaucoup de mémoire et d'imagination.* ★ Quel que soit l'âge, fils ou fille : *J'ai deux enfants; la fille a vingt ans et le garçon en a huit.*

enfer [ɑ̃fɛr] n. m. Lieu où, selon certaines religions, les méchants sont punis après leur mort.

enfermer [ɑ̃fɛrme] v. tr. Mettre dans un lieu fermé : *Avant de partir, enferme le chat dans la cuisine.*

enfin [ɑ̃fɛ̃] adv. S'emploie pour marquer qu'une action se produit à la fin de plusieurs autres : *Il chercha ses lunettes dans la chambre, dans le salon, et les trouva enfin dans sa poche.* ★ Indique qu'une chose arrive après qu'on l'a attendue : *Nous sommes là depuis une heure! Vous voilà enfin!*

enfler [ɑ̃fle] v. intr. Augmenter de volume : *En se réveillant, elle s'aperçut que sa joue avait enflé.*

enfoncer [ɑ̃fɔ̃se] v. tr. (Se conj. comme *annoncer.*) Faire pénétrer vers le fond : *J'ai enfoncé un clou dans le mur.*

enfuir (s') [sɑ̃fɥir] v. pron. (Se conj. comme *fuir.*) Prendre la fuite : *Le prisonnier a réussi à s'enfuir en sautant par la fenêtre.*

engager [ɑ̃gaʒe] v. tr. (Se conj. comme *manger.*) Lier par une promesse ou un contrat : *J'ai engagé une femme de ménage.* ★ Commencer : *L'ennemi engagea la bataille dès le matin.* ■ **S'engager** v. pron. Se lier par une promesse, un contrat : *Je me suis engagé dans l'armée.* ★ S'avancer dans un passage étroit : *La voiture s'engagea dans une petite rue sombre.* ★ Fig. Entrer dans une situation, une affaire, etc. : *Je me suis engagé dans une mauvaise entreprise.*

engourdir [ɑ̃gurdir] v. tr. Rendre presque insensible : *J'ai les mains engourdies par le froid.*

engrais [ɑ̃grɛ] n. m. Produit qu'on met dans la terre pour la rendre fertile.

engraisser [ɑ̃grɛse] v. tr. Faire devenir gras (se dit pour les animaux) : *On engraisse les cochons pour les manger.* ■ V. intr. Devenir gras : *Depuis un mois, ces poulets ont beaucoup engraissé.*

énigme [enigm] n. f. Chose qui est difficile à deviner : *Dans un bon roman policier, l'auteur ne donne qu'à la fin la solution de l'énigme.*

enlever [ɑ̃lve] v. tr. (Se conj. comme *mener.*) Prendre, lever et changer de place : *Enlevez donc ce paquet qui empêche de passer.* ★ Faire disparaître : *Sa cravate avait une tache que j'ai enlevée avec de l'eau.*

ennemi, e [enmi] n. Personne qui veut du mal à quelqu'un : *Par son orgueil, il s'est fait beaucoup d'ennemis.* ★ Personne ou nation avec qui l'on est en guerre : *Nos soldats attaquèrent l'ennemi.* ■ Adj. Avec qui l'on est en guerre : *Les troupes ennemies ont été repoussées.*

ennui [ɑ̃nɥi] n. m. Sentiment qu'éprouve une personne que rien n'intéresse : *Dès son arrivée à la campagne, elle tomba dans un ennui profond.* ★ Souci passager causé par la maladie, les mauvaises affaires, etc. : *J'ai des ennuis avec ma voiture, elle est toujours en panne.*

ennuyer [ɑ̃nɥije] v. tr. (Se conj. comme *payer.*) Etre désagréable envers quelqu'un. ■ **S'ennuyer** v. pron. Trouver le temps long : *Je ne m'ennuie jamais quand j'ai de quoi lire.*

ennuyeux, euse [ɑ̃nɥijø, øz] adj. Qui ne présente aucun intérêt : *Il ne parle que de son travail, et sa conversation est ennuyeuse.* ★ Qui donne du souci : *Il est ennuyeux de perdre de l'argent.*

énorme [enɔrm] adj. Qui, par son poids, sa taille, son volume, etc., donne l'impression de dépasser toute mesure : *Les coffres-forts de cette banque contiennent des sommes énormes.* ■ **Enormément** adv.

enquête [ɑ̃kɛt] n. f. Recherche que l'on fait en interrogeant des personnes pour éclaircir une affaire difficile : *A la suite du crime, la police a fait une enquête.*

enregistrer [ɑ̃rʒistre] v. tr. Inscrire sur un registre officiel : *Les naissances, les mariages et les décès doivent être enregistrés à la mairie.* ★ *Enregistrer ses bagages,* confier ses bagages à une compagnie de transport. ★ Noter certaines variations (température, son, etc.) à l'aide d'un instrument ou d'une machine : *On a enregistré hier à Paris une température de 15 °C. On vient d'enregistrer sur disques les principales pièces de Molière.*

enrhumer (s') [sɑ̃ryme] v. pron. Attraper un rhume : *Je me suis enrhumé la semaine dernière en restant longtemps dans une salle non chauffée.*

enrichir [ɑ̃riʃir] v. tr. Rendre riche : *Le commerce l'a enrichi.*

enseignement [ɑ̃sɛɲəmɑ̃] n. m. Technique qui consiste à communiquer sa science à quelqu'un par des leçons régulières : *L'enseignement d'une langue vivante exige beaucoup de temps et une méthode sérieuse.* ★ Profession qui consiste à enseigner : *Cet étudiant se destine à l'enseignement.*

enseigner [ɑ̃sɛɲe] v. tr. Communiquer les connaissances que l'on possède : *J'enseigne l'anglais aux élèves de ce lycée.*

ensemble [ɑ̃sɑ̃bl] adv. L'un avec l'autre, les uns avec les autres : *Ces deux sœurs demeurent ensemble.* ★ En même temps : *On donna à nouveau le départ de la course, car les chevaux n'étaient pas partis ensemble.* ■ N. m. Réunion de personnes ou de choses qui constituent un tout : *L'ensemble de mes livres vaut bien mille francs.*

ensuite [ɑ̃sɥit] adv. Après cela (dans le temps) : *Travaillez jusqu'à 18 heures, vous vous amuserez ensuite.* ★ Après cela (dans l'espace) : *Les parents marchaient devant, les enfants venaient ensuite.*

entamer [ɑ̃tame] v. tr. Enlever le premier morceau : *On demanda à l'invité d'entamer le gâteau.* ★ Commencer l'exécution de quelque chose : *Pour améliorer l'état des routes, le gouvernement entama une série de grands travaux.*

entasser [ɑ̃tase] v. tr. Mettre en tas : *Le maçon entassa des pierres, avant de construire le mur de la maison.* ■ **S'entasser** v. pron. Se réunir en trop grand nombre dans un lieu : *Au lieu de se promener, les habitants du quartier se sont entassés au cinéma.*

entendre [ɑ̃tɑ̃dr] v. tr. (Se conj. comme *rendre.*) Percevoir des sons : *On monte; j'entends du bruit dans l'escalier.* ★ *Entendre dire,* entendre quelqu'un dire : *J'ai entendu dire que le train aurait du retard.* ★ FAM. *C'est entendu!* Nous sommes d'accord ! ■ **S'entendre** v. pron. Se comprendre, être d'accord : *Nous nous entendons bien, mon frère et moi.*

entente [ɑ̃tɑ̃t] n. f. Fait d'être d'accord avec quelqu'un : *La bonne entente ne règne pas dans son ménage.*

enterrement [ɑ̃tɛrmɑ̃] n. m. Cérémonie à la fin de laquelle on enterre un mort : *Beaucoup de gens pleurèrent à l'enterrement de mon voisin, car il était très estimé.*

enterrer [ɑ̃tere] v. tr. Mettre en terre : *L'avare enterra sa fortune sous un arbre du jardin. Mon ami a été enterré dans un cimetière de campagne.*

enthousiasme [ɑ̃tuzjasm] n. m. Emotion, parfois provisoire, qui élève l'homme au-dessus de lui-même, et qui est provoquée par un sentiment violent (admiration, amour, etc.) :

Quand on apprit que la guerre était gagnée, l'enthousiasme fut immense.

entier, ère [ɑ̃tje, ɛr] adj. Dont on n'a rien enlevé : *La ville entière fut détruite par le bombardement.* ★ *Tout entier,* complètement, au complet : *La France tout entière a voté pour élire une nouvelle assemblée.* ■ **Entièrement** adv.

entourer [ɑ̃ture] v. tr. Mettre autour de : *J'ai entouré la pelouse d'une bordure de fleurs.* ★ Etre autour de : *A Paris, la Seine entoure l'île de la Cité.*

entracte [ɑ̃trakt] n. m. Temps pendant lequel on interrompt un spectacle : *Pendant l'entracte, j'ai quitté ma place pour aller fumer une cigarette.*

entraînement [ɑ̃trɛnmɑ̃] n. m. Méthode qui consiste à répéter des exercices, de manière à développer des aptitudes physiques ou intellectuelles : *Pendant les périodes d'entraînement, les sportifs ne fument pas et ne boivent pas d'alcool.*

entraîner [ɑ̃trɛne] v. tr. Traîner avec soi : *Une locomotive peut entraîner un grand nombre de wagons.* ★ FIG. Agir sur les sentiments de quelqu'un : *Il voulait rester à Paris, mais son frère l'a entraîné à faire un voyage avec lui.* ■ **S'entraîner** v. pron. Se soumettre à un entraînement : *L'équipe de France de football s'entraîne, depuis huit jours, aux environs de Paris.*

entre [ɑ̃tr] prép. Dans l'espace ou le temps qui sépare les unes des autres des personnes ou des choses : *Lyon est entre Paris et Marseille. Venez entre onze heures et midi.* ★ En distinguant l'un de l'autre, les uns des autres : *Une mère ne doit faire aucune différence entre ses enfants.* ★ Indique une relation à l'intérieur d'un groupe : *Ils avaient décidé entre eux de nous offrir un cadeau. Une dispute éclata entre les deux amis.*

entrée [ɑ̃tre] n. f. Action d'entrer : *L'actrice fit son entrée sur la scène au milieu des applaudissements.* ★ Endroit par où l'on entre dans un lieu : *La principale entrée de la maison donne sur le jardin.* ★ Ce qui donne le droit d'entrer dans un théâtre, dans un musée, etc. : *Pour visiter l'exposition, j'ai payé cinq francs d'entrée.*

entreprendre [ɑ̃trəprɑ̃dr] v. tr. (Se conj. comme *prendre.*) Commencer l'exécution d'un travail : *J'ai entrepris des travaux dans ma maison de campagne.*

entrepreneur [ɑ̃trəprənœr] n. m. Personne qui se charge de diriger l'exécution de divers travaux de construction : *L'entrepreneur m'a envoyé deux maçons pour construire un puits.*

entreprise [ɑ̃trəpriz] n. f. Projet mis à exécution : *Il manque d'énergie, et il échoue dans toutes ses entreprises.* ★ Etablissement public ou privé qui a pour fonction de fabriquer, de transporter, de construire, etc. : *Son père est directeur d'une entreprise de travaux publics.*

entrer [ɑ̃tre] v. intr. Aller à l'intérieur : *Il est entré chez lui en passant par la porte de la cuisine.* ★ Passer dans une nouvelle situation ou dans un nouvel état : *Il est entré dans l'armée à vingt ans. Quand je lui ai dit cela, il est entré dans une violente colère.*

entretenir [ɑ̃trətnir] v. tr. (Se conj. comme *tenir.*) Maintenir en bon état : *Sa maison est bien entretenue, il vient de faire réparer le toit.* ★ Pourvoir à tous les besoins d'une personne ou d'un groupe de personnes. ■ **S'entretenir** v. pron. Parler avec quelqu'un d'un certain sujet : *Nous nous sommes entretenus de la situation politique.*

entretien [ɑ̃trətjɛ̃] n. m. Action d'entretenir : *Je paie deux jardiniers pour l'entretien de mon jardin.* ★ Action de pourvoir à tous les besoins d'une personne ou d'un groupe de personnes : *L'entretien d'une armée coûte cher.* ★ Conversation avec quelqu'un, portant sur une question déterminée : *Il eut un sérieux entretien avec sa femme au sujet de l'éducation de leurs enfants.*

entrevue [ɑ̃trəvy] n. f. Rencontre, préparée d'avance, entre des personnes qui veulent avoir un entretien : *Le roi du Maroc a accordé une entrevue à l'ambassadeur de France.*

envahir [ɑ̃vair] v. tr. Pénétrer en ennemi dans un pays, une maison, avec l'intention d'y rester : *En 1940, les Allemands ont envahi la France.* ★ Pénétrer en désordre dans un lieu : *Les eaux ont envahi toute la région.*

enveloppe [ɑ̃vlɔp] n. f. Sorte de poche en papier qui sert généralement à contenir une lettre que l'on envoie : *Avant de porter la lettre à la poste,*

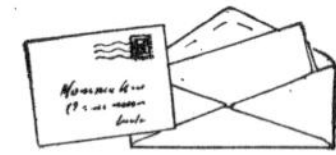

n'oubliez pas de coller un timbre sur l'enveloppe.

envelopper [ɑ̃vlɔpe] v. tr. Couvrir complètement une personne ou une chose qu'on veut protéger : *Le boucher enveloppa mon bifteck dans du papier.*

envers [ɑ̃vɛr] n. m. Côté d'une chose qui est opposé à celui qu'on doit regarder : *L'envers de cette étoffe est moins joli que l'endroit.* ■ LOC. ADV. *A l'envers,* du côté opposé à celui qu'il faut montrer : *Le petit garçon a mis ses chaussettes à l'envers.* ■ Prép. Indique la direction de la pensée ou du sentiment vers une personne : *Il est très bon envers ses parents.*

envie [ɑ̃vi] n. f. Désir parfois soudain de posséder ou de faire quelque chose : *Depuis longtemps, ma fille a envie d'apprendre l'anglais. Il est bientôt minuit, et j'ai envie de dormir.* ★ Sentiment qui fait désirer ce qu'une personne possède et que l'on ne peut avoir soi-même.

environ [ɑ̃virɔ̃] adv. A peu près : *Je déjeune quand il est environ midi.*

environs [ɑ̃virɔ̃] n. m. pl. Lieux qui entourent un endroit déterminé : *Nous sortons le dimanche pour aller nous promener dans les environs de Paris.*

envisager [ɑ̃vizaʒe] v. tr. (Se conj. comme *manger.*) Considérer une chose qui doit arriver : *Il a perdu une grande partie de sa fortune et il envisage l'avenir avec inquiétude.*

envoi [ɑ̃vwa] n. m. Action d'envoyer. ★ Objet que l'on a envoyé : *J'ai bien reçu votre envoi de fleurs.*

envoler (s') [sɑ̃vɔle] v. pron. S'élancer dans l'air, au moyen de ses ailes : *Quand je m'approchai de lui, l'oiseau s'envola.* ★ FIG. : *Fermez la fenêtre, mes papiers s'envolent!*

envoyer [ɑ̃vwaje] v. tr. (voir tableau p. 356). Faire aller une personne ou une chose vers une destination déterminée : *La mère envoya son enfant acheter du sel. Le commerçant a envoyé une lettre à l'un de ses clients.*

épais, épaisse [epɛ, epɛs] adj. Se dit d'un objet considéré dans la dimension opposée à la longueur et à la largeur : *Un dictionnaire est souvent un livre épais.* ★ Dont la matière est serrée : *L'avion n'a pu se poser sur l'aéroport, car le brouillard était trop épais.*

épaisseur [epɛsœr] n. f. Troisième dimension d'un objet, les deux autres étant la longueur et la largeur :

Cette planche a un mètre de long, quarante centimètres de large et trois centimètres d'épaisseur.

épargner [eparɲe] v. tr. Employer avec économie : *Les vieillards doivent épargner leurs forces.* ★ *Epargner quelque chose à quelqu'un,* éviter quelque chose à quelqu'un : *J'ai acheté une machine à laver qui épargnera de la fatigue à ma femme.*

épaule [epol] n. f. Partie du corps située entre le cou et l'endroit où le bras se rattache au tronc : *Il porte son*

fils sur ses épaules pour qu'il puisse voir le spectacle. ★ *Hausser les épaules,* élever, puis abaisser les épaules en signe de mépris.

épave [epav] n. f. Tout objet ou débris d'objet que la mer rejette sur la côte : *Après la tempête, on retrouva sur la plage les épaves d'un bateau.*

épée [epe] n. f. Arme faite d'une

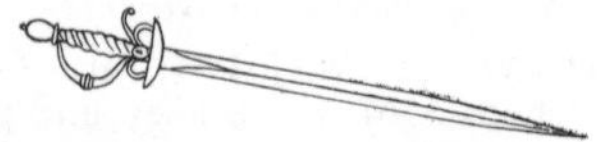

lame d'acier longue, étroite et pointue, munie d'une poignée.

épeler [eple] v. tr. (Se conj. comme *appeler.*) Prononcer une à une les lettres qui forment un mot ou une syllabe.

épi [epi] n. m. Partie qui termine la tige d'une céréale et qui est formée

par les graines placées autour : *La moisson sera belle, car les épis sont lourds.*

épicier, ère [episje, ɛr] n. Commerçant chez qui l'on peut acheter un grand nombre de choses nécessaires à l'alimentation (sucre, café, conserves, etc.) : *Va chez l'épicier acheter un paquet de riz et un litre d'huile.*

épidémie [epidemi] n. f. Maladie qui, dans un même lieu, atteint un grand nombre de personnes à la fois : *Des épidémies de grippe se produisent souvent au début de l'hiver.*

épine [epin] n. f. Petite pointe qui pousse sur les tiges de certaines plantes : *En cueillant des roses, elle s'est piquée à une épine.*

épingle [epɛ̃gl] n. f. Petite tige métallique dont un bout est en pointe et dont l'autre est garni d'une tête :

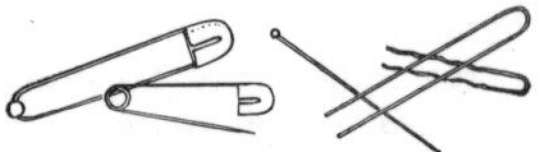

La couturière a fait tenir ensemble les deux morceaux d'étoffe avec une épingle. ★ Petite tige métallique dont les femmes se servent pour tenir leurs cheveux.

épisode [epizɔd] n. m. Evénement ou suite d'événements qui se déroulent dans un roman, un film, etc. : *Je n'aime pas, dans ce roman, l'épisode de la mort du héros.*

épithète [epitɛt] n. f. GRAMM. Adjectif qui qualifie le nom sans l'intermédiaire d'un verbe : *Quand je dis « un chien méchant », « méchant » est l'épithète de « chien ».*

éplucher [eplyʃe] v. tr. Préparer certains légumes ou certains fruits, en enlevant la peau ou l'écorce : *J'ai épluché des pommes de terre pour faire la soupe.*

éponge [epɔ̃ʒ] n. f. Masse de tissu d'origine animale, végétale ou synthétique, qui se gonfle du liquide dans laquelle on la plonge et qui sert à se laver, à nettoyer les ustensiles de cuisine, etc. : *Il nettoya la table de la cuisine avec une éponge.*

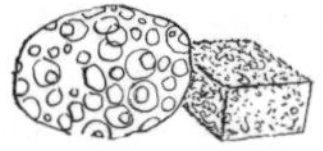
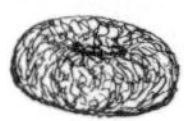

époque [epɔk] n. f. Durée pendant laquelle il s'est passé des événements plus ou moins importants : *De grands écrivains ont vécu à l'époque de Louis XIV.*

épouvantable [epuvɑ̃tabl] adj. Qui inspire de la terreur, de la pitié, etc. : *Le blessé poussait des cris épouvantables.* ★ Qui est odieux, révoltant : *L'assassin a commis un crime épouvantable.* ★ Qui présente un caractère d'excès ou un caractère pénible : *Il pleut sans arrêt depuis deux jours; il fait vraiment un temps épouvantable!*

époux, se [epu, uz] n. Terme légal pour désigner le mari ou la femme. ■ N. m. pl. Terme désignant le mari et la femme : *Aussitôt après la cérémonie, les jeunes époux sont partis pour l'Italie.*

épreuve [eprœv] n. f. Travail qui permet de juger les aptitudes ou les capacités de quelqu'un ou de quelque chose : *Les candidats au baccalauréat ont subi hier les épreuves de mathématiques.* ★ Chagrin ou malheur que subit une personne : *La mort de son mari a été pour elle une pénible épreuve.*

éprouver [epruve] v. tr. Faire subir à une chose ou à une personne certaines expériences pour voir si elle a les qualités nécessaires : *Si vous voulez éprouver la qualité de ces chaussures, mettez-les quand il pleut.* ★ Ressentir personnellement : *J'ai éprouvé une grande joie en apprenant qu'il était guéri.*

épuiser [epɥize] v. tr. Consommer entièrement : *Nous avons épuisé notre provision de charbon.* ★ Affaiblir complètement : *La guerre a épuisé le pays.*

équateur [ekwatœr] n. m. Cercle imaginaire tracé autour de la Terre et dont les points sont à égale distance des pôles : *Le climat des régions situées près de l'équateur est chaud et humide.*

équilibre [ekilibr] n. m. Etat d'un corps qui reste au repos parce qu'il est l'objet de forces contraires qui s'annulent. ★ *Perdre l'équilibre,* pencher d'un côté et risquer de tomber. ★ FIG. Distribution des choses qui donne une impression de stabilité : *Elle a fait le compte de ses recettes et de ses dépenses pour établir l'équilibre de son budget.*

équipage [ekipaʒ] n. m. Ensemble des personnes qui sont en service à bord d'un bateau, d'un avion, etc. : *Un accident a eu lieu à bord de l'avion, l'équipage et les passagers ont été sauvés.*

équipe [ekip] n. f. Groupe de personnes qui ont l'habitude de travailler ensemble dans un même métier : *Cette équipe d'électriciens est dirigée par un contremaître.* ★ Groupe de personnes qui pratiquent ensemble des sports, individuels ou non, sous l'autorité d'un même capitaine : *Notre équipe de football jouera dimanche prochain contre celle de la ville voisine.*

équipement [ekipmɑ̃] n. m. Ensemble des objets nécessaires pour s'équiper : *L'équipement du soldat comprend un fusil, des cartouches, des chaussures, etc.* ★ Ensemble de tout ce qu'il faut pour qu'une région puisse vivre et se développer : *Le gouvernement vient d'établir un plan pour l'équipement industriel du pays.*

équiper [ekipe] v. tr. Pourvoir une personne ou une machine de ce qui lui est nécessaire pour faire le travail qu'on lui demande : *Les avions de transport sont équipés de quatre moteurs à réaction.*

erreur [ɛrœr] n. f. Action de s'éloigner de la vérité : *L'élève a fait une erreur de calcul dans son problème.* ★ *Faire erreur,* se tromper.

escalier [ɛskalje] n. m. Suite de marches par lesquelles on monte d'un étage à l'autre : *Pour arriver chez moi, je dois monter un escalier de deux étages.*

esclavage [ɛsklavaʒ] n. m. Condition de l'esclave : *La Révolution a supprimé l'esclavage dans les colonies françaises en 1793.*

esclave [ɛsklav] n. Personne qui, capturée ou achetée par un maître, dépend complètement de celui-ci : *En Amérique, on faisait autrefois travailler des esclaves noirs venus d'Afrique.* ★ Personne qui se soumet à une autre personne, à une habitude, etc., par faiblesse, par ambition, par amour, etc. : *Cette femme se plaint toujours; elle dit qu'elle est l'esclave de son mari.*

espace [ɛspɑs] n. m. Etendue à l'intérieur de laquelle nous situons les personnes et les choses : *Quand on regarde le ciel par une nuit d'été, on a l'impression que l'espace est infini.* ★ Intervalle qui sépare deux personnes ou deux choses : *Les arbres du bord de la route sont séparés par un espace d'environ vingt mètres.* ★ Durée comprise entre deux moments déterminés : *En l'espace d'une année, il a changé deux fois de voiture.*

espèce [ɛspɛs] n. f. Ensemble des personnes ou des choses qu'un caractère commun distingue des autres du même genre : *Le langage est une des caractéristiques de l'espèce humaine. Ces oranges appartiennent à une bonne espèce.* ★ *Une espèce de,* une sorte de : *Il portait un vêtement bizarre, c'était une espèce de manteau très court.*

espérance [ɛsperɑ̃s] n. f. Attente de quelque chose que l'on désire.

espérer [ɛspere] v. tr. (Se conj. comme *céder.*) Croire, mais sans en être sûr, que ce que l'on désire se réalisera : *Il espère trouver prochainement une belle situation. Nous espérons que vous pourrez venir bientôt.*

espion, onne [ɛspjɔ̃, ɔn] n. Personne chargée de recueillir et de transmettre des renseignements secrets : *On a découvert un espion qui prenait des photographies dans un terrain militaire.*

espionnage [ɛspjɔnaʒ] n. m. Travail auquel se livre un espion : *Pendant la dernière guerre, les services d'espionnage ennemis cherchaient à découvrir nos secrets militaires.*

espoir [ɛspwar] n. m. Sentiment qui porte à croire que ce que l'on désire se réalisera : *Il est très malade, mais il a toujours l'espoir de retrouver la santé.*

esprit [ɛspri] n. m. Principe non matériel (s'oppose à la *matière*) : *Pour les chrétiens, Dieu est un pur esprit.* ★ Faculté qui permet à l'homme de raisonner. ★ Etre qui pense : *Einstein a été un des plus grands esprits de notre époque.* ★ Vivacité de l'intelligence : *Sa conversation est originale et amusante, on dit qu'il a beaucoup d'esprit.*

essai [ɛsɛ] n. m. Action d'essayer : *A l'usine, on a fait l'essai d'une nouvelle machine.* ★ *A l'essai,* pour essayer : *J'ai pris un ouvrier à l'essai : s'il travaille bien, je le garderai.* ★ Nom donné à certains ouvrages qui traitent brièvement d'un sujet : *Cet écrivain a écrit un essai sur la littérature d'aujourd'hui.*

essayer [ɛsɛje] v. tr. (Se conj. comme *payer.*) Mettre quelqu'un ou quelque chose à l'épreuve, pour voir si cette personne ou cette chose convient à ce qu'on en attend : *Avec ses élèves, l'instituteur essaya d'abord la douceur, puis la sévérité. Avant d'acheter ce costume, vous devriez l'essayer.* ★ *Essayer de* (+ infinitif), faire des efforts pour parvenir à un résultat : *J'essaie de comprendre ce que vous dites.*

essence [ɛsɑ̃s] n. f. Ce qui constitue la nature d'une chose. ★ Liquide que l'on obtient à partir du pétrole : *Dans les moteurs d'automobile, l'essence est employée comme carburant.* ★ Liquide que l'on obtient à partir de certaines plantes et qui sert à parfumer : *Elle a acheté de l'essence de roses pour fabriquer du parfum.*

essentiel, elle [ɛsɑ̃sjɛl] adj. Qui constitue la partie la plus importante d'une chose : *La condition essentielle pour que j'accepte ce travail, c'est qu'il soit bien payé.* ■ N. m. Le point le plus important : *J'ai beaucoup de soucis, mais peu importe; je suis en bonne santé, c'est l'essentiel.* ■ **Essentiellement** adv.

essor [ɛsɔr] n. m. Progrès dont fait preuve une activité humaine : *L'essor de l'industrie française a été très grand depuis quinze ans.*

essouffler (s') [sɛsufle] v. pron. Respirer d'une manière rapide, à la suite d'un effort physique : *Je m'essouffle facilement en montant l'escalier.*

essuyer [ɛsɥije] v. tr. (Se conj. comme *payer.*) Enlever la poussière ou l'humidité en passant un linge, un chiffon, la main, etc. : *Comme il transpirait, il essuya son front avec un mouchoir. Essuyez-vous les pieds, avant d'entrer!*

est [ɛst] n. m. Celui des points cardinaux qui est du côté où le soleil se lève : *L'Allemagne est à l'est de la France.*

estime [ɛstim] n. f. Opinion très favorable que l'on a de quelqu'un ou de quelque chose : *J'ai toujours eu beaucoup d'estime pour les hommes courageux.*

estimer [ɛstime] v. tr. Juger de la valeur d'une personne ou d'une chose : *J'estime beaucoup ma secrétaire, car elle m'a rendu de grands services.* ★ *Estimer que,* penser, à titre personnel, que : *Etant donné votre état de fatigue, j'estime que vous devriez prendre du repos.*

estomac [ɛstɔma] n. m. Organe où la nourriture subit certaines transformations avant de passer dans l'intestin : *Il surveille son alimentation, car il a une maladie d'estomac.*

et [e] conj. GRAMM. Sert à marquer la liaison entre deux mots ou deux propositions : *J'ai donné au chat de la viande et du lait. Le ciel est bleu et les oiseaux chantent.*

établir [etablir] v. tr. Installer pour longtemps. ■ **S'établir** v. pron. S'installer en un lieu pour y exercer une activité commerciale : *Ce commerçant, qui avait autrefois une boutique à Marseille, vient de s'établir à Paris.*

établissement [etablismɑ̃] n. m. Action d'installer. ★ Installation plus ou moins importante de locaux publics, commerciaux ou industriels : *On a construit près de la ville un établissement scolaire d'une étendue considérable.*

étage [etaʒ] n. m. Chacune des divisions horizontales d'un édifice comprises entre un plancher et un plafond : *Mon ami habite au rez-de-chaussée, et moi au cinquième étage.*

étain [etɛ̃] n. m. Métal blanc assez mou, qu'on utilise notamment pour recouvrir certains ustensiles de fer ou de cuivre.

étalage [etalaʒ] n. m. Endroit où un commerçant expose ce qu'il vend :

J'ai vu de très beaux fruits à un étalage.

étaler [etale] v. tr. Exposer au regard des passants des marchandises à vendre : *Au marché, les paysans avaient étalé leurs légumes sur le sol.* ★ Etendre sur une surface, de manière à la recouvrir tout à fait : *Pour faire une tartine, il étala du beurre sur une tranche de pain.*

étang [etɑ̃] n. m. Assez vaste étendue d'eau dormante située à l'intérieur des terres : *On a vidé l'étang pour le nettoyer.*

étape [etap] n. f. Lieu où s'arrêtent, pour se reposer, des personnes qui voyagent : *Les cyclistes étaient fatigués quand ils arrivèrent à l'étape.* ★ Epoque qui se situe à un certain moment d'une évolution : *Nos ancêtres de l'âge de la pierre n'en étaient qu'à la première étape de la civilisation.*

état [eta] n. m. Manière d'être d'une personne, à un moment déterminé : *Son état de santé est très mauvais.* ★ *Ne pas être en état de, être hors d'état de,* être incapable de. ★ Manière d'être d'une chose, à un moment déterminé : *Cette maison est en mauvais état, il faudra la réparer.* ★ *Etat civil,* situation juridique d'une personne (célibataire, mariée, veuve, etc.). ★ Nation considérée en tant qu'organisation politique et administrative (*Etat* prend alors une majuscule) : *Ce ministre a bien servi l'Etat.* ★ GRAMM. *Verbe d'état,* verbe qui introduit un attribut.

état-major [etamaʒɔr] n. m. Corps des officiers choisis pour aider un chef militaire dans son commandement.

et cætera [ɛtsetera] loc. adv. (S'écrit généralement *etc.*) S'emploie quand on se dispense d'énumérer d'autres personnes ou d'autres choses de même nature que celles que l'on vient de nommer.

été [ete] n. m. Dans l'hémisphère Nord, saison qui commence le 21 juin : *En France, l'été est la saison la plus chaude.*

éteindre [etɛ̃dr] v. tr. (Se conj. comme *craindre.*) Faire cesser de brûler ou d'éclairer : *Il versa de l'eau sur le feu pour l'éteindre. Eteignez l'électricité avant de quitter votre appartement.* ■ V. intr. Supprimer l'éclairage : *N'oublie pas d'éteindre avant de t'endormir.*

étendre [etɑ̃dr] v. tr. (Se conj. comme *rendre.*) Mettre dans toute sa longueur ce qui n'était pas allongé : *Il étendit le bras pour saisir son chapeau.* ★ Mettre à plat sur une surface pour la couvrir : *Etendez le tapis sur le plancher.* ■ **S'étendre** v. pron. S'allonger : *Si vous êtes fatigué, étendez-vous sur le lit.* ★ Occuper entièrement une vaste surface de la Terre : *L'océan Atlantique s'étend entre l'Europe et l'Amérique.*

étendue [etɑ̃dy] n. f. Vaste partie de l'espace considérée dans sa surface : *Le Brésil est un pays d'une étendue considérable.*

éternel, elle [etɛrnɛl] adj. Qui n'a ni commencement ni fin : *On ne peut concevoir Dieu autrement qu'éternel.* ★ Dont on n'aperçoit pas la fin : *Les grands hommes ont droit à une reconnaissance éternelle.* ■ **Eternellement** adv.

éternité [etɛrnite] n. f. Durée qui n'a ni commencement ni fin. ★ FIG. Temps très long : *Il y a une éternité que je ne vous ai vu.*

éternuer [etɛrnɥe] v. intr. Chasser violemment et involontairement de l'air par le nez : *On éternue souvent quand on a un rhume.*

étincelle [etɛ̃sɛl] n. f. Très petit éclat de matière en feu projeté dans l'air : *Si vous frappez un morceau de* *métal rougi par le feu, il en jaillit des étincelles.*

étiquette [etikɛt] n. f. Morceau de papier fixé à un objet pour en indiquer le prix, le contenu, la destination, etc. : *J'ai acheté une lampe dont le prix figurait sur l'étiquette.*

étoffe [etɔf] n. f. Tissu dont on fait les vêtements : *Les principales étoffes sont en laine, en coton ou en soie.*

étoile [etwal] n. f. Corps lumineux qui brille de sa lumière propre et qui semble conserver une position fixe

dans le ciel : *Les voyageurs peuvent être guidés par les étoiles.* ★ Objet rappelant la forme d'une étoile : *En France, les généraux portent des étoiles d'or sur leur uniforme.*

étonnement [etɔnmɑ̃] n. m. Etat de l'esprit frappé par quelque chose d'extraordinaire : *En me voyant, alors qu'il me croyait en Afrique, il manifesta un grand étonnement.*

étonner [etɔne] v. tr. Surprendre par quelque chose d'inattendu ou d'extraordinaire : *Cet enfant nous a étonnés par son intelligence.* ■ **S'étonner** v. pron. Etre surpris : *Je m'étonne de ne pas avoir été invité chez mes amis.*

étouffer [etufe] v. tr. Empêcher de respirer, parfois jusqu'à la mort : *La foule faillit l'étouffer.* ★ *Etouffer une affaire,* empêcher qu'elle n'ait des suites. ■ V. intr. Respirer difficilement : *J'étouffe dans cette pièce, où il fait très chaud.*

étourdi, e [eturdi] adj. Qui agit sans penser à ce qu'il fait : *Cet enfant est étourdi, il a encore oublié ses livres à la maison.*

étrange [etrɑ̃ʒ] adj. Se dit de ce qui, étant en dehors de ce qui est habituel, provoque un léger sentiment d'inquiétude : *Que se passe-t-il? On entend des bruits étranges dans le jardin.*

étranger, ère [etrɑ̃ʒe, ɛr] adj. Qui est d'une autre nation que celle à laquelle on appartient : *Je passe souvent mes vacances dans des pays étrangers. Cet interprète parle quatre langues étrangères.* ★ Qui n'est pas familier : *La vanité est un défaut qui m'est étranger.* ■ N. Personne qui n'est pas de la nation, du groupe, de la famille dont on parle : *Nous recevons souvent des étrangers, mais, le dimanche, nous préférons rester en famille.*

étrangler [etrɑ̃gle] v. tr. Empêcher de respirer en serrant la gorge, souvent de façon à entraîner la mort. ■ **S'étrangler** v. pron. Perdre la respiration sous l'action d'un choc, d'une émotion, etc. : *Je me suis étranglé avec une arête de poisson.*

être [ɛtr] v. intr. (voir tableau p. 356). Exprime l'existence : *Je pense, donc je suis. Je crois que cela n'est pas.* ★ Exprime la relation de l'attribut au sujet : *Votre courage est très grand. Je suis professeur.* ★ Exprime la relation du sujet avec le complément qui suit : *Il est à Paris. Il sera chez lui à midi. Nous étions en hiver. Quand j'arrivai, toute la famille était à table.* ★ Quand ce verbe est suivi de la préposition *à,* il peut indiquer à qui un objet appartient : *Ce livre est à moi.* ★ Quand ce verbe est suivi de la préposition *de,* il peut indiquer que le sujet fait partie d'un groupe de personnes ou qu'il partage les idées de ce groupe : *Il est de notre équipe. Il est de notre avis.* ★ *En être,* être arrivé à un certain point d'une progression : *Où en êtes-vous?* ★ Quand ce verbe est suivi de la préposition *pour,* il peut indiquer la préférence : *Pour qui êtes-*

vous? Pour la victime ou pour le coupable? ★ GRAMM. *Etre* est un verbe auxiliaire qui se joint au participe passé de certains verbes pour former : **1.** La voix passive à tous les temps : *Il fut accueilli par tous ses amis à l'aéroport;* **2.** Les temps composés des verbes pronominaux : *Je me suis blessé à la main;* **3.** Les temps composés de certains verbes intransitifs : *Elle est tombée dans l'escalier.*

être [ɛtr] n. m. Tout ce qui possède la conscience de son existence : *Les êtres vivants comprennent l'homme et les animaux.*

étrennes [etrɛn] n. f. pl. Cadeau que l'on offre à quelqu'un à l'occasion du jour de l'an : *J'ai reçu un disque de jazz pour mes étrennes.*

étroit, e [etrwa, at] adj. Qui n'est pas large : *La rue est si étroite que le soleil n'y pénètre pas.* ■ LOC. ADV. *A l'étroit.* Dans un espace insuffisant : *A six, nous sommes à l'étroit dans ma voiture.* ■ **Etroitement** adv.

étude [etyd] n. f. Travail régulier pour apprendre quelque chose : *Je me suis toujours appliqué à l'étude des langues étrangères.* ★ *Faire des études,* être élève d'un établissement d'enseignement secondaire ou supérieur.

étudiant, e [etydjɑ̃, ɑ̃t] n. Personne qui fait ses études dans une université ou dans une grande école : *Les étudiants en médecine suivent un grand nombre de cours pratiques.*

étudier [etydje] v. tr. Chercher à acquérir des connaissances : *Il a quitté l'école de bonne heure, mais il a étudié les sciences toute sa vie.* ★ Examiner avec soin : *Le directeur de l'usine a étudié le projet qui avait été présenté par l'ingénieur.*

eux [ø] pron. pers. m. pl. Désigne les personnes dont on parle : *Nous sommes allés au théâtre, mais les enfants, eux, sont restés à la maison; nous y allons souvent sans eux.*

évacuer [evakɥe] v. tr. Faire partir : *Un incendie ayant éclaté à l'hôpital, on évacua les blessés.* ★ Quitter en masse un lieu, de manière qu'il n'y reste plus personne : *A la fin du spectacle, la foule évacua la salle.*

évader (s') [sevade] v. pron. S'échapper sans attirer l'attention : *Grâce à la complicité d'un gardien, le prisonnier réussit à s'évader.*

évaluation [evalɥasjɔ̃] n. f. Action de calculer la valeur, le nombre, l'importance, la grandeur, etc. : *D'après l'évaluation des experts, le chiffre des dégâts s'élève à six millions.*

évaluer [evalɥe] v. tr. Déterminer la valeur, le nombre, l'importance, la grandeur, etc. : *On a évalué le nombre des spectateurs à plus d'un millier.*

évangile [evɑ̃ʒil] n. m. Chacun des livres où est racontée la vie de Jésus-Christ et où est exposée sa doctrine.

évanouir (s') [sevanwir] v. pron. Perdre soudain connaissance : *Elle s'est évanouie sous le choc, et elle n'a repris connaissance qu'à l'hôpital.* ★ Disparaître sans laisser de trace : *La fumée s'évanouit dans le ciel.*

évaporer (s') [sevapɔre] v. pron. Se transformer en vapeur : *Quand on fait bouillir de l'eau, elle s'évapore.*

évasion [evazjɔ̃] n. f. Action de s'échapper d'un lieu où l'on est enfermé : *Le prisonnier prépara soigneusement son évasion en creusant un tunnel sous le plancher de sa cellule.*

éveiller [evɛje] v. tr. Tirer du sommeil : *La mère éveilla ses enfants, car c'était l'heure de partir pour l'école.* ★ FIG. Provoquer : *Un bruit étrange éveilla soudain mon attention.*

événement [evenmɑ̃] n. m. Fait important dans la vie d'une personne ou dans l'histoire d'un peuple : *La*

Révolution française a été un événement politique considérable.

évêque [evɛk] n. m. Prêtre de la religion chrétienne, auquel sont soumis les curés, les pasteurs, etc.

évident, e [evidɑ̃, ɑ̃t] adj. Se dit des idées ou des faits qui n'ont pas besoin d'être démontrés : *Il est évident qu'on ne peut pas vivre sans dormir.* ■ **Evidemment** adv.

évier [evje] n. m. Cuvette en pierre, en métal, etc., dans laquelle on lave

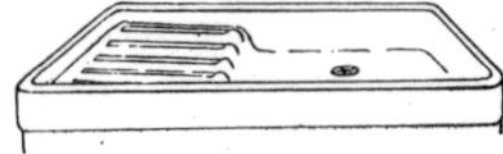

la vaisselle : *Elle rinça l'évier après avoir fait la vaisselle.*

éviter [evite] v. tr. Prendre des précautions pour ne pas rencontrer une personne, un obstacle, une difficulté, etc. : *L'automobiliste évita le cycliste, qui roulait au milieu de la route.* ★ *Eviter de* (+ infinitif), prendre des précautions pour ne pas faire une chose : *Je suis enrhumé et j'évite de sortir.*

évoluer [evɔlɥe] v. intr. Changer en passant par de nombreuses transformations : *La maladie évolue rapidement, et les médecins sont très inquiets.*

évolution [evɔlysjɔ̃] n. f. Passage d'un état à un autre qui se fait au moyen d'états intermédiaires : *Depuis 1900, on a assisté à une rapide évolution des moyens de transport.*

évoquer [evɔke] v. tr. Faire venir à l'esprit : *L'orateur évoqua le problème de l'enfance malheureuse.*

exact, e [ɛgza ou ɛgzakt, ɛgzakt] adj. Conforme dans tous les détails à la vérité : *J'ai trouvé dans cet ouvrage la reproduction exacte d'une machine à vapeur.* ★ Qui obéit à la règle : *Il faut refaire ton problème, car les opérations n'en sont pas exactes.* ★ Qui est à l'heure : *Il y a des gens qui n'ont aucun souci du temps, et qui ne sont jamais exacts.*

exactitude [ɛgzaktityd] n. f. Caractère de ce qui est vrai ou précis : *L'exactitude de cette théorie a été prouvée par l'expérience.* ★ Qualité de celui qui arrive à l'heure : *L'employé arrive souvent en retard au bureau, et son directeur lui reproche son manque d'exactitude.*

exagérer [ɛgzaʒere] v. tr. (Se conj. comme *céder.*) Se faire une idée, ou donner une idée trop importante de quelque chose : *Les journaux ont exagéré la gravité de la situation.* ■ V. intr. FAM. Dépasser la mesure : *Vous arrivez tous les jours en retard, vous exagérez un peu.*

examen [ɛgzamɛ̃] n. m. Action d'observer avec précision : *Le médecin a procédé à l'examen du malade.* ★ Epreuve, écrite ou orale, qui sert à déterminer le niveau des connaissances d'une personne : *Les étudiants passent des examens à la fin de l'année scolaire.*

examiner [ɛgzamine] v. tr. Soumettre à un examen : *Elle examina son fils et s'aperçut qu'il ne s'était pas débarbouillé. Le professeur qui examina l'étudiant lui posa des questions difficiles.*

exaspérer [ɛgzaspere] v. tr. (Se conj. comme *céder.*) Irriter à l'excès : *Ses mensonges m'ont exaspéré.*

excédent [ɛksedɑ̃] n. m. Ce qui dépasse la quantité fixée : *Le budget de la société indique un excédent des recettes sur les dépenses.*

excellent, e [ɛksɛlɑ̃, ɑ̃t] adj. Qui a les plus grandes qualités dans un certain genre : *J'ai admiré au musée un excellent dessin de Michel-Ange. Votre dîner était excellent.*

excepté [ɛksɛpte] prép. Marque qu'une personne ou une chose ne fait pas partie d'un ensemble : *Il a plu tous les jours de la semaine, excepté lundi, où le temps a été beau.*

excepter [ɛksɛpte] v. tr. Ne pas comprendre dans un groupe.

exception [ɛksɛpsjɔ̃] n. f. Action d'excepter. ★ Ce qui est excepté : *Il n'y a pas de règle sans exception.* ■ LOC. PRÉP. *A l'exception de,* sauf : *Tous mes amis sont venus, à l'exception d'un seul qui était malade.*

exceptionnel, elle [ɛksɛpsjɔnɛl] adj. Que son caractère met en dehors de ce qui est ordinaire : *Napoléon était un homme d'une intelligence exceptionnelle.* ■ **Exceptionnellement** adv.

excès [ɛksɛ] n. m. Quantité qui dépasse la mesure : *L'excès de travail est nuisible à la santé.*

exciter [ɛksite] v. tr. Provoquer certaines réactions dans le corps ou dans l'esprit : *Le sel excite la soif. J'ai acheté un livre dont le titre avait excité ma curiosité.*

exclamation [ɛksklamasjɔ̃] n. f. Cri ou parole qui exprime un sentiment soudain : *Quand elle vit son fils arriver subitement, elle poussa une exclamation de joie.* ★ *Point d'exclamation,* V. POINT.

exclure [ɛksklyr] v. tr. (Se conj. comme *conclure.*) Eliminer une chose ou une personne que l'on ne veut pas garder : *On a exclu du lycée un élève qui avait commis une faute grave.* ★ FIG. Etre incompatible avec : *L'intelligence n'exclut pas la bonté.*

exclusivité [ɛksklyzivite] n. f. Droit qu'on ne partage avec personne.

excursion [ɛkskyrsjɔ̃] n. f. Longue promenade que fait un touriste : *Pendant les vacances de Pâques, je vais faire une excursion aux châteaux de la Loire.*

excuse [ɛkskyz] n. f. Motif que l'on donne pour diminuer la gravité d'une faute : *Pourquoi être resté si longtemps sans m'écrire? Vous êtes sans excuse.* ★ Pl. Regrets exprimés à quelqu'un au sujet d'une faute que l'on a commise : *J'arrive en retard; je vous présente mes excuses.*

excuser [ɛkskyze] v. tr. Trouver ou accepter des motifs qui diminuent la faute de quelqu'un : *On ne peut excuser les gens méchants.* ■ **S'excuser** v. pron. Présenter ses excuses : *Il avait oublié un rendez-vous et téléphona pour s'excuser.*

exécuter [ɛgzekyte] v. tr. Donner une existence concrète à une idée ou un projet : *Les maçons exécutèrent les ordres de l'entrepreneur.* ★ Faire subir sa peine à un condamné à mort : *Le criminel fut exécuté dans la prison.*

exécutif, ive [ɛgzekytif, iv] adj. Relatif à l'exécution des lois : *Le président de la République est le principal représentant du pouvoir exécutif.*

exécution [ɛgzekysjɔ̃] n. f. Action par laquelle on exécute un plan, un projet, etc. : *L'exécution du barrage a demandé beaucoup d'efforts.* ★ *Mettre un projet à exécution,* le réaliser. ★ *Exécution capitale* ou *exécution,* action de mettre à mort un condamné.

exemple [ɛgzɑ̃pl] n. m. Ce qui mérite d'être imité : *Les parents doivent donner de bons exemples à leurs enfants.* ★ Phrase qui sert à expliquer une règle : *Le maître donna aux élèves plusieurs exemples de pluriels irréguliers.* ■ LOC. ADV. *Par exemple,* pour donner un exemple : *Certains animaux, les mouches par exemple, transmettent des maladies.*

exercer [ɛgzɛrse] v. tr. (Se conj. comme *annoncer.*) Soumettre à un entraînement physique ou moral : *Pour exercer son corps, on fait de la* *gymnastique.* ★ Mettre en pratique : *Mon père exerce la profession d'architecte depuis trente ans.* ■ **S'exercer** v. pron. Apprendre par la pratique : *Ce jeune pianiste s'exerce plusieurs heures par jour.*

exercice [ɛgzɛrsis] n. m. Action de s'habituer à faire quelque chose. ★ Travail auquel on soumet son corps ou son esprit : *Pour développer la mémoire, le meilleur exercice est d'apprendre des textes par cœur.* ★ Entraînement physique : *Il grossit, et son médecin lui a recommandé de prendre de l'exercice.* ★ Application pratique d'un droit, d'une profession, etc. : *Quand il est tombé malade, il a dû renoncer à l'exercice de ses fonctions.*

exigeant, e [ɛgziʒɑ̃, ɑ̃t] adj. Qui exige beaucoup : *Le directeur est très exigeant, il n'accepte aucune erreur de ses employés.*

exiger [ɛgziʒe] v. tr. (Se conj. comme *manger.*) Demander comme une chose due : *Le maître exige le silence dans la classe pendant la leçon.*

exiler [ɛgzile] v. tr. Obliger une personne à quitter sa patrie, pour longtemps ou pour toujours : *Napoléon fut exilé à Sainte-Hélène.*

existence [ɛgzistɑ̃s] n. f. Fait d'exister, d'appartenir à la réalité : *Les ouvriers ont constaté l'existence d'un défaut dans la conduite d'eau.* ★ Conditions de vie de l'homme : *Cet ouvrier est paresseux, et ses enfants mènent une existence misérable.*

exister [ɛgziste] v. intr. Etre en ce moment : *Les croyants disent que Dieu existe.*

exotique [ɛgzɔtik] adj. Se dit des plantes et des animaux qui, par leur nature, appartiennent à d'autres climats que le nôtre : *Le café est une plante des pays chauds; en France, c'est une plante exotique.*

expansion [ɛkspɑ̃sjɔ̃] n. f. Mouvement par lequel un système se développe dans de nouvelles directions : *Les nouvelles lois favorisent l'expansion économique.*

expédier [ɛkspedje] v. tr. Envoyer à un endroit précis : *De Nice, ma sœur nous a expédié un colis de fleurs.*

expédition [ɛkspedisjɔ̃] n. f. Action d'envoyer : *Les employés de la poste s'occupent de l'expédition du courrier.* ★ Voyage organisé dans un pays qu'on veut explorer ou conquérir : *On a envoyé une expédition scientifique dans le centre du Sahara.*

expérience [ɛksperjɑ̃s] n. f. Connaissance acquise par la pratique : *On ne profite jamais de l'expérience des autres.* ★ Opération pratiquée dans certaines sciences, afin de vérifier quelque chose : *Ce savant fait dans son laboratoire des expériences sur les vitamines.*

expert [ɛkspɛr] n. m. Personne chargée, en raison de ses connaissances et de son expérience, de donner son avis sur une question : *Le tribunal a désigné un expert pour évaluer les dégâts causés par l'accident.*

expirer [ɛkspire] v. tr. Expulser l'air de la poitrine. ■ V. intr. Mourir : *Le blessé expira pendant qu'on le transportait à l'hôpital.*

explication [ɛksplikasjɔ̃] n. f. Ce que l'on dit pour éclaircir le sens de quelque chose d'obscur : *L'instituteur a donné à ses élèves l'explication du problème d'arithmétique.*

expliquer [ɛksplike] v. tr. Rendre clair et facile à comprendre, en précisant des mots, des idées, etc. : *L'ingénieur m'expliqua longuement le fonctionnement de la machine.*

exploitation [ɛksplwatasjɔ̃] n. f. Action de mettre une chose en valeur : *L'exploitation de la mine donne mille tonnes de charbon par jour.* ★ Entreprise (ferme, forêt, mine, etc.) que l'on exploite : *Il me fit visiter l'exploitation agricole, dont il est propriétaire.*

exploiter [ɛksplwate] v. tr. Faire produire une chose afin d'en tirer un profit : *Ce cultivateur exploite une ferme importante.*

exploration [ɛksplɔrasjɔ̃] n. f. Action d'explorer : *L'exploration de la grotte a permis de découvrir des dessins préhistoriques.*

explorer [ɛksplɔre] v. tr. Se livrer à des recherches méthodiques, pour parvenir à une connaissance précise : *Les Français ont exploré le Canada au XVI*e *siècle.*

exploser [ɛksploze] v. intr. Eclater avec violence et bruit : *Pour creuser le tunnel, on a posé des mines qui ont explosé pendant deux heures.*

explosion [ɛksplozjɔ̃] n. f. Action d'éclater d'une manière brutale et bruyante : *L'incendie a été causé par l'explosion d'un appareil à gaz.* ★ Manifestation soudaine et inattendue d'un sentiment : *A mon retour de voyage, mes enfants m'accueillirent avec une explosion de joie.*

exportation [ɛkspɔrtasjɔ̃] n. f. Vente à l'étranger de produits du sol ou de l'industrie : *L'exportation des oranges est une des ressources de ce pays.* ★ Ensemble des marchandises vendues à l'étranger.

exporter [ɛkspɔrte] v. tr. Vendre à l'étranger des produits de son propre pays : *La France exporte des parfums et des automobiles dans le monde entier.*

exposer [ɛkspoze] v. tr. Présenter un objet destiné à être regardé : *On a exposé au musée une collection de peintures du XVII*e *siècle.* ★ Faire connaître en détail : *Il m'a exposé ses idées politiques pendant des heures.* ★ Placer une personne ou une chose dans un lieu où elle subit une certaine action : *Beaucoup de gens s'exposent au soleil sur la plage. J'ai exposé les plantes de mon appartement à la lumière.*

exposition [ɛkspozisjɔ̃] n. f. Réunion d'objets destinés à être montrés au public : *Nous avons visité une exposition de sculpture.*

expressif, ive [ɛksprɛsif, iv] adj. Qui manifeste une pensée, des sentiments, de manière très visible : *Cet enfant a un visage très expressif, on peut y lire tous ses sentiments.*

expression [ɛksprɛsjɔ̃] n. f. Manifestation de la pensée, des sentiments, par la parole, la physionomie, les gestes : *Ce que je vous dis est l'expression exacte de ma pensée. Le visage de l'homme refléta une expression de colère.* ★ Forme de langage (mot ou phrase) qui manifeste une idée ou un sentiment : *Il parle assez bien, mais il emploie parfois des expressions grossières.*

exprimer [ɛksprime] v. tr. Faire connaître ses idées ou ses sentiments par l'écriture, la voix ou le geste : *Le petit enfant exprime sa joie par des cris. Cet étranger s'exprime dans un français correct et même élégant.*

expulser [ɛkspylse] v. tr. Chasser quelqu'un (ou quelque chose) de l'endroit où il se trouvait : *On expulsa le locataire du cinquième étage parce qu'il ne payait pas son loyer.*

extérieur, e [ɛksterjœr] adj. Qui est situé en dehors de quelque chose : *On a repeint les murs extérieurs de la maison.* ★ Qui a rapport aux pays étrangers : *Le ministre des Affaires étrangères dirige la politique extérieure du pays.* ■ N. m. Partie de l'espace qui est en dehors de ce dont on parle : *J'habite une maison à l'extérieur de la ville.* ★ Partie d'un corps tournée vers l'espace : *L'extérieur de la boîte était peint en bleu, l'intérieur était blanc.* ■ **Extérieurement** adv.

externe [ɛkstɛrn] adj. Se dit de ce qui concerne l'extérieur : *Ce médicament est réservé à l'usage externe.* ■ N. Elève qui n'est ni nourri ni logé dans une école.

extraire [ɛkstrɛr] v. tr. (Se conj. comme *traire.*) Tirer une chose de l'endroit où elle se trouve enfermée : *Ma dent était très malade; le dentiste l'a extraite.* ★ Obtenir un produit en le séparant du corps dont il faisait partie : *On extrait le sucre de différentes plantes.*

extrait [ɛkstrɛ] n. m. Produit que l'on tire d'une matière quelconque : *On utilise les extraits de fleurs pour fabriquer des parfums.* ★ Passage tiré d'une œuvre littéraire, musicale, etc. : *L'élève lisait un extrait de « l'Avare » de Molière dans un recueil de morceaux choisis.*

extraordinaire [ɛkstraɔrdinɛr] adj. Qui est en dehors de la règle ou de l'habitude : *Il fait très doux, c'est un temps extraordinaire pour le mois de janvier.* ■ **Extraordinairement** adv.

extrême [ɛkstrɛm] adj. Qui est tout à fait au bout ou à la fin : *Les communistes siègent à l'extrême gauche de l'Assemblée nationale.* ★ Se dit de quelque chose qui est au degré le plus intense : *J'ai pris un plaisir extrême à vous entendre.* ■ **Extrêmement** adv.

extrémité [ɛkstremite] n. f. Partie qui se trouve tout au bout : *Il y a une porte à chacune des deux extrémités du jardin.*

F

fable [fabl] n. f. Petit récit où l'on fait parler et agir des animaux, des personnes ou des choses et qui se termine par une morale : *Les élèves ont appris par cœur la fable de La Fontaine « le Loup et le Chien ».*

fabricant, e [fabrikɑ̃, ɑ̃t] n. Personne dont la profession est de fabriquer ou de faire fabriquer des objets destinés à la vente : *Le marchand de chaussures a téléphoné au fabricant pour exiger la livraison rapide de sa commande.*

fabrication [fabrikasjɔ̃] n. f. Action de fabriquer : *La fabrication des montres est une des spécialités de cette ville.*

fabriquer [fabrike] v. tr. Transformer une matière (bois, fer, etc.) en objets qu'on livre au commerce : *Cette usine fabrique cinq cents voitures par jour.*

façade [fasad] n. f. Chacun des côtés d'un bâtiment, et surtout celui où se trouve la porte d'entrée principale : *La façade du palais donne sur une large place.*

face [fas] n. f. Partie de la tête de l'homme où sont situés les yeux, le nez, la bouche, etc. : *Il a été blessé à la face.* ★ Chacun des plans qui limitent un volume : *Le cube a six faces.* ★ *Faire face à,* affronter. ■ LOC. ADV. *En face,* dans l'espace qui se trouve devant : *Pendant que j'étais chez l'épicier, mon frère m'attendait sur le trottoir d'en face.* ■ LOC. PRÉP. *En face de,* dans l'espace qui se trouve devant quelque chose ou quelqu'un : *Sa maison est située en face de la mairie.*

fâcher (se) [faʃe] v. pron. Se mettre en colère : *Il s'est fâché contre son fils qui est arrivé en retard.* ★ Ne plus s'entendre avec quelqu'un : *Il a très mauvais caractère et il s'est fâché avec tous ses amis.*

facile [fasil] adj. Qui se fait sans peine : *De nos jours, les communications aériennes sont faciles.* ■ **Facilement** adv.

facilité [fasilite] n. f. Qualité de ce qui se fait sans difficulté. ★ Possibilité de faire quelque chose sans effort, sans fatigue : *Il a été blessé à la jambe, mais cela ne l'empêche pas de marcher avec facilité.*

façon [fasɔ̃] n. f. Action par laquelle on transforme la matière que l'on travaille : *Cette robe est d'une étoffe magnifique, mais je n'en aime pas la façon.* ★ Manière d'agir, de se comporter : *Tu as des façons qui ne me plaisent pas du tout.*

facteur [faktœr] n. m. Employé des postes qui distribue le courrier à domicile : *Le facteur m'a apporté ce matin deux lettres et des journaux.* ★ FIG. Elément qui permet d'arriver à un résultat : *L'ambition est l'un des facteurs de la réussite.*

facture [faktyr] n. f. Feuille où figurent la liste et le prix des objets vendus à quelqu'un : *J'ai demandé la facture à la caisse.*

faculté [fakylte] n. f. Pouvoir que possède l'homme de penser, de sentir ou d'agir : *La maladie lui a fait perdre toutes ses facultés.* ★ Chacun des établissements d'enseignement supérieur dont l'ensemble forme une université : *Mon mari est professeur à la faculté des sciences de Paris.*

fade [fad] adj. Se dit d'un aliment qui manque de goût, d'une couleur qui manque d'éclat : *Ce plat de viande est fade, ajoutez-y du sel!*

faible [fɛbl] adj. Qui manque de force physique ou morale : *Sa maladie l'avait rendu si faible qu'il avait beaucoup de mal à se tenir debout. Ses enfants font tout ce qu'ils veulent, car il est trop faible avec eux.* ■ **Faiblement** adv.

faïence [fajɑ̃s] n. f. Terre cuite recouverte d'une couche de matière brillante et dure : *Nous mangeons dans de la vaisselle de faïence blanche.*

faillir [fajir] v. intr. (voir tableau p. 356). Devant un infinitif, être sur le point de : *Je n'ai pas vu la marche et j'ai failli tomber.*

faillite [fajit] n. f. Situation d'un commerçant que le tribunal a déclaré incapable de payer ses dettes : *Il a fait faillite et il a perdu tout ce qu'il possédait.*

faim [fɛ̃] n. f. Sensation parfois pénible que l'on ressent quand le corps manque de nourriture. ★ *Avoir faim,* éprouver le besoin de manger : *J'ai déjeuné très légèrement ce matin et j'ai peur d'avoir faim avant midi.*

faire [fɛr] v. tr. (voir tableau p. 356). Fabriquer en utilisant des matériaux ou des produits : *Le pâtissier fait des gâteaux.* ★ Composer ou créer une œuvre intellectuelle : *Faire un livre est un travail difficile.* ★ Commettre un acte; réaliser une intention : *Ce voyageur a fait le tour du monde. Tu lui feras des excuses.* ★ Provoquer une réaction physique ou morale : *L'explosion a fait du bruit. Son départ m'a fait beaucoup de peine.* ★ *C'est bien fait pour lui,* il est puni comme il le mérite. ★ *Il fait beau, il fait mauvais,* le temps est beau, le temps est mauvais. ★ *Il fait chaud, il fait froid,* la température est élevée, la température est basse. ★ Disposer ou préparer d'une certaine manière : *La bonne fait mon lit chaque matin.* ★ Etre égal à : *Deux et deux font quatre.* ★ Devant un infinitif, susciter une action : *Nous faisons bâtir une maison. Je ferai faire ce travail par un ouvrier.*

fait [fɛ] n. m. Ce qui existe parce que l'on a agi pour cela : *Vous avez tort de mentir, car vous ne pouvez nier les faits.* ★ *Les faits divers,* les nouvelles de la vie courante que donne un journal, la radio, etc. ■ LOC. ADV. *Tout à fait,* complètement.

falloir [falwar] v. impers. (voir tableau p. 356). Etre nécessaire : *Il faut du courage si l'on veut réussir dans la vie.*

fameux, euse [famø, øz] adj. Qui a une grande réputation : *Ce général s'est rendu fameux pendant la guerre.*

familial, e, aux [familjal, o] adj. Qui concerne la famille : *Notre grand-mère, qui habite en province, ne peut pas participer à nos réunions familiales.*

familier, ère [familje, ɛr] adj. Se dit de quelqu'un qui entretient avec une autre personne des relations fréquentes et voisines de celles que l'on a avec sa famille. ★ Se dit de quelqu'un qui manque de réserve : *Notre voisin s'est invité lui-même à déjeuner; il devient trop familier.* ★ Se dit des termes que l'on emploie seulement dans la conversation : *Ce livre est intéressant, mais il est écrit dans un style familier qui ne me plaît pas.* ■ **Familièrement** adv.

famille [famij] n. f. Ensemble des personnes unies par le sang ou le mariage : *J'habite Paris, mais la plus grande partie de ma famille vit en province.* ★ Le père, la mère, les enfants : *Mes voisins ont trois filles et quatre garçons, c'est une famille nombreuse.* ★ Enfants que l'on a eus soi-même et que l'on élève : *Elle s'occupe beaucoup de ses enfants, c'est une excellente mère de famille.*

famine [famin] n. f. Manque général et provisoire de nourriture dans une région : *Dans le monde, certains pays souffrent encore de la famine.*

fanatique [fanatik] adj. Qui manifeste un enthousiasme non raisonné et violent pour une idée politique, religieuse, etc. ■ N. : *J'aime parler politique avec des gens qui réfléchissent, non avec des fanatiques.*

fantaisie [fɑ̃tεzi] n. f. Désir subit provoqué par l'imagination : *Il ne gardera pas longtemps sa fortune, car ses fantaisies le ruineront.*

farce [fars] n. f. Petite pièce de théâtre très comique. ★ Chose qui a pour but de faire rire de quelqu'un : *Pour lui faire une farce, on lui offrit une cigarette qui explosa quand il voulut l'allumer.*

farine [farin] n. f. Poudre que l'on obtient en écrasant des graines de céréales : *Notre pain est fait avec de la farine de blé.*

fascisme [faʃism] n. m. Régime politique nationaliste où le pouvoir appartient à un dictateur et à un parti : *L'Italie a connu le fascisme de 1922 à 1945.*

fatal, e [fatal] adj. Qui doit se produire sans qu'on puisse l'éviter : *Si vous conduisez trop vite, il est fatal que vous ayez un accident.* ■ **Fatalement** adv.

fatigue [fatig] n. f. Etat dans lequel on se trouve quand on est resté longtemps sans repos : *Je travaille au jardin depuis ce matin et j'éprouve une grande fatigue.*

fatiguer [fatige] v. tr. Causer de la fatigue : *Le soleil fatigue la vue. Il est très fatigué par son voyage, car il est resté debout dans le train toute la nuit.* ■ **Se fatiguer** v. pron. Dépenser ses forces physiques ou intellectuelles : *Mon père est âgé, il se fatigue vite.*

faute [fot] n. f. Fait de désobéir à la morale, à la loi, à la règle, etc. : *En quittant la caserne sans permission, ce soldat a commis une faute grave. Cet élève fait beaucoup de fautes d'orthographe.* ■ LOC. ADV. *Sans faute,* de manière sûre.

fauteuil [fotœj] n. m. Siège large et confortable ayant des bras et un

dossier : *Mon grand-père s'endort souvent dans son fauteuil après le déjeuner.*

faux, fausse [fo, fos] adj. Qui n'est pas vrai : *Il est faux de croire que la terre est plate.* ★ Qui n'est pas authentique : *Par crainte du vol, cette dame n'emporte en voyage que de faux bijoux.* ★ Qui n'est pas exact : *Ton raisonnement est juste, mais les conclusions en sont fausses.* ■ **Faussement** adv. ■ N. m. Tableau ou document que l'on a fabriqué ou modifié pour tromper quelqu'un : *Un critique d'art prétend que le Rembrandt du musée est un faux.*

favorable [favɔrabl] adj. Qui est prêt à aider : *Il est favorable à ce projet et il fera tout pour le réaliser.* ★ Qui rend une action plus facile, plus agréable : *Des circonstances favorables m'ont permis de réussir cette affaire.* ■ **Favorablement** adv.

fédéral, e, aux [federal, o] adj. Qui appartient à une association permanente d'Etats particuliers réunis dans un Etat collectif : *La Suisse a un gouvernement fédéral.*

fée [fe] n. f. Personnage imaginaire, du sexe féminin, qui joue souvent un rôle important dans les contes d'enfants : *D'un coup de baguette, la fée changea le chat en souris.*

félicitations [felisitasjɔ̃] n. f. pl.

Témoignage de satisfaction : *J'ai envoyé mes félicitations à un de mes amis qui vient de se marier.*

féliciter [felisite] v. tr. Faire savoir à quelqu'un que l'on est heureux de ce qui lui arrive ou content de ce qu'il a fait : *J'ai félicité mes collaborateurs du travail qu'ils avaient accompli.*

femelle [fəmɛl] n. f. Etre vivant appartenant au sexe qui met au monde des petits, ou qui pond des œufs : *La chienne est la femelle du chien.*

féminin, e [feminɛ̃, in] adj. Qui est particulier à la femme : *Il leur est né un enfant du sexe féminin. La vendeuse du magasin avait beaucoup de charme et d'élégance; elle était très féminine.* ★ GRAMM. Qui appartient au genre servant à désigner les êtres femelles et les objets qu'on assimile à ceux-ci : *En français, le mot « terre » est féminin; on dit « la terre ».* ■ N. m. GRAMM. *Le féminin,* le genre féminin.

femme [fam] n. f. Dans l'espèce humaine, personne susceptible de mettre ou d'avoir mis au monde des enfants. ★ Personne qui est l'épouse du mari : *Ma femme s'occupe activement de l'éducation de nos enfants.*

fendre [fɑ̃dr] v. tr. (Se conj. comme *rendre.*) Séparer en deux ou plusieurs morceaux dans le sens de la longueur : *Il faut que je fende du bois pour allumer le feu.*

fenêtre [fənɛtr] n. f. Ouverture ménagée dans un mur pour donner du

jour et de l'air : *Elle s'est mise à la fenêtre pour regarder les gens passer dans la rue.*

fente [fɑ̃t] n. f. Ouverture étroite et allongée : *Il y avait une fente dans la porte et j'ai pu regarder à l'intérieur de la grange.*

fer [fɛr] n. m. Métal d'un blanc gris, très répandu, et qui a de nombreux usages : *Mon jardin est entouré d'une grille de fer.* ★ *Fer à repasser,* instrument qui sert à repasser les vêtements.

férié [ferje] adj. Se dit d'un jour où l'on ne travaille pas en raison d'une fête légale : *Depuis quelques années, le 1er mai est jour férié.*

ferme [fɛrm] adj. Que l'on sent solide sous le pied, sous la main, etc. : *Il avait beaucoup plu et le sol n'était pas ferme sous les pieds.* ★ FIG. Qui n'hésite pas : *Le directeur nous a parlé d'un ton très ferme.* ■ **Fermement** adv.

ferme [fɛrm] n. f. Ensemble composé de terres, de bâtiments d'exploitation et d'une maison, où habitent une famille d'agriculteurs et leurs ouvriers : *Ce paysan exploite une ferme de cent cinquante hectares au sud de Paris.*

fermentation [fɛrmɑ̃tasjɔ̃] n. f. Transformation que certains microbes ou certains champignons très petits font subir à des corps d'origine animale ou végétale : *La fermentation des liquides sucrés produit de l'alcool.*

fermer [fɛrme] v. tr. Boucher une ouverture : *Va fermer la porte, elle est ouverte!* ★ Entourer de manière à empêcher le passage : *Mon jardin est fermé par une haie.* ■ V. intr. Cesser le travail : *Les bureaux ferment à six heures.*

fermeté [fɛrməte] n. f. Qualité de ce qui est solide : *Un chirurgien doit avoir une grande fermeté de main.* ★ FIG. Qualité d'une personne qui n'hésite pas : *Interrogé par le juge, l'accusé a répondu avec fermeté qu'il était innocent.*

fermeture [fɛrmətyr] n. f. Ce qui sert à fermer : *Elle a fait changer la fermeture de son sac qui était cassée.* ★ Action de fermer un bâtiment : *La fermeture des bureaux de la mairie a lieu à dix heures.*

fermier, ère [fɛrmje, ɛr] n. Personne exploitant une ferme : *Il y a dans cette région des fermiers qui ont beaucoup de bétail.*

fertile [fɛrtil] adj. Se dit d'un sol qui produit beaucoup : *La Beauce est une région fertile, aussi le rendement du blé y est-il très élevé.*

fête [fɛt] n. f. Manifestation collective par laquelle on rappelle à date fixe le souvenir d'un événement : *Dans les pays chrétiens, la fête de Noël est sans doute une des plus importantes de l'année.* ★ Jour de l'année consacré à la mémoire d'un saint et aux personnes qui portent son nom : *Je m'appelle François; on souhaite ma fête le 29 janvier.* ★ Cérémonie qui a lieu en raison d'un événement important : *On a donné de grandes fêtes à Paris au moment de la visite officielle de la reine d'Angleterre.*

feu (plur. **feux**) [fø] n. m. Manifestation de chaleur et de lumière produite par un corps qui brûle : *L'eau éteint le feu.* ★ Matière allumée qui chauffe, cuit ou éclaire : *Il ne fait pas chaud ce soir, il faudra allumer le feu.* ★ Incendie : *Les pompiers ont été appelés pour combattre le feu.* ★ *Arme à feu,* arme utilisant la poudre : *Le revolver est la plus petite des armes à feu.* ★ *Coup de feu,* projectile lancé par une arme à feu; bruit produit par celle-ci. ★ *Faire feu,* tirer avec une arme à feu. ★ *Feu rouge,* signal lumineux destiné à arrêter la circulation des voitures. ★ *Feu vert,* signal lumineux destiné à montrer que la voie est libre pour les voitures.

feuillage [fœjaʒ] n. m. Ensemble des feuilles d'un arbre : *Le feuillage des arbres est jaune en automne.*

feuille [fœj] n. f. Sorte de lame verte et souple qui pousse sur la tige des plantes : *Le vent a fait tomber*

les feuilles des arbres. ★ *Feuille morte,* feuille qui, à l'automne, tombe de l'arbre : *Le vent accumulait les feuilles mortes dans un coin de la cour.* ★ Objet large, plat et mince comme une feuille d'arbre : *Il prit une feuille de papier pour écrire à sa grand-mère.*

février [fevrije] n. m. Deuxième mois de l'année : *Le mois de février a vingt-neuf jours tous les quatre ans.*

fiancé, e [fijɑ̃se] n. Personne qui a promis le mariage à une autre : *Pendant que son fiancé faisait son service militaire, elle lui écrivait tous les jours.*

ficelle [fisɛl] n. f. Corde mince et souple : *Prenez de la ficelle et du papier et faites-moi un paquet!*

fidèle [fidɛl] adj. Qui est conforme à la vérité : *Il m'a fait le récit fidèle de votre entrevue.* ■ **Fidèlement** adv.

fier, ère [fjɛr] adj. Qui se juge supérieur aux autres et qui le montre : *Il est si fier qu'il ne parle jamais à ses employés.* ★ Qui retire une profonde satisfaction de quelque chose : *Je suis fier de ressembler à mon père, qui est un honnête homme.* ■ **Fièrement** adv.

fièvre [fjɛvr] n. f. Hausse de la température du corps qui peut se manifester pendant une maladie : *Je dois avoir la grippe, car j'ai mal à la tête et je sens que j'ai de la fièvre.* ★ FIG. Agitation provoquée par une passion violente ou une précipitation dans le travail : *L'amnistie accordée par le gouvernement a calmé la fièvre des esprits.*

figure [figyr] n. f. Ensemble formé par les différentes parties du visage : *Je ne me rappelle pas son nom, mais sa figure ne m'est pas inconnue.* ★ En géométrie, représentation dessinée d'une surface ou d'un volume : *Il faut toujours se servir de figures pour résoudre un problème de géométrie.*

figuré, e [figyre] adj. GRAMM. *Sens figuré,* procédé qui utilise une image pour élargir le sens d'un mot : *Quand on dit que la lecture nourrit l'esprit, on emploie « nourrir » au sens figuré.*

figurer [figyre] v. intr. Etre représenté par le dessin, par la peinture, etc. : *Les mers figurent en bleu sur les cartes de géographie.* ★ Etre compris dans un groupe : *Ce mot ne figure pas dans le dictionnaire.* ■ **Se figurer** v. pron. S'imaginer : *Il s'était figuré qu'il pourrait me tromper.*

fil [fil] n. m. Brin très fin et très allongé de laine, de coton, de soie, etc. : *Donne-moi une bobine de fil blanc pour que je recouse le bouton de ta chemise.* ★ Morceau de métal très long et très fin : *J'ai acheté du fil électrique pour installer une lampe dans mon salon.*

file [fil] n. f. Suite de personnes ou de choses placées sur une seule ligne : *Il y avait une file de personnes qui faisaient la queue devant le cinéma.*

filet [filɛ] n. m. Tissu fait de fils noués de manière à laisser dans les

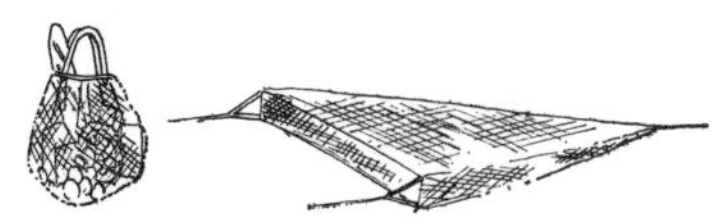

deux sens des intervalles plus ou moins larges : *On attrape plus de poissons avec un filet qu'avec une ligne. Son filet à provisions était rempli de légumes qu'elle avait achetés au marché.*

fille [fij] n. f. Enfant du sexe féminin : *Trois enfants, deux garçons et une fille, jouaient dans le jardin.* ★ Enfant du sexe féminin considéré par rapport à ses parents : *Notre fils est plus âgé que notre fille.* ★ *Une jeune fille,* personne du sexe féminin jeune et non mariée.

filleul, e [fijœl] n. Garçon ou fille considéré par rapport à son parrain et à sa marraine.

film [film] n. m. Pellicule qui, placée dans un appareil photographique ou dans un appareil de cinéma, est capable d'enregistrer des images : *J'ai terminé mon film, il faut que j'en mette un autre dans mon appareil.* ★ Œuvre enregistrée sur pellicule pour être projetée dans un cinéma : *On a tourné un film sur les monuments de Paris.*

fils [fis] n. m. Enfant du sexe masculin, considéré par rapport à ses parents : *Il est vieux; c'est maintenant son fils qui le remplace dans son travail.*

filtrer [filtre] v. tr. Faire passer un liquide à travers un appareil qui le débarrasse des éléments solides qu'il pouvait contenir : *L'eau que nous buvons en ville a été soigneusement filtrée.*

fin, e [fɛ̃, fin] adj. Se dit d'un corps qui a peu d'épaisseur : *Une étoffe très fine n'est généralement ni très solide ni très chaude.* ★ Dont les grains sont très petits : *Les enfants couraient sur le sable fin de la plage.* ★ En parlant des choses ou des personnes, qui est d'une élégance délicate : *Cette jeune femme a les traits fins.* ★ En parlant des choses, qui est d'une qualité supérieure à la moyenne : *Le repas fut accompagné de vins fins.* ★ En parlant des sens, qui découvre des différences très légères : *Je ne sens pas cette odeur, mais je dois avouer que je n'ai pas l'odorat très fin.* ★ En parlant des pensées, des sentiments, qui présente des nuances délicates : *Il a beaucoup d'esprit et il plaisante d'une manière très fine.* ■ **Finement** adv.

fin [fɛ̃] n. f. Ce qui termine une chose dans le temps ou dans l'espace : *A la fin de la semaine, je partirai pour la campagne. Il était presque arrivé à la fin du livre.* ★ *Prendre fin,* se terminer : *Les vacances prennent fin le 15 septembre.*

finances [finɑ̃s] n. f. pl. Ressources en argent dont dispose un Etat ou une affaire : *Après la guerre, les finances de beaucoup d'Etats se sont trouvées en difficulté.*

financier, ère [finɑ̃sje, ɛr] adj. Qui concerne les finances : *On a parlé hier, à la Bourse, d'une crise financière.*

finesse [finɛs] n. f. Qualité de ce qui est fin : *La finesse de ses bas les rend très fragiles.* ★ FIG. : *Cet étranger connaît toutes les finesses de la langue française.*

finir [finir] v. tr. Terminer ce que l'on a commencé : *Je suis fatigué, mais je veux absolument avoir fini ce travail avant mon départ.* ■ V. intr. Arriver à sa fin : *L'année finit le 31 décembre.*

fixe [fiks] adj. Qui ne change pas : *Autour d'un point fixe, on peut tracer une circonférence. Tous les jours, je vais à mon bureau à heure fixe.* ■ **Fixement** adv.

fixer [fikse] v. tr. Faire tenir solidement sur une surface : *La glace a été fixée au mur.* ★ Déterminer de manière définitive : *Le médecin m'a fixé un rendez-vous pour lundi.* ★ Regarder longuement quelqu'un ou quelque chose : *La foule avait les yeux fixés sur l'avion qui allait atterrir.*

flacon [flakɔ̃] n. m. Petite bouteille destinée à contenir des parfums, des

médicaments liquides, etc. : *Il a offert à sa femme un flacon de parfum.*

flamme [flam] n. f. Gaz lumineux produit par un corps qui brûle : *Elle brûla la lettre à la flamme d'une allumette.*

flatter [flate] v. tr. Chercher à plaire par des compliments exagérés : *Les hommes puissants sont souvent entourés de gens qui les flattent.*

flèche [flɛʃ] n. f. Projectile qui est fait d'une tige pointue et qu'on lance avec un arc. ★ Objet ou image rappelant la forme d'une flèche : *La flèche*

de la cathédrale s'élève beaucoup plus haut que les tours. Une flèche indique la direction que l'on doit suivre pour arriver au musée de la ville.

fleur [flœr] n. f. Partie d'une plante qui contient les organes de la reproduction et qui est remplacée par le fruit : *Beaucoup de fleurs sont colorées et ont une odeur agréable.*

fleurir [flœrir] v. tr. Orner de fleurs : *Au début de novembre, les gens vont au cimetière fleurir les tombes.* ■ V. intr. Produire des fleurs; être en fleur : *Les arbres fruitiers fleurissent au printemps.*

fleuve [flœv] n. m. Cours d'eau, généralement important, qui se jette dans la mer : *La Loire est le plus long des fleuves français.*

flotte [flɔt] n. f. Ensemble des bateaux appartenant à un Etat ou à un particulier : *La flotte marchande fran-*

çaise a été en grande partie détruite pendant la guerre.

flotter [flɔte] v. intr. Etre porté par la surface d'un liquide : *L'enfant jeta des bouchons qui flottèrent sur l'eau du bassin.* ★ Etre agité par le vent : *Le drapeau tricolore flotte sur la mairie du village.*

foi [fwa] n. f. Promesse de tenir un engagement. ★ Confiance que l'on a en quelqu'un ou en quelque chose : *Cet homme est loyal et digne de foi.* ★ Croyance en Dieu; contenu d'une religion : *Dans l'Antiquité, beaucoup de chrétiens moururent pour leur foi.* ★ *Bonne foi,* état d'esprit de celui qui est sincère. ★ *Mauvaise foi,* intention de tromper.

foie [fwa] n. m. Organe brun-rouge, situé à droite de l'estomac et qui intervient dans la digestion : *Les gens qui ont une maladie de foie doivent éviter de manger des matières grasses.*

foin [fwɛ̃] n. m. Herbe coupée et séchée qui sert de nourriture aux animaux domestiques : *Les vaches, en hiver, mangent du foin.*

foire [fwar] n. f. Grand marché qui se tient à des dates fixes : *La foire du village a attiré une foule considérable de paysans venus de toute la région.* ★ Exposition, de caractère commercial, qui se tient à date fixe : *A la foire de Paris, on expose des machines et toutes sortes de produits.*

fois [fwa] n. f. Joint à un nom de nombre, indique la quantité, la multiplication : *En général, les hommes se rasent une fois par jour. Deux fois deux font quatre.* ★ Dans les contes : *Il était une fois,* il y avait à une certaine époque. ■ Loc. conj. *Chaque fois que,* aussi souvent que : *Chaque fois que je vais la voir, je lui porte des fleurs.* ■ Loc. adv. *A la fois,* ensemble, en même temps : *Ils parlaient tous à la fois et on ne les comprenait pas.*

fol, olle [fɔl] adj. V. fou.

folie [fɔli] n. f. Maladie mentale qui empêche de contrôler sa pensée ou ses actions : *Ma voisine a eu une crise de folie et on l'a conduite à l'hôpital.*

foncé, e [fɔ̃se] adj. Se dit d'une couleur qui a sa nuance la plus sombre : *L'étudiante portait une robe d'un bleu foncé presque noir.*

fonction [fɔ̃ksjɔ̃] n. f. Exercice d'un travail donné : *Ma secrétaire s'acquitte de ses fonctions avec intelligence.* ★ Travail que fait un des organes du corps : *Dans la circulation du sang, le cœur a la fonction la plus importante.* ★ Gramm. Rôle d'un mot dans la phrase : *Quelle est la fonction de « je » dans « je mange »? — « Je » est sujet.*

fonctionnaire [fɔ̃ksjɔnɛr] n. Personne employée par une administration publique : *Le ministère des Postes a organisé un concours pour recruter des fonctionnaires.*

fonctionner [fɔ̃ksjɔne] v. intr. Accomplir sa fonction, en parlant d'un organe, d'une machine, d'une administration, etc. : *Depuis son opération, son estomac fonctionne normalement. Ce collège est mal dirigé, il ne fonctionne pas très bien.*

fond [fɔ̃] n. m. Endroit le plus bas d'une chose creuse : *Il reste encore un peu de vin dans le fond du verre.* ★ Dans un lieu, partie la plus éloignée du devant : *L'élève arriva en retard et s'assit au fond de la classe.* ★ Ce qui constitue le sens d'une œuvre, par opposition à la *forme : Cette pièce comprend des scènes comiques, bien que le fond en soit dramatique.* ■ Loc. adv. *A fond,* complètement : *Je connais à fond mon métier.* ★ *Au fond, dans le fond,* en réalité, au-delà des apparences : *Au fond, je suis heureux de ne pas être riche, car j'aurais plus de soucis.*

fondamental, e, aux [fɔ̃damɑ̃tal, o] adj. Qui est à la base.

fondation [fɔ̃dasjɔ̃] n. f. Action de fonder (une ville, un édifice public, une maison de commerce, etc.) : *La fondation de la Bibliothèque nationale date de 1373.* ★ Pl. Murs que l'on établit en profondeur dans le sol et sur lesquels on construit ensuite des bâtiments : *La maison s'est écroulée, car les fondations n'étaient pas solides.*

fonder [fɔ̃de] v. tr. Créer officiellement une ville, une entreprise, etc. : *Grâce à l'argent qu'il a laissé en mourant, on a fondé un hôpital et une école.* ★ Donner des raisons, des preuves, etc., pour appuyer une idée ou une opinion : *Les règles de grammaire sont fondées sur l'usage.*

fondre [fɔ̃dr] v. tr. (Se conj. comme *rendre.*) Faire passer de l'état solide à l'état liquide : *On a fondu du bronze pour fabriquer des pièces de monnaie.* ■ V. intr. Passer de l'état solide à l'état liquide : *La neige fond au soleil.* ★ Se dissoudre dans un liquide : *Le sucre fond dans l'eau.*

fontaine [fɔ̃tɛn] n. f. Appareil qui distribue l'eau : *Les paysannes vont*

chercher l'eau à la fontaine du village.

fonte [fɔ̃t] n. f. Action de fondre : *Les torrents grossissent à la fonte des neiges.* ★ Produit obtenu à la suite du traitement du minerai de fer par le charbon : *J'ai chez moi un vieux poêle en fonte qui chauffe encore très bien.*

football [futbol] n. m. En France, sport qui oppose deux équipes de onze joueurs, qui s'efforcent de faire pénétrer à coups de pied un ballon rond dans les buts de l'adversaire.

force [fɔrs] n. f. En parlant des êtres vivants, ce qui permet d'accomplir un travail physique : *D'un coup de hache, il frappa l'arbre de toute sa force.* ★ En parlant de ce qui n'est pas vivant, cause capable de produire un effet : *L'eau et l'air sont des forces naturelles.* ★ Action du caractère, des sentiments, etc., capable de grands effets : *En cette occasion, il a montré une grande force de caractère.* ★ Puissance dont dispose un gouvernement : *La force armée est intervenue pour rétablir l'ordre au cours de la manifestation.*

forcément [fɔrsemɑ̃] adv. Par une conséquence inévitable : *Si tu n'as pas appris tes leçons samedi, tu devras forcément travailler dimanche.*

forcer [fɔrse] v. tr. (Se conj. comme *annoncer.*) Tordre ou enfoncer par force : *Le voleur a forcé la serrure du coffre-fort.* ★ Obliger un être vivant à faire quelque chose : *Il voulait rester, mais je l'ai forcé à partir.* ★ *Travaux forcés,* peine à laquelle sont condamnés certains criminels qu'on oblige à travailler.

forêt [fɔrɛ] n. f. Vaste étendue de terrain plantée d'arbres : *Je me suis promené dans la forêt en cherchant des champignons.* ★ *Forêt vierge,* forêt très épaisse et non exploitée des régions tropicales.

formalité [fɔrmalite] n. f. Ensemble des actes nécessaires pour obtenir certains papiers officiels : *Pour obtenir un passeport, il faut accomplir certaines formalités.*

format [fɔrma] n. m. Dimensions d'une feuille de papier, d'un livre : *Les livres de très grand format ne sont pas commodes à transporter.*

forme [fɔrm] n. f. Apparence extérieure d'un objet : *Cette table est de forme carrée.* ★ Manière d'exprimer une pensée : *Le fond de ce livre est* *inférieur à la forme.* ★ GRAMM. Modification que subissent les noms, les verbes, les adjectifs, etc., dans une langue : *Conjuguez-moi ce verbe à la forme passive.*

formellement [fɔrmɛlmɑ̃] adv. D'une manière précise et sans exception : *Il est formellement interdit de marcher sur les pelouses.*

former [fɔrme] v. tr. Donner l'existence sous une certaine forme : *Dieu a formé l'homme à son image.* ★ Constituer : *La tête, le tronc et les membres forment le corps humain.* ★ Imiter une certaine forme : *Les enfants formèrent un cercle autour de leur mère.* ★ Donner de l'expérience : *On dit souvent que les voyages forment la jeunesse.*

formidable [fɔrmidabl] adj. Qui est à craindre. ★ FAM. Très grand, très beau, etc. : *Nous avons vu récemment un chêne formidable, vieux de quatre cents ans.*

formule [fɔrmyl] n. f. Pièce de papier imprimée dont il faut remplir certaines lignes laissées en blanc : *Pour envoyer un mandat, on remplit une formule que l'on remet ensuite à l'employé de la poste.* ★ Manière de parler ou d'écrire qu'il faut employer dans des cas déterminés : *En m'écrivant, il emploie la formule « cher ami », alors qu'il me connaît à peine.*

fort, e [fɔr, fɔrt] adj. Qui a de la force physique : *Je suis beaucoup plus fort depuis que je fais du sport.* ★ Qui a beaucoup d'énergie, d'intensité : *Les hommes ont la voix plus forte que les femmes.* ★ Qui fait une vive impression sur le goût ou l'odorat : *Les Italiens aiment boire le café très fort.* ★ Qui est considérable : *Il a reçu une forte somme comme pourboire.* ■ **Fort** adv. D'une manière forte : *Ne criez pas si fort, vous me faites mal aux oreilles.* ★ Beaucoup, très : *La maladie de sa femme le rendit fort inquiet.* ■ **Fortement** adv.

fort [fɔr] n. m. Ouvrage fortifié qui défend une position militaire : *Autrefois, Paris était entouré de forts qui le protégeaient.*

fortifier [fɔrtifje] v. tr. Rendre fort : *La gymnastique fortifie le corps.* ★ Construire des ouvrages qui défendront une position militaire : *Louis XIV fit fortifier certaines villes de l'est et du nord de la France.*

fortune [fɔrtyn] n. f. Richesse d'une personne en argent ou en biens : *La fortune de ce banquier s'élève, dit-on, à dix millions.* ★ *Faire fortune,* acquérir une fortune : *Il a fait fortune dans le commerce.*

fosse [fos] n. f. Trou creusé dans le sol pour recevoir quelque chose : *Le cercueil a été placé dans la fosse.*

fossé [fose] n. m. Trou beaucoup plus long que large, que l'on creuse dans le sol : *La route était bordée de fossés pleins d'eau.*

fou, folle [fu, fɔl] adj. (*Fol* devant un nom masculin commençant par une voyelle ou un *h* muet.) Se dit d'une personne qui est atteinte de folie : *Cette femme est devenue folle après la mort de son fils.* ★ Se dit des choses contraires à la raison ou exagérées : *Il a fait de folles dépenses et il n'a plus d'argent pour vivre.* ★ *Fou rire,* rire dont on ne peut se rendre maître. ■ N. Personne qui n'a plus sa raison : *Un fou s'est échappé de la clinique.*

foudre [fudr] n. f. Phénomène naturel qui se produit quand deux nuages échangent de l'électricité par temps d'orage, et qui est accompagné d'un éclair suivi d'un bruit violent : *La foudre est tombée sur un arbre du jardin.*

fouet [fwɛ] n. m. Corde ou long morceau de cuir attaché à un manche et dont on se sert pour frapper une personne ou un animal : *Le conduc-*

teur de la voiture donna un coup de fouet à son cheval.

fouiller [fuje] v. tr. Creuser le sol pour chercher ce qui y est enterré : *En fouillant le terrain derrière l'église, on a trouvé une statue très ancienne.* ★ Explorer soigneusement un lieu : *La police a fouillé le bois pour découvrir les voleurs qui s'y étaient cachés.* ★ Chercher soigneusement dans les vêtements ou les bagages de quelqu'un : *A sa descente d'avion, le voyageur fut fouillé à la douane.*

foulard [fular] n. m. Morceau d'étoffe, généralement de forme carrée, que l'on porte autour du cou : *Elle avait un joli foulard sur la tête.*

foule [ful] n. f. Très grand nombre de personnes ou de choses : *La manifestation a réuni sur la place une foule de vingt mille personnes.*

four [fur] n. m. Construction ou appareil dans lesquels on fait cuire certains produits : *Elle a sorti le poulet du four avant le déjeuner.*

fourchette [furʃɛt] n. f. Ustensile de table à plusieurs dents, qui sert à piquer les aliments pour les porter à

la bouche : « *Jacques, ne mange pas pas avec les doigts! Sers-toi de ta fourchette.* »

fourmi [furmi] n. f. Insecte de très petite taille qui vit en société dans des arbres, dans la terre, etc. : *Couché dans l'herbe, j'ai vu une fourmi qui traînait un brin de paille beaucoup plus grand qu'elle.*

fourneau [furno] n. m. Appareil à charbon, à gaz, etc., qui sert à élever la température des aliments ou à les faire cuire : *Elle alluma le fourneau de la cuisine et plaça dessus une casserole d'eau.* ★ *Haut fourneau,* appareil de grandes dimensions où l'on fait fondre le minerai de fer.

fournir [furnir] v. tr. Mettre à la disposition de quelqu'un : *Je lui ai fourni les renseignements qu'il me demandait.*

fourrure [furyr] n. f. Peau des animaux quand elle est couverte de poils serrés et souples. ★ Vêtement fait avec la fourrure des animaux : *Sa femme aime les bijoux et les fourrures.*

foyer [fwaje] n. m. Endroit où l'on fait le feu, dans une cheminée ou dans un appareil de chauffage : *Il alluma le feu dans le foyer de la cheminée.* ★ FIG. Endroit où l'on vit en famille : *Il est heureux de rentrer tous les soirs dans son foyer pour retrouver sa famille.*

fraction [fraksjɔ̃] n. f. Une des parties d'un tout que l'on a divisé en parties égales. ★ Une des parties d'un tout : *Une fraction importante de l'assemblée applaudit l'orateur.*

fracture [fraktyr] n. f. Etat d'un os qui est brisé : *Il est tombé en faisant du ski et il a une fracture à la jambe gauche.*

fragile [fraʒil] adj. Qui se casse facilement : *Faites attention en posant ce verre, car il est fragile.* ★ FIG. Qui n'est pas d'une santé robuste : *Elle est sensible au froid, et d'un tempérament fragile.*

frais, fraîche [frɛ, frɛʃ] adj. Qui donne une impression légère et agréable de froid : *Il a fait chaud cet après-midi, mais ce soir le temps est plus frais.* ★ Se dit des aliments qui n'ont pas été abîmés par le contact de l'air : *Ce poisson est très frais, car il* *vient d'être pêché.* ★ Qui se mange sans avoir été mis en conserve : *J'aime les fruits frais pour leur goût et leur parfum.* ■ **Fraîchement** adv.

frais [frɛ] n. m. pl. Argent que l'on dépense pour une cause déterminée : *L'installation de ma maison m'a obligé à faire des frais considérables.*

fraise [frɛz] n. f. Petit fruit mou d'un rouge vif, piqué de petits grains,

qui mûrit à la fin du printemps : *On mange généralement les fraises avec du sucre en poudre.*

franc [frɑ̃] n. m. Nom de l'unité de monnaie en France et dans plusieurs autres pays.

franc, franche [frɑ, frɑʃ] adj. Qui parle ou qui agit sans rien cacher : *J'aime les gens francs qui montrent ouvertement leurs opinions.* ■ **Franchement** adv.

français, e [frɑ̃sɛ, ɛz] adj. Qui appartient à la France ou à ses habitants : *La mode française est connue dans le monde entier.* ■ N. Personne de nationalité française (s'écrit avec une majuscule). ■ N. m. La langue française.

franchir [frɑ̃ʃir] v. tr. Passer de l'autre côté d'un obstacle : *Le cheval s'est enfui du pré en franchissant la clôture.*

frapper [frape] v. tr. Donner un ou plusieurs coups à quelqu'un ou à quelque chose : *Il frappa brutalement la balle du pied.* ★ FIG. Produire une vive impression sur l'esprit, le cœur, les sentiments, etc. : *Je ne l'avais pas vu depuis sa maladie et je fus frappé par sa mauvaise mine.* ■ V. intr. Donner des coups : *On a frappé à la porte, je vais ouvrir.*

fraternité [fratɛrnite] n. f. Affection que les hommes doivent éprouver les uns pour les autres : *Pendant la guerre, ce médecin a donné un bel exemple de fraternité en sauvant la vie à de nombreux soldats ennemis.*

fraude [frod] n. f. Acte par lequel on trompe quelqu'un, et en particulier une administration : *Le Parlement va voter une loi qui tend à diminuer la fraude sur l'impôt.*

frayeur [frɛjœr] n. f. Forte peur causée par la proximité d'un danger que l'on rencontre ou que l'on imagine : *En voyant un serpent, la femme de mon ami poussa un cri de frayeur.*

frein [frɛ̃] n. m. Appareil qui permet de ralentir ou d'arrêter complètement le fonctionnement d'une machine : *Il appuya sur le frein quand il vit qu'un cycliste se trouvait devant sa voiture.*

freiner [frɛne] v. intr. Ralentir ou arrêter complètement le fonctionnement d'une machine en se servant d'un frein : *Le conducteur freina avant le virage.*

fréquent, e [frekɑ̃, ɑ̃t] adj. Qui se produit souvent : *Il travaille en collaboration avec moi, ce qui nous oblige à de fréquents entretiens.* ■ **Fréquemment** adv.

fréquenter [frekɑ̃te] v. tr. Aller souvent dans un lieu : *Il aime la musique et il fréquente les salles de concert.* ★ Rechercher la compagnie de quelqu'un : *Depuis son mariage, il ne fréquente plus ses anciens amis.*

frère [frɛr] n. m. Personne du sexe masculin, née du même père et de la même mère : *J'ai trois frères et deux sœurs.*

frileux, euse [frilø, øz] adj. Se dit d'une personne ou d'un animal qui craint le froid : *Elle a vécu longtemps en Afrique et elle est maintenant très frileuse.*

friser [frize] v. tr. Faire des boucles avec les cheveux, les poils de la moustache ou ceux de la barbe. ■ V. intr. En parlant des cheveux, des poils, former des boucles : *Les cheveux des gens de race noire sont généralement très frisés.*

frisson [frisɔ̃] n. m. Tremblement léger et bref, causé par le froid, la peur, la fièvre, etc. : *Il était resté longtemps sous la pluie et, quand il rentra chez lui, il fut pris de frissons.*

frit, e [fri, frit] adj. Qui a cuit dans une poêle avec un corps gras : *Pour le déjeuner, nous avons mangé du poisson frit. Comme nous avons peu de temps, nous déjeunerons d'un bifteck et de pommes de terre frites.* ■ N. f. pl. Pommes de terre coupées en morceaux longs et minces, et frites dans un corps gras.

froid, e [frwa, frwad] adj. Qui n'a pas de chaleur ou qui a perdu sa chaleur : *Dépêche-toi de te mettre à table, la soupe est déjà froide!* ★ FIG. Qui ne montre pas ses sentiments : *Il était toujours très froid avec les gens qu'il connaissait peu.* ★ *Il fait froid,* la température est basse. ★ *Avoir froid,* éprouver une sensation de froid : *Je mets des gants, car j'ai froid aux mains.* ■ N. m. Absence de chaleur : *Quand le thermomètre indique cinq degrés au-dessous de zéro, on peut dire que le froid est vif.*

froisser [frwase] v. tr. Faire de nombreux plis dans un tissu, un papier, etc., par suite d'une pression irrégulière : *Mon pantalon a été froissé dans ma valise, il faut que je le fasse repasser.* ★ FIG. Blesser moralement une personne en s'adressant à elle d'une manière trop franche ou peu polie : *Il a été très froissé parce que je n'ai pas répondu à sa lettre.*

fromage [frɔmaʒ] n. m. Aliment plus ou moins mou, obtenu en faisant subir au lait diverses préparations : *En France, on sert le fromage avant le dessert.*

front [frɔ̃] n. m. Partie du visage comprise entre la racine des cheveux et les sourcils : *L'enfant s'est cogné le front contre le coin de la table.* ★ Ligne de combat de deux armées ennemies : *En 1943, les Allemands retirèrent des troupes de France et les envoyèrent sur le front russe.*

frontière [frɔ̃tjɛr] n. f. Limite, naturelle ou non, qui sépare deux Etats : *Les Pyrénées forment une frontière entre la France et l'Espagne.*

frotter [frɔte] v. tr. Passer à plusieurs reprises, et en appuyant, un corps sur un autre : *La femme de ménage a frotté les meubles avec un chiffon de laine pour les faire briller. Il se frotta les yeux, car il était encore à moitié endormi.*

fruit [frɥi] n. m. Partie de la plante qui remplace la fleur et qui contient les graines : *Les enfants préfèrent les fruits, qui sont sucrés, aux légumes, qui ne le sont pas.*

fruitier, ère [frɥitje, ɛr] adj. Se dit de certains arbres que l'homme cultive pour en manger les fruits : *Ce jardinier soigne avec amour ses arbres fruitiers.*

fuir [fɥir] v. tr. (voir tableau p. 356). Chercher à s'éloigner le plus possible de quelqu'un ou de quelque chose : *Il est naturel de fuir le danger.* ■ V. intr. S'éloigner le plus vite possible pour échapper à quelqu'un ou à quelque chose : *L'enfant, poursuivi par un chien, fuyait dans le jardin.* ★ En parlant d'un récipient, d'un tuyau, etc., laisser s'échapper son contenu : *La casserole fuit et l'eau s'est répandue sur le fourneau.*

fuite [fɥit] n. f. Action de fuir : *Notre armée a mis les ennemis en fuite.* ★ Trou par lequel s'échappe un gaz ou un liquide : *Il y a une odeur de gaz dans la cuisine, il faudra vérifier si le tuyau n'a pas une fuite.*

fumée [fyme] n. f. Mélange de gaz et de corps solides minuscules qui monte dans l'air au-dessus d'un objet qui brûle : *Une épaisse fumée noire sortait de la cheminée de l'usine.*

fumer [fyme] v. intr. Produire de la fumée : *Ce bois n'est pas sec, il fume.* ★ Faire brûler le tabac que contiennent une cigarette ou une pipe allumées, en les portant à la bouche : *On a beaucoup fumé ici, il faut ouvrir la fenêtre!*

furieux, euse [fyrjø, øz] adj. Animé d'une violente colère : *Quand il vit que le chat mangeait sa soupe, le chien devint furieux et se précipita sur lui.* ★ Qui exprime une violente colère : *Il me lança un regard furieux.* ★ FIG. Qui possède une grande violence : *Un vent furieux soufflait le long des côtes et empêchait les bateaux de pêche de sortir.* ■ **Furieusement** adv.

fusée [fyze] n. f. Projectile, explosif ou non, en forme d'obus, lancé par des gaz qui se dégagent de carburants placés dans un tube de métal : *Les prochaines fusées qui se poseront sur la Lune seront probablement occupées par des hommes.*

fusil [fyzi] n. m. Arme à feu portative et individuelle, composée d'un tube d'acier et d'une pièce de bois que

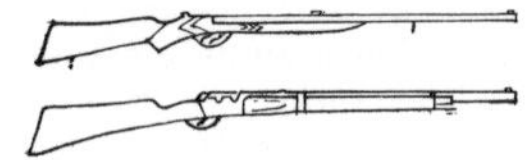

l'on appuie contre l'épaule pour tirer : *Il a été blessé par accident, d'un coup de fusil, au cours de la chasse.*

fusiller [fyzije] v. tr. Tuer un condamné à mort en faisant tirer sur lui au fusil : *L'espion a été condamné à être fusillé.*

fusion [fyzjɔ̃] n. f. Passage d'un corps de l'état solide à l'état liquide sous l'action de la chaleur : *Le plomb entre en fusion à 327 °C.*

futur, e [fytyr] adj. Qui appartient à l'avenir : *On espère toujours que les générations futures ne connaîtront plus la guerre.* ■ N. m. L'avenir : *Nul ne peut prévoir le futur.* ★ GRAMM. Temps des verbes présentant une action ou un état comme futur : « *Je serai* » *est la première personne du singulier du futur du verbe* « *être* ».

G

gâcher [gɑʃe] v. tr. Gaspiller, parce que l'on manque de soin : *Il a gâché trois feuilles de papier avant d'écrire sa lettre.* ★ Nuire gravement à quelque chose : *La pluie a gâché nos vacances.*

gagner [gɑɲe] v. tr. Obtenir de l'argent en échange de son travail : *Il a gagné beaucoup d'argent en vendant des appareils électriques.* ★ *Gagner sa vie,* vivre de son travail. ★ Obtenir de l'argent en jouant aux jeux de hasard : *Il a gagné une forte somme aux cartes.* ★ Vaincre, conquérir par des efforts : *Napoléon gagna la bataille d'Austerlitz en 1805.*

gai, e [ge] adj. Se dit d'une personne qui est d'une humeur qui la pousse à rire, à chanter, etc. : *Cet enfant n'est pas aussi gai que d'habitude, il doit être malade.* ★ Se dit d'une chose dont l'apparence est lumineuse, colorée : *Elle porte toujours des robes de couleur gaie : rose, jaune, bleu clair, etc.* ★ Se dit d'une société, d'un lieu où l'on s'amuse beaucoup : *J'ai été reçu par des amis dimanche, le dîner a été très gai.* ■ **Gaiement** adv.

gaieté [gete] n. f. Bonne humeur qui pousse à rire et à s'amuser : *Les acteurs ont joué cette comédie avec beaucoup de gaieté.*

gain [gɛ̃] n. m. Argent que l'on a gagné : *Il occupe un emploi modeste et son gain est médiocre.*

gala [gala] n. m. Grande fête officielle et élégante : *Une représentation de gala a eu lieu hier à l'Opéra.*

galerie [galri] n. f. Passage couvert, intérieur ou extérieur à un bâtiment, sur lequel ouvrent plusieurs portes. ★ Locaux disposés pour recevoir une collection d'objets d'art : *J'ai visité une galerie de peinture cet après-midi.*

gallicisme [galisism] n. m. Construction ou emploi propre à la langue française : « *Il y a* » *est un gallicisme.*

galon [galɔ̃] n. m. Bande de tissu beaucoup plus longue que large, et qui sert en particulier à marquer les grades dans l'armée.

galop [galo] n. m. Allure du cheval quand il va le plus vite possible : *Le cavalier lança son cheval au galop pour franchir le fossé.*

gamin, e [gamɛ̃, in] n. Enfant qui joue dans les rues : *Des gamins viennent de casser un carreau en jouant à la balle.*

gamme [gam] n. f. Série de sons disposés à des intervalles convenus : *Le musicien se mit au piano et commença une gamme.*

gant [gɑ̃] n. m. Petit vêtement qui habille toute la main, en laissant

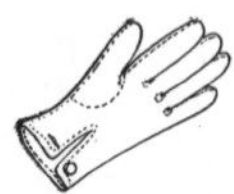

chaque doigt libre : *A Paris, une femme élégante ne sort jamais sans gants.*

garage [garaʒ] n. m. Bâtiment où l'on met les automobiles à l'abri : *Il n'y a plus de place au garage voisin et j'ai dû laisser ma voiture dans la rue cette nuit.* ★ Atelier où l'on répare les automobiles : *J'ai payé au patron du garage la réparation de ma voiture.*

garagiste [garaʒist] n. m. Homme qui tient un garage : *Nous nous arrêterons chez le garagiste, pour faire vérifier les freins.*

garantie [garɑ̃ti] n. f. Responsabilité prise par un vendeur en ce qui concerne les objets vendus : *J'ai* *acheté une montre avec une garantie d'un an.*

garantir [garɑ̃tir] v. tr. Mettre une personne ou une chose à l'abri de ce qui peut lui arriver de désagréable : *Il va pleuvoir et je n'ai rien qui puisse me garantir de la pluie.* ★ Certifier qu'une chose est vraie : *Je garantis que cet employé a travaillé cinq ans chez moi.*

garçon [garsɔ̃] n. m. Enfant du sexe masculin : *Nous avons trois enfants : deux filles et un garçon.* ★ Employé qui sert les clients dans un café, un restaurant, etc. : *Garçon! l'addition, s'il vous plaît!*

garde [gard] n. f. Action de surveiller une personne ou une chose pour la protéger : *En l'absence des parents, les enfants sont souvent confiés à la garde de leurs grands-parents.* ★ *Monter la garde,* pour un militaire, se tenir armé devant un lieu déterminé qu'il doit surveiller.

garder [garde] v. tr. Surveiller pour défendre ou protéger, interdire le passage, etc. : *Le fort était gardé par une petite troupe d'hommes.* ★ Empêcher de partir : *Le chien garde les moutons.* ★ Conserver avec soi, sur soi ou près de soi : *Il garde son chapeau à la main.* ★ FIG. : *A cinquante ans, il a gardé les illusions de sa jeunesse.*

gardien, enne [gardjɛ̃, ɛn] n. Personne dont le métier est de garder, de l'intérieur, un bâtiment, un jardin public, etc. : *Cet homme est gardien de nuit dans une usine.*

gare [gar] n. f. Ensemble des bâtiments et installations où s'effectuent l'arrivée et le départ des voyageurs et des marchandises (se dit surtout de la gare de chemin de fer) : *Au début et à la fin des vacances, les gares sont encombrées de voyageurs.*

garer [gare] v. tr. Mettre une automobile dans un garage ou un parc à voitures : *Il est difficile de garer sa voiture au milieu de l'après-midi dans le centre de Paris.*

garnir [garnir] v. tr. Mettre dans une maison, un meuble, etc., ce qu'ils doivent contenir : *Sa bibliothèque est garnie de nombreux livres.* ★ Ajouter quelque chose à un objet pour qu'il soit plus joli : *Le chapeau de la dame était garni de rubans roses.*

gaspiller [gaspije] v. tr. Dépenser sans raison ni mesure : *Il gagne bien sa vie, mais sa femme gaspille l'argent du ménage.*

gâteau [gɑto] n. m. Pâtisserie faite avec de la farine, du beurre et des œufs : *Tous les dimanches, nous mangeons des gâteaux comme dessert, car les enfants les adorent.*

gâter [gɑte] v. tr. Rendre impropre à l'alimentation. ★ FIG. Céder à tous les désirs d'un enfant : *Elle ne refuse jamais rien à sa fille, qu'elle gâte de manière ridicule.* ■ **Se gâter** v. pron. Devenir mauvais : *Le temps se gâte, il va pleuvoir ce soir.*

gauche [goʃ] adj. Qui se trouve du même côté que le cœur : *Il a été blessé au bras gauche.* ★ Qui est maladroit. ■ LOC. ADV. *A gauche,* du côté gauche. ■ N. f. *La gauche,* la direction située du côté du bras gauche : *Au dîner, j'étais assise à la gauche d'un général.* ★ Ensemble des partis politiques partisans de réformes sociales, et qui siègent à gauche dans les assemblées élues. ■ **Gauchement** adv. De manière maladroite.

gaz [gɑz] n. m. Corps qui n'est ni solide ni liquide : *L'air est un gaz composé d'oxygène et d'azote.* ★ SPÉCIALEM. Gaz naturel ou fabriqué à partir du charbon, que l'on brûle dans les appareils d'éclairage et de chauffage : *Elle a allumé le gaz pour faire chauffer de l'eau.*

gazon [gɑzɔ̃] n. m. Herbe fine que l'on sème pour former les pelouses : *En été, on arrose le gazon pour qu'il reste vert.*

géant, e [ʒeɑ̃, ɑ̃t] adj. Qui est d'une taille beaucoup plus grande que la taille normale : *On est en train de construire une grue géante.* ■ N. Personne dont la taille dépasse la taille ordinaire : *Cet homme a plus de deux mètres, c'est un vrai géant!*

gelée [ʒəle] n. f. Temps pendant lequel il gèle : *Pendant les gelées, il faut protéger les arbres fruitiers.*

geler [ʒəle] v. tr. (Se conj. comme *mener.*) Transformer un liquide en glace : *En hiver, le froid gèle l'eau des ruisseaux.* ★ Blesser par l'action du froid : *Il a eu les pieds gelés au cours d'une expédition en haute montagne.* ■ V. intr. Se transformer en glace : *Il faisait si froid que les fontaines gelaient.* ■ V. impers. *Il gèle,* il fait si froid que l'eau gèle : *La température baisse, je crois qu'il va geler cette nuit.*

gémir [ʒemir] v. intr. Exprimer sa douleur par une plainte : *Le chien avait une patte écrasée, il gémissait doucement.*

gendarme [ʒɑ̃darm] n. m. Soldat de métier qui, en France, assure la sécurité publique : *Le voleur qui s'enfuyait a été arrêté par les gendarmes.*

gendarmerie [ʒɑ̃darməri] n. f. Corps militaire qui assure la sécurité intérieure d'un pays. ★ Bâtiment où logent les gendarmes et dans lequel ils ont leurs bureaux : *On alla à la gendarmerie, afin de signaler l'accident.*

gendre [ʒɑ̃dr] n. m. Mari de la fille par rapport aux parents de celle-ci : *Mon gendre est un homme intelligent et bon, ma fille est heureuse avec lui.*

gêner [ʒɛne] v. tr. Empêcher la liberté des mouvements de quelqu'un : *Ce manteau est trop étroit, il me gêne.* ★ Embarrasser quelqu'un, l'empêcher de faire ce qu'il aurait voulu : *L'enfant avait l'air timide, il était gêné par la présence de personnes qu'il ne connaissait pas.*

général, e, aux [ʒeneral, o] adj. Qui se rapporte à tous les éléments d'un ensemble : *L'opinion générale est d'accord avec le gouvernement.* ★ Relatif à l'ensemble des services d'une administration : *Il est secrétaire général de l'association des anciens élèves.* ■ LOC. ADV. *En général,* le plus souvent, sans vouloir faire de distinction : *Le mois de février est, en général, le mois le plus froid de l'hiver.* ■ **Généralement** adv.

général [ʒeneral] n. m. Officier du grade le plus élevé dans les armées de terre et de l'air : *Un général de division commande de 15 000 à 25 000 hommes.*

généraliser [ʒeneralize] v. tr. Rendre général : *On s'efforce de généraliser l'emploi des tracteurs.* ■ V. intr. Conclure du particulier à ce qui est général : *Vous généralisez trop, car en réalité les faits sont plus complexes.*

génération [ʒenerasjɔ̃] n. f. Ensemble des personnes qui sont nées à peu près à la même époque : *Il est né trois ans après moi; nous sommes donc de la même génération.*

généreux, euse [ʒenerø, øz] adj. Qui donne largement : *Mon oncle est très généreux, il me fait souvent de beaux cadeaux.* ■ **Généreusement** adv.

génie [ʒeni] n. m. Etre qui, dans l'opinion des Anciens, des Orientaux, etc., était doué d'un pouvoir supérieur à celui des hommes. ★ Puissance intellectuelle extraordinaire dont sont doués certains êtres humains : *Mozart était un homme de génie.*

genou (pl. **genoux**) [ʒənu] n. m. Articulation des os de la jambe et de la cuisse : *Les enfants se blessent souvent le genou en tombant.* ★ *A genoux,* les genoux sur le sol : *La femme se mit à genoux dans l'église pour prier.*

genre [ʒɑ̃r] n. m. Ensemble des personnes, des animaux ou des choses qui ont certains caractères communs : *Le chien, le chat et le serpent appartiennent au genre animal.* ★ PAR EXTENS. *Le genre humain,* l'ensemble des hommes. ★ Ensemble des caractères essentiels d'une personne ou d'une chose : *Cette femme a un genre de beauté qui ne me plaît pas.* ★ GRAMM. Forme que prennent les mots pour indiquer le sexe des êtres animés ou établir une différence entre les noms de choses : *En français, le soleil est du genre masculin.*

gens [ʒɑ̃] n. m. pl. Ensemble de personnes dont le nombre est indéterminé : *J'ai rencontré des gens sympathiques pendant mon voyage.* ★ *Jeunes gens,* pluriel de « jeune homme » ou de « jeune homme et jeune fille » : *J'ai passé la soirée avec un groupe d'étudiants et d'étudiantes, ces jeunes gens travaillent beaucoup.*

gentil, ille [ʒɑ̃ti, ij] adj. Se dit d'une personne aimable avec qui l'on a des rapports agréables : *Vous êtes gentil de m'avoir apporté ce livre.* ■ **Gentiment** adv.

géographie [ʒeɔgrafi] n. f. Science qui étudie l'état actuel de la surface de la Terre, certains phénomènes humains, les productions, etc. : *Les cartes sont des instruments essentiels pour l'étude de la géographie.*

géologie [ʒeɔlɔʒi] n. f. Science qui étudie la constitution de l'écorce terrestre : *Grâce à des travaux récents de géologie, on a découvert des gisements de pétrole.*

géométrie [ʒeɔmetri] n. f. Partie des mathématiques qui étudie les lignes, les surfaces et les volumes des figures.

gérant, e [ʒerɑ̃, ɑ̃t] n. Personne qui administre une affaire pour une autre qui la possède : *Le propriétaire a choisi un nouveau gérant pour s'occuper de ses immeubles.*

gerbe [ʒɛrb] n. f. Plantes coupées, dont les tiges sont attachées ensemble : *Le blé était déjà moissonné et les champs étaient couverts de gerbes.* ★ Très gros bouquet de fleurs préparé pour une cérémonie : *Le ministre a déposé une gerbe devant le monument aux morts.*

geste [ʒɛst] n. m. Mouvement que l'on fait avec le bras, la main, etc., et qui exprime une pensée ou un sentiment : *D'un geste, il me montra qu'il n'était pas d'accord avec moi.*

gibier [ʒibje] n. m. Tout animal que l'on chasse pour le manger : *Je n'ai pas tué beaucoup de gibier à la chasse, mais seulement deux lapins.*

gigantesque [ʒigɑ̃tɛsk] adj. D'une taille ou d'une importance beaucoup plus grande que la normale : *Ce bâtiment est gigantesque, je n'en ai jamais vu d'aussi grand.*

gilet [ʒilɛ] n. m. Vêtement boutonné devant, et sans manches, que les hommes portent parfois entre la chemise et le veston : *Aujourd'hui,*

beaucoup d'hommes ne portent plus de gilet. ★ Vêtement tricoté, avec ou sans manches, qui couvre le torse et se boutonne devant.

gisement [ʒizmɑ̃] n. m. Masse de minéraux (charbon, métaux, etc.) qui peut être extraite de la terre : *Le plus* *important gisement de fer français est en Lorraine.*

glace [glas] n. f. Eau rendue solide par le froid : *Il doit geler assez fort, car la glace est épaisse à la surface du lac.* ★ Mélange de lait et d'œufs, sucré et parfumé, que l'on a fait durcir par le froid avant de le manger : *Préférez-vous la glace au café ou la glace au chocolat?* ★ Plaque de verre épaisse utilisée pour divers usages : *Il fait trop chaud dans cette voiture, je vais baisser les glaces.* ★ Plaque de verre recouverte d'une feuille de métal, et qui réfléchit les images : *Cette jeune fille est coquette, elle se regarde cent fois par jour dans la glace.*

glacé, e [glase] adj. Qui est aussi froid que de la glace : *En été, il est agréable de boire de l'eau glacée.*

glacial, e, als [glasjal] adj. Extrêmement froid : *La température est glaciale cet hiver.*

glacier [glasje] n. m. Masse imposante de glace qui s'accumule en haute montagne : *Pour atteindre le sommet de la montagne, les alpinistes durent traverser plusieurs glaciers.*

glande [glɑ̃d] n. f. Organe de l'homme et des animaux qui produit un liquide nécessaire au fonctionnement de l'organisme.

glissant, e [glisɑ̃, ɑ̃t] adj. Trop lisse pour qu'on puisse s'y tenir : *Il a gelé et le sol est glissant, ne roulez pas trop vite en voiture.*

glisser [glise] v. tr. Faire entrer doucement : *Il me glissa une lettre dans la main sans se faire voir.* ■ V. intr. Se déplacer sur une surface lisse : *Les enfants s'amusent à glisser sur la rivière gelée.* ■ **Se glisser** v. pron. Pénétrer quelque part ou en sortir d'une manière adroite et rapide, en se faisant le plus petit possible : *L'enfant s'est glissé dans la cuisine en l'absence de sa mère, pour voler un gâteau.*

globe [glɔb] n. m. Tout ce dont la forme ressemble à celle d'une sphère. ★ *Le globe terrestre,* la Terre.

gloire [glwar] n. f. Eclat dont brille une personne que son génie, ses talents, ses succès font connaître : *Pendant la campagne d'Italie, Bonaparte se couvrit de gloire.*

golfe [gɔlf] n. m. Partie de mer qui pénètre très largement et très loin à l'intérieur des terres : *Le golfe de Gascogne se trouve entre le sud de la France et le nord de l'Espagne.*

gomme [gɔm] n. f. Substance végétale qui se forme en petites boules sur l'écorce de certains arbres. ★ Morceau de caoutchouc qu'on frotte sur ce qu'on a écrit, pour le faire disparaître : *L'enfant frotta le papier avec une gomme pour en enlever les taches de doigts.*

gonfler [gɔ̃fle] v. tr. Emplir de gaz : *Je vais gonfler les pneus de ma bicyclette avant de partir.* ★ Rendre une poche, un sac plus ou moins gros, en le remplissant : *Mon portefeuille est gonflé de lettres et de billets.*

gorge [gɔrʒ] n. f. Le devant du cou : *Le chien m'a sauté à la gorge.* ★ L'intérieur du cou : *Notre fils a de la fièvre et il a mal à la gorge.* ★ Poitrine de la femme. ★ Vallée très étroite et profonde : *Les gorges du Tarn sont très pittoresques.*

gothique [gɔtik] adj. Se dit d'une forme d'art répandue en Europe, du XIIe s. à la Renaissance.

goudron [gudrɔ̃] n. m. Liquide noir et épais que l'on étend sur les routes : *Les ouvriers qui réparent la route font chauffer le goudron.*

gouffre [gufr] n. m. Trou si profond qu'il donne l'impression que rien ne peut le remplir : *Une équipe de* *jeunes gens a essayé d'explorer ce gouffre.*

gourmand, e [gurmɑ̃, ɑ̃d] adj. Se dit d'une personne qui aime manger ce qu'elle trouve bon : *Cette jeune femme est très gourmande, mais elle aime surtout les gâteaux et les bonbons.*

gourmandise [gurmɑ̃diz] n. f. Défaut des gens qui sont gourmands : *La gourmandise est un défaut fréquent chez les enfants.*

goût [gu] n. m. Celui des cinq sens qui nous permet de connaître la qualité de la nourriture et de la boisson : *La langue est l'organe du goût.* ★ Ensemble des caractéristiques d'un aliment : *Ce poisson est d'un goût exquis.* ★ FIG. Faculté de distinguer ce qui est beau de ce qui ne l'est pas : *Il a du goût et aime à s'entourer de belles choses.*

goûter [gute] v. tr. Chercher à connaître le goût d'une chose qui se mange : *Une bonne cuisinière goûte les aliments quand elle les prépare.* ■ V. intr. Prendre un léger repas dans l'après-midi : *Les enfants goûtent à cinq heures, en rentrant de classe.*

goûter [gute] n. m. Léger repas que l'on prend dans l'après-midi : *Pour le goûter, cette petite fille prend du pain et du chocolat.*

goutte [gut] n. f. Très petite partie de liquide, ayant généralement la forme d'une sphère : *Tu as fait tomber quelques gouttes de vin sur la nappe.*

gouttière [gutjɛr] n. f. Tuyau de

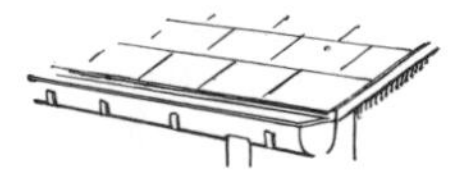

métal placé au bord des toits pour recevoir les eaux de pluie.

gouvernement [guvɛrnəmɑ̃] n. m. Action de diriger les affaires publiques, dans un Etat déterminé. ★ Ensemble des personnes qui dirigent les affaires de l'Etat : *Le président de la République a réuni les membres du gouvernement.*

gouverner [guvɛrne] v. tr. Diriger les affaires de l'Etat : *Ce pays vit dans l'anarchie, car il est très mal gouverné.*

grâce [grɑs] n. f. Manière d'être qui rend une personne ou une chose agréable à regarder : *La jeune fille dansait avec une grâce que tous admiraient.* ★ Secours que Dieu accorde à l'homme. ★ Remise de peine que l'on accorde à un condamné : *Le président de la République a accordé sa grâce au condamné à mort.* ■ LOC. PRÉP. *Grâce à,* à cause de : *Grâce à votre aide, j'ai pu gagner mon procès.*

grade [grad] n. m. Rang d'un officier ou d'un sous-officier : *Le lieutenant va monter en grade et va être nommé capitaine.*

grain [grɛ̃] n. m. Chacun des fruits qui forment un épi ou une grappe : *La poule mangeait des grains de blé.* ★ Morceau d'une matière quelconque dont la taille, le poids, la forme font penser à un grain : *J'ai mal à l'œil, je dois avoir un grain de poussière dedans.*

graine [grɛn] n. f. Partie du fruit d'où pourra naître une plante : *J'ai semé des graines de salade dans mon jardin.*

graisse [grɛs] n. f. Matière molle, de couleur claire, qui s'accumule dans le corps de l'homme et des animaux, s'ils se nourrissent de manière abondante : *Les personnes qui ne font pas d'exercice ont plus de graisse que de muscle.* ★ Corps gras dont on se sert pour faire la cuisine, pour entretenir les machines, etc. : *Mettez de la graisse dans la poêle, avant de faire cuire la viande.*

graisser [grɛse] v. tr. Mettre de la graisse aux endroits convenables d'une machine pour qu'elle marche sans chauffer ni s'user : *Il faudra graisser le moteur de ma voiture.*

grammaire [gramɛr] n. f. Science qui étudie les règles qu'il faut connaître pour parler et écrire une langue : *Vous ne pouvez bien parler une langue dont vous ignorez la grammaire.* ★ Livre où les règles du langage sont expliquées : *Mon fils a reçu en classe une grammaire où il y a des exercices excellents.*

grammatical, e, aux [gramatikal, o] adj. Qui concerne la grammaire : *Apprenez par cœur les règles grammaticales et les exemples qui les expliquent.* ■ **Grammaticalement** adv.

gramme [gram] n. m. Unité de mesure correspondant au poids d'un centimètre cube d'eau pure : *Cette pièce de monnaie pèse cinq grammes.*

grand, e [grɑ̃, ɑ̃d] adj. Qui est de dimensions importantes : *Paris est la plus grande ville de France.* ★ Qui est d'une taille élevée : *Cet homme est grand et mince.* ★ Qui est au-dessus des autres personnes par ses qualités morales, son génie, ses défauts : *Beaucoup de grands hommes français sont enterrés au Panthéon.* ★ *Le grand air,* l'air que l'on respire au-dehors, à la campagne. ★ *Pas grand-chose,* presque rien : *Ce travail est mal fait, il ne vaut pas grand-chose.*

grandeur [grɑ̃dœr] n. f. Dimension dans n'importe quel sens, et notamment dans le sens de la hauteur : *Les deux tours de l'église ne sont pas de la même grandeur.*

grandiose [grɑ̃djoz] adj. Se dit des choses dont la grandeur et la beauté provoquent l'admiration : *La cathédrale de Chartres est un édifice grandiose.*

grandir [grɑ̃dir] v. intr. Devenir plus grand : *Cet enfant a beaucoup grandi pendant l'année scolaire.*

grand-mère [grɑ̃mɛr] n. f. Mère du père ou de la mère : *La grand-mère gâte beaucoup ses petits-enfants.*

grand-père [grɑ̃pɛr] n. m. Père du père ou de la mère : *Victor Hugo a écrit un livre de poésies dont le titre est « l'Art d'être grand-père ».*

grands-parents [grɑ̃parɑ̃] n. m. pl. Parents du père ou de la mère : *Bien que je ne sois plus jeune, mes grands-parents sont encore vivants.*

grange [grɑ̃ʒ] n. f. Bâtiment où l'on abrite les gerbes, le foin, la paille : *Le fermier regardait avec plaisir sa grange pleine de blé.*

graphique [grafik] n. m. Courbe représentant les variations d'un poids, d'un prix, etc., que l'on a mesurées : *Au pied du lit de la malade, on avait accroché le graphique de sa température.*

grappe [grap] n. f. Masse que forment les fleurs ou les fruits de certaines plantes : *Comme dessert, tu mangeras une belle grappe de raisin.*

gras, grasse [grɑ, grɑs] adj. Qui est formé de graisse : *Le beurre et l'huile sont des corps gras.* ★ Qui a de la graisse en quantité dans le corps : *Il faudra que je fasse du sport, car je suis un peu trop gras.* ★ Qui est sali par la graisse : *Ne laissez pas par terre vos papiers gras quand vous déjeunez sur l'herbe.*

gratification [gratifikasjɔ̃] n. f. Cadeau en argent que l'on donne en plus du salaire : *Les employés du bureau ont reçu pour la fin de l'année une importante gratification.*

gratis [gratis] adv. Sans payer : *Le frère de l'actrice est allé au théâtre gratis.*

gratter [grate] v. tr. Frotter avec la pointe des ongles ou avec la partie tranchante d'une lame, pour enlever une très petite épaisseur : *Je me suis trompé en écrivant, il faudra que je gratte ce mot.*

gratuit, e [gratɥi, it] adj. Que l'on ne paie pas : *En France, l'enseignement primaire est obligatoire et gratuit.* ■ **Gratuitement** adv.

grave [grav] adj. Qui est lourd de conséquences : *Une maladie grave l'a empêché de travailler pendant six mois.* ★ Se dit des personnes qui ont l'air très sérieuses et conscientes de leurs responsabilités ou de leurs soucis : *J'ai été reçu par le juge qui était un homme grave.* ★ Se dit des sons bas, par opposition aux sons aigus : *Les hommes ont la voix plus grave que les femmes.* ★ GRAMM. *Accent grave*, V. ACCENT. ■ **Gravement** adv.

gravité [gravite] n. f. Caractère de ce qui est grave : *La gravité de cet incident diplomatique préoccupe beaucoup le gouvernement.*

gré [gre] n. m. sing. *De bon gré*, avec bonne volonté. ★ *De mauvais gré*, avec mauvaise volonté. ■ LOC. ADV. *Bon gré, mal gré*, volontairement ou de force : *Les personnes qui ne sont pas riches doivent travailler bon gré, mal gré.*

grêle [grɛl] n. f. Pluie gelée qui tombe par grains : *La grêle a détruit les récoltes de la région.*

grenier [grənje] n. m. Partie d'une maison située sous le toit.

grève [grɛv] n. f. Arrêt volontaire du travail, décidé par des salariés, pour faire pression sur leur patron ou sur le gouvernement : *Les ouvriers vont faire une grève de vingt-quatre heures pour réclamer une augmentation de salaire.*

gréviste [grevist] n. Personne qui fait grève : *Les grévistes ont défilé dans la rue en portant des pancartes.*

griffe [grif] n. f. Ongle du chat, du chien, etc. : *En jouant avec le chat, l'enfant a reçu un coup de griffe.*

grillage [grijaʒ] n. m. Sorte de filet fabriqué avec des fils de métal qu'on met devant une fenêtre, autour d'un jardin, etc.

grille [grij] n. f. Ensemble de barreaux de fer verticaux, souvent maintenus par des barres horizontales : *Il y a une grille à chacune des fenêtres de la prison.*

griller [grije] v. tr. Mettre en contact avec le feu : *Comme le pain était rassis, nous l'avons fait griller.*

grimper [grɛ̃pe] v. intr. Monter en s'aidant des pieds et des mains : *Regardez votre fils monter à l'arbre : il grimpe comme un singe.*

grincer [grɛ̃se] v. intr. (Se conj. comme *annoncer*.) Faire un bruit aigu et désagréable en frottant sur une surface : *La porte du jardin grince beaucoup : il faudra la graisser.*

grippe [grip] n. f. Maladie contagieuse plus ou moins grave, qui donne la fièvre : *Pour soigner la grippe, il faut rester couché et prendre des boissons chaudes.*

gris, e [gri, griz] adj. Qui est de la couleur intermédiaire entre le blanc et le noir : *Le ciel est gris, on dirait qu'il va pleuvoir.* ■ N. m. Couleur grise : *Ma femme s'est fait faire une robe d'un très joli gris foncé.*

gronder [grɔ̃de] v. tr. Adresser des reproches à quelqu'un et surtout à un enfant : *La vieille dame a grondé l'enfant qui l'avait bousculée.* ■ V. intr. Produire un bruit sourd : *Le chien gronda en entendant quelqu'un marcher dans le jardin.*

gros, grosse [gro, gros] adj. Qui est d'un volume ou d'un chiffre important : *Il y a un gros nuage qui cache le soleil.* ★ Qui n'est ni fin ni délicat : *Pour aller à la chasse, je mets de gros* *souliers.* ■ Loc. adv. *En gros,* par grandes quantités : *Si j'achetais mon vin en gros, je le paierais moins cher qu'au détail.*

grosseur [grosœr] n. f. Volume considéré particulièrement du point de vue de la largeur : *J'ai dans mon jardin des fruits d'une grosseur étonnante.* ★ Endroit du corps anormalement gros.

grossier, ère [grosje, ɛr] adj. Se dit d'une chose faite sans soin : *Le menuisier m'a fait une table en bois blanc qui est d'un travail grossier.* ★ Fig. Qui marque un manque de culture ou d'éducation : *Il est très mal élevé et il ne cesse d'employer des mots grossiers.* ■ **Grossièrement** adv.

grossir [grosir] v. tr. Faire paraître plus gros : *Le microscope grossit les objets de petite taille.* ■ V. intr. Devenir gros : *Je me suis pesé aujourd'hui, j'ai grossi de deux kilos en un mois.*

grotte [grɔt] n. f. Espace naturel creusé à peu près horizontalement dans une masse de rochers : *Les hommes primitifs vivaient dans des grottes.*

groupe [grup] n. m. Ensemble de personnes ou d'objets qui se trouvent rapprochés par les circonstances : *Un groupe de badauds regardait les maçons travailler.*

grouper [grupe] v. tr. Mettre ensemble : *L'instituteur a groupé ses élèves avant d'entrer dans la classe.*

grue [gry] n. f. Machine qui sert à soulever des objets très lourds pour

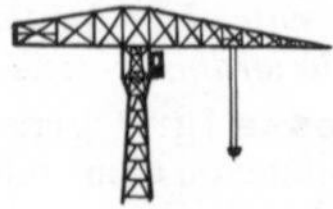

les déplacer : *Une grue déposait des automobiles sur le pont d'un bateau.*

guérir [gerir] v. tr. Rendre la santé : *Le médecin m'a guéri de la grippe.* ★ Fig. Débarrasser d'un défaut : *Il faudra guérir ce garçon de son habitude de se ronger les ongles.* ■ V. intr. Retrouver la santé : *Il est malade, mais le docteur espère qu'il guérira rapidement.*

guérison [gerizɔ̃] n. f. Action de guérir : *La guérison sera longue, mais dans deux mois vous pourrez reprendre votre travail.*

guerre [gɛr] n. f. Lutte armée entre deux ou plusieurs pays : *La guerre de 1939 éclata à propos de la Pologne.* ★ *Guerre civile,* guerre entre les citoyens d'un même pays.

guetter [gɛte] v. tr. Surveiller les mouvements d'une personne ou d'un animal : *Le chat s'est caché dans la haie pour guetter les oiseaux.*

gueule [gœl] n. f. Nom donné à la bouche de certains animaux : *Le chien se promenait avec un os dans la gueule.*

guichet [giʃɛ] n. m. Ouverture pratiquée dans un mur ou une vitre, et par laquelle on communique avec

quelqu'un : *Je me suis arrêté devant le guichet du théâtre pour prendre une place d'orchestre.*

guide [gid] n. m. Personne qui accompagne quelqu'un pour lui montrer le chemin : *Quand je vais en haute montagne, je prends un guide.* ★ Personne qui accompagne des visiteurs pour leur montrer une ville, un musée, etc. : *Le guide du château montra aux touristes le chapeau de Napoléon.* ★ Livre dans lequel on trouve des renseignements sur un pays, une ville, etc. : *J'ai lu dans le guide que la cathédrale est du XIIIe siècle.*

guider [gide] v. tr. Accompagner une personne pour lui montrer le chemin : *L'aveugle est guidé par son chien.* ★ FIG. Diriger une personne dans son travail en lui donnant des conseils : *Les parents instruits peuvent guider leurs enfants dans leurs études.*

guillemet [gijmɛ] n. m. Signe de ponctuation qui se met au commencement et à la fin de paroles que l'on rapporte : *Jean dit à son chien : « Viens ici. »*

guitare [gitar] n. f. Instrument de musique dont on pince les cordes,

pour en tirer des sons qui accompagnent généralement la voix.

gymnastique [ʒimnastik] n. f. Ensemble des mouvements qui ont pour but d'exercer et de fortifier certaines parties du corps : *Je fais de la gymnastique tous les matins pour ne pas grossir.*

habile [abil] adj. Qui est capable, physiquement ou moralement, de réussir dans une entreprise : *Cet ouvrier est habile dans son travail.* ■ **Habilement** adv.

habileté [abilte] n. f. Expérience ou adresse qui permet de réussir : *Le pilote atterrit dans un champ avec habileté.*

habiller [abije] v. tr. Mettre des vêtements à une personne : *La maman habilla son petit garçon.* ■ **S'habiller** v. pron. Mettre ses vêtements : *Je me lève à sept heures, puis je m'habille avant de prendre mon petit déjeuner.* ★ Savoir choisir ses vêtements : *Cette dame est jolie, mais elle ne s'habille pas bien.*

habitant, e [abitɑ̃, ɑ̃t] n. Personne qui vit habituellement dans un lieu : *Les habitants des villes aiment aller à la campagne pour se reposer.*

habitation [abitasjɔ̃] n. f. Maison où l'on habite : *Les habitations du village sont construites au bord de la rivière.*

habiter [abite] v. tr. Vivre dans un certain lieu : *Il habitait un appartement de trois pièces.* ■ V. intr. : *Mon frère a habité à la campagne pendant dix ans.*

habits [abi] n. m. pl. Ensemble des vêtements que porte une personne.

habitude [abityd] n. f. Manière d'être ou d'agir qu'on a prise au bout d'un certain temps : *J'ai l'habitude de boire du café après chaque repas.* ■ Loc. adv. *D'habitude, A l'habitude,* presque toujours : *D'habitude je me couche tôt, mais hier je suis rentré à une heure du matin.*

habituel, elle [abitɥɛl] adj. Que l'on a pris l'habitude de faire, de voir, d'entendre, etc. : *Le bruit de la rue est si habituel pour moi que je ne l'entends même plus.* ■ **Habituellement** adv.

habituer [abitɥe] v. tr. Réussir à faire prendre à une personne ou à un animal une manière d'être ou d'agir : *Il habitua son chien à lui rapporter tout ce qu'on lui lançait.*

***hache** [aʃ] n. f. Instrument en fer, muni d'un manche, et qui sert à couper et à fendre : *Il coupa une branche de l'arbre à la hache.*

***haie** [ɛ] n. f. Branches, buissons, etc., disposés ou plantés autour d'un terrain pour en marquer la limite : *Mon jardin est entouré d'une haie d'arbustes.* ★ Personnes alignées sur un ou plusieurs rangs, pour regarder passer quelqu'un : *Une haie de spectateurs attendait l'arrivée du président de la République.*

***haine** [ɛn] n. f. Sentiment violent qui porte à vouloir du mal à quelqu'un : *Elle a pour lui une haine si forte qu'elle en vient parfois à désirer sa mort.* ★ Opposition violente à quelque chose : *Depuis qu'il avait été exilé, il manifestait une grande haine envers le gouvernement de son pays.*

***hall** [ol] n. m. Vaste salle qui se trouve à l'entrée d'une gare, d'un hôtel, etc. : *Je suis entré dans le hall de l'hôtel pour retenir une chambre.*

N. B. — Le signe * indique les mots commençant par un *h aspiré*.

***halte** [alt] n. f. Moment pendant lequel on s'arrête au cours d'une promenade, d'un voyage, etc. : *Les alpinistes firent une première halte après deux heures de marche.* ■ Interj. *Halte!* Arrêtez-vous!

***hanche** [ɑ̃ʃ] n. f. Chacune des deux parties situées de chaque côté du corps humain, entre les cuisses et les côtes.

***haricot** [ariko] n. m. Plante dont on mange soit le fruit quand il est

frais, soit la graine quand elle est sèche ou incomplètement mûre : *Les haricots secs sont un légume nourrissant.*

harmonie [armɔni] n. f. Succession de sons agréables à entendre. ★ Accord parfait entre les différentes parties d'un tout : *Les bleus et les verts de ce tableau sont en parfaite harmonie.*

***hasard** [azar] n. m. Ensemble d'événements dont on ne voit pas la cause : *Le hasard a voulu que nous nous rencontrions en Italie.* ■ LOC. ADV. *Au hasard,* sans but déterminé : *Il aime marcher au hasard dans une ville qu'il ne connaît pas.* ★ *Par hasard,* sans le vouloir : *C'est par hasard que j'ai appris votre présence à Paris.*

***hâter** [ɑte] v. tr. Rendre plus rapide : *Les passants hâtèrent le pas, car il allait pleuvoir.* ★ Rendre plus proche dans le temps : *Je dois hâter mon retour en France, car mon père est gravement malade.* ■ **Se hâter** v. pron. Agir avec plus de rapidité : *Hâtez-vous, je vous attends!*

***hausse** [os] n. f. Augmentation de valeur : *La hausse des prix risque de provoquer de nouvelles grèves.*

***haut, e** [o, ot] adj. Qui a une grande hauteur : *La tour Eiffel est le plus haut monument de Paris.* ★ Qui est à une grande distance du sol : *Un oiseau chante sur la plus haute branche de l'arbre.* ★ FIG. Qui se trouve au-dessus des autres par son grade, ses fonctions, etc. : *En France, le président de la République est le plus haut personnage de l'Etat.* ★ *Parler à voix haute,* parler de manière que tout le monde entende. ■ **Haut** adv. : *Les avions volent très haut dans le ciel.*

***haut** [o] n. m. Partie d'un objet la plus éloignée du sol : *Le chat était monté sur le haut de l'armoire.* ★ Hauteur : *Cet immeuble a au moins trente mètres de haut.* ■ LOC. ADV. *En haut, là-haut,* dans la partie la plus haute : *Où sont les valises? — En haut, dans le grenier!*

***hauteur** [otœr] n. f. Dimension d'un objet considéré dans le sens vertical : *La hauteur du mont Blanc est de 4 807 mètres.* ★ Distance au-dessus du sol : *L'hélicoptère volait à une hauteur de deux cents mètres.*

***haut-parleur** [oparlœr] n. m. Appareil qui transforme les ondes électriques en ondes sonores qu'on peut entendre à une assez grande distance : *Les nouveaux appareils de radio sont pourvus de plusieurs haut-parleurs.*

hebdomadaire [ɛbdɔmadɛr] adj. Qui se produit une fois par semaine : *Le repos hebdomadaire a généralement lieu le dimanche.* ■ N. m. Périodique qui paraît une fois par semaine : *Il achète tous les samedis un hebdomadaire littéraire.*

hectare [ɛktar] n. m. Mesure de surface qui vaut 10 000 mètres carrés : *Cette commune s'étend sur plus de cinq cents hectares.*

hélas! [elas] interj. Marque un sentiment de douleur, de regret, etc.

hélice [elis] n. f. Appareil de bois ou de métal qui, en tournant dans l'air ou dans l'eau, sert à faire avancer un

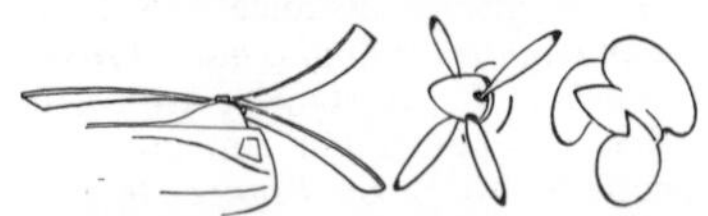

avion, un bateau, etc. : *Une des hélices de l'avion s'est arrêtée, mais l'appareil a pu regagner sa base.*

hélicoptère [elikɔptɛr] n. m. Appareil d'aviation qui s'élève verti-

calement et se déplace grâce à de grandes hélices horizontales.

hémisphère [emisfɛr] n. m. Chacune des moitiés du globe terrestre : *La surface des océans est plus importante dans l'hémisphère Sud que dans l'hémisphère Nord.*

hémorragie [emɔraʒi] n. f. Perte de sang souvent importante, causée par la rupture d'une veine ou d'une artère : *Le blessé est resté très longtemps sans soins et il est mort d'une hémorragie.*

herbe [ɛrb] n. f. Ensemble des plantes de petite taille dont les tiges, molles et vertes, meurent chaque année : *Les vaches mangent l'herbe des prés.*

héritage [eritaʒ] n. m. Ce que l'on reçoit de quelqu'un après sa mort : *L'héritage de ses parents se composait seulement de quelques meubles.*

hériter [erite] v. tr. Recevoir une chose en héritage : *J'ai hérité une maison de mon oncle.* ■ V. intr. : *Depuis qu'il a hérité de son père, il a changé sa façon de vivre.*

héritier, ère [eritje, ɛr] n. Personne qui a hérité ou qui doit hériter d'une autre.

héroïque [erɔik] adj. Qui montre de l'héroïsme : *Ce soldat a eu une conduite héroïque pendant la guerre.* ■ **Héroïquement** adv.

héroïsme [erɔism] n. m. Courage que montre un héros.

***héros, héroïne** [ero, erɔin] n. Personne qui se distingue des autres par son courage ou par des actions extraordinaires : *Nul ne sait qu'il s'est conduit en héros pendant la dernière guerre.* ★ Personnage principal d'un roman, d'une pièce de théâtre, etc. : *Le metteur en scène décida brusquement de ne plus faire mourir le héros du film.*

hésitation [ezitasjɔ̃] n. f. Action d'hésiter : *Il me salua après un moment d'hésitation, car il ne m'avait pas reconnu.*

hésiter [ezite] v. intr. Ne pas pouvoir se décider à faire quelque chose : *J'hésite à partir pour la campagne, car j'ignore s'il fera beau.*

heure [œr] n. f. La vingt-quatrième partie du jour : *Le voyage a duré deux heures.* ★ Moment déterminé du jour ou de la nuit : *Quelle heure est-il? — Il est sept heures dix.* ■ LOC. ADV. *Tout à l'heure,* dans un moment : *Je vous montrerai tout à l'heure quelques photographies de mon voyage en Grèce.* ★ *A l'heure,* en temps voulu : *Ne soyez pas en retard, car le spectacle commence à l'heure.* ★ *De bonne heure,* tôt : *J'aime me lever de bonne heure.*

heureux, euse [ørø, øz] adj. Se dit d'une personne qui éprouve un sentiment de profonde satisfaction : *Il était heureux de pouvoir bavarder avec son ami.* ■ **Heureusement** adv.

***heurter** [œrte] v. tr. Donner par maladresse ou par inattention un coup à quelqu'un ou à quelque chose : *Son pied heurta une pierre et il tomba.* ★ FIG. Blesser quelqu'un moralement : *Il a très souvent des paroles maladroites qui heurtent l'amour-propre des gens.*

hier [ijɛr ou jɛr] adv. Le jour qui précède celui où l'on est : *Il est parti hier soir pour Nice.* ★ **Avant-hier** adv. Le jour qui précède la veille : *Nous sommes aujourd'hui dimanche; avant-hier c'était vendredi.*

***hiérarchie** [jerarʃi] n. f. Ordre suivant lequel les pouvoirs, les autorités, les grades dépendent les uns des autres.

histoire [istwar] n. f. Récit exact des événements de la vie d'un peuple, d'un groupe, etc. : *Cet auteur a étudié l'histoire de l'Europe au Moyen Age.* ★ FIG. Récit destiné aux enfants : *Tous les soirs, la maman racontait une histoire à ses deux petites filles.* ★ Fait désagréable qui se produit dans la vie de quelqu'un : *Comme je suis très étourdi, il m'arrive souvent des histoires ennuyeuses.*

historique [istɔrik] adj. Qui a un rapport avec l'histoire : *La découverte de l'Amérique fut un grand événement historique.*

hiver [ivɛr] n. m. Saison froide qui, dans l'hémisphère Nord, commence le 22 décembre : *En hiver, il y a souvent de la neige dans les pays froids.*

homme [ɔm] n. m. Etre formé d'un corps et d'une âme, et qui possède la faculté de raisonner et d'utiliser un langage parlé. ★ Ensemble des êtres humains : *L'homme est mortel.* ★ Etre humain du sexe masculin : *Les hommes vivent moins longtemps que les femmes.* ★ Employé parfois pour désigner un soldat ou un ouvrier : *L'entrepreneur envoya sur place une équipe de quatre hommes.* ★ *Homme d'Etat,* homme qui participe au gouvernement. ★ *Homme d'affaires,* homme qui a l'habitude de traiter des affaires.

honnête [ɔnɛt] adj. Qui est conforme à l'honneur, à la morale, à la vertu : *J'ai perdu mon porte-monnaie, et une personne honnête me l'a rapporté.* ■ **Honnêtement** adv.

honneur [ɔnœr] n. m. Sentiment qui porte à se conduire de manière à ne perdre ni sa propre estime ni celle des autres : *L'honneur ordonne au commandant de rester le dernier sur son navire qui fait naufrage.*

***honte** [ɔ̃t] n. f. Sentiment que l'on éprouve quand on juge que l'on a commis une faute : *Vous devriez avoir honte de mentir ainsi.*

***honteux, euse** [ɔ̃tø, øz] adj. Qui cause de la honte : *Voler est un acte honteux.* ★ Qui ressent de la honte : *Je suis honteux d'avoir été grossier envers vous.* ■ **Honteusement** adv.

hôpital [ɔpital] n. m. Vaste établissement où l'on soigne en grand nombre les malades et les blessés : *Il fut blessé au début de la guerre, et on le soigna dans un hôpital militaire.*

horaire [ɔrɛr] adj. Qui a rapport aux heures, et en particulier aux heures de travail : *Son salaire horaire est de huit francs.* ★ *Vitesse horaire,* vitesse moyenne à laquelle on se déplace pendant une heure. ■ N. m. Tableau où sont indiquées les heures de départ et d'arrivée des trains, des avions, etc. : *Nous avons consulté l'horaire qui était affiché dans la gare.*

horizon [ɔrizɔ̃] n. m. Ligne où le ciel et la surface de la terre ou de la mer paraissent se rejoindre : *Je vois la fumée d'un bateau paraître à l'horizon.*

horizontal, e, aux [ɔrizɔ̃tal, o] adj. Qui est parallèle à la surface de la terre : *La ligne horizontale est perpendiculaire à la ligne verticale.* ■ **Horizontalement** adv.

horloge [ɔrlɔʒ] n. f. Appareil qui est le plus souvent fixé dans la façade d'un édifice public et qui marque les

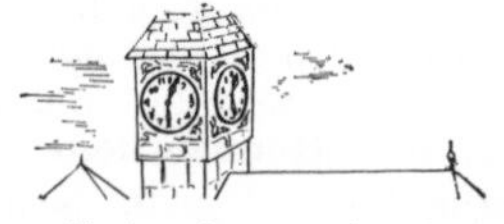

heures : *Il s'arrêta sur la place et vit que l'horloge de la gare indiquait midi.*

horreur [ɔrœr] n. f. Impression physique de dégoût et de peur causée par quelque chose d'affreux : *Je fus saisi d'horreur devant la cruauté de ce spectacle.* ★ *Avoir horreur de,* ne pas aimer du tout.

horrible [ɔribl] adj. Qui cause un sentiment profond de dégoût ou de pitié : *Je suis arrivé quelques minutes après l'accident : le spectacle était horrible.* ■ **Horriblement** adv.

***hors de** [ɔrdə] loc. prép. A l'extérieur de : *Le dimanche, les Parisiens vont se promener en voiture hors de la capitale.* ★ *Hors d'usage,* que l'on ne peut plus utiliser. ★ *Hors de danger,* sauvé. ★ *Hors de prix,* beaucoup trop cher.

***hors-d'œuvre** [ɔrdœvr] n. m. pl. Ensemble des plats froids que l'on mange au début du repas : *Comme hors-d'œuvre, vous me donnerez une salade de tomates.*

hostile [ɔstil] adj. Se dit des idées, des actes, etc., qui manifestent un sentiment d'opposition : *La presse de gauche est violemment hostile au ministère.*

hostilité [ɔstilite] n. f. Sentiment hostile : *Je sentais qu'il ne m'aimait pas, mais soudain son hostilité se déclara ouvertement.* ★ Pl. Actes de guerre commis par un ennemi : *Le bombardement de Pearl Harbor ouvrit les hostilités entre les Etats-Unis et le Japon.*

hôte, hôtesse [ot, otɛs] n. Personne qui reçoit chez elle des gens invités pour le repas ou pour un séjour. ★ Celui qui est invité par quelqu'un pour un repas ou un séjour (toujours au masculin dans ce cas). ★ *Hôtesse de l'air,* jeune fille qui s'occupe du confort des passagers à bord d'un avion : *Comme l'avion allait atterrir, l'hôtesse de l'air pria les passagers d'attacher leur ceinture.*

hôtel [otɛl] n. m. Maison meublée où s'arrêtent les voyageurs qui désirent y loger : *Quand j'étais en Suisse, j'occupais à l'hôtel une chambre très confortable avec salle de bains.* ★ *Hôtel de ville,* nom donné à la mairie dans une ville importante.

***houille** [uj] n. f. Nom que l'on donne au charbon dans l'industrie, en géographie, etc. : *Les principales mines de houille sont situées dans le nord de la France.* ★ *Houille blanche,* énergie obtenue à partir des chutes d'eau.

huile [ɥil] n. f. Liquide gras que l'on extrait de certaines graines, de certains fruits, de certains minéraux et de la graisse de quelques animaux : *Dans le midi de la France, on fait la cuisine à l'huile. Quand un moteur de voiture est usé, il consomme beaucoup d'huile.*

***huit** [ɥit] adj. num. Sept plus un : *Huit et deux font dix.*

***huitième** [ɥitjɛm] adj. num. Qui indique la place qui suit la septième. ■ N. m. L'une des parties d'un tout divisé en huit parties égales.

humain, e [ymɛ̃, ɛn] adj. Qui a rapport à l'homme : *Le fonctionnement du corps humain est fort compliqué.* ★ Qui sait comprendre les problèmes qui se posent aux autres hommes : *Ce directeur est très humain envers ses employés; il cherche toujours à les aider.* ■ **Humainement** adv.

humanité [ymanite] n. f. La nature humaine : *Certains génies donnent l'impression de s'élever au-dessus de l'humanité.* ★ Le genre humain, l'ensemble des hommes morts ou vivants : *La guerre est le pire des maux qui accablent l'humanité.* ★ Qualité de celui qui se montre humain envers les autres hommes : *Le médecin de l'hôpital traite ses malades avec beaucoup d'humanité.*

humeur [ymœr] n. f. Etat dans lequel se trouve l'esprit ou le tempérament d'une personne : *Il sortit de chez lui en chantant, car il était de bonne humeur.*

humide [ymid] adj. Pénétré par l'eau ou par toute autre substance liquide : *Il a beaucoup plu ces temps-ci et la terre est très humide.* ★ *Le temps est humide,* il y a beaucoup de vapeur d'eau dans l'atmosphère.

humidité [ymidite] n. f. Etat de ce qui contient de l'eau : *L'humidité de l'air est grande dans les pays tropicaux à la saison des pluies.*

humiliation [ymiljasjɔ̃] n. f. Souffrance éprouvée par quelqu'un qui se sent méprisé : *Quand il vit que personne ne lui disait bonjour, il ressentit une vive humiliation.*

humour [ymur] n. m. Manière d'envisager les choses avec ironie, tout en gardant une apparence de sérieux : *Son sens de l'humour lui permettait de voir le côté comique des choses.*

***hurler** [yrle] v. intr. Pousser des cris violents : *Sa blessure le faisait tellement souffrir qu'il hurlait de douleur.*

***hutte** [yt] n. f. Sorte de cabane faite de branches, de paille, de terre, etc.

hygiène [iʒjɛn] n. f. Ensemble des soins qui maintiennent le corps propre et en bonne santé : *Les progrès de l'hygiène ont fait disparaître beaucoup de maladies contagieuses.*

hypocrisie [ipɔkrizi] n. f. Manière de tromper les gens, en faisant croire à la sincérité de sentiments que l'on n'éprouve pas réellement : *Il dit qu'il m'aime beaucoup, mais je sens que c'est de l'hypocrisie.*

hypothèse [ipɔtɛz] n. f. Supposition que l'on fait et dont on tire des conséquences.

I

ici [isi] adv. A l'endroit où l'on est : *Je reste ici et vous partez, c'est bien triste.* ★ *Par ici,* du côté où l'on est : *Passez par ici en revenant de votre bureau.*

idéal, e, aux [ideal, o] adj. Qui n'existe que dans l'esprit. ★ Qui répond à l'idée que nous avons de ce qui est parfait : *On dit que la sculpture grecque a réalisé la beauté idéale.* ■ N. m. Ce que l'on imagine comme étant parfait et que l'on voudrait obtenir ou réaliser : *Son idéal est d'être un jour un grand musicien.*

idée [ide] n. f. Image ou conception que l'esprit se fait d'une personne ou d'une chose, à partir d'éléments donnés : *L'idée que je ne vous verrai plus me rend triste. Vous avez eu une bonne idée de venir me chercher.* ★ Opinion : *Ses idées politiques sont très différentes de celles de son père.*

identique [idɑ̃tik] adj. Qui est tout à fait semblable : *Les deux sœurs portaient des robes identiques.*

identité [idɑ̃tite] n. f. Ce qui fait qu'une chose est de même nature qu'une autre. ★ Ensemble des caractéristiques qui font qu'une personne est bien telle personne déterminée : *La police a vérifié l'identité des automobilistes.* ★ *Papiers* ou *pièces d'identité,* pièces officielles où sont inscrits tous les renseignements concernant une personne déterminée (âge, taille, adresse, profession, etc.).

idiot, e [idjo, ɔt] adj. Qui est stupide, sans intelligence : *Cette personne semble idiote, elle ne comprend rien.* ■ N. Personne totalement privée d'intelligence : *Ce pauvre enfant est un idiot de naissance.*

ignorance [iɲɔrɑ̃s] n. f. Défaut de celui qui n'a pas la connaissance de quelque chose : *Il a montré au cours de la conversation une complète ignorance du sujet.*

ignorer [iɲɔre] v. tr. Ne pas savoir, ne pas connaître : *Personne ne doit ignorer la loi. Quelqu'un est venu me voir aujourd'hui, mais le concierge qui l'a vu ignore son nom.*

il [il] pron. pers. m. sing. ; **ils**, m. pl. Désigne l'être ou la chose dont on parle, lorsqu'ils sont le sujet du verbe : *Jean est parti en vacances hier, il reviendra à la fin du mois. J'ai acheté un journal et une revue; ils ne sont pas très intéressants.* ★ S'emploie devant les verbes impersonnels : *Il pleut.*

île [il] n. f. Terre entourée d'eau de

tous côtés : *La Corse est une des grandes îles de la mer Méditerranée.*

illégal, e, aux [ilegal, o] adj. Qui est contraire à la loi : *Il est illégal de prêter de l'argent à un intérêt trop élevé.* ■ **Illégalement** adv.

illettré, e [ilɛtre] adj. Qui ne sait ni lire ni écrire. ■ N. Personne qui ne sait ni lire ni écrire : *Avant la Révolution, le nombre des illettrés était très élevé.*

illumination [ilyminasjɔ̃] n. f. Eclairage extérieur d'un monument public, pendant la nuit, à l'occasion d'une fête : *L'illumination du château a lieu tous les soirs.*

illuminer [ilymine] v. tr. Eclairer d'une vive lumière un bâtiment, une pièce, etc. : *Il y avait, ce soir-là, une réception à l'ambassade, et tous les salons étaient illuminés.*

illusion [ilyzjɔ̃] n. f. Erreur des sens ou de l'esprit qui fait prendre l'apparence pour la réalité : *Il semble que le Soleil tourne autour de la Terre, mais ce n'est qu'une illusion.* ★ Conception imaginaire et souvent idéale : *C'est une illusion de croire que les hommes auront un jour un gouvernement parfait.*

illustre [ilystr] adj. Qui est célèbre par son mérite, son courage ou son génie : *Molière est un des plus illustres écrivains français.*

illustré [ilystre] n. m. Publication (journal ou revue) où le texte est accompagné de nombreuses images : *J'ai offert à mon fils un abonnement à un illustré pour enfants.*

illustrer [ilystre] v. tr. Rendre la lecture d'un texte plus facile par des images : *J'ai un livre d'art illustré de magnifiques photographies en couleurs.*

image [imaʒ] n. f. Représentation d'une personne, d'un animal ou d'une chose réfléchie dans une glace, dans l'eau, etc. : *La jeune fille regardait son image dans la glace.* ★ Représentation d'une personne, d'un animal ou d'une chose par la peinture, le dessin, etc. : *Avant de savoir lire, les enfants regardent des livres d'images.* ★ Représentation d'une personne, d'un animal ou d'une chose dans l'esprit : *Depuis que j'ai été témoin de cet accident, l'image de la voiture qui brûle me poursuit partout.*

imaginaire [imaʒinɛr] adj. Qui n'existe que dans l'imagination : *Les romans mettent généralement en scène des personnages imaginaires.*

imagination [imaʒinasjɔ̃] n. f. Faculté qu'a l'esprit de se représenter les images d'objets ou de personnes : *Il revoyait en imagination le village où il avait passé son enfance.* ★ Faculté qu'a l'esprit de créer : *Cet écrivain a beaucoup d'imagination, ce qui lui permet d'écrire plusieurs romans par an.*

imaginer [imaʒine] v. tr. Se représenter quelque chose dans l'esprit : *Imaginez ma surprise quand j'ai rencontré hier un ami que je n'avais pas vu depuis dix ans.* ★ Faire une invention : *C'est Pascal qui a imaginé la première machine à calculer.* ■ **S'imaginer** v. pron. Croire sans s'appuyer sur des faits réels : *Le fou s'imaginait qu'il était Napoléon.*

imbécile [ɛ̃besil] adj. Qui manque d'intelligence. ■ N. Personne qui manque d'intelligence : *Inutile de me répéter dix fois la même chose, je ne suis pas un imbécile.*

imitation [imitasjɔ̃] n. f. Action d'imiter : *Je connais un acteur célèbre par ses imitations des vedettes de cinéma.* ★ Résultat de cette action : *Cette église est une imitation de l'architecture gothique.*

imiter [imite] v. tr. Essayer de faire exactement ce que fait une personne ou un animal : *Il nous a beaucoup fait rire en imitant la voix et les gestes de notre directeur.* ★ Prendre pour modèle une personne ou une chose : *Cet enfant admire beaucoup son père, et il s'efforce de l'imiter.* ★ Avoir la même apparence : *Ce métal imite l'or.*

immédiat, e [imedja, at] adj. Qui se produit tout de suite : *Ce médicament ne m'a pas guéri, mais j'ai éprouvé un soulagement immédiat.* ■ **Immédiatement** adv.

immense [imɑ̃s] adj. Qui est sans limites : *La mer est une immense étendue d'eau salée.* ■ **Immensément** adv.

immeuble [imœbl] n. m. Maison en général à plusieurs étages : *J'habite au 5ᵉ étage d'un immeuble en pierre situé au sud de Paris.*

immobile [imɔbil] adj. Qui ne bouge pas : *Le chat guettait l'oiseau, mais restait immobile.*

immobiliser [imɔbilize] v. tr. Empêcher de bouger : *Une opération à la jambe m'a immobilisé pendant trois mois.* ■ **S'immobiliser** v. pron. S'arrêter : *Le conducteur freina brusquement et le camion s'immobilisa.*

immoral, e, aux [imɔral, o] adj. Qui est contraire à l'idée qu'on se fait de la morale : *Certaines scènes du film étant immorales, il a été censuré.*

immortel, elle [imɔrtɛl] adj. Qui ne mourra pas : *Pour les chrétiens, l'âme est immortelle.*

impair, e [ɛ̃pɛr] adj. Qu'on ne peut pas diviser en deux nombres entiers égaux : *1, 3, 5 et 7 sont des nombres impairs.*

imparfait, e [ɛ̃parfɛ, ɛt] adj. Qui n'est pas achevé. ★ Qui présente des défauts. ■ N. m. GRAMM. Temps du passé qui exprime une durée sans limites dans l'imagination : *A l'imparfait de l'indicatif, le verbe « prendre » se conjugue ainsi : « je prenais, tu prenais », etc.*

impasse [ɛ̃pas] n. f. Petite rue où l'on ne peut pénétrer que par un côté : *Je suis heureux d'habiter dans une impasse, car il n'y circule pas de voitures.*

impatience [ɛ̃pasjɑ̃s] n. f. Difficulté que l'on éprouve à supporter quelque chose ou quelqu'un : *Le voyage était long et les enfants manifestaient de l'impatience.* ★ Vif désir de voir quelque chose se réaliser : *Il attendait avec impatience l'arrivée de son ami.*

impatient, e [ɛ̃pasjɑ̃, ɑ̃t] adj. Qui supporte avec difficulté quelque chose ou quelqu'un : *Ce malade est difficile à soigner, car il est impatient.* ★ Qui désire vivement voir quelque chose arriver : *Les enfants étaient impatients de partir en vacances.* ■ **Impatiemment** adv.

impératif, ive [ɛ̃peratif, iv] adj. Se dit d'une parole, d'un geste qui manifeste la volonté de donner un ordre : *Il lui fit signe de sortir d'un geste impératif.* ■ N. m. GRAMM. Le mode qui exprime l'ordre. ■ **Impérativement** adv.

impérialisme [ɛ̃perjalism] n. m. Manière d'agir d'un Etat qui veut mettre d'autres Etats sous sa domination politique ou économique : *Ce pays inquiète ses voisins par son impérialisme.*

imperméable [ɛ̃pɛrmeabl] adj. Qui ne laisse pas passer un liquide : *Le caoutchouc est imperméable à l'eau.* ■ N. m. Manteau imperméable à la pluie : *Prends ton imperméable, il va sûrement pleuvoir.*

impersonnel, elle [ɛ̃pɛrsɔnɛl] adj. Qui ne porte la marque d'aucune personnalité : *Ce romancier a écrit une œuvre banale, dans un style impersonnel.* ★ GRAMM. *Verbe impersonnel,* verbe employé seulement à la 3ᵉ personne du sing. : « *Il pleut* », « *il faut* » *sont des verbes impersonnels.*

impitoyable [ɛ̃pitwajabl] adj. Qui est sans pitié : *En le condamnant à mort, le tribunal s'est montré impitoyable envers l'accusé.* ■ **Impitoyablement** adv.

impoli, e [ɛ̃pɔli] adj. Qui n'obéit pas aux règles de la politesse : *Ce jeune homme est très impoli, il ne dit jamais merci.* ■ **Impoliment** adv.

importance [ɛ̃pɔrtɑ̃s] n. f. Caractère de ce qui est considérable : *Je suis heureux de vous voir, car j'ai à vous parler d'une affaire de la plus haute importance.*

important, e [ɛ̃pɔrtɑ̃, ɑ̃t] adj. Se dit des choses dont le contenu, la valeur, etc., sont considérables : *Le commerçant a déposé à la banque une somme importante.* ★ Se dit d'un événement, d'une idée, etc., dont les conséquences peuvent être considérables : *La découverte des antibiotiques a fait faire à la médecine des progrès importants.* ★ Se dit d'une personne qui joue un rôle très remarquable : *Rembrandt est un des peintres les plus importants de l'histoire de l'art.*

importation [ɛ̃pɔrtasjɔ̃] n. f. Action d'importer : *C'est surtout par Marseille que se fait l'importation des produits d'Afrique.* ★ Ensemble des marchandises achetées à l'étranger : *Les importations de ce pays dépassent largement ses exportations.*

importer [ɛ̃pɔrte] v. tr. Faire entrer dans son pays les produits de pays étrangers : *La France importe la plus grande partie du pétrole dont elle a besoin.*

importer [ɛ̃pɔrte] v. intr. Avoir de l'importance : *Que vous soyez de mon avis ou non, cela importe peu.* ■ V. impers. *Il importe,* il est important : *Il importe que ce travail soit terminé avant la fin du mois.* ★ *N'importe qui,* une personne quelconque. ★ *N'importe quoi,* une chose quelconque.

imposant, e [ɛ̃pozɑ̃, ɑ̃t] adj. Qui par son importance impose le respect ou un sentiment d'infériorité : *Vue de la vallée, la montagne offre un aspect imposant.*

imposer [ɛ̃poze] v. tr. Faire subir : *Ma tante est d'un caractère faible, elle ne sait pas imposer sa volonté à ses enfants.* ★ Exiger un impôt : *L'Etat impose les citoyens sur leurs revenus.*

impossible [ɛ̃pɔsibl] adj. Qui n'est pas possible : *Elle est très bavarde, il lui est impossible de se taire.*

impôt [ɛ̃po] n. m. Somme d'argent que l'Etat exige des citoyens pour financer les dépenses publiques : *Les Français paient des impôts indirects sur l'essence et le tabac.*

impression [ɛ̃prɛsjɔ̃] n. f. Action d'imprimer : *L'impression des ouvrages de cette maison d'édition se fait en province.* ★ Marque laissée dans l'esprit ou la sensibilité de quelqu'un : *J'ai trouvé le malade très fatigué, et il m'a causé une impression pénible.* ★ *Avoir l'impression que,* croire que : *Il fait lourd et j'ai l'impression que le temps va tourner à l'orage.*

impressionner [ɛ̃prɛsjɔne] v. tr. Produire une vive impression : *J'ai assisté à un accident qui m'a beaucoup impressionné.*

imprévu, e [ɛ̃prevy] adj. Que l'on n'a pas prévu : *Un événement imprévu, la maladie de notre fils, est venu bouleverser nos projets de voyage.*

imprimer [ɛ̃prime] v. tr. Reproduire un texte sur du papier au moyen d'une machine spéciale : *Ce livre a été imprimé à l'étranger.* ■ Au part. passé, employé comme nom : *Un imprimé,* tout ce qui est imprimé.

imprimerie [ɛ̃primri] n. f. Action d'imprimer. ★ Local où l'on imprime des livres, des journaux, etc.

improviser [ɛ̃prɔvize] v. tr. Composer sur-le-champ et sans avoir préparé : *A la fin du banquet, le président a improvisé un discours.*

improviste (à l') [alɛ̃prɔvist] loc. adv. Sans qu'on s'y attende : *Il est arrivé chez moi à l'improviste pour dîner.*

imprudence [ɛ̃prydɑ̃s] n. f. Manque de prudence : *En prêtant de l'argent à des gens qu'il ne connaissait pas, il fait preuve d'imprudence.* ★ Acte qui manque de prudence : *C'est une imprudence de doubler une voiture en haut d'une côte.*

imprudent, e [ɛ̃prydɑ̃, ɑ̃t] adj. Qui manque de prudence : *Cet enfant est imprudent, il ne fait jamais attention en traversant la rue.* ■ **Imprudemment** adv.

inacceptable [inaksɛptabl] adj. Qui ne peut être accepté : *Votre proposition est malhonnête, je la considère comme inacceptable.*

inactif, ive [inaktif, iv] adj. Qui n'agit pas : *Il reste toute la journée inactif; à sa place je m'ennuierais.*

inadmissible [inadmisibl] adj. Qui ne peut pas être admis : *Il est inadmissible que vous arriviez toujours en retard.*

inattendu, e [inatɑ̃dy] adj. Qui n'était pas attendu : *Son arrivée inattendue nous a empêchés d'aller au cinéma.*

inauguration [inɔgyrasjɔ̃] n. f. Cérémonie officielle par laquelle on déclare ouvert au public un bâtiment, une installation, etc. : *L'inauguration du nouveau pont a eu lieu en présence d'un ministre.*

incapable [ɛ̃kapabl] adj. Qui n'est pas capable de faire quelque chose.

incendie [ɛ̃sɑ̃di] n. m. Grand feu qui se propage au milieu de bâtiments, de forêts, etc. : *L'incendie du puits de pétrole se voyait de très loin.*

incertain, e [ɛ̃sɛrtɛ̃, ɛn] adj. Qui n'est pas sûr : *Le temps est incertain, je crois bien qu'il va pleuvoir.*

incertitude [ɛ̃sɛrtityd] n. f. Etat d'une personne qui ne sait pas avec certitude ce qu'elle doit faire ou dire : *Elle est dans l'incertitude, car elle n'a pas encore reçu de réponse à sa demande.*

incident [ɛ̃sidɑ̃] n. m. Fait souvent peu important, en général désagréable, qui arrive sans que l'on s'y attende : *Cette panne d'électricité est due à un incident technique.*

incliner [ɛ̃kline] v. tr. Pencher plus ou moins : *Dans les pays où il neige beaucoup, les toits des maisons sont très inclinés. Il s'inclina devant la maîtresse de maison pour la saluer.*

incompatible [ɛ̃kɔ̃patibl] adj. Dont l'existence ne peut pas se concilier avec celle d'une autre chose : *Sa femme et lui avaient des caractères incompatibles, ils se disputaient souvent.*

incompréhensible [ɛ̃kɔ̃preɑ̃sibl] adj. Qui ne peut pas être compris : *Il parle si vite que tout ce qu'il dit est incompréhensible.*

inconnu, e [ɛ̃kɔny] adj. Se dit des personnes ou des choses qu'on ne connaît pas : *L'Australie est restée longtemps inconnue.* ■ N. Personne inconnue : *Un inconnu m'a arrêté dans la rue pour me demander son chemin.*

inconscient, e [ɛ̃kɔ̃sjɑ̃, ɑ̃t] adj. Qui n'a pas conscience de quelque chose : *Les enfants sont souvent inconscients du danger.* ★ Se dit de ce que fait une personne sans s'en rendre compte : *Il a eu un geste inconscient dans son sommeil.* ■ **Inconsciemment** adv. ■ N. m. Ensemble des phénomènes psychologiques qui sont en dehors de la conscience : *L'inconscient se manifeste surtout dans nos rêves.*

inconvénient [ɛ̃kɔ̃venjɑ̃] n. m. Défaut qui rend désagréable ou nuisible l'emploi d'une chose : *Prendre ses vacances en hiver présente des inconvénients : les jours sont courts et il fait froid.*

incorrect, e [ɛ̃kɔrɛkt] adj. Qui n'est pas correct : *Il est peu instruit et il parle de manière incorrecte.* ■ **Incorrectement** adv.

incroyable [ɛ̃krwajabl] adj. Qui est difficile à croire : *Au cours de ses voyages, il lui est arrivé des histoires incroyables.* ■ **Incroyablement** adv.

indécis, e [ɛ̃desi, iz] adj. Se dit d'une personne qui ne peut pas se décider : *Je suis indécis, je ne sais vraiment pas quel film aller voir ce soir.* ★ Se dit d'une chose qui n'est pas certaine : *La victoire resta indécise, car l'ennemi se retira en bon ordre.*

indéfini, e [ɛ̃defini] adj. Auquel on ne peut pas donner de limites : *Un nombre indéfini de personnes attendait l'ouverture du cinéma.* ★ GRAMM. Se dit d'un mot indiquant qu'il s'agit d'une personne ou d'un objet non défini dans l'esprit. ■ **Indéfiniment** adv.

indemnité [ɛ̃dɛmnite] n. f. Argent donné à une personne pour réparer un dommage qu'on lui a fait subir : *Après l'accident dont il a été victime, il a reçu de l'assurance une forte indemnité.*

indépendance [ɛ̃depɑ̃dɑ̃s] n. f. Etat d'une personne qui ne doit obéir à aucune autorité : *Sa fortune lui permet de vivre dans l'indépendance.* ★ Etat d'un pays qui ne dépend pas d'un autre : *Ce pays a lutté longtemps pour obtenir son indépendance.*

indépendant, e [ɛ̃depɑ̃dɑ̃, ɑ̃t] adj. Qui ne dépend de rien, ni de personne : *Il n'appartient à aucun parti, à aucune école, à aucun groupe; c'est un esprit indépendant.*

indicatif [ɛ̃dikatif] n. m. Mode du verbe qui exprime la réalité.

indication [ɛ̃dikasjɔ̃] n. f. Ce qui renseigne, ce qui fait connaître : *Grâce aux indications qu'on lui avait données, le voyageur trouva son chemin.*

indifférence [ɛ̃diferɑ̃s] n. f. Attitude de celui qui est indifférent : *Quand j'ai appris à mon amie la mort de mon père, j'ai été surprise par son indifférence.*

indifférent, e [ɛ̃diferɑ̃, ɑ̃t] adj. Qui ne porte pas plus d'intérêt à une personne, à une chose qu'à une autre : *Je ne sais pas quoi faire : il m'est indifférent de partir ou de rester.*

indignation [ɛ̃diɲasjɔ̃] n. f. Colère qui porte à protester contre une chose que l'on condamne : *Ce crime a provoqué l'indignation de tout le village.*

indigner [ɛ̃diɲe] v. tr. Provoquer la colère, le blâme : *La lâcheté de cet homme indigne tous ses amis.* ■ **S'indigner** v. pron. Manifester de l'indignation.

indiquer [ɛ̃dike] v. tr. Montrer par le geste ou la parole : *Comme je m'étais perdu, j'ai demandé à un passant de m'indiquer mon chemin.*

indirect, e [ɛ̃dirɛkt] adj. Qui n'est pas direct : *Il n'ose pas m'attaquer, mais il m'a fait des menaces indirectes.* ★ GRAMM. *Complément d'objet indirect,* complément d'objet rattaché au verbe par la préposition *à* ou *de.* ■ **Indirectement** adv.

indiscret, ète [ɛ̃diskrɛ, ɛt] adj. Qui s'occupe de choses qui ne le concernent pas : *Il est très indiscret, car il a lu une lettre qui ne lui était pas adressée.* ★ Qui ne sait pas garder un secret : *Vous avez été indiscret en répétant ce que je vous avais confié.* ■ **Indiscrètement** adv.

indispensable [ɛ̃dispɑ̃sabl] adj. Qui est absolument nécessaire : *La bêche est un outil indispensable au jardinier.*

individu [ɛ̃dividy] n. m. Chaque personne considérée séparément à l'intérieur d'un groupe. ★ Personne indéterminée dont on parle avec mépris : *L'individu qui a attaqué une femme dans la rue vient d'être arrêté.*

indulgent, e [ɛ̃dylʒɑ̃, ɑ̃t] adj. Qui excuse facilement les fautes de quelqu'un : *Le professeur se montre très indulgent envers cet élève, qui est souvent malade.*

industrialiser [ɛ̃dystrijalize] v. tr. Installer des industries dans un pays, une région, etc. : *On a industrialisé cette région en y installant des usines de constructions mécaniques.*

industrie [ɛ̃dystri] n. f. Ensemble des opérations qui consistent à extraire, à produire et à travailler les matières premières pour pouvoir les utiliser : *Il y a beaucoup de forêts dans cette région, et l'industrie du bois y est très importante.*

industriel, elle [ɛ̃dystrijɛl] adj. Qui concerne l'industrie : *La production industrielle de ce pays a augmenté au cours des cinq dernières années.* ★ Se dit d'un pays, d'une région, d'une ville, etc., où sont installées de nombreuses industries : *La région parisienne est très industrielle.*

industriel [ɛ̃dystrijɛl] n. m. Chef d'une entreprise industrielle : *Cet industriel possède une usine de produits chimiques.*

inédit, e [inedi, it] adj. Qui n'a pas encore été publié : *A la mort de cet écrivain, on a trouvé chez lui plusieurs ouvrages inédits.*

inégal, e, aux [inegal, o] adj. Se dit d'une chose qui n'est pas égale à une autre : *Les doigts de la main sont de longueur inégale.* ★ Se dit d'une chose soumise à des variations : *Le temps est très inégal depuis une semaine; tantôt il pleut, tantôt il fait beau.* ■ **Inégalement** adv.

inertie [inɛrsi] n. f. Etat de ce qui est totalement privé de mouvement.

inévitable [inevitabl] adj. Qui ne peut être évité : *La mort est une chose inévitable.* ■ **Inévitablement** adv.

inexact, e [inɛgza ou inɛgzakt, inɛgzakt] adj. Qui contient des erreurs : *Cette division est inexacte, il faut recommencer l'opération.*

inexactitude [inɛgzaktityd] n. f. Légère erreur dans un calcul, un récit, etc. : *Les journalistes ont commis une inexactitude en disant que l'accident avait eu lieu le mardi.*

infanterie [ɛ̃fɑ̃tri] n. f. Ensemble des troupes qui combattent à pied : *L'infanterie pénétra dans le village derrière les blindés.*

infection [ɛ̃fɛksjɔ̃] n. f. Invasion de microbes dangereux pour l'organisme : *Pour combattre l'infection de la plaie, le chirurgien soigna le blessé avec des antibiotiques.*

inférieur, e [ɛ̃ferjœr] adj. Qui est situé en dessous, par la position, le degré, le rang social, etc. : *Seule, la mâchoire inférieure est mobile. Il fait, ce soir, une température inférieure à 0 degré.*

infériorité [ɛ̃ferjɔrite] n. f. Caractère de ce qui est inférieur : *Le manque de main-d'œuvre qualifiée met ce pays en état d'infériorité.*

infini, e [ɛ̃fini] adj. Qui est sans limites : *Le professeur m'a expliqué ce problème avec une patience infinie.* ■ N. m. Ce qui est sans limites : *La mer donne une impression d'infini.* ■ **Infiniment** adv.

infinitif, ive [ɛ̃finitif, iv] adj. GRAMM. Qui est de la nature de l'infinitif. ■ N. m. GRAMM. Mode du verbe qui exprime l'état ou l'action d'une manière indéterminée : « *Etre* » *et* « *faire* » *sont des infinitifs.*

infirme [ɛ̃firm] adj. Se dit d'une personne qui est privée d'une de ses facultés physiques. ■ N. Personne infirme.

infirmier, ère [ɛ̃firmje, ɛr] n. Personne qui a pour métier de soigner les malades ou les blessés : *Dans certains hôpitaux, les infirmières portent un voile blanc.*

infirmité [ɛ̃firmite] n. f. Etat d'une personne dont un membre ou un organe ne peut remplir ses fonctions : *Cet homme est sourd, et son infirmité le gêne beaucoup.*

inflammable [ɛ̃flamabl] adj. Qui prend feu facilement : *Le pétrole dégage des vapeurs inflammables.*

infliger [ɛ̃fliʒe] v. tr. (Se conj. comme *manger.*) Faire subir une peine : *Le tribunal lui a infligé cent francs d'amende pour excès de vitesse.*

influence [ɛ̃flyɑ̃s] n. f. Action qu'une personne ou une chose exerce sur une autre : *Profitez de votre influence sur lui pour l'empêcher de fumer.*

information [ɛ̃fɔrmasjɔ̃] n. f. Renseignement donné par un journal, la radio ou la télévision : *Je vais écouter les informations à la radio.*

informer [ɛ̃fɔrme] v. tr. Donner des renseignements (souvent officiels) : *Le directeur informa ses employés que l'usine serait fermée pendant le mois de juillet.* ■ **S'informer** v. pron. Chercher à obtenir des informations : *Je suis allée à la gare pour m'informer de l'heure du train.*

ingénieur [ɛ̃ʒenjœr] n. m. Personne qui sait établir les plans de travaux industriels déterminés et en diriger l'application : *La construction de la route a été faite sous la direction d'un ingénieur des Ponts et chaussées.*

ingratitude [ɛ̃gratityd] n. f. Défaut d'une personne qui manque de reconnaissance.

initiative [inisjativ] n. f. Action de la personne qui est la première à agir. ★ Qualité de la personne qui est capable d'agir par elle-même : *Je cherche pour notre succursale un directeur qui ait de l'initiative et qui sache prendre des décisions.* ★ *Syndicat d'initiative,* bureau où les touristes peuvent obtenir des renseignements.

injure [ɛ̃ʒyr] n. f. Acte (et surtout parole) qui offense : *Les deux automobilistes se disputaient en échangeant des injures.*

injuste [ɛ̃ʒyst] adj. Contraire à la justice : *Quand il a appris qu'on le renvoyait, il a protesté contre une décision qu'il estimait injuste.*

injustice [ɛ̃ʒystis] n. f. Manque de justice : *Les enfants détestent l'injustice.* ★ Acte contraire à la justice : *Le maître a commis une injustice en punissant à tort un élève.*

innocent, e [inɔsɑ̃, ɑ̃t] adj. Se dit d'une personne qui n'est pas coupable : *On a reconnu que l'accusé était innocent.*

inoffensif, ive [inɔfɑ̃sif, iv] adj. Qui ne peut faire de mal à personne : *Vous pouvez caresser ce chien, il est inoffensif.*

inondation [inɔ̃dasjɔ̃] n. f. Invasion d'eau : *Le niveau du fleuve monte, et l'on craint une inondation.*

inonder [inɔ̃de] v. tr. Couvrir abondamment d'un liquide : *A la fonte des neiges, les eaux du torrent ont inondé la vallée.*

inouï, e [inwi] adj. Qui surprend par son caractère extraordinaire : *On a construit une tour d'une hauteur inouïe.*

inquiet, ète [ɛ̃kjɛ, ɛt] adj. Se dit d'une personne dont l'esprit est agité par la crainte de quelque chose : *Elle est inquiète quand son mari rentre tard.*

inquiéter [ɛ̃kjete] v. tr. (Se conj. comme *céder.*) Causer de l'inquiétude à quelqu'un : *L'état de santé de ma mère m'inquiète beaucoup.* ■ **S'inquiéter** v. pron. Se laisser aller à l'inquiétude : *Je m'inquiète, car je n'ai reçu aucune lettre de lui.*

inquiétude [ɛ̃kjetyd] n. f. Etat d'une personne à qui des soucis ou des craintes ne laissent aucun repos d'esprit : *Il vit dans l'inquiétude, car il a peur de perdre sa situation.*

inscription [ɛ̃skripsjɔ̃] n. f. Action d'inscrire. ★ Chose inscrite : *On a puni l'élève qui avait fait une inscription à la craie sur le mur de la classe.*

inscrire [ɛ̃skrir] v. tr. (Se conj. comme *écrire.*) Ecrire quelque chose sur un registre, un mur, etc. : *Je vais inscrire votre nom sur mon carnet d'adresses.* ■ **S'inscrire** v. pron. Donner son nom en vue de participer à une activité plus ou moins officielle : *Elle s'est inscrite à l'Association sportive de son lycée.*

insecte [ɛ̃sɛkt] n. m. Petit animal qui a six pattes, et deux ou quatre ailes : *La lumière de ma lampe attire ce soir toutes sortes d'insectes.*

insinuer [ɛ̃sinɥe] v. tr. Introduire doucement et adroitement quelque chose. ★ Faire pénétrer doucement et adroitement une idée dans l'esprit : *Elle insinua méchamment que son beau-frère avait fait fortune d'une manière malhonnête.*

insister [ɛ̃siste] v. tr. Porter un effort prolongé sur une chose, une idée, etc. : *Il a insisté pour que nous restions, et nous ne sommes partis qu'à minuit.*

insolence [ɛ̃sɔlɑ̃s] n. f. Manque de respect qui est presque une injure : *Le petit garçon a dit « Zut! » à sa mère, et elle l'a puni de son insolence.*

inspecter [ɛ̃spɛkte] v. tr. Examiner avec soin, dans tous les détails : *Le patron inspecta le travail de ses ouvriers et leur dit qu'il en était très satisfait.*

inspecteur, trice [ɛ̃spɛktœr, tris] n. Personne dont le métier est d'inspecter et de contrôler : *Un inspecteur du travail est venu visiter l'usine.*

inspirer [ɛ̃spire] v. tr. Faire pénétrer de l'air à l'intérieur des poumons. ★ Faire naître chez une personne une passion, une pensée, etc. : *Sa femme lui a inspiré un violent amour.*

instable [ɛ̃stabl] adj. Qui manque d'équilibre.

installation [ɛ̃stalasjɔ̃] n. f. Action d'installer : *Ils procèdent à l'installation de leur nouvelle maison.* ★ Ce qu'on a installé : *La nouvelle installation de ce dentiste est très moderne.*

installer [ɛ̃stale] v. tr. Mettre en place, de manière définitive, un ensemble de bâtiments, de machines et de services qui doivent produire un travail déterminé : *On installe dans la région une usine métallurgique.* ■ **S'installer** v. pron. S'établir dans un lieu pour une durée plus ou moins longue : *Nous laisserons le rez-de-chaussée aux enfants et nous nous installerons au premier.*

instant [ɛ̃stɑ̃] n. m. Espace de temps très court : *L'éclair ne se voit qu'un instant.* ★ *A l'instant,* sans perdre un instant.

instinct [ɛ̃stɛ̃] n. m. Réaction automatique et inconsciente qui fait agir, dans certains cas, les animaux et les hommes : *L'instinct nous fait d'abord reculer en présence du danger. C'est l'instinct qui pousse les oiseaux à bâtir leur nid.*

instituteur, trice [ɛ̃stitytœr, tris] n. Personne qui fait la classe aux enfants, à l'école primaire : *C'est une institutrice qui m'a appris à lire.*

institution [ɛ̃stitysjɔ̃] n. f. Action de créer quelque chose de manière officielle. ★ *Les institutions,* lois sur lesquelles repose tout le système politique et social d'un Etat : *Il faut adapter nos institutions politiques aux conditions de la vie moderne.*

instruction [ɛ̃stryksjɔ̃] n. f. Action de former l'esprit : *L'instruction des enfants se fait dans les écoles.* ★ Ensemble des enquêtes et des recherches que fait faire le magistrat compétent quand il y a eu crime ou délit. ★ Pl. Ce que l'on écrit ou ce que l'on dit à quelqu'un pour qu'il sache exactement ce qu'il doit faire : *Je vous donne dans cette lettre toutes* *les instructions dont vous pourriez avoir besoin pour diriger le bureau en mon absence.*

instruire [ɛ̃stʀɥiʀ] v. tr. (Se conj. comme *conduire.*) Former l'esprit d'une personne en exerçant ses facultés : *Cette personne est très instruite, elle sait beaucoup de choses.*

instrument [ɛ̃stʀymɑ̃] n. m. Objet fabriqué, dont on se sert pour exécuter un travail de précision : *On fabrique les instruments de chirurgie avec un acier spécial.* ★ *Instrument de musique,* appareil dont on peut tirer des sons musicaux.

insu [ɛ̃sy] n. m. Loc. prép. *A l'insu de,* sans qu'on le sache : *Notre chien s'est enfui à l'insu de tout le monde.*

insulter [ɛ̃sylte] v. tr. Attaquer quelqu'un par des injures : *Elle l'a insulté en le traitant de voleur.*

intact, e [ɛ̃takt] adj. Se dit d'une chose qui n'a subi aucun dommage : *Lorsque nous avons déménagé, les meubles sont arrivés intacts à notre nouvel appartement.*

intellectuel, elle [ɛ̃tɛlɛktɥɛl] adj. Qui a un rapport avec le travail de l'intelligence : *La mémoire et l'attention sont des facultés intellectuelles.* ■ N. Personne qui, par goût ou par profession, s'occupe des choses de l'esprit : *Bien qu'il soit un intellectuel, il aime bricoler.*

intelligence [ɛ̃tɛliʒɑ̃s] n. f. Ensemble des facultés qui permettent de connaître et de comprendre : *L'intelligence permet de résoudre rapidement un problème difficile.*

intelligent, e [ɛ̃tɛliʒɑ̃, ɑ̃t] adj. Qui a de l'intelligence : *Les gens intelligents cherchent à comprendre avant de juger.* ★ Qui montre de l'intelligence : *Je viens de lire un ouvrage intelligent sur la peinture italienne.*

intense [ɛ̃tɑ̃s] adj. Se dit de ce qui agit avec beaucoup de force : *Le froid était si intense que le lac était gelé.* ■ **Intensément** adv.

intention [ɛ̃tɑ̃sjɔ̃] n. f. Disposition d'esprit qui fait qu'on se propose d'atteindre un but : *Nous avons l'intention de changer de voiture.*

interdiction [ɛ̃tɛʀdiksjɔ̃] n. f. Ce que l'on dit ou écrit pour interdire quelque chose : *Les mots « interdiction de fumer » étaient inscrits à l'intérieur de la salle de spectacle.*

interdire [ɛ̃tɛʀdiʀ] v. tr. (Se conj. comme *dire,* sauf à la 2e pers. du pl. : *vous interdisez.*) Défendre quelque chose à quelqu'un : *Le médecin lui a interdit le café pendant quelques mois. On a interdit aux enfants de jouer dans le salon.*

intéressant, e [ɛ̃teʀɛsɑ̃, ɑ̃t] adj. Qui présente de l'intérêt : *J'ai vu hier soir un film très intéressant.*

intéresser [ɛ̃teʀɛse] v. tr. Présenter de l'intérêt : *La littérature française m'intéresse beaucoup.* ■ **S'intéresser à** v. pron. Porter de l'intérêt à quelque chose ou à quelqu'un : *Il s'intéresse beaucoup à la peinture abstraite.*

intérêt [ɛ̃teʀɛ] n. m. Bénéfice que rapporte une somme que l'on a prêtée à quelqu'un : *Je reçois un intérêt de 5 % pour l'argent que j'ai placé.* ★ Avantage que l'on retire de quelque chose : *Il n'a aucun intérêt à vendre sa maison, car il peut la louer très cher.* ★ Curiosité que suscite une personne ou une chose : *J'ai lu ce livre avec intérêt.*

intérieur, e [ɛ̃teʀjœʀ] adj. Qui est situé au-dedans : *Il avait mis son portefeuille dans la poche intérieure de son veston.* ★ *La politique intérieure,* les relations entre le gouvernement et les citoyens. ■ N. m. Partie de l'espace qui est au-dedans : *Elle a mis les œufs à l'intérieur du panier.* ★ La partie intérieure d'une maison. ★ *Une* *femme d'intérieur,* une femme qui sait s'occuper de son ménage.

interjection [ɛ̃tɛrʒɛksjɔ̃] n. f. Mot très court par lequel on exprime différents sentiments, comme la peur, la surprise, l'admiration, etc. : *« Ah!, hélas!, bravo! » sont des interjections.*

intermédiaire [ɛ̃tɛrmedjɛr] adj. Se dit d'une chose placée entre deux autres. ▪ N. Personne qui met en relations d'autres personnes : *Il m'a demandé de lui servir d'intermédiaire auprès du maire.*

international, e, aux [ɛ̃tɛrnasjɔnal, o] adj. Qui se passe entre des nations : *Il a assisté cet hiver à une rencontre internationale de football.*

interne [ɛ̃tɛrn] adj. Se dit de ce qui concerne l'intérieur : *Le cœur est un organe interne.* ▪ N. Elève logé et nourri dans une école : *Mon neveu est interne dans un lycée parisien, depuis que ses parents ont quitté la France.*

interpeller [ɛ̃tɛrpəle] v. tr. Appeler de loin une personne : *J'ai été interpellé par un agent, parce que je ne m'étais pas arrêté au feu rouge.*

interprète [ɛ̃tɛrprɛt] n. Personne qui a pour métier de répéter dans une langue ce qu'elle vient d'entendre dire dans une autre : *Il lit et écrit l'anglais, mais c'est insuffisant pour un interprète.* ★ Acteur ou musicien qui joue une œuvre quelconque : *Ce pianiste est un des meilleurs interprètes de Mozart.*

interrogation [ɛ̃tɛrɔgasjɔ̃] n. f. Action d'interroger. ★ *Point d'interrogation,* signe écrit (?) qui indique que l'on pose une question.

interroger [ɛ̃tɛrɔʒe] v. tr. (Se conj. comme *manger.*) Poser des questions à quelqu'un : *Le juge interrogea l'accusé pour connaître son emploi du temps la veille du crime.*

interrompre [ɛ̃tɛrɔ̃pr] v. tr. (Se conj. comme *rendre.*) Ne pas continuer : *Il a interrompu son voyage, et il est revenu chez lui.* ★ Ne pas laisser parler plus longtemps : *Les applaudissements du public interrompirent le discours du président.* ▪ **S'interrompre** v. pron. S'arrêter de parler ou de faire quelque chose : *Je me suis interrompu dans mon travail, car je me suis souvenu que j'avais une course à faire.*

intervalle [ɛ̃tɛrval] n. m. Ce qui sépare deux choses dans le temps ou dans l'espace : *Les voitures se suivaient à quelques mètres d'intervalle. Un intervalle de deux ans s'est écoulé entre le projet de ce pont et sa réalisation.*

intervenir [ɛ̃tɛrvənir] v. intr. (Se conj. comme *venir.*) Se mêler volontairement à une conversation, à une affaire, etc. : *Je suis intervenu dans la discussion pour les mettre d'accord.* ★ Arriver, en parlant d'un événement : *Les difficultés qui intervinrent au cours de notre travail nous obligèrent à l'interrompre.*

intervention [ɛ̃tɛrvɑ̃sjɔ̃] n. f. Action d'intervenir : *Le maire a demandé l'intervention de la police pour rétablir l'ordre.* ★ Opération faite par un chirurgien : *Le malade a bien supporté l'intervention.*

interview [ɛ̃tɛrvju] n. f. Entrevue qu'une personnalité accorde à un journaliste en le chargeant d'en faire un article : *Pendant son séjour à Paris, l'actrice accorda de nombreuses interviews.* ★ Article rapportant une interview : *Un grand quotidien a publié récemment une interview d'un romancier célèbre.*

intestin [ɛ̃tɛstɛ̃] n. m. Organe interne servant à la digestion et situé dans le ventre de l'homme et de certains animaux : *Les aliments passent de l'estomac dans l'intestin.*

intime [ɛ̃tim] adj. Qui a un caractère très personnel. ★ Se dit des personnes entre lesquelles existent des rapports fréquents et profonds : *Je le connais depuis longtemps et je le considère comme un ami intime.* ■ **Intimement** adv.

intransitif, ive [ɛ̃trɑ̃sitif, iv] adj. GRAMM. Se dit d'un verbe dont l'action ne peut s'exercer sur aucun complément d'objet : *Marcher est un verbe intransitif.*

intrigue [ɛ̃trig] n. f. Ensemble des démarches secrètes, combinées pour arriver à un résultat : *Il a fini, à force d'intrigues, par obtenir un poste important.* ★ Enchaînement des faits et des actions dans une pièce de théâtre, un roman ou un film : *Je viens de voir un film policier dont l'intrigue était bien construite.*

introduction [ɛ̃trɔdyksjɔ̃] n. f. Action de faire entrer une chose dans un lieu : *L'introduction de la pomme de terre en Europe a eu lieu au XVIe siècle.* ★ Ce que l'on écrit en tête d'un ouvrage pour préparer le public à ce qui va suivre.

introduire [ɛ̃trɔdɥir] v. tr. (Se conj. comme *conduire.*) Faire entrer : *Elle introduisit la clef dans la serrure pour ouvrir la porte.* ■ **S'introduire** v. pron. Pénétrer dans un lieu : *Le chien du voisin a réussi à s'introduire dans notre jardin.*

intuition [ɛ̃tɥisjɔ̃] n. f. Ce qui permet de connaître quelque chose sans passer par l'intermédiaire du raisonnement : *Il eut l'intuition du danger et fit un saut en arrière pour éviter la voiture.*

inutile [inytil] adj. Se dit de ce qui ne sert à rien : *Il est inutile de courir, votre train est parti depuis longtemps.* ■ **Inutilement** adv.

invariable [ɛ̃varjabl] adj. GRAMM. Se dit d'un mot dont la forme ne change jamais : *L'adverbe est un mot invariable.* ■ **Invariablement** adv.

invasion [ɛ̃vazjɔ̃] n. f. Action d'envahir : *Le pays a subi plusieurs invasions.*

inventer [ɛ̃vɑ̃te] v. tr. Trouver, le premier, quelque chose de nouveau : *On vient d'inventer un nouveau carburant pour les fusées.* ★ Imaginer une chose que l'on prétend réelle : *Il a inventé je ne sais quelle histoire pour expliquer son retard.*

invention [ɛ̃vɑ̃sjɔ̃] n. f. Action d'inventer : *L'invention de l'imprimerie a eu lieu au XVe siècle.* ★ Ce qu'on a inventé : *Sa dernière invention lui rapporte des millions.*

inverse [ɛ̃vɛrs] adj. Qui vient dans un sens opposé : *Il a été heurté par une voiture qui venait en sens inverse.*

invisible [ɛ̃vizibl] adj. Se dit des personnes ou des choses qu'on ne peut pas voir, en raison de leur nature, de leur taille ou de la distance à laquelle elles se trouvent : *L'avion s'éleva rapidement et devint bientôt invisible.*

invitation [ɛ̃vitasjɔ̃] n. f. Ce que l'on dit ou écrit aimablement à quelqu'un pour lui demander de se rendre en un lieu : *Elle a remercié ses amis de leur invitation à dîner.*

inviter [ɛ̃vite] v. tr. Demander aimablement à quelqu'un de venir en un certain lieu ou de faire quelque chose : *Mes amis m'ont invité à passer une semaine chez eux.*

involontaire [ɛ̃vɔlɔ̃tɛr] adj. Ce qui est fait ou dit sans que la volonté intervienne : *Il fit un mouvement involontaire et renversa sa tasse de thé.*

invraisemblable [ɛ̃vrɛsɑ̃blabl] adj. Qui est difficile à croire : *Il est invraisemblable qu'il n'ait pas été blessé au cours de l'accident.*

ironie [irɔni] n. f. Manière de se moquer des gens en disant le contraire de ce qu'on veut leur faire comprendre : *Elle lui a fait des compliments exagérés, et il n'a pas compris que c'était par ironie.*

irrégularité [iregylarite] n. f. Caractère de ce qui n'est pas régulier.

irrégulier, ère [iregylje, ɛr] adj. Qui n'est pas régulier : *Ce fleuve a un cours très irrégulier et il est souvent à sec en été.* ★ Qui n'est pas conforme à la loi ou à la règle : *Il est irrégulier de voyager sans billet. « Vouloir » est un verbe irrégulier.* ■ **Irrégulièrement** adv.

irrigation [irigasjɔ̃] n. f. Action d'amener de l'eau dans un terrain sec pour y faire pousser des plantes : *L'irrigation a rendu fertiles certains déserts.*

irriter [irite] v. tr. Mettre quelqu'un en colère : *Il m'a irrité en refusant de me répondre.* ■ **S'irriter** v. pron.

islam [islam] n. m. Nom de la religion et de la civilisation des pays musulmans.

isolement [izɔlmɑ̃] n. m. Etat de ce qui est isolé : *Il vit tout seul depuis la mort de sa femme, et son isolement lui pèse.*

isoler [izɔle] v. tr. Mettre une personne ou une chose toute seule, loin des autres : *Ce malade est contagieux, il faut l'isoler.*

israélite [israelit] adj. Se dit des personnes ou des choses qui appartiennent à la religion juive. ■ N. Personne qui pratique la religion d'Israël.

issue [isy] n. f. Passage par où l'on peut sortir : *L'issue de secours de cette salle de cinéma donne sur une petite rue.* ★ Ce qui termine une entreprise quelconque : *Ce jeune savant fut félicité pour l'heureuse issue de ses recherches.*

itinéraire [itinerɛr] n. m. Chemin que l'on suit pour se rendre en un lieu : *L'agence de voyages a établi mon itinéraire.*

ivre [ivr] adj. Qui a le cerveau troublé par une boisson alcoolique : *Quand il est ivre, il se met à chanter.* ★ Qui a le cerveau troublé par la colère, l'amour, etc. : *Ivre de joie, il lui a sauté au cou.*

J

jaillir [ʒajir] v. intr. Sortir avec force : *Le tuyau était percé, et l'eau qui en jaillissait se répandait dans l'allée du jardin.*

jalousie [ʒaluzi] n. f. Souffrance que l'on éprouve en voyant quelqu'un posséder ce que l'on voudrait avoir : *Il manifeste souvent de la jalousie envers son frère, qui a mieux réussi que lui dans la vie.* ★ Crainte d'être trahi par une personne aimée : *Notre voisine nous a dit que la jalousie de son mari était insupportable.*

jaloux, ouse [ʒalu, uz] adj. Se dit des personnes qui souffrent de jalousie : *La petite fille était jalouse de sa sœur, à qui l'on avait offert une belle poupée.*

jamais [ʒamɛ] adv. A un moment quelconque : *Si jamais vous passez par Paris, venez me voir.* ★ *Ne... jamais,* pas une fois : *Il ne prend jamais l'avion, car il a peur des accidents.*

jambe [ʒɑ̃b] n. f. Chacun des deux membres inférieurs de l'homme : *Il saute fort bien en hauteur, car il a de grandes jambes.*

jambon [ʒɑ̃bɔ̃] n. m. Cuisse de porc salée : *J'ai acheté trois tranches de jambon chez le charcutier.*

janvier [ʒɑ̃vje] n. m. Le premier mois de l'année : *En France, on a l'habitude de souhaiter une bonne année à ses amis le 1er janvier.*

jardin [ʒardɛ̃] n. m. Terrain plus ou moins grand, où l'on fait pousser des fleurs, des légumes ou des arbres : *Un petit jardin, entouré d'une haie, avait été aménagé devant sa villa.*

jardinier, ère [ʒardinje, ɛr] n. Personne dont le métier est de cultiver les jardins : *En été, le jardinier arrose tous les jours le gazon des pelouses.*

jaune [ʒon] adj. Qui est de la couleur du citron : *En automne, la plupart des arbres ont des feuilles jaunes.* ■ N. m. Couleur jaune : *Le jaune est une couleur gaie.* ■ N. Personne de race jaune.

jaunir [ʒonir] v. tr. Rendre jaune : *Le soleil jaunit l'herbe en été.* ■ V. intr. Devenir jaune : *Les rideaux verts ont jauni au soleil.*

jazz [dʒaz] n. m. Musique que créèrent les Noirs d'Amérique, et dans laquelle un musicien improvise pendant que le reste de l'orchestre fait entendre la mesure : *On retrouve très souvent l'influence du jazz dans la musique contemporaine.*

je [ʒə] pron. pers. (**j'** devant une voyelle ou un *h* muet). Désigne la première personne du singulier quand elle est sujet du verbe : *Je suis sûr de venir demain.*

jet [ʒɛ] n. m. Action de jeter. ★ *Jet d'eau,* eau qui jaillit sous pression : *Dans ce jardin public, il y a un jet d'eau au milieu du bassin.*

jeter [ʒəte] v. tr. (voir tableau p. 356). Envoyer un objet loin de soi : *Les enfants s'amusent à jeter des pierres dans l'étang.* ★ Se débarrasser d'un objet dont on ne veut plus : *Il mit de l'ordre dans sa bibliothèque et jeta beaucoup de vieux papiers.* ■ **Se jeter** v. pron. Se précipiter : *Les enfants se jetèrent dans les bras de leur père qui rentrait de voyage.*

jeu (pl. **jeux**) [ʒø] n. m. Activité qui distrait ou qui amuse : *Cet enfant est plus occupé par le jeu que par le travail.* ★ Activité soumise à des règles, et que l'on pratique pour se distraire, parfois en risquant de l'argent : *Il a la* *passion du jeu, et c'est ainsi qu'il a perdu sa fortune.* ★ Ensemble des objets nécessaires à la pratique d'un certain jeu : *Il prit un jeu de cinquante-deux cartes et les joueurs commencèrent la partie.* ★ Façon dont un acteur joue un rôle au théâtre ou au cinéma : *Cette actrice n'a aucun talent, et son jeu manque de naturel.*

jeudi [ʒødi] n. m. Le cinquième jour de la semaine : *Les élèves des écoles primaires françaises ne vont pas en classe le jeudi.*

jeune [ʒœn] adj. Qui n'a pas encore vécu longtemps : *Cet arbre est trop jeune pour donner des fruits.* ■ N. Personne jeune : *Les jeunes font souvent beaucoup de sport.*

jeunesse [ʒœnɛs] n. f. Partie de la vie de l'homme entre l'enfance et l'âge mûr : *Il passa une partie de sa jeunesse à l'étranger.* ★ Etat de ce qui n'a pas encore vécu longtemps : *Malgré sa jeunesse, cet écrivain a déjà publié de nombreux ouvrages.* ★ Ensemble des jeunes gens et des jeunes filles : *Il y a dans cette ville de nombreuses distractions pour la jeunesse.*

joie [ʒwa] n. f. Sentiment de vif plaisir que donne la possession d'un bien réel ou imaginaire : *Quand il reçut son cadeau de Noël, il éprouva une joie très vive.*

joindre [ʒwɛ̃dr] v. tr. (Se conj. comme *craindre.*) Rapprocher deux choses pour qu'elles soient en contact : *Le chrétien qui prie Dieu joint les mains.* ★ Ajouter : *Ce cadeau de mariage joint l'utile à l'agréable.* ■ **Se joindre** v. pron. S'associer à une personne, à un groupe, etc. : *Il s'est joint à nous pour la visite de la cathédrale.*

joli, e [ʒɔli] adj. Qui est agréable à voir ou à entendre : *Elle a acheté une jolie robe pour aller danser. Cet artiste compose de jolies chansons.*

joue [ʒu] n. f. Partie du visage située entre l'oreille et le coin de la bouche : *Il m'embrassa sur les deux joues.*

jouer [ʒwe] v. tr. Faire entendre un morceau de musique : *Il joua au piano un air de jazz.* ★ Représenter une pièce de théâtre ou montrer un film : *La Comédie-Française joue surtout des pièces classiques.* ■ V. intr. Se distraire ou s'amuser grâce à un jeu : *Les enfants jouent dans la cour de l'école pendant la récréation.* ★ *Jouer à,* s'amuser au jeu de : *Il aime jouer aux cartes.* ★ Faire sortir des sons d'un instrument de musique : *Votre ami est très musicien et il joue admirablement du violon.* ★ Tenir un rôle dans une pièce ou dans un film : *Deux acteurs français jouaient dans ce film étranger.*

jouet [ʒwɛ] n. m. Objet destiné à amuser les enfants : *Cette poupée blonde est le jouet préféré de ma petite sœur.*

joueur, euse [ʒwœr, øz] n. Personne qui pratique un jeu ou un sport : *Dans ce lycée, il y a d'excellents joueurs de football.* ★ Qui a la passion du jeu : *Les joueurs se ruinent plus souvent qu'ils ne deviennent riches.*

jour [ʒur] n. m. Lumière du soleil : *En été, le jour se lève à 5 heures du matin.* ★ *Il fait jour,* le soleil est levé. ★ Temps pendant lequel le soleil nous éclaire : *Il préfère travailler le jour plutôt que la nuit.* ★ Durée de vingt-quatre heures pendant laquelle la Terre fait un tour complet sur elle-même : *Il y a 365 jours dans une année.* ★ *Tous les deux jours,* un jour sur deux.

journal [ʒurnal] n. m. Récit de ce que l'on a vu ou fait, et que l'on écrit chaque jour. ★ Publication imprimée sur de grandes feuilles, qui paraît tous les jours, toutes les semaines, etc., et qui donne des nouvelles politiques, économique, littéraires, etc. : *Il lit son journal tous les soirs.*

journalisme [ʒurnalism] n. m. Profession de ceux qui écrivent dans les journaux.

journaliste [ʒurnalist] n. Personne qui fait du journalisme : *Le ministre a été longuement interrogé par les journalistes.*

journée [ʒurne] n. f. Espace de temps qui s'écoule entre le lever du soleil et son coucher : *J'ai travaillé sans arrêt, ma journée a été bien remplie.*

joyeux, euse [ʒwajø, øz] adj. Qui éprouve ou qui exprime de la joie : *A son air joyeux, j'ai vu que son fils venait d'arriver.* ■ **Joyeusement** adv.

judiciaire [ʒydisjɛr] adj. Qui concerne la justice : *Les avocats demandèrent la révision du procès, car ils estimaient que la condamnation de l'accusé aux travaux forcés était une erreur judiciaire.*

juge [ʒyʒ] n. m. Personne chargée de rendre la justice : *J'ai été reçu au tribunal par le juge.*

jugement [ʒyʒmɑ̃] n. m. Action de juger ou résultat de cette action : *Dans ce procès, le jugement a été plus sévère qu'on ne le pensait.* ★ Opinion que l'on se fait sur une chose à laquelle on a réfléchi : *Nous serions heureux que vous nous donniez votre jugement sur ce livre.*

juger [ʒyʒe] v. tr. (Se conj. comme *manger.*) Prononcer une décision en qualité de juge : *Le tribunal a jugé que l'accusé était coupable.* ★ Emettre l'opinion que l'on s'est faite sur une chose après y avoir réfléchi : *Il juge les choses avec beaucoup de bon sens.*

juif, juive [ʒɥif, iv] adj. Qui est de religion israélite. ■ N. Personne de religion israélite.

juillet [ʒɥijɛ] n. m. Le septième mois de l'année : *La fête nationale des Français a lieu le 14 juillet.*

juin [ʒɥɛ̃] n. m. Le sixième mois de l'année : *Le 21 juin est le jour le plus long de l'année.*

jumeau, elle [ʒymo, mɛl] adj. Se dit des personnes nées le même jour de la même mère. ■ N. : *Souvent, les jumeaux se ressemblent beaucoup.*

jupe [ʒyp] n. f. Vêtement qui habille les femmes à partir de la taille et qui

descend jusqu'aux genoux : *Autrefois, les femmes portaient des jupes très longues.*

juré [ʒyre] n. m. Membre d'un jury : *Les douze jurés quittèrent la salle du tribunal pour délibérer sur le sort de l'assassin.*

jurer [ʒyre] v. tr. Affirmer une chose par serment : *Le jour du mariage, les époux jurent qu'ils seront fidèles l'un à l'autre.* ■ V. intr. Prononcer le nom de Dieu sous l'effet de la colère.

jury [ʒyri] n. m. Commission composée de personnes chargées d'aider les magistrats à juger une personne accusée de crime : *Le jury suivait le procès avec attention.* ★ Ensemble des personnes désignées pour juger des candidats : *Le jury du baccalauréat est présidé par un professeur d'université.*

jus [ʒy] n. m. Liquide qui coule lorsqu'on presse des fruits, de la viande, etc., ou lorsqu'on les fait cuire : *Je bois un jus d'orange tous les matins.*

jusque [ʒysk] (**jusqu'** devant une voyelle) prép. Indique l'arrivée à un point que l'on ne dépasse pas, dans le temps ou dans l'espace : *Il avait de l'eau jusqu'aux genoux. Je n'ai pas envie de l'attendre jusqu'à demain.* ■ LOC. CONJ. *Jusqu'à ce que* (+ subjonctif), jusqu'au moment où : *Je vous attendrai jusqu'à ce que vous rentriez.*

juste [ʒyst] adj. Qui est conforme à la justice : *Mon père avait la réputation d'être sévère, mais juste.* ★ Qui est conforme à la raison, à la vérité : *Il y a une erreur de calcul dans votre problème, mais le raisonnement en est juste.* ★ Qui est un peu étroit : *Elle a mal aux pieds, car ses chaussures sont trop justes.* ■ Adv. D'une manière conforme à ce qui est demandé : *Votre voix est agréable, mais vous ne chantez pas juste.* ★ D'une manière très précise : *Il est arrivé juste à l'heure.* ■ **Justement** adv.

justice [ʒystis] n. f. Vertu qui porte à respecter le droit des autres : *On dit souvent que la justice n'est pas de ce monde.* ★ Ce qui est conforme au droit : *Le directeur sait faire régner la justice dans son usine.* ★ Ensemble des tribunaux, des juges qui ont pour mission de faire respecter les droits de l'Etat, des citoyens, etc.

justifier [ʒystifje] v. tr. Prouver que quelque chose est juste : *Il est difficile de justifier un mensonge.*

kaki [kaki] adj. inv. Couleur qui rappelle à la fois le brun et le jaune : *Dans la plupart des pays d'Europe, les soldats sont habillés en kaki.*

képi [kepi] n. m. Coiffure portée par certains militaires et certains fonctionnaires : *En France, les agents de police portent un képi.*

kilogramme [kilɔgram] n. m. (abrév. usuelle : **kilo**). Unité de poids correspondant au poids d'un litre d'eau pure : *Elle envoya sa fille acheter cinq kilos de pommes de terre au marché.*

kilomètre [kilɔmɛtr] n. m. Mesure de 1 000 mètres : *Par le train, il y a environ 1 000 kilomètres de Paris à Nice.*

kilométrique [kilɔmetrik] adj. Qui a rapport au kilomètre.

L

l' art. déf. et pron. pers. V. LE.

la [la] art. déf. et pron. pers. V. LE.

là [la] adv. En cet endroit, qui n'est pas celui où l'on est : *On a sonné à la porte, va voir qui est là.* ★ Peut désigner tout endroit déjà défini : *Il entra dans la pièce et remarqua que sa femme était déjà là.* ★ *Par là,* par cet endroit-là. ★ Se met à la suite des pronoms démonstratifs et des noms pour préciser de quelle personne ou de quelle chose on parle : *Cet homme-là s'appelle Jacques. Vous voyez ces deux arbres? Celui-là est un pommier.* ★ Se met devant certains adverbes de lieu qui en précisent le sens : *Là-bas,* là, au loin : *Regardez là-bas, on distingue un avion!; là-haut,* là, en haut; *là-dedans, là-dessous, là-dessus,* etc.

laboratoire [labɔratwar] n. m. Local où l'on fait des recherches scientifiques : *C'est dans ce laboratoire qu'un savant fait des expériences de chimie.*

labourer [labure] v. tr. Retourner la terre avec une charrue : *Le paysan a labouré son champ avant de semer.*

lac [lak] n. m. Assez grande étendue d'eau douce située à l'intérieur des terres : *Le lac Léman sépare la France de la Suisse.*

lacet [lasɛ] n. m. Sorte de corde souple et très fine, qui sert à attacher les chaussures : *Je viens de casser un lacet, je ne peux pas attacher ma chaussure.*

lâche [lɑʃ] adj. Qui manque de courage : *Un homme lâche ne se défend pas quand il est attaqué.* ■ **Lâchement** adv. ■ N. m. : *Il ne se bat qu'avec des gens plus faibles que lui, c'est un lâche.*

lâcher [lɑʃe] v. tr. Ne plus retenir : *L'enfant lâcha la balle qu'il avait dans la main.*

lâcheté [lɑʃte] n. f. Défaut des gens manquant de courage ou de volonté : *Il a eu la lâcheté d'abandonner sans ressources sa femme et ses cinq enfants.*

laid, e [lɛ, lɛd] adj. Qui est désagréable à voir ou à entendre : *Je n'aime pas ce vase qui est très laid.*

laideur [lɛdœr] n. f. Caractère de ce qui est laid : *Le charme de sa conversation faisait oublier la laideur de son visage.*

lainage [lɛnaʒ] n. m. Tissu ou tricot de laine : *Il fera peut-être froid pendant les vacances; mettez des lainages dans vos valises.*

laine [lɛn] n. f. Poil épais et souple qui couvre le corps de certains animaux (mouton, etc.) et dont on fait des vêtements : *Une robe de laine est plus chaude qu'une robe de soie ou de coton.*

laïque [laik] adj. Qui n'a aucun rapport avec les religions : *En France, l'enseignement officiel est laïque.*

laisser [lɛse] v. tr. Ne pas emmener une personne, ou ne pas emporter une chose avec soi : *Quand nous allons au cinéma le soir, nous laissons les enfants à la maison. J'ai laissé ma valise à la consigne.* ★ Ne pas empêcher de (+ infinitif) : *Laissez-moi parler. J'ai laissé tomber un verre qui s'est cassé.*

lait [lɛ] n. m. Liquide blanc et sucré produit par la femme et les femelles des mammifères : *Les bébés boivent surtout du lait.*

laitier, ère [lɛtje, ɛr] adj. Qui est tiré du lait : *La Hollande exporte* *beaucoup de produits laitiers et surtout des fromages.* ■ N. Personne qui vend du lait, de la crème, etc. : *Le laitier vient de déposer du lait et du beurre à notre porte.*

lame [lam] n. f. Morceau de métal, de bois, etc., long, plat et mince : *Un couteau est composé d'une lame d'acier et d'un manche.*

lamentable [lamɑ̃tabl] adj. Qui est à regretter ou qui fait pitié : *Cette femme s'est trouvée dans une situation lamentable, à la mort de son mari.*

lampe [lɑ̃p] n. f. Appareil d'éclai-

rage portatif : *Ma lampe de bureau éclaire mal.*

lancer [lɑ̃se] v. tr. (Se conj. comme *annoncer*.) Envoyer à travers l'espace d'un mouvement violent et rapide : *L'enfant lança une balle dans le jardin du voisin.* ★ Faire connaître, rendre célèbre : *Un fabricant de savon vient de lancer un nouveau produit.*

langage [lɑ̃gaʒ] n. m. Moyen de communiquer la pensée, en utilisant la parole ou certains gestes : *L'homme se distingue essentiellement des animaux par son langage.* ★ Manière de parler : *Il est peu instruit et il emploie un langage incorrect.*

langue [lɑ̃g] n. f. Muscle très mobile, situé dans la bouche, et qui sert à goûter les aliments, à parler, etc. : *Le médecin demanda au malade de lui montrer sa langue.* ★ Ensemble des mots, des sons et des règles de grammaire employés en parlant ou en écrivant, et particuliers à une nation, à un groupe, à une époque, etc. : *En Suisse, on parle quatre langues.* ★ *Langue maternelle,* langue qu'on parle depuis son enfance. ★ *Langue morte,* langue qui n'est plus parlée. ★ *Langue vivante,* langue qui est parlée de nos jours.

lapin, e [lapɛ̃, in] n. Mammifère sauvage ou domestique qui a de

longues oreilles et une fourrure douce au toucher : *Dans leur cage, les lapins mangeaient de l'herbe.*

laquelle [lakɛl] pron. relat. et pron. interrog. f. sing. V. LEQUEL.

lard [lar] n. m. Epaisse couche de graisse que l'on trouve entre la chair et la peau du porc : *Certaines personnes font la cuisine au lard.*

large [larʒ] adj. Qui a une certaine étendue, dans le sens opposé à la longueur ou à la hauteur : *Le Danube est plus large que la Seine. « Large » est le contraire d'« étroit ».* ★ Qui ne serre pas le corps, en parlant des vêtements : *Comme ses enfants grandissent vite, elle leur achète des vêtements très larges.* ★ FIG. *Avoir l'esprit large,* admettre que les autres personnes aient des opinions ou des façons de voir différentes de celles que l'on a. ■ N. m. Largeur : *La route avait six mètres de large.* ■ **Largement** adv.

largeur [larʒœr] n. f. Dimension d'un objet mesuré dans le sens perpendiculaire à la longueur ou à la hauteur : *La route est d'une largeur de douze mètres.* ★ FIG. Qualité qui permet de comprendre un grand nombre de choses : *Le ministre a examiné le problème avec une grande largeur de vues.*

larme [larm] n. f. Liquide qui coule des yeux à la suite d'un effet physique ou d'une émotion : *Quand elle le quitta sur le quai de la gare, elle avait les larmes aux yeux.* ★ *En larmes,* en train de pleurer.

latin, e [latɛ̃, in] adj. Qui appartient à la civilisation de l'ancienne Rome. ★ *Langues latines,* langues modernes formées à partir de la langue de l'ancienne Rome : *Le français, l'espagnol, le portugais et l'italien sont les principales langues latines.* ■ N. m. La langue latine : *L'étude du latin est utile aux élèves qui apprennent le français.*

lavabo [lavabo] n. m. Cuvette fixée au mur, dans laquelle on fait couler de l'eau pour se laver : *Elle remplit le lavabo d'eau chaude pour faire sa toilette.*

laver [lave] v. tr. Nettoyer avec de l'eau : *Le linge est sale, je vais le laver. Les enfants se sont lavé les mains avant de se mettre à table.*

le [lə] art. déf. m. sing.; **la** [la] f. sing. (**l'** devant une voyelle ou un *h* muet); **les** [lɛ] m. et f. pl. Indique que le nom qui le suit est déterminé : *J'ai aperçu un chien dans le jardin, c'était le chien du voisin. Les vêtements des enfants étaient rangés dans l'armoire.* ■ Pron. pers. Désigne une personne ou une chose déterminée lorsqu'elle est le complément d'objet direct du verbe : *Regarde mon nouveau chapeau; comment le trouves-tu? J'ai besoin d'une scie et d'un marteau, va vite les chercher.*

lécher [leʃe] v. tr. (Se conj. comme *céder.*) Passer la langue sur quelque chose : *La petite fille sortit du magasin en léchant une glace.*

leçon [ləsɔ̃] n. f. Texte qu'un élève doit apprendre : *Nos enfants récitent leurs leçons avant de partir pour l'école.* ★ Explication qu'un maître donne à ses élèves sur une partie déterminée du programme : *Le professeur de mathématiques a fait hier, au lycée, une leçon de géométrie.*

lecteur, trice [lɛktœr, tris] n. Personne qui lit : *Un écrivain doit intéresser ses lecteurs.*

lecture [lɛktyr] n. f. Art de lire : *L'instituteur dit aux élèves qu'ils allaient faire un exercice de lecture.* ★ Ce qu'on lit ou ce qu'on a lu : *Il lit beaucoup, et il retire un grand profit de ses lectures.*

légal, e, aux [legal, o] adj. Se dit de ce qui est conforme à la loi : *L'avocat a trouvé un moyen légal pour arranger l'affaire de son client.* ■ **Légalement** adv.

légaliser [legalize] v. tr. Donner à un papier le caractère d'un document authentique en y imprimant les cachets fixés par la loi : *Pour se marier, on fait légaliser certains documents à la mairie.*

légalité [legalite] n. f. Caractère de ce qui est conforme à la loi : *Certains députés ont prétendu que le gouvernement sortait de la légalité.*

légation [legasjɔ̃] n. f. Mission entretenue par un gouvernement dans un pays où il n'y a pas d'ambassade.

légende [leʒɑ̃d] n. f. Récit ayant souvent un fond réel, mais déformé par la transmission orale : *La « Chanson de Roland » est une des plus belles légendes du Moyen Age.*

léger, ère [leʒe, ɛr] adj. Qui pèse peu : *On porte en été des vêtements légers.* ★ Qui est peu grave (au physique et au moral) : *Il s'est fait, en tombant, une blessure légère.* ■ **Légèrement** adv.

légèreté [leʒɛrte] n. f. Caractère de ce qui est léger : *La légèreté de l'aluminium permet de l'employer dans l'aviation.* ★ FIG. Caractère de ce qui montre un manque de réflexion : *Cet homme a toujours montré une grande légèreté dans ses paroles.*

législatif, ive [leʒislatif, iv] adj. Qui a pour mission de faire les lois : *En France, le pouvoir législatif est représenté par l'Assemblée nationale et le Sénat.*

légitime [leʒitim] adj. Qui a les qualités exigées par la loi : *Pour être légitime, un mariage doit être enregistré à l'état civil.*

léguer [lege] v. tr. (Se conj. comme *céder.*) Donner quelque chose par testament : *Cette vieille dame, qui n'avait pas d'enfants, a légué la totalité de ses biens à sa ville natale.*

légume [legym] n. m. Plante potagère que l'on a cultivée pour la manger : *On distingue les légumes verts, que l'on mange frais, et les légumes secs, que l'on peut conserver longtemps.*

lendemain [lɑ̃dmɛ̃] n. m. Jour qui vient après celui dont on parle : *Le lendemain de son arrivée, il est venu me rendre visite.*

lent, e [lɑ̃, lɑ̃t] adj. Qui n'agit pas, ou qui ne pense pas avec rapidité : *Il est très lent, on dirait toujours qu'il est fatigué.* ★ FIG. Se dit des choses qui se font avec lenteur : *L'exécution des travaux a été très lente.* ■ **Lentement** adv.

lenteur [lɑ̃tœr] n. f. Caractère de ce qui manque de rapidité : *Le vieillard marchait avec lenteur.*

lentille [lɑ̃tij] n. f. Graine d'une plante que l'on mange comme légume sec. ★ Verre taillé en forme de lentille, et utilisé dans les appareils d'optique (lunettes, microscope, etc.).

lequel [ləkɛl] pron. rel. m.; **laquelle** [lakɛl] f.; **lesquels, lesquelles** [lɛkɛl] pl. : *Le bateau sur lequel nous étions se dirigeait vers Le Havre. J'ignore la raison pour laquelle il n'est pas venu.* ■ Pron. interr. : *Lequel des deux préférez-vous? J'ai choisi trois livres à la bibliothèque. — Lesquels?*

les [lɛ] art. déf. ou pron. pers. V. LE.

lessive [lɛsiv] n. f. Produit chimique qu'on met dans l'eau pour nettoyer le linge : *J'ai acheté un paquet de lessive pour laver mes chemises.* ★ *Faire la lessive,* laver le linge : *Chez moi, à la campagne, on fait la lessive tous les mardis.*

lettre [lɛtr] n. f. Chacun des caractères de l'alphabet : *Cet enfant ne sait pas lire, il commence seulement à apprendre ses lettres.* ★ Ecrit qu'on adresse à une personne dont on est séparé : *Quand il eut terminé sa lettre, il la mit dans une enveloppe qu'il timbra.* ★ Pl. Travaux de l'esprit où domine l'art d'écrire.

leur [lœr] pron. pers. m. et f. pl. Remplace « à eux », « à elles », et se met généralement devant le verbe : *J'ai dit à mes amis que j'irais leur rendre visite. Je vais envoyer les enfants faire des courses, donne-leur de l'argent.*

leur [lœr] adj. poss. 3e pers. du pl. (pl. **leurs**). Qui est à eux, à elles : *Elles sont venues dans leur voiture, avec leurs frères et leurs cousines.* ■ Pron. poss. *Le leur, la leur, les leurs,* ce qui est à eux, à elles.

lever [ləve] v. tr. (Se conj. comme *mener.*) Mettre plus haut : *En levant le bras, je touche le haut de l'armoire.* ★ *Lever les yeux,* diriger ses regards vers le haut. ■ **Se lever** v. pron. Quitter son lit ou sa chaise (en parlant d'une personne). ★ Quitter le lit où l'on a dormi la nuit : *Je me lève tous les matins à sept heures.* ★ En parlant des astres, paraître au-dessus de l'horizon : *Le soleil se lève tard en hiver.*

levier [ləvje] n. m. Barre rigide qu'on glisse sous un objet pesant pour le soulever : *Cette pierre est trop lourde; prenez donc une barre de fer comme levier.*

lèvre [lɛvr] n. f. Partie extérieure

de la bouche, qui couvre les dents : *Il remplit un verre et l'approcha de ses lèvres.*

liaison [ljɛzɔ̃] n. f. Union de plusieurs choses ensemble. ★ Relation établie entre des personnes : *Je suis entré en liaison avec un homme d'affaires américain.* ★ Contact établi par la prononciation entre certains sons : *Quand on dit « les enfants », on fait une liaison, c'est-à-dire qu'on prononce un « z » entre les deux mots.*

libéral, e, aux [liberal, o] adj. Qui est partisan d'un régime de liberté politique. ★ *Profession libérale,* profession indépendante et d'ordre intellectuel (avocat, médecin, etc.).

libération [liberasjɔ̃] n. f. Action de rendre la liberté : *Il a été tué au cours de la libération de Paris, en 1944.*

libérer [libere] v. tr. (Se conj. comme *céder.*) Rendre la liberté. ★ Débarrasser d'une obligation (sociale, morale, financière, etc.) : *Ce soldat va être bientôt libéré du service militaire.*

liberté [libɛrte] n. f. Condition de l'individu (ou de l'animal) qui n'appartient pas à un maître : *Dans l'Antiquité, les esclaves étaient privés de liberté.* ★ Condition d'un Etat qui ne dépend pas d'une puissance étrangère : *Après la guerre, ce pays, occupé pendant quatre ans, a retrouvé sa liberté.* ★ Condition où le citoyen dispose de certains droits civils ou politiques : *Un régime démocratique reconnaît la liberté de la presse, la liberté de réunion, etc.*

libraire [librɛr] n. Personne qui a pour métier de vendre des livres : *Il alla chez le libraire pour acheter un dictionnaire.*

libre [libr] adj. Qui ne dépend pas d'un maître. ★ Se dit d'une personne dont rien ne gêne l'action, ou d'une chose que l'on peut utiliser : *Un médecin n'est pas libre de s'absenter quand il le veut, à cause de sa clientèle. Vous pouvez avancer, la route est libre.* ★ Se dit d'une personne qui n'a rien à faire à un moment donné : *Je ne suis pas libre ce soir, car je dois travailler après le dîner.* ★ Se dit d'un Etat qui ne dépend d'aucune puissance étrangère : *Pour que notre pays soit libre, dit le ministre, il faut qu'il soit fort.* ■ *Libre-service* n. m. Forme de commerce de détail dans laquelle le client se sert lui-même. ■ **Librement** adv.

licence [lisɑ̃s] n. f. Grade universitaire qui est attribué après des études dans une faculté (des lettres, des sciences ou de droit) : *Dès que j'aurai obtenu ma licence de lettres, j'entrerai dans l'enseignement.* ★ Permission accordée par l'Etat d'exercer une profession, d'importer ou d'exporter certains produits : *Ces voitures sont fabriquées en France sous licence étrangère.*

licencié, e [lisɑ̃sje] n. Personne qui a obtenu la licence en lettres, en droit ou en sciences : *Il est licencié en droit et veut devenir avocat.*

licencier [lisɑ̃sje] v. tr. Ne plus utiliser les services de quelqu'un : *Un certain nombre d'ouvriers ont été licenciés à cause du chômage.*

lien [ljɛ̃] n. m. Tout ce qui sert à attacher (corde, ruban, etc.) : *Le prisonnier réussit à se débarrasser de ses liens.*

lier [lje] v. tr. Attacher avec un lien. ★ FIG. Unir ensemble par l'amitié, l'intérêt, etc. : *Je suis lié à ma sœur par une affection profonde.*

lieu (pl. **lieux**) [ljø] n. m. Partie délimitée de l'espace : *Cette maison se trouve dans un lieu désert.* ★ *Avoir lieu,* se produire à telle place et à tel moment : *Le mariage de mon ami a eu lieu hier.* ■ LOC. PRÉP. *Au lieu de* (devant un infinitif), marque une action différente de celle dont on vient de parler : *Au lieu de partir, vous feriez mieux de rester.*

lieutenant [ljøtnɑ̃] n. m. Officier dont le grade est au-dessous de celui de capitaine : *Dans l'armée française, le lieutenant porte deux galons.*

ligne [liɲ] n. f. Trait droit ou courbe qui indique une certaine direction : *L'enfant traça des lignes parallèles sur le papier.* ★ Suite de mots disposés horizontalement sur une page écrite ou imprimée : *Le professeur expliqua à ses élèves les dix premières lignes du texte.* ★ Ensemble des installations qui servent de moyen de communication : *La ligne de chemin de fer de Paris à Marseille passe par Lyon. La ligne télégraphique a été coupée à la suite d'un orage.* ★ Fil attaché à une tige dont on se sert pour pêcher : *Le pêcheur jeta sa ligne et attrapa tout de suite un poisson.*

limite [limit] n. f. Ligne qui sépare deux étendues différentes : *Le Rhin sert de limite entre la France et l'Allemagne.* ★ FIG. Borne d'une action, d'une influence, etc. : *N'abusez pas de ma patience, car elle a des limites.*

limiter [limite] v. tr. Donner une limite à un terrain, à un territoire, etc. ★ FIG. : *Si je veux acheter une voiture, il faut que je limite mes dépenses.* ★ Former une limite : *Un mur limite mon jardin au nord.*

linge [lɛ̃ʒ] n. m. Vêtements légers qu'on porte directement sur la peau; se dit aussi du tissu utilisé pour certains usages domestiques : *Tu porteras le linge chez la blanchisseuse : il y a des chemises, des draps et des serviettes de toilette.*

lion, lionne [ljɔ̃, ljɔn] n. Gros et robuste mammifère carnassier du genre chat, qui vit à l'état sauvage dans les régions tropicales : *Parmi les animaux du cirque, il y avait un lion et deux lionnes.*

liquide [likid] adj. Qui coule ou qui tend à couler : *L'eau est liquide de 0 à 100 degrés.* ■ N. m. Substance qui coule quand elle n'est pas dans un récipient : *Quel liquide y a-t-il dans cette bouteille? Est-ce de l'huile ou du vin blanc?*

liquider [likide] v. tr. Régler les comptes d'une maison de commerce ou d'une entreprise : *Le pharmacien a liquidé ses affaires et s'est retiré à la campagne.* ★ FAM. Vendre à bas prix, ou vendre vite.

lire [lir] v. tr. (voir tableau p. 356). Comprendre ce qui est écrit : *Elle a une écriture difficile à lire.* ★ Prendre connaissance d'un écrit : *J'ai lu un roman policier pendant mon voyage.* ★ *Lire quelque chose à quelqu'un,* lui lire quelque chose à haute voix : *Il a lu à ses enfants la lettre de leur mère.*

lisse [lis] adj. Dont la surface ne présente aucun relief : *L'alpiniste eut beaucoup de mal à grimper, car la roche était lisse.*

liste [list] n. f. Série de noms ou de nombres écrits les uns à la suite des autres : *Avant de partir en voyage, vous devriez faire la liste des objets à emporter.*

lit [li] n. m. Meuble sur lequel on se couche pour dormir : *En arrivant à l'hôtel, il demanda une chambre à*

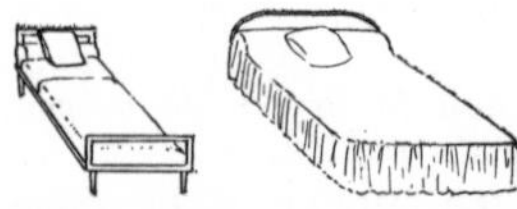

deux lits. ★ *Faire le lit,* disposer les draps et les couvertures sur le lit. ★ Sorte de fossé naturel dans lequel coule un cours d'eau : *Le lit de la Loire est encombré de sable.*

litre [litr] n. m. Unité de mesure pour les liquides et certaines matières sèches, correspondant à un volume d'un décimètre cube : *Il boit un litre de lait par jour.* ★ Bouteille dont le volume est d'un décimètre cube : *Un coin de la cuisine était encombré par des litres vides.*

littéraire [literɛr] adj. Qui concerne la littérature : *Le critique littéraire de ce journal vient d'écrire un article sur les tendances du roman contemporain.*

littérature [literatyr] n. f. Ensemble des ouvrages publiés dans un certain pays, à une certaine époque, ou sur un certain sujet : *Ce roman est un des chefs-d'œuvre de la littérature française. Une abondante littérature technique est consacrée à l'automobile.*

livraison [livrɛzɔ̃] n. f. Action de livrer une marchandise achetée.

livre [livr] n. m. Feuilles imprimées réunies en volume : *Pour Noël, j'ai offert à mon fils un livre d'images.*

livre [livr] n. f. Ancienne mesure de poids, encore employée de nos jours, et valant un demi-kilogramme : *Elle a acheté au marché une livre de beurre frais.*

livrer [livre] v. tr. Porter une marchandise chez le destinataire : *Le marchand de meubles m'a livré le fauteuil que j'avais commandé.* ★ Agir de façon à mettre une personne entre les mains de quelqu'un, ou à la disposition d'une autorité : *Le voleur fut livré à la justice par son complice.* ■ **Se livrer à** v. pron. Donner tout son temps, toute son activité à.

livret [livrɛ] n. m. Petit livre sur lequel une personne ou une administration inscrit certains renseignements.

local, e, aux [lɔkal, o] adj. Qui est particulier à un lieu déterminé : *La mairie d'une ville est le siège de l'administration locale.* ■ **Localement** adv. ■ N. m. (pl. **locaux**). Partie d'un bâtiment réservée à un usage spécial : *Il a acheté un vaste local pour vendre des voitures d'occasion.*

locataire [lɔkatɛr] n. Personne qui paie pour occuper un logement : *Un locataire doit payer son loyer régulièrement.*

location [lɔkasjɔ̃] n. f. Action de louer : *Pour la location de sa boutique, il paie un loyer très élevé.* ★ Somme demandée à intervalles réguliers pour l'usage d'un appartement, d'un appareil, etc. ★ *Bureau de location,* bureau où l'on vend des places pour un spectacle, un voyage, etc.

locomotive [lɔkɔmɔtiv] n. f. Machine à vapeur, électrique, etc., utilisée pour tirer les trains : *Dans la gare, le petit garçon regardait avec intérêt une grosse locomotive à vapeur.*

locution [lɔkysjɔ̃] n. f. GRAMM. Groupe de mots formant un tout et ayant la valeur d'un seul mot : *« Sur » est une préposition; « au-dessus de » est une locution prépositive.*

loge [lɔʒ] n. f. Local où habite le concierge d'un immeuble. ★ Au théâtre, petite pièce dans laquelle s'habille un acteur : *Après le spectacle, nous sommes allés féliciter l'actrice dans sa loge.* ★ Sorte de compartiment ménagé dans une salle de spectacle et contenant seulement quelques sièges : *J'ai loué une loge à l'Opéra.*

logement [lɔʒmɑ̃] n. m. Lieu où l'on demeure habituellement. ★ Partie d'une maison, généralement petite et modeste, où l'on habite : *Cet ouvrier occupe avec sa famille un logement de trois pièces.* ★ Action de se loger : *Beaucoup de personnes dépensent plus pour leur nourriture que pour leur logement.*

loger [lɔʒe] v. tr. (Se conj. comme *manger.*) Installer quelqu'un quelque part, pour qu'il y vive : *Je loge mon* *jardinier dans un petit pavillon à l'entrée de ma propriété.* ■ V. intr. Habiter quelque part, pour un temps plus ou moins long : *Mes amis logent chez moi, en attendant d'avoir un appartement.*

logique [lɔʒik] adj. Qui est conforme à la raison : *Cette explication est logique et facile à comprendre.* ■ **Logiquement** adv. ■ N. f. Science qui apprend à raisonner juste : *La logique est une des branches de la philosophie.* ★ Suite naturelle des choses.

loi [lwa] n. f. Texte imposé par une autorité, et qui règle de manière obligatoire les devoirs et les droits des personnes habitant dans un certain pays : *Le Parlement a voté une loi sur la retraite des vieillards.* ★ Règle d'action imposée à l'homme par sa raison ou sa conscience : *Les lois de la morale nous interdisent de voler et de tuer.* ★ Règle à laquelle paraissent soumis certains phénomènes de la nature : *Les lois de la pesanteur font qu'un objet lancé en l'air retombe ensuite sur le sol.*

loin [lwɛ̃] adv. A une grande distance dans l'espace ou dans le temps : *Je suis à New York; comme Paris est loin!* ■ LOC. PRÉP. *Loin de,* à une grande distance de : *J'habite loin du domicile de mes parents.*

lointain, e [lwɛ̃tɛ̃, ɛn] adj. Qui se trouve à une grande distance dans l'espace ou dans le temps : *Je n'ai gardé que des souvenirs lointains de mon enfance.*

loisir [lwazir] n. m. Temps dont on dispose pour faire quelque chose : *Je suis très occupé, et je n'ai pas souvent le loisir d'aller au théâtre.* ★ Pl. Temps dont on peut disposer en dehors des occupations ordinaires : *Il occupe ses loisirs à travailler dans le jardin.*

long, longue [lɔ̃, lɔ̃g] adj. Dont les extrémités se trouvent à une grande distance l'une de l'autre : *La rue est très longue, car elle traverse tout le village.* ★ Qui a une grande étendue dans le temps : *Les metteurs en scène de cinéma font des films de plus en plus longs.* ■ LOC. PRÉP. *Le long de,* en suivant la longueur : *Je me promenais le long de la rivière.* ■ **Longuement** adv. ■ N. m. Longueur : *Le pont a cent mètres de long et quatre mètres de large.*

longer [lɔ̃ʒe] v. tr. (Se conj. comme *manger.*) Aller le long de : *Nous avons longé en bateau les côtes de Bretagne.*

longtemps [lɔ̃tɑ̃] adv. Pendant un long espace de temps : *Je suis resté longtemps à regarder le paysage.*

longueur [lɔ̃gœr] n. f. Dimension d'un objet d'une extrémité à l'autre : *La longueur de cette voiture ne permet pas de la faire entrer dans le garage.* ★ Durée : *Le 21 mars et le 23 septembre, la longueur des jours est égale à celle des nuits.* ★ Longue durée : *Cette pièce de théâtre est très intéressante, mais on peut lui reprocher sa longueur.*

lorsque [lɔrsk] conj. Au moment précis où : *Lorsque nous arrivâmes, le combat était terminé.*

loterie [lɔtri] n. f. Sorte de jeu de hasard où, après avoir vendu des billets numérotés, on tire au sort ceux d'entre eux qui permettront d'obtenir un prix : *La petite fille a gagné une poupée à la loterie.*

louer [lwe] v. tr. Donner ou recevoir une somme d'argent en échange de l'usage d'un objet, d'un terrain ou de l'occupation d'un logement : *J'ai loué un champ pour y cultiver du blé. Ce propriétaire a loué un logement à une famille d'ouvriers.*

loup, louve [lu, luv] n. m. Mammifère carnassier et sauvage de la même famille que le chien : *En hiver,* *les loups sortent de la forêt pour chercher leur nourriture.*

lourd, e [lur, lurd] adj. Difficile à déplacer en raison de son poids : *Cette pierre est si lourde que je ne peux pas la soulever.* ★ Pénible à supporter, à payer : *Les impôts deviennent de plus en plus lourds.* ★ *Il fait lourd, le temps est lourd,* il fait une chaleur orageuse. ★ Qui a des conséquences graves : *Il a fait une lourde erreur.* ■ **Lourdement** adv.

loyal, e, aux [lwajal, o] adj. Qui est conforme à la loi. ★ Qui est franc et sincère : *En accusant son ami injustement, il n'a pas eu une attitude loyale.* ■ **Loyalement** adv.

loyer [lwaje] n. m. Somme que l'on donne ou que l'on reçoit quand on loue une maison, un terrain, etc. : *Je paie le loyer de mon appartement tous les trois mois.*

lueur [lyœr] n. f. Clarté produite par une faible lumière : *Je me suis levé aux premières lueurs du jour.*

lui [lɥi] pron. pers. m. sing. Employé seul ou pour répéter *il,* désigne l'être ou l'objet dont on parle, quand c'est le sujet du verbe : *Toi, tu n'as pas fait ton devoir, mais, lui, il l'a fait.* ■ Pron. pers. m. et f. sing. Désigne la personne dont on parle, lorsqu'elle n'est pas le sujet du verbe : *Voilà ma mère, montre-lui tes photos, cela lui fera plaisir.*

lumière [lymjɛr] n. f. Clarté que produisent certains corps : *En hiver, la lumière du soleil semble plus faible qu'en été.*

lumineux, euse [lyminø, øz] adj. Qui répand de la lumière : *Quel est donc ce point lumineux que je vois près de la mer? — C'est un phare.*

lundi [lœ̃di] n. m. Le deuxième jour de la semaine : *Après avoir passé un bon dimanche, il est pénible de reprendre le travail le lundi.*

lune [lyn] n. f. Astre qui tourne autour de la Terre, et qui l'éclaire pendant la nuit : *La nuit, la lune nous renvoie la lumière qu'elle reçoit du soleil.*

lunettes [lynɛt] n. f. pl. Instrument composé de deux verres que l'on porte

sur le nez pour mieux voir ou pour se protéger les yeux : *Ma vue baisse, il faudra que j'achète des lunettes.*

lutte [lyt] n. f. Sport de combat dans lequel deux adversaires cherchent à se renverser : *La lutte est moins brutale que la boxe.* ★ FIG. Conflit de deux ou plusieurs groupes qui cherchent à se dominer réciproquement : *Des luttes politiques intérieures empêchent ce pays de jouer un rôle international important.*

lutter [lyte] v. intr. Faire des efforts pour dominer un adversaire : *Les deux pays en guerre luttèrent pendant quatre ans.* ★ FIG. Faire des efforts pour vaincre des difficultés : *Cet écrivain a beaucoup lutté pour se faire connaître.*

luxe [lyks] n. m. Abondance de choses qui ne sont pas indispensables à la vie : *Posséder trois voitures est un luxe réservé aux personnes très riches.* ★ *De luxe,* qui est d'une grande richesse, qui possède un grand confort : *Cette librairie est spécialisée dans les éditions de luxe.*

luxueux, euse [lyksɥø, øz] adj. Qui montre du luxe : *Mes amis ont un appartement luxueux dans un quartier élégant.* ■ **Luxueusement** adv.

lycée [lise] n. m. Etablissement scolaire dépendant de l'Etat, où les élèves entrent généralement vers dix ans, et qu'ils quittent après le baccalauréat : *Mon fils fréquente le lycée de la ville.*

M

m' [m] pron. pers. V. ME.

ma [ma] adj. poss. V. MON.

mâcher [mɑʃe] v. tr. Soumettre des aliments à l'action des dents : *Il mange si vite qu'il ne prend pas le temps de mâcher sa viande.*

machine [maʃin] n. f. Appareil construit pour transformer une certaine force en travail : *Dans les pays modernes, la machine remplace de plus en plus le travail manuel.* ★ *Machine à coudre,* machine mise en mouvement par le pied ou par un moteur, et dont on se sert pour coudre rapidement. ★ *Machine à écrire,* appareil que l'on fait fonctionner avec les doigts et qui sert à écrire rapidement.

mâchoire [mɑʃwar] n. f. Chacun des deux os de la bouche qui portent les dents : *Les animaux qui mangent de la viande ont des mâchoires puissantes.*

maçon [masɔ̃] n. m. Ouvrier qui exécute des travaux de construction en pierre, en brique, etc. : *J'ai demandé à un maçon de venir réparer le mur de ma maison.*

madame [madam] n. f. (pl. **mesdames**). Titre que l'on donne à une femme mariée : *Bonjour, madame, comment allez-vous? J'ai dîné hier chez M*[me] *Durand.*

mademoiselle [madmwazɛl] n. f. (pl. **mesdemoiselles**). Titre que l'on donne à une personne du sexe féminin non mariée : *Mademoiselle, voulez-vous me passer le sel, s'il vous plaît? M*[lle] *Dupont va probablement se marier avec mon frère.*

magasin [magazɛ̃] n. m. Lieu où l'on range et conserve des marchandises ou des provisions. ★ Etablissement plus ou moins vaste où l'on vend des marchandises : *Il y a trois vendeuses dans ce magasin d'alimentation.* ★ *Grand magasin,* établissement très vaste où l'on vend toutes sortes de produits.

magie [maʒi] n. f. Ensemble des pratiques secrètes et non scientifiques par lesquelles certaines personnes prétendent exercer un pouvoir extraordinaire : *Au Moyen Age, on brûlait les gens accusés de magie.*

magique [maʒik] adj. Qui appartient à la magie. ★ Qui a des apparences ou un résultat extraordinaires : *Ce que je lui ai dit a eu un effet magique, il a accepté immédiatement ma proposition.*

magistrat [maʒistra] n. m. Personnage officiel qui exerce dans des limites déterminées un pouvoir judiciaire ou administratif : *Le maire est le premier magistrat de la commune.*

magistrature [maʒistratyr] n. f. Ensemble des magistrats chargés de rendre la justice : *Il y a vingt ans que mon oncle est dans la magistrature.*

magnifique [maɲifik] adj. Qui est d'une beauté pleine de grandeur : *Je ne connais rien de plus magnifique que le palais de Versailles.*

mai [mɛ] n. m. Le cinquième mois de l'année : *Le 1*[er] *mai est la fête du travail.*

maigre [mɛgr] adj. En parlant des êtres vivants, qui a peu de graisse : *Notre fils devrait manger davantage, il est très maigre.*

maigrir [mɛgrir] v. intr. Devenir maigre : *Si vous voulez maigrir, commencez par ne plus manger de pain.*

maille [maj] n. f. Chacune des boucles que fait le fil, la laine, etc., dans un tissu : *Elle comptait les mailles de son tricot.*

maillot [majo] n. m. Vêtement très léger que les hommes portent directement sur le haut du corps : *Le champion cycliste portait un maillot de soie blanche.* ★ *Maillot de bain,* vêtement que l'on porte pour se baigner en public : *Après avoir mis son maillot, elle sortit de la cabine et s'allongea sur le sable.*

main [mɛ̃] n. f. Partie du corps humain qui se trouve à l'extrémité des bras et qui se termine par les cinq doigts : *La maman tenait son petit garçon par la main.* ★ FAM. *Coup de*

main, aide que l'on donne à quelqu'un : *Donnez-lui un coup de main pour faire la cuisine.* ★ *Main-d'œuvre,* ensemble des ouvriers dont on a besoin pour faire un travail. ★ *En main propre,* à une personne déterminée : *Le facteur a insisté pour payer en main propre un mandat adressé à mon père.*

maintenant [mɛ̃tnɑ̃] adv. Au moment présent : *Tout à l'heure, vous parlerez; maintenant écoutez-moi.*

maintenir [mɛ̃tnir] v. tr. (Se conj. comme *tenir.*) Tenir dans une position stable : *Maintenez cette glace pendant que je vais chercher un clou et un marteau pour l'accrocher.* ★ Persister à affirmer : *Vous pouvez dire ce que vous voulez, je maintiens que vous avez tort.*

maire [mɛr] n. m. En province, premier magistrat municipal d'une ville et, à Paris, d'un arrondissement : *Le maire a présenté le budget de la commune devant le conseil municipal.*

mairie [mɛri] n. f. Bâtiment où se trouvent le bureau du maire et les services de l'administration municipale : *Vous trouverez le bureau de l'état civil au premier étage de la mairie.*

mais [mɛ] conj. Oppose ce que l'on a dit et ce que l'on va dire : *Cet enfant est intelligent, mais paresseux.*

maïs [mais] n. m. Céréale dont les épis sont très gros et très serrés : *Dans*

certains pays, on mange des épis de maïs grillés.

maison [mɛzɔ̃] n. f. Bâtiment fait pour être habité par l'homme : *Mon ami occupe un appartement dans une maison de six étages.* ★ *Maison de commerce,* établissement où l'on fait des affaires commerciales. ★ Intérieur d'une maison : *C'est une excellente*

ménagère, et sa maison est fort bien tenue.

maître, esse [mɛtr, trɛs] n. Personne qui exerce les fonctions de chef : *Un proverbe dit que rien ne vaut l'œil du maître.* ★ *Le maître de maison,* l'hôte. ★ *Maître d'hôtel,* employé qui dirige les garçons au restaurant. ★ Personne qui est excellente dans un art, dans une profession : *Il possédait dans sa maison plusieurs tableaux de maître.* ★ Personne capable d'enseigner ce qu'elle sait et de former des élèves : *Cette ancienne danseuse vient d'être engagée comme maîtresse de ballet à l'opéra.* ★ *Maître d'école,* instituteur. ■ N. f. *Maîtresse,* femme liée à un homme qui est son amant : *Louis XV eut de nombreuses maîtresses.*

majeur, e [maʒœr] adj. Très grand, très important : *La majeure partie des députés était d'accord avec le ministre.* ★ *Cas de force majeure,* cas dans lequel on fait ou subit quelque chose qu'on ne peut éviter. ★ Qui a atteint vingt et un ans : *Les personnes majeures ont seules le droit de voter.*

majorité [maʒɔrite] n. f. Age fixé par la loi, à partir duquel on est considéré comme responsable de ses actes et capable d'exercer tous les droits du citoyen : *Il recevra l'héritage de son père quand il aura atteint sa majorité.* ★ Ensemble des personnes constituant plus de la moitié d'un groupe : *La majorité de l'assistance applaudit, mais un petit nombre de spectateurs protesta.*

majuscule [maʒyskyl] adj. Se dit des lettres plus grandes que les autres, et parfois de formes différentes, que l'on met au commencement des noms propres et au début d'une phrase. ■ N. f. : *Vous oubliez toujours de mettre des majuscules aux noms de personne.*

mal (pl. **maux**) [mal, mo] n. m. Dommage moral ou souffrance physique, éprouvé par quelqu'un : *Le mal de dents est difficile à supporter.* ★ *Mal de mer,* malaise accompagné d'une envie de vomir et provoqué par les mouvements d'un navire. ★ *Dire du mal,* critiquer méchamment : *Cette femme ne cesse pas de dire du mal de ses voisines.* ★ *Avoir du mal à* (+ infinitif), éprouver de la difficulté à : *Il est faible de caractère, et il a toujours du mal à se décider.* ★ Ce qui est contraire à la loi morale.

mal [mal] adv. D'une manière difficile ou mauvaise : *Depuis qu'il a été blessé à la jambe, il marche mal.* ★ D'une manière contraire à la loi morale : *Vous vous occupez de la vie privée des gens, c'est très mal.* ★ FAM. *Pas mal,* synonyme faible de *bien, beaucoup : Y avait-il beaucoup de monde au théâtre? — Pas mal.* ★ *Se trouver mal,* s'évanouir.

malade [malad] adj. Dont la santé est mauvaise : *Notre sœur est malade; le médecin dit que ce n'est pas grave.* ■ N. Personne dont la santé est mauvaise : *Cinq cents malades sont soignés dans cet hôpital.*

maladie [maladi] n. f. Désordre dans la santé d'un être vivant : *Il est mort après une longue et douloureuse maladie.*

maladresse [maladrɛs] n. f. Manière d'agir qui témoigne d'un manque d'adresse physique ou morale : *Cet enfant est d'une grande maladresse; il vient encore de casser une assiette.* ★ Action maladroite : *En refusant d'aller dîner chez sa grand-mère, elle a commis une maladresse.*

maladroit, e [maladrwa, at] adj. Qui se sert mal de ses mains : *Ma femme ne fait pas ses robes elle-même : elle dit qu'elle est trop maladroite.* ★ Qui manque d'habileté dans sa façon d'être, de parler, etc. : *Il a fait au ministère une démarche maladroite et il n'a pas obtenu satisfaction.* ■ **Maladroitement** adv.

malaise [malɛz] n. m. Trouble dû à une légère souffrance ou à une vague inquiétude : *J'ai eu froid en sortant d'ici, et j'ai éprouvé un malaise.*

mâle [mɑl] adj. Se dit des êtres et des fleurs appartenant au sexe qui rend la femelle susceptible de reproduction : *Le roi fut très heureux d'apprendre qu'il avait enfin un enfant mâle.* ■ N. m. Animal qui peut rendre mère une femelle de même espèce : *Chez les oiseaux, les mâles chantent mieux que les femelles.*

malentendu [malɑ̃tɑ̃dy] n. m. Erreur de celui qui a mal compris ce qui a été dit ou fait : *Nous avions rendez-vous, mais, par suite d'un ma-*

lentendu, nous nous sommes attendus dans deux endroits différents.

malfaiteur [malfɛtœr] n. m. Personne qui commet des actes criminels : *On a arrêté un malfaiteur qui avait volé une voiture.*

malgré [malgre] prép. Sans tenir compte de la volonté de quelqu'un ou sans tenir compte d'un obstacle : *Il est arrivé à l'heure, malgré le mauvais temps.*

malheur [malœr] n. m. Ce qui arrive de mauvais, de pénible, etc. : *Il lui est arrivé un grand malheur, il est devenu aveugle.* ★ *Porter malheur à quelqu'un,* être pour quelqu'un une cause involontaire et mystérieuse de difficultés, d'ennuis, etc.

malheureux, euse [malørø, øz] adj. Qui n'est pas heureux : *Son enfance a été malheureuse, car son père buvait.* ★ Qui cause du malheur : *Un accident malheureux a causé la mort de notre ami.* ■ **Malheureusement** adv.

malhonnête [malɔnɛt] adj. Qui manque d'honnêteté : *Ce commerçant est malhonnête, il vend cher des produits de mauvaise qualité.* ■ **Malhonnêtement** adv.

malice [malis] n. f. Penchant à dire ou à faire de petites méchancetés sans conséquences : *La malice est un défaut fréquent chez les enfants.*

malicieux, euse [malisjø, øz] adj. Qui a de la malice : *Cet enfant est malicieux comme un singe.* ■ **Malicieusement** adv.

malin, igne [malɛ̃, iɲ] adj. Qui manifeste de la malice ou de la vivacité d'esprit : *Ce jeune chien est très malin : il sait ouvrir les portes avec sa patte.*

malle [mal] n. f. Grand coffre de bois, de cuir, etc., où l'on enferme des objets qu'on emporte en voyage : *Ma malle est trop grande pour que je la prenne dans ma voiture; je vais l'expédier par le train.*

malpropre [malprɔpr] adj. Qui n'est pas propre : *Cet enfant mange d'une manière malpropre.* ■ **Malproprement** adv.

malsain, e [malsɛ̃, ɛn] adj. Qui est nuisible à la santé : *La région est humide en hiver, et le climat y est malsain.* ★ FIG. Qui est nuisible à la santé morale : *Certains films sont malsains pour les enfants.*

maltraiter [maltrɛte] v. tr. Faire subir de mauvais traitements : *Cet homme est une brute; il maltraite son chien.*

malveillance [malvɛjɑ̃s] n. f. Disposition de l'esprit qui porte à vouloir faire du tort aux autres : *L'incendie de la ferme est attribué à la malveillance : on pense que c'est un voisin qui l'a allumé.*

maman [mamɑ̃] n. f. Nom surtout utilisé par les enfants pour s'adresser à leur mère ou pour parler d'elle : *Maman, dirent les enfants, tu devrais nous faire un gâteau dimanche.*

mamelle [mamɛl] n. f. Un des organes que possèdent les femelles des mammifères et qui contient le lait leur permettant de nourrir leurs petits : *Le petit chat tétait encore la mamelle de sa mère.*

mammifère [mamifɛr] n. m. Se dit des êtres vivants dont les femelles produisent du lait pour nourrir leurs petits : *La peau de la plupart des mammifères est recouverte de poils.*

manche [mɑ̃ʃ] n. m. Partie par laquelle on tient un instrument ou un outil pour s'en servir : *Nos couteaux de cuisine ont un manche de bois.*

manche [mɑ̃ʃ] n. f. Partie d'un vêtement qui couvre le bras : *L'ouvrier releva ses manches et saisit une pioche.*

manchette [mɑ̃ʃɛt] n. f. Partie de la chemise qui permet de fermer la manche à la hauteur du poignet : *Il manque encore un bouton à la manchette de ma chemise.*

mandat [mɑ̃da] n. m. Document qui est remis par le service des postes et qui permet de faire parvenir à quelqu'un une somme d'argent : *Puisque vous n'avez pas de compte en banque, vous me réglerez par mandat l'argent que vous me devez.*

mangeable [mɑ̃ʒabl] adj. Qu'il est possible de manger : *Ce bifteck est brûlé, mais il est encore mangeable.*

manger [mɑ̃ʒe] v. tr. (voir tableau p. 357). Mâcher et ensuite avaler un aliment : *Il mangea avec appétit un demi-poulet et des frites.* ■ V. intr. Prendre de la nourriture : *Il faut manger pour vivre et non pas vivre pour manger.*

maniable [manjabl] adj. Que l'on peut faire mouvoir ou fonctionner sans peine avec la main : *Ce bateau est très maniable; je peux le manœuvrer à moi seul.*

manie [mani] n. f. Habitude exagérée : *Il a la manie de se frotter les mains en parlant.*

manier [manje] v. tr. Faire bouger un objet avec les mains : *Les appareils de radio sont fragiles; on doit les manier avec précaution.*

manière [manjɛr] n. f. Façon de procéder qu'on emploie pour faire quelque chose : *Elle a des enfants difficiles à élever, mais elle s'y prend avec eux d'une manière très adroite.* ★ Pl. Façon d'être, de se tenir, d'agir quand on est avec d'autres personnes : *Il est mal élevé et il a des manières désagréables avec tout le monde.* ■ LOC. PRÉP. *De manière à* (+ infinitif), de façon à : *Il range toujours ses livres dans le même ordre, de manière à les retrouver facilement.* ■ LOC. CONJ. *De manière que,* de telle façon que.

manifestation [manifɛstasjɔ̃] n. f. Action par laquelle on fait connaître sa pensée, son point de vue, etc. ★ Foule de personnes qui se réunissent pour exprimer leur opinion : *Une manifestation politique a eu lieu dans la rue.*

manifester [manifɛste] v. tr. Faire connaître de manière apparente ce que l'on pense, ce que l'on veut, etc. : *Quand le père apprit qu'il avait un fils, il manifesta une grande joie.* ■ V. intr. Prendre part à une manifestation : *Les grévistes ont manifesté hier sur la place.*

mannequin [mankɛ̃] n. m. Figure de bois, de plâtre, etc., ayant une forme humaine, et sur laquelle les couturières et les tailleurs essaient les vêtements. ★ Jeune femme dont la profession est de présenter les nouveaux modèles dans une maison de couture : *Les mannequins sont généralement des jeunes femmes très minces.*

manœuvre [manœvr] n. f. Action ou manière de régler, de la main ou du pied, la marche d'un appareil : *La manœuvre de ce bateau à moteur est facile à apprendre.* ★ Pl. Exercices militaires qu'on fait faire à des troupes, à des navires, etc. : *Les manœuvres de la flotte française auront lieu en Méditerranée.* ★ Suite d'actions combinées par l'intelligence, la ruse, etc., pour parvenir à un certain but. ■ N. m. Ouvrier qui ne fait que de gros travaux : *Il n'a appris aucun métier, et il travaille comme manœuvre dans une usine.*

manœuvrer [manœvre] v. tr. Faire marcher un appareil ou un véhicule : *Je ne sais pas manœuvrer cette pompe.* ■ V. intr. Agir de manière habile, pour parvenir à un certain but : *Mon collègue a manœuvré si habilement qu'il est devenu directeur de l'usine.*

manquer [mɑ̃ke] v. tr. Ne pas réussir à atteindre quelque chose : *Il s'est levé trop tard, et il a manqué le train.* ■ V. intr. Ne pas être là où il faudrait être : *Cet élève est souvent absent; il a encore manqué hier.* ★ Ne pas avoir ce qu'il faudrait : *Mon ami était pauvre et il a souvent manqué du nécessaire dans son enfance.*

manteau [mɑ̃to] n. m. Vêtement d'homme ou de femme porté pardessus les autres habits pour se protéger du froid : *Il faut que je me fasse faire un manteau pour cet hiver.*

manuel, elle [manɥɛl] adj. Qui se fait avec la main : *Pendant les vacances, le médecin se livrait avec plaisir au travail manuel.* ■ N. m. Petit livre dans lequel on apprend les notions indispensables d'une science, d'un art, etc. : *Pour préparer son examen, l'étudiante consultait un manuel de littérature française.* ■ **Manuellement** adv.

maquiller [makije] v. tr. Appliquer sur le visage certains produits colorés : *La jeune femme avait oublié son rouge à lèvres et sa poudre, et elle ne pouvait pas se maquiller.*

marais [marɛ] n. m. Terrain plus ou moins recouvert par des eaux qui ne peuvent pas s'écouler : *Il est malsain d'habiter dans une région de marais.*

marbre [marbr] n. m. Pierre dure, blanche ou tachée de noir, de vert, etc., que l'on peut rendre lisse et qui est surtout employée en architecture et en sculpture : *Il habite à Venise un palais de marbre rose.*

marchand, e [marʃɑ̃, ɑ̃d] adj. Se dit des bateaux qui transportent des personnes ou des marchandises : *Son frère est dans la marine de guerre, mais lui-même est officier dans la marine marchande.* ■ N. Personne qui a pour profession de vendre avec bénéfice ce qu'elle a elle-même acheté : *La marchande de légumes me vend toujours des produits très frais.*

marchander [marʃɑ̃de] v. intr. Discuter avec un marchand pour lui acheter à plus bas prix : *Ce commerçant vend à prix fixe; avec lui il est inutile de marchander.*

marchandise [marʃɑ̃diz] n. f. Tout ce qui se vend et s'achète : *Les commerçants exposent leurs marchandises dans la vitrine de leur magasin.*

marche [marʃ] n. f. Mouvement auquel se livre une personne ou une chose qui se déplace : *Comme son enfant ne pouvait pas la suivre, elle dut ralentir sa marche.* ★ Air de musique composé pour régler la marche d'une troupe : *Le régiment passa au son d'une marche militaire.* ★ Chacune des planches ou des blocs de pierre qui constituent un escalier : *Cet escalier est fatigant, car ses marches sont très hautes.*

marché [marʃe] n. m. Vente ou achat qui a lieu à la suite d'une discussion sur le prix : *En achetant à bas prix cette voiture d'occasion, j'ai fait un marché avantageux.* ★ *Bon marché,* à bas prix. ★ *Par-dessus le marché,* en plus : *J'ai acheté une douzaine d'œufs, et le marchand m'en a donné un treizième par-dessus le marché.* ★ Lieu public, en plein air ou couvert, où l'on achète et vend des marchandises : *Ma femme achète les légumes au marché.*

marcher [marʃe] v. intr. Se déplacer en faisant des pas : *Elle marche* *lentement, car elle a mal aux pieds.* ★ En parlant d'une machine, fonctionner : *Ma montre ne marche pas, je vais la faire réparer.* ★ FIG. : *Les affaires ne marchent pas en ce moment, et les commerçants se plaignent beaucoup.*

mardi [mardi] n. m. Troisième jour de la semaine.

marée [mare] n. f. Mouvement périodique de la mer sous l'influence du soleil et de la lune : *La marée monte et descend deux fois en un peu plus de vingt-quatre heures.* ★ *Marée haute, marée basse,* se dit de la mer quand elle atteint son plus haut ou son plus bas niveau.

marge [marʒ] n. f. Espace blanc laissé sur une feuille, à droite et à gauche des lignes écrites ou imprimées : *Les élèves doivent laisser une marge pour que leur professeur indique les corrections.*

mari [mari] n. m. Homme uni à une femme par le mariage : *Cette femme a un mari qui s'occupe beaucoup des travaux de la maison.*

mariage [marjaʒ] n. m. Union légale d'un homme et d'une femme : *Leur mariage a été célébré à la mairie le matin et à l'église l'après-midi.*

marier [marje] v. tr. Unir par le mariage : *Le maire a marié les deux époux au milieu d'une nombreuse assistance. Les deux jeunes gens se marieront bientôt.*

marin, e [marɛ̃, in] adj. Qui vit dans la mer ou qui provient de la mer : *On récolte du sel marin sur les côtes de l'océan Atlantique.* ■ N. m. Homme dont le métier est de naviguer : *Le capitaine était un marin plein d'expérience.*

marine [marin] n. f. Tout ce qui concerne la navigation sur mer : *Né au bord de la mer, il s'était intéressé très jeune à la marine.*

maritime [maritim] adj. Qui concerne la mer ou la navigation sur mer : *Beaucoup de transports se font actuellement par voie maritime.*

marque [mark] n. f. Trace qu'une chose a laissée sur une autre : *Un chien a dû traverser le jardin, car ses pattes ont laissé des marques sur la neige.* ★ Trace faite sur une chose pour qu'on puisse la reconnaître : *Cousez une marque sur vos vêtements avant de les donner à laver.* ★ FIG. Manifestation d'un sentiment : *Il a donné à ses enfants de nombreuses marques d'affection.* ★ Nom, signe ou dessin que seul a le droit de mettre sur une marchandise celui qui l'a fabriquée ou celui qui la vend : *Ce couteau porte sur la lame la marque du fabricant.*

marquer [marke] v. tr. Inscrire quelque chose pour en laisser la trace : *Je marque mes rendez-vous sur un carnet de poche.* ★ Laisser des traces : *Des événements tragiques ont marqué cette période de sa vie.*

marraine [marɛn] n. f. Personne du sexe féminin qui présente un enfant pendant la cérémonie chrétienne du baptême : *La marraine donne parfois son prénom à l'enfant.*

marron [marɔ̃] n. m. Fruit rempli d'une sorte de farine et entouré d'une épaisse peau brune. ■ Adj. invar. De

la couleur du marron : *Cette petite fille a de jolis yeux marron.*

mars [mars] n. m. Le troisième mois de l'année : *Il pleut souvent, en France, au mois de mars.*

marteau [marto] n. m. Outil composé d'un bloc de métal et d'un manche de bois : *Je me suis donné un* *coup de marteau sur un doigt en voulant enfoncer un clou dans le mur.*

martyr, e [martir] n. Personne qui a souffert et qui est morte plutôt que de renoncer à sa foi, à sa nationalité, etc. : *Il y a eu de nombreux martyrs parmi les premiers chrétiens.* ★ Personne que la maladie fait souffrir cruellement.

marxiste [marksist] adj. Partisan d'une philosophie politique, due à Marx, qui est fondée sur la doctrine du matérialisme historique et qui veut installer le socialisme par la violence.

masculin, e [maskylɛ̃, in] adj. Qui est particulier à l'homme : *Le pantalon et la cravate sont, en général, des vêtements masculins.* ★ GRAMM. Qui appartient au genre servant à désigner les êtres mâles et les objets qu'on assimile à ceux-ci : *En français, le mot « fauteuil » est masculin; on dit « un fauteuil ».* ■ N. m. GRAMM. *Le masculin,* le genre masculin.

masque [mask] n. m. Faux visage de carton, de papier, etc., dont on se couvre la figure pour se déguiser. ★ Appareil de protection qui couvre le visage : *Quand on fait de la pêche sous-marine, on porte un masque pour se protéger les yeux.*

massacrer [masakre] v. tr. Tuer en masse des gens qui ne se défendent pas : *Des barbares massacrèrent la population de ce pays, au Moyen Age.*

masse [mas] n. f. Volume qui donne une impression de poids, de grosseur, de force, etc. : *Il admirait de loin la masse imposante de la cathédrale.* ★ FAM. Ensemble de personnes ou de choses d'une même catégorie prises en bloc : *Une masse énorme de gens a pris part à la manifestation.* ★ *En masse,* en très grand nombre.

massif, ive [masif, iv] adj. Qui a l'apparence d'une masse : *Cette armoire n'est pas laide, mais elle manque d'élégance; elle est massive.* ★ Se dit de la matière solide (bois, métal, etc.) qui compose à elle seule un objet : *Ma femme a acheté des couverts de table en argent massif.* ■ N. m. Ensemble de plantes formant une masse : *J'ai planté un massif de fleurs au milieu de la pelouse.* ★ Ensemble de montagnes formant une masse : *Le massif du Mont-Blanc se dresse entre la France et l'Italie.*

mât [mɑ] n. m. Longue pièce de bois ou de métal dressée verticalement à bord d'un bateau, sur une place, etc. : *Il fait des promenades en mer sur un joli bateau à deux mâts.*

match (pl. **matches**) [matʃ] n. m. Epreuve sportive qui oppose deux adversaires ou deux équipes : *Au cours du match de football, un des joueurs s'est blessé en tombant.*

matelas [matla] n. m. Sorte de grand coussin étendu sur un lit, et sur lequel on se couche : *Quand je fais mon lit le matin, je retourne le matelas.*

matérialisme [materjalism] n. m. Doctrine selon laquelle la matière et l'esprit sont de même nature.

matériaux [materjo] n. m. pl. Matières qui entrent dans la construction d'une maison, d'une machine, etc. : *Avant de commencer à construire le mur, le maçon a déposé les matériaux dans le jardin.*

matériel, elle [materjɛl] adj. Qui est formé de matière : *L'homme est composé d'un corps matériel et d'une âme spirituelle.* ■ **Matériellement** adv. ■ N. m. Ensemble des outils, appareils ou machines qui servent à un travail, à une exploitation, à une armée, etc. : *Le tracteur est, de nos jours, le principal élément du matériel de la ferme.*

maternel, elle [matɛrnɛl] adj. Qui est le propre d'une mère : *L'amour maternel est le sentiment le plus puissant que l'on connaisse.* ★ Qui est de la famille de la mère : *Mon grand-père maternel s'établit à Paris après la naissance de ma mère.* ■ **Maternellement** adv.

mathématique [matematik] adj. Qui se rapporte à la science qui étudie les propriétés des nombres et des figures : *Le développement des sciences mathématiques a permis de réaliser de grands progrès en physique.* ■ N. f. pl. Science qui étudie les propriétés des grandeurs qu'on peut calculer et mesurer : *L'arithmétique, la géométrie et l'algèbre font partie des mathématiques.*

matière [matjɛr] n. f. Substance dont une chose est faite : *De quelle matière est faite cette étoffe? — C'est de la soie.* ★ *Matière première,* matière que l'on travaille dans les usines pour en faire des objets d'usage courant : *Aujourd'hui, la main-d'œuvre coûte souvent plus cher que la matière première.* ★ *Table des matières,* liste des chapitres contenus dans un livre.

matin [matɛ̃] n. m. Partie de la journée comprise entre le lever du soleil et midi : *Tous les matins, après m'être levé, je me débarbouille.* ★ Se dit du temps qui s'écoule entre minuit et midi : *Il est rentré du théâtre à une heure du matin.*

matinal, e, aux [matinal, o] adj. Qui existe ou qui a lieu le matin : *Le soleil matinal est très agréable, car il n'est pas trop chaud.* ★ Qui se lève de bonne heure : *Vous voilà levé à six heures; comme vous êtes matinal!*

matinée [matine] n. f. Temps qui s'écoule entre le lever du soleil et midi : *J'ai passé la matinée à mon bureau.* ★ Spectacle qui a lieu l'après-midi : *La Comédie-Française donne « le Cid » en matinée à 2 heures et demie.*

maturité [matyrite] n. f. Etat d'une graine, d'un fruit, etc., quand ils sont mûrs : *En Angleterre, le raisin ne peut venir à maturité.* ★ Etat des personnes, des choses parvenues au point à partir duquel elles cessent de se développer : *C'est vers trente ans qu'un homme parvient à sa maturité.*

maudire [modir] v. tr. (voir tableau p. 357). Appeler le malheur sur quelqu'un par des paroles. ★ Se fâcher contre quelqu'un ou contre quelque chose : *Je maudis le sort qui m'a donné une mauvaise santé.*

mauvais, e [mɔvɛ, ɛz] adj. Qui est nuisible ou désagréable au corps ou à l'esprit : *La soupe est trop salée, elle est mauvaise. Le chemin est mauvais, vous ne pourrez pas y rouler en voiture. Nous avons reçu de mauvaises nouvelles de notre fils qui est malade.* ★ *Il fait mauvais temps,* le temps n'est pas beau. ★ *Sentir mauvais,* avoir une odeur désagréable.

maximum [maksimɔm] adj. Se dit d'une chose variable qui est au plus haut degré : *La fièvre du malade a atteint ce soir le point maximum.* ■ N. m. Le plus haut degré qu'une chose puisse atteindre.

mazout [mazut] n. m. Huile noire et épaisse tirée du pétrole : *Ce cargo utilise le mazout comme carburant.*

me [mə] pron. pers. de la 1re pers. (**m'** devant une voyelle ou un *h* muet). Désigne la personne qui parle, lorsque ce n'est pas le sujet du verbe : *Mon amie m'a dit qu'elle m'avait vu hier soir au cinéma.*

mécanicien, enne [mekanisjɛ̃, ɛn] n. Personne qui sait réparer et faire fonctionner les machines : *Cet* *enfant rêve de devenir mécanicien dans l'aviation.*

mécanique [mekanik] adj. Qui est mû par un mécanisme : *Il a offert un train mécanique à son fils pour sa fête.* ★ Qui se manifeste sans que la pensée intervienne. ■ **Mécaniquement** adv. ■ N. f. Etude des machines, de leur construction et de leur fonctionnement : *Mon garagiste est très fort en mécanique, et il a très bien réparé ma voiture.*

mécanisme [mekanism] n. m. Ensemble de plusieurs pièces disposées de façon à produire un mouvement déterminé : *L'horloge de la cathédrale a un mécanisme extrêmement compliqué.*

méchanceté [meʃɑ̃ste] n. f. Défaut des personnes qui cherchent à faire du mal : *Cet enfant montre de la méchanceté en faisant souffrir les bêtes.* ★ Action ou parole qui manifeste l'intention de faire du mal.

méchant, e [meʃɑ̃, ɑ̃t] adj. Qui cherche à faire du mal : *Ce petit chien aboie, mais il n'est pas méchant et il ne mord jamais.* ■ **Méchamment** adv.

mèche [mɛʃ] n. f. Ensemble de cheveux qu'on peut tenir entre deux doigts : *Elle a toujours des mèches qui lui tombent sur les yeux.*

mécontent, e [mekɔ̃tɑ̃, ɑ̃t] adj. Qui pense avoir des raisons de se plaindre de quelqu'un ou de quelque chose : *Il y a des gens qui sont toujours mécontents de leur sort.*

mécontentement [mekɔ̃tɑ̃tmɑ̃] n. m. Etat d'esprit de quelqu'un qui croit avoir des motifs de n'être pas content : *Le prix de la vie a beaucoup augmenté, et le mécontentement est général.*

médaille [medaj] n. f. Pièce de métal offerte en récompense au vainqueur d'un concours ou à celui qui a accompli un acte de courage : *Le champion a obtenu une médaille au dernier concours de gymnastique.*

médecin [medsɛ̃] n. m. Personne qui a terminé ses études médicales et qui a pour profession de soigner les malades : *Mon père est malade; j'ai appelé un médecin.*

médecine [medsin] n. f. Science qui a pour objet de rétablir la santé des personnes malades : *Les progrès de la médecine ont prolongé la vie humaine.*

médical, e, aux [medikal, o] adj. Qui appartient à la médecine : *Les études médicales sont longues et difficiles.* ■ **Médicalement** adv.

médicament [medikamɑ̃] n. m. Produit qu'on emploie pour soigner un malade : *Le médecin m'a ordonné de prendre des médicaments, que j'ai achetés chez le pharmacien.*

médiocre [medjɔkr] adj. Qui n'est ni bon ni mauvais. ★ Qui a peu de valeur : *Ce roman est médiocre et offre peu d'intérêt.*

méditer [medite] v. tr. Réfléchir profondément et en silence sur quelque chose : *Il médita sur les difficultés que présentait cette affaire.*

méfier (se) [mefje] v. pron. Ne pas avoir confiance : *Depuis qu'il m'a menti, je me méfie de lui.*

meilleur, e [mɛjœr] adj. Qui est d'une qualité plus grande : *Le vin devient meilleur en vieillissant.*

mélancolique [melɑ̃kɔlik] adj. Qui éprouve ou provoque une tristesse vague : *Ce paysage d'automne est très mélancolique.* ■ **Mélancoliquement** adv.

mélange [melɑ̃ʒ] n. m. Action de mêler plusieurs choses de manière que les formes, les qualités, etc., se confondent : *Le mélange du vin et de l'eau se fait très facilement.*

★ Résultat de cette action : *L'air est un mélange de gaz.*

mélanger [melɑ̃ʒe] v. tr. (Se conj. comme *manger.*) Mettre ensemble des choses diverses, de manière qu'elles se confondent : *Pour obtenir une couleur grise, le peintre mélangea du noir et du blanc.*

mêler [mɛle] v. tr. Mettre ensemble des personnes ou des choses différentes, de façon qu'on ne puisse ni les séparer ni les distinguer. ★ FIG. Faire entrer dans : *Je ne voudrais pas mêler ma famille à cette affaire.* ■ **Se mêler** v. pron. Se joindre à d'autres. ★ *Se mêler de quelque chose,* s'occuper d'une affaire sans que personne l'ait demandé.

membre [mɑ̃br] n. m. Chacune des parties rattachées au tronc de l'homme ou au corps de certains animaux, et qui servent à marcher, à saisir, etc. : *L'homme a quatre membres : deux bras et deux jambes.* ★ Personne qui fait partie d'un groupe, d'une association, etc. : *Il est membre d'une société de pêcheurs à la ligne.*

même [mɛm] adj. Qui n'est pas autre : *J'ai été reçu deux fois de suite par le même employé.* ★ Qui est exactement semblable à ce dont on a déjà parlé (employé après le nom) : *Ce sont les paroles mêmes qu'il a employées.* ★ Utilisé pour insister sur le mot qui le précède : *Mon chien lui-même semblait comprendre ma tristesse.* ■ Adv. De plus, encore : *Il n'est pas aimable, je dirais même qu'il est désagréable.* ★ LOC. ADV. *De même,* d'une manière identique : *Je m'assis et il fit de même.* ★ *Tout de même, quand même,* malgré cela : *Il a mis beaucoup de temps, mais il a réussi tout de même à finir son travail.*

mémoire [memwar] n. f. Faculté qui permet de garder et de rappeler en soi les idées et les sentiments du passé : *L'abus du tabac affaiblit la mémoire.* ★ Ensemble des souvenirs : *Je cherche dans ma mémoire le nom de ce monsieur.* ■ LOC. PRÉP. *En mémoire de, à la mémoire de,* pour garder présent à l'esprit le souvenir de : *On a élevé un monument à la mémoire des soldats morts pendant la dernière guerre.*

menacer [mənase] v. tr. (Se conj. comme *annoncer.*) Montrer à quelqu'un par des gestes ou des paroles qu'on va lui faire du mal, lui donner une punition, etc. : *L'enfant eut peur de son camarade qui le menaçait du poing.* ★ En parlant d'un événement désagréable, être sur le point de se produire : *Des dangers nous menacent.*

ménage [menaʒ] n. m. Administration des choses de la maison : *Elle ne veut pas travailler dans un bureau, pour pouvoir s'occuper de son ménage et de ses enfants.* ★ *Faire le ménage,* balayer, nettoyer une pièce. ★ *Femme de ménage,* personne payée à l'heure pour faire le ménage. ★ Le mari et la femme : *Nous avons reçu la visite d'un jeune ménage très sympathique.*

ménager [menaʒe] v. tr. (Se conj. comme *manger.*) Employer ou traiter avec prudence et mesure : *Les vieillards doivent ménager leurs forces.* ★ *Ménager une rencontre,* la préparer.

ménager, ère [menaʒe, ɛr] adj. Qui concerne le ménage : *Sa femme a acheté un aspirateur et plusieurs autres appareils ménagers.* ■ N. f. Femme qui s'occupe des travaux de la maison : *Mme Durand est une excellente ménagère ; elle entretient sa maison avec soin.*

mendiant, e [mɑ̃djɑ̃, ɑ̃t] n. Personne qui demande de l'argent pour vivre, généralement sur la voie publique : *Un vieux mendiant tendait la* *main aux passants à la porte de l'église.*

mendier [mɑ̃dje] v. intr. Chercher à obtenir de l'argent pour vivre, en faisant pitié aux passants : *Vieux et sans ressources, il en est réduit à mendier dans les rues.*

mener [məne] v. tr. (voir tableau p. 357). Faire aller avec soi : *Je mène souvent mes enfants au musée.* ★ Faire arriver à un lieu : *Ce chemin mène directement au village.* ★ FIG. Faire aller d'une certaine manière : *Il a bien mené cette affaire qui a réussi.*

mensonge [mɑ̃sɔ̃ʒ] n. m. Paroles contraires à la vérité et dites avec l'intention de tromper : *Au lieu de me raconter tous ces mensonges, vous feriez mieux de me dire la vérité.*

mensuel, elle [mɑ̃sɥɛl] adj. Qui a lieu tous les mois : *Certains ouvriers touchent un salaire mensuel, d'autres sont payés à l'heure.* ■ **Mensuellement** adv.

mental, e, aux [mɑ̃tal, o] adj. Qui est relatif à l'esprit et non au corps : *Comme il souffre d'une maladie mentale, il est soigné par un psychiatre.* ★ *Calcul mental,* opération d'arithmétique effectuée sans écrire. ■ **Mentalement** adv.

mentalité [mɑ̃talite] n. f. Etat d'esprit : *Les auteurs de films connaissent bien la mentalité du public.*

menteur, euse [mɑ̃tœr, øz] adj. Qui ne dit pas la vérité ou qui a l'habitude de mentir. ■ N. : *Quand, par hasard, un menteur dit la vérité, on ne le croit pas.*

mentir [mɑ̃tir] v. intr. (Se conj. comme *sentir.*) Dire des mensonges : *Souvent les enfants mentent par excès d'imagination.*

menton [mɑ̃tɔ̃] n. m. Partie du visage située entre la lèvre inférieure et le cou : *Il a dix-huit ans et il n'a pas encore de barbe au menton.*

menu [məny] n. m. Liste des plats qui composent un repas : *Il y a de la viande au menu; j'aurais préféré du poisson.*

menuisier [mənɥizje] n. m. Artisan ou ouvrier qui fabrique des objets en bois, tels que portes, fenêtres, meubles bon marché, etc. : *J'ai commandé au menuisier une table et une armoire de cuisine.*

mépris [mepri] n. m. Sentiment que l'on éprouve quand on juge que quelqu'un ou quelque chose ne mérite pas l'estime ou l'attention : *Cet homme est très courageux, il considère la mort avec mépris.*

mépriser [meprize] v. tr. Considérer qu'une personne ou une chose ne mérite pas qu'on y attache de la valeur ou de l'importance : *Il ne faut mépriser personne.*

mer [mɛr] n. f. Immense étendue d'eau salée : *Nous passons nos vacances au bord de la mer.*

merci [mɛrsi] n. m. Formule de politesse employée pour remercier : *Il faut apprendre aux enfants à dire merci.* ■ Se dit, avec ou sans *non,* pour refuser poliment.

mercredi [mɛrkrədi] n. m. Le quatrième jour de la semaine.

mère [mɛr] n. f. Femme qui a un ou plusieurs enfants : *Le petit garçon demanda à sa mère de lui raconter une histoire.* ★ Femelle d'un animal quand elle a des petits : *Les petits chats jouent avec leur mère.*

mérite [merit] n. m. Manière d'être ou d'agir qui rend digne d'estime, d'admiration, etc. : *Il faut récompenser chacun selon ses mérites. Elle a eu du mérite à élever seule ses cinq enfants.*

mériter [merite] v. tr. Etre digne d'obtenir quelque chose par sa conduite, son travail, etc. : *Votre bonté mérite d'être citée en exemple.*

merveille [mɛrvɛj] n. f. Chose qui provoque l'admiration par sa grandeur, sa beauté, etc. : *On appelait les sept ouvrages les plus remarquables de l'Antiquité les « Sept Merveilles du monde ».*

merveilleux, euse [mɛrvɛjø, øz] adj. Se dit des personnes ou des choses qui provoquent l'admiration : *Allez au Louvre! Vous y verrez des tableaux merveilleux.* ■ **Merveilleusement** adv.

mes [mɛ] adj. poss. pl. de *mon* et *ma.*

message [mɛsaʒ] n. m. Communication que l'on envoie à quelqu'un, par l'intermédiaire d'une personne ou d'un appareil.

messe [mɛs] n. f. Cérémonie catholique au cours de laquelle le prêtre, au moyen du pain et du vin, reproduit le sacrifice de Jésus-Christ : *Elle assiste à la messe tous les dimanches.*

mesure [məzyr] n. f. Recherche du rapport qui existe entre une quantité déterminée à l'avance et une grandeur de la même espèce : *La mesure du temps se fait au moyen des montres et des horloges.* ★ Unité grâce à laquelle on évalue les quantités d'une même espèce : *L'unité des mesures de longueur est le mètre.* ★ MUS. Division de la durée d'une phrase musicale en parties égales : *Cet air de danse se joue sur une mesure à trois temps.* ★ *Battre la mesure,* marquer par des gestes la mesure d'un morceau de musique. ★ Pl. Dimensions d'une personne ou d'une chose : *La couturière a pris mes mesures pour me faire une robe.* ★ Manière d'agir choisie en vue d'obtenir un résultat déterminé : *Le gouvernement a pris des mesures pour empêcher la hausse des prix.* ★ Manière d'agir avec modération : *Cet homme réfléchit beaucoup et ne parle qu'avec mesure.* ★ *Etre en mesure de,* avoir les moyens de. ■ LOC. CONJ. *A mesure que, au fur et à mesure que,* en même temps que : *Il ramassait les pommes au fur et à mesure que je les faisais tomber de l'arbre.* ■ LOC. ADV. *Au fur et à mesure,* d'une manière progressive.

mesurer [məzyre] v. tr. Compter combien de fois l'unité choisie est contenue dans une grandeur déterminée : *J'ai mesuré la table, elle a trois mètres de long.* ★ Régler avec modération.

métal (pl. **métaux**) [metal, o] n. m. Corps d'une forte densité, d'un éclat particulier, et qui, en général, transmet bien la chaleur et l'électricité : *L'or est un métal précieux et lourd.*

métallique [metalik] adj. Qui est propre au métal : *Beaucoup de métaux, quand ils sont exposés à l'air, perdent leur éclat métallique.* ★ Qui est en métal : *Dans mon bureau, les dossiers sont rangés dans une armoire métallique.*

métallurgie [metalyrʒi] n. f. Industrie qui consiste à tirer les métaux des minerais en les séparant des autres matières, et à les travailler afin de les rendre propres à certains usages : *C'est grâce aux progrès de la métallurgie qu'est née l'industrie automobile.*

métamorphose [metamɔrfoz] n. f. Transformation subie par une personne ou une chose. ★ Transformation subie par certains animaux, qui changent complètement de forme à une époque déterminée de leur vie : *La métamorphose du ver en papillon est une chose admirable.*

météorologie [meteɔrɔlɔʒi] n. f. Etude des phénomènes de l'atmosphère en vue de la prévision du temps : *La météorologie rend de grands services à la navigation aérienne.*

méthode [metɔd] n. f. Manière raisonnée adoptée pour agir ou pour penser, afin d'obtenir un résultat déterminé : *Les méthodes d'enseignement des langues vivantes ont subi une évolution sensible depuis quelques années.*

méthodique [metɔdik] adj. Qui agit avec méthode : *Tout est en ordre chez lui, on voit qu'il a l'esprit méthodique.* ★ Qui est fait avec méthode : *Pour retrouver rapidement un ouvrage dans une bibliothèque, il faut que le classement des livres soit méthodique.* ■ **Méthodiquement** adv.

métier [metje] n. m. Occupation manuelle qui obéit à certaines règles techniques : *Si mon fils ne réussit pas à finir ses études, je lui ferai apprendre le métier d'électricien.* ★ Occupation professionnelle quelconque : *Le métier de chirurgien demande une grande adresse.*

mètre [mɛtr] n. m. Unité principale des mesures de longueur : *La taille moyenne des Français du sexe masculin est d'environ un mètre soixante-neuf.* ★ Règle ou ruban de la longueur d'un mètre : *La couturière prit un mètre et mesura la longueur de la jupe.*

métrique [metrik] adj. Qui a rapport au mètre. ★ *Système métrique,* ensemble des mesures qui se définissent à partir du mètre : *La Grande-Bretagne s'est longtemps refusée à adopter le système métrique.*

métro [metro] n. m. V. MÉTROPOLITAIN.

métropole [metrɔpɔl] n. f. Se dit d'un Etat considéré par rapport à ses colonies.

métropolitain ou **métro** [metrɔpɔlitɛ̃ ou metro] n. m. Chemin de fer souterrain ou aérien, qui transporte des voyageurs à travers les différents quartiers d'une grande ville : *A Paris, le métro est un moyen de communication rapide et commode.*

metteur [mɛtœr] n. m. *Metteur en scène,* spécialiste qui, au théâtre ou au cinéma, choisit les décors, les fait mettre en place et règle les mouvements des acteurs. (Au cinéma, il dirige également les prises de vues.)

mettre [mɛtr] v. tr. (voir tableau p. 357). Placer une personne ou un objet à un certain endroit : *Je ne cesse de dire à mes enfants qu'ils doivent mettre chaque chose à sa place.* ★ *Mettre son chapeau, ses chaussures,* etc., s'habiller avec son chapeau, ses chaussures, etc. ★ Faire passer d'un état à un autre : *Ils ont mis l'étang à sec pour le nettoyer.* ★ *Mettre à mort,* tuer. ★ *Mettre une chose en vente,* chercher à la vendre. ■ V. pron. *Se mettre au lit,* se coucher. ★ *Se mettre à table,* s'installer à table pour prendre ses repas. ★ *Se mettre à* (+ infinitif), commencer à : *Il se mit à courir.*

meuble [mœbl] n. m. Objet mobile, de bois ou de métal, qu'on met dans une pièce pour servir à différents usages : *J'ai acheté des meubles, une table et six chaises.*

meubler [mœble] v. tr. Garnir de meubles : *Sa maison de campagne est meublée avec élégance.* ★ *Appartement meublé,* appartement que le propriétaire loue garni de meubles.

meunier, ère [mœnje, ɛr] n. Personne qui exploite un moulin à blé : *Je suis allé chez le meunier chercher cinq sacs de farine.*

meurtre [mœrtr] n. m. Action de tuer une personne : *Le roman policier commençait par un meurtre.*

meurtrier, ère [mœrtrije, ɛr] adj. Qui cause des meurtres : *La guerre de 1914-1918 a été très meurtrière.* ■ N. Personne qui en a tué une ou plusieurs autres : *Le meurtrier a été arrêté peu de temps après avoir commis son crime.*

micro [mikro] n. m. V. MICROPHONE.

microbe [mikrɔb] n. m. Etre vivant, visible seulement au microscope, qui cause souvent des fermentations et des maladies : *Pasteur a montré le rôle joué par les microbes dans l'infection des plaies.*

microphone ou **micro** [mikrɔfɔn ou mikro] n. m. Instrument qui rend le son plus intense : *Approchez-vous du micro pour parler; on ne vous entend pas.*

microscope [mikrɔskɔp] n. m. Instrument qui, grâce à un système de lentilles, permet de voir beaucoup plus gros des objets très petits : *Les microscopes électroniques permettent de grossir les objets plus de 100 000 fois.*

midi [midi] n. m. Le milieu du jour (n'est pas précédé de l'article) : *Midi est la douzième heure après minuit.* ★ *Le midi,* le sud : *Mon appartement est chaud en été, car il est exposé au midi.* ★ FIG. La partie de la France qui est la plus proche du sud : *Nous passerons nos vacances dans le midi de la France.*

miel [mjɛl] n. m. Matière sucrée que les abeilles fabriquent avec des substances recueillies dans les fleurs : *Autrefois, le miel remplaçait le sucre dans la pâtisserie.*

mien, mienne [mjɛ̃, mjɛn] pron. poss. (S'emploie toujours précédé de l'article défini.) Ce qui est à moi : *C'est votre opinion, ce n'est pas la mienne. Où sont vos enfants? Les miens sont à la campagne.*

miette [mjɛt] n. f. Très petit morceau qui tombe du pain ou des gâteaux quand on les coupe : *Vous débarrasserez la table après le déjeuner et vous balaierez les miettes.*

mieux [mjø] adv. D'une manière plus avantageuse ou plus complète : *Ma fille travaille mieux en classe que mon fils.* ★ *De mieux en mieux,* avec des progrès réguliers et continus. ★ *Tant mieux,* exclamation qui indique la satisfaction : *Il fait beau aujourd'hui; tant mieux, nous pourrons aller nous promener.*

mignon, onne [miɲɔ̃, ɔn] adj. Se dit d'une personne, d'un animal ou d'un objet de petite taille, et qui plaît par sa grâce : *Cette petite fille est très mignonne; elle sourit à tout le monde.*

migraine [migrɛn] n. f. Douleur violente et prolongée que l'on ressent dans la tête : *Je vais prendre un cachet, car j'ai la migraine.*

milieu [miljø] n. m. Point situé à égale distance des limites d'un lieu : *Une statue s'élève au milieu de la place.* ★ Moment situé à égale distance du commencement et de la fin d'une période de temps : *Je prends mes vacances vers le milieu de l'année, d'habitude en juillet.* ★ Ensemble des choses ou des êtres avec lesquels un autre être se trouve en rapport : *Comme les animaux ou les plantes, les hommes doivent s'adapter à leur milieu.* ★ FIG. Groupe qui se distingue par un caractère déterminé : *Les milieux diplomatiques sont préoccupés par la situation internationale.* ■ LOC. PRÉP. *Au milieu de,* entouré de tous côtés par : *Le soldat se trouvait au milieu des ennemis.*

militaire [militɛr] adj. Se dit de ce qui concerne les soldats ou la guerre : *En France, c'est à vingt ans que les hommes font leur service militaire.* ■ **Militairement** adv. ■ N. m. Celui qui appartient à l'armée : *Un militaire en uniforme parlait à deux civils.*

militant, e [militɑ̃, ɑ̃t] n. Personne qui répand et défend les idées d'un groupe, d'un parti politique, d'un syndicat, etc. : *Les militants du parti socialiste se sont réunis en congrès.*

mille [mil] adj. num. inv. Dix fois cent. ★ Nombre indéterminé et considérable : *Dites à vos enfants que je les embrasse mille fois.*

milliard [miljar] n. m. Mille millions.

millier [milje] n. m. Groupe qui compte soit exactement, soit environ mille unités : *Un millier de personnes a participé à la manifestation.*

millimètre [milimɛtr] n. m. La millième partie du mètre : *Un centimètre est composé de dix millimètres.*

million [miljɔ̃] n. m. Mille fois mille.

mince [mɛ̃s] adj. Qui a très peu d'épaisseur : *La machine du charcutier coupe des tranches de jambon très minces.*

mine [min] n. f. Apparence du visage : *Cet enfant revient de vacances; il a bonne mine.*

mine [min] n. f. Gisement d'où l'on extrait du charbon ou des minerais : *Il existe des mines de charbon dans le nord de la France.* ★ Partie du crayon qui laisse une trace quand on écrit. ★ Charge explosive qu'on place dans la terre ou dans l'eau : *Le char passa sur une mine qui explosa.*

minerai [minrɛ] n. m. Substance minérale qu'on extrait et qu'on traite pour en tirer du métal : *Le minerai de fer est la plus grande richesse de la Suède.*

minéral, e, aux [mineral, o] adj. Se dit de la matière qui n'est pas vivante : *On divise tout ce qui existe en trois genres : le règne animal, le règne végétal et le règne minéral.* ★ *Eau minérale,* eau qui sort de terre et contient des substances minérales particulières : *J'ai une maladie d'estomac et je ne bois que de l'eau minérale.* ■ N. m. Matière non vivante : *La craie et l'ardoise sont des minéraux.*

mineur [minœr] n. m. Ouvrier qui travaille dans une mine : *Le métier de mineur est pénible et parfois dangereux.*

mineur, e [minœr] adj. Qui est moins grand ou qui a moins d'importance : *Je n'ai que des intérêts mineurs dans cette affaire.* ■ N. Personne qui n'a pas atteint sa majorité, c'est-à-dire vingt et un ans : *Dans de nombreux pays, il est interdit de servir de l'alcool aux mineurs dans les cafés.*

minimum [minimɔm] adj. Se dit d'une chose variable, qui est au plus bas degré : *Le prix minimum de ces fleurs est de 6 francs la douzaine.* ■ N. m. Le plus petit degré que puisse atteindre une chose variable : *Le minimum de la température a été aujourd'hui de 10 degrés; le maximum a été de 18 degrés.*

ministère [ministɛr] n. m. Fonction qu'on assure au nom de l'Etat et qui donne à celui qui l'exerce une autorité importante dans le gouvernement : *Le président de la République lui a confié le ministère de l'Education nationale.* ★ Ensemble des ministres : *Le ministère risque d'être mis en minorité au Sénat.* ★ Bâtiment où sont installés les bureaux d'un ministre : *Un marin en armes monte la garde devant le ministère de la Marine.*

ministre [ministr] n. m. Personne qui, sous l'autorité directe du chef du gouvernement, fait appliquer les lois dans l'administration qu'il dirige : *L'augmentation des prix préoccupe le ministre des Finances.*

minorité [minɔrite] n. f. Age inférieur à la majorité, c'est-à-dire à vingt et un ans : *Pendant la minorité de son fils, la reine gouverna le pays.* ★ Le plus petit nombre dans une assemblée ou dans un pays : *La pièce n'a pas eu un grand succès; elle n'a été applaudie que par une minorité de spectateurs.*

minuit [minɥi] n. m. Le milieu de la nuit (n'est pas précédé de l'article) : *A minuit, le clair de lune était magnifique.*

minuscule [minyskyl] adj. Qui est de toutes petites dimensions : *Les microbes sont des êtres minuscules.* ■ N. f. Petite lettre (s'oppose à *majuscule*).

minute [minyt] n. f. Chacune des soixante parties de l'heure : *J'ai attendu dix minutes l'arrivée du train.* ★ Petit espace de temps : *Attendez-moi, je reviens dans une minute.*

miracle [mirakl] n. m. Evénement dont la raison ne suffit pas à expliquer les causes : *Les Evangiles nous racontent les miracles accomplis par Jésus-Christ pendant sa vie.* ★ Circonstance extraordinaire.

mise [miz] n. f. Action de mettre à une place ou dans un état déterminé : *La mise en vente de la maison eut lieu deux ans après la mort du propriétaire.* ★ *Mise en scène* (au théâtre et au cinéma), organisation de la représentation (disposition des décors, place et jeu des acteurs, etc.).

misérable [mizerabl] adj. Qui fait pitié, à cause de sa pauvreté, de ses souffrances morales, etc. : *Personne ne s'occupe de ces enfants qui sont dans une situation misérable.*

misère [mizɛr] n. f. Etat digne de pitié (en raison du malheur ou de la pauvreté) : *Après avoir perdu son travail, il est tombé dans la misère.*

mission [misjɔ̃] n. f. Fonction déterminée que l'on confie à quelqu'un : *Il m'a chargé d'une mission délicate auprès de sa mère, avec qui il est fâché.* ★ Ensemble de personnes chargées d'accomplir une tâche bien précise : *On a envoyé une mission de cinq experts pour étudier les causes de l'accident d'aviation.*

missionnaire [misjɔnɛr] n. m. Prêtre ou pasteur envoyé pour répandre sa religion : *Le missionnaire s'était installé au milieu de populations primitives.*

mixte [mikst] adj. Qui est formé d'éléments appartenant à des espèces ou à des choses de natures différentes : *Elle a acheté un réchaud mixte, qui fonctionne à la fois au gaz et à l'électricité.* ★ Qui comprend des personnes des deux sexes : *Sa fille et son fils sont dans la même classe d'un lycée mixte.*

mobile [mɔbil] adj. Qui peut changer de place ou qu'on peut changer de place : *La Terre est un astre mobile, qui tourne autour du Soleil.* ■ N. m. Corps en mouvement. ★ Cause déterminante d'une action : *Sa conduite est étrange; il a dû obéir dans cette affaire à des mobiles que nous ne connaissons pas.*

mobilier [mɔbilje] n. m. Ensemble des meubles que l'on trouve dans une maison : *Je n'aime pas le mobilier de cet appartement, il est trop moderne.*

mobilisation [mɔbilizasjɔ̃] n. f. Action de mettre en état de guerre : *Quand le gouvernement fut certain que le conflit ne pouvait être évité, il décida d'ordonner la mobilisation générale.*

mode [mɔd] n. f. Usage qui règle, selon le goût du moment, la manière de s'habiller, de vivre, etc. : *Cette dame porte une robe qui ne lui va pas, mais qui est à la mode.*

mode [mɔd] n. m. Manière d'être, de faire, de penser, particulière à un homme, à un groupe, etc. : *La démocratie est certainement le mode de gouvernement qui convient le mieux à ce pays.* ★ GRAMM. Manière dont le verbe exprime l'état ou l'action.

modèle [mɔdɛl] n. m. Objet que l'on reproduit ou personne que l'on imite : *L'élève copia un modèle d'écriture. Napoléon avait pris César pour modèle.* ★ Personne qui pose pour un peintre ou un sculpteur : *Le peintre prenait d'habitude sa femme comme modèle.*

modération [mɔderasjɔ̃] n. f. Caractère des actes, des paroles, etc., qui gardent de la mesure : *Le député attaqua le gouvernement, mais il le fit avec modération.*

modéré, e [mɔdere] adj. Qui ne se manifeste pas de manière violente : *Il a en politique des opinions modérées.* ■ **Modérément** adv.

moderne [mɔdɛrn] adj. Qui est du temps présent ou d'un temps passé depuis peu : *L'époque moderne a vu la naissance de nombreuses inventions.* ★ Qui est conforme aux idées et aux goûts du temps présent : *Cet instituteur a des idées très modernes sur l'éducation.*

moderniser [mɔdɛrnize] v. tr. Transformer selon les besoins ou les goûts modernes : *Pour moderniser la maison, il y a fait installer une salle de bains.*

modeste [mɔdɛst] adj. Qui n'aime pas vanter ses mérites : *Les grands savants sont souvent des hommes très modestes.* ★ Qui manifeste une grande simplicité : *Ils ont des goûts modestes et habitent une petite maison.*

modifier [mɔdifje] v. tr. Faire subir à une chose un changement qui ne concerne qu'un ou plusieurs détails : *Depuis que l'on a modifié le moteur de ma voiture, elle consomme moins d'essence.*

mœurs [mœr ou mœrs] n. f. pl. Habitudes naturelles ou imposées par la société, relatives à la manière de vivre, à la morale, etc. : *Les mœurs des pays chauds sont assez différentes des nôtres.* ★ Habitudes particulières aux animaux : *Les gens qui ont étudié les mœurs des abeilles ont été très étonnés.*

moi [mwa] pron. pers. Désigne la première personne du singulier quand c'est le sujet du verbe, soit employée seule, soit pour répéter *je : Qui a pris mon crayon? — Moi! Moi, j'aime les roses rouges.* ★ Désigne la première personne du singulier lorsqu'elle n'est pas sujet du verbe : *Prête-moi un livre. Voulez-vous venir vous promener avec moi?*

moindre [mwɛ̃dr] adj. Se dit pour « plus petit » : *Elle a beaucoup de scrupules et se reproche ses moindres fautes.*

moins [mwɛ̃] adv. Marque une qualité inférieure ou une quantité plus petite : *Jacques a cinq ans de moins que Pierre, il est beaucoup moins grand que lui. De ses trois filles, Louise est la plus jolie, mais la moins intelligente.* ★ LOC. ADV. *Au moins, du moins,* ce qu'il y a de sûr, c'est que : *Il n'est pas riche, mais du moins il a assez d'argent pour vivre de manière confortable.* ■ LOC. CONJ. *A moins que* (+ subjonctif), sauf si : *Je n'irai pas vous attendre, à moins que vous ne me le demandiez.* ■ LOC. PRÉP. *A moins de* (+ infinitif), sauf si : *A moins de partir avant 9 heures, nous n'aurons pas le train de 9 heures et demie.* ★ Prép. Précède le nom de nombre que l'on retire d'un autre nombre : *Huit moins deux font six.*

mois [mwa] n. m. Espace de temps correspondant à une des douze divisions de l'année : *Il attend avec impatience le dernier jour du mois pour toucher son traitement.*

moisson [mwasɔ̃] n. f. Travail qui consiste à récolter les céréales : *Pour faire la moisson, le fermier a dû embaucher des ouvriers supplémentaires.* ★ Temps pendant lequel se fait cette récolte.

moitié [mwatje] n. f. Chacune des deux parties égales d'un tout : *Cette pomme est trop grosse pour moi; veux-tu que je t'en donne la moitié?*

mollet [mɔlɛ] n. m. Muscle saillant et mou situé à la partie postérieure de

la jambe, entre le talon et l'articulation du genou : *Le petit garçon portait une culotte courte, et il avait froid aux mollets.*

moment [mɔmɑ̃] n. m. Court espace de temps : *Attendez-moi un moment, je reviens dans quelques instants.* ■ LOC. ADV. *Par moments,* par intervalles. ■ LOC. PRÉP. *Au moment de* (+ infinitif), sur le point de : *Au moment de payer, il s'aperçut qu'il avait oublié son carnet de chèques.*

mon, ma, mes [mɔ̃, ma, mɛ] adj. poss. 1re pers. du sing. Qui est à moi : *Mon père est plus âgé que le vôtre. Mes filles doivent venir demain.*

monarchie [mɔnarʃi] n. f. Forme de gouvernement où le pouvoir est exercé ou représenté par un roi : *La révolution de 1789 mit fin à la monarchie absolue.*

monde [mɔ̃d] n. m. Ensemble de tout ce qui existe : *L'Ancien Testament dit que Dieu créa le monde en six jours.* ★ La Terre que nous habitons : *Il a voyagé dans les cinq parties du monde.* ★ *Tout le monde,* ensemble des personnes dont il s'agit : *Tout le monde sait que la Terre tourne.* ★ *Mettre au monde,* donner naissance : *Sa femme vient de mettre au monde leur troisième enfant.*

mondial, e, aux [mɔ̃djal, o] adj. Qui concerne le monde entier : *La Seconde Guerre mondiale a éclaté en 1939.*

monétaire [mɔnetɛr] adj. Qui est en rapport avec la monnaie : *Les difficultés monétaires de ce pays gênent son développement économique.*

monnaie [mɔnɛ] n. f. Pièces de métal ou billets que l'Etat met en circulation, et qui peuvent servir à payer une marchandise ou un travail : *En France, la monnaie d'or a disparu depuis la guerre de 1914.* ★ Plusieurs pièces ou plusieurs billets que l'on donne en échange d'une seule pièce ou d'un seul billet ayant la même valeur : *Comme je n'avais que des gros billets, je suis allé chez un commerçant, qui m'a donné la monnaie de cinq cents francs.* ★ Somme d'argent représentant la différence entre le prix d'un objet et la somme versée : *En me rendant la monnaie, la boulangère s'est trompée d'un franc.*

monotone [mɔnɔtɔn] adj. Qui manque de variété et qui finit par ennuyer : *Le train traversait une plaine monotone.*

monsieur [məsjø] n. m. (pl. **messieurs** [mɛsjø]). Titre que l'on donne à un homme quand on lui parle ou quand on lui écrit : *Permettez-moi de vous présenter mon ami, monsieur Durand. Au revoir, messieurs; à bientôt!*

montagne [mɔ̃taɲ] n. f. Masse de terre et de rochers, d'une grande hauteur, qui est le résultat d'un soulèvement du sol : *Je passe mes vacances dans un village de montagne, à 1 000 mètres d'altitude.*

monter [mɔ̃te] v. tr. Parcourir un lieu tout en s'élevant : *La voiture avait beaucoup de peine à monter la* *côte, car elle était très chargée.* ★ Transporter en haut : *Le concierge n'a pas encore monté le courrier.* ★ Construire une machine, un meuble, etc., en assemblant ses différentes parties : *Dans les usines modernes, on monte une automobile en quelques heures.* ■ V. intr. En parlant des personnes, se transporter en un lieu plus élevé : *Il prit l'escalier, tandis que je montais par l'ascenseur.* ★ Prendre place dans un véhicule ou sur un animal : *Je ne suis jamais monté en avion.* ★ En parlant des choses, élever son niveau : *La rivière ne cesse de monter depuis le début des pluies.* ★ Devenir plus cher : *La sécheresse a fait monter le prix des légumes.*

montre [mɔ̃tr] n. f. Instrument qu'on porte au poignet ou dans la

poche, et qui sert à indiquer l'heure : *Ma montre retarde, il va falloir que je la fasse réparer.*

montrer [mɔ̃tre] v. tr. Faire voir : *Montrez-moi donc le livre dont vous m'avez parlé.* ★ Faire paraître aux yeux des autres : *L'officier a montré beaucoup de courage pendant la bataille.*

monument [mɔnymɑ̃] n. m. Edifice remarquable soit parce qu'il rappelle le nom d'un homme célèbre ou une œuvre exceptionnelle, soit parce qu'il attire l'attention par ses dimensions, son âge, sa beauté, etc. : *La tour Eiffel est le plus haut monument de Paris.*

moquer (se) [mɔke] v. pron. Montrer qu'on trouve ridicule une personne ou une chose : *Ma fille se moque de son petit frère, qui croit tout ce que disent les contes de fées.* ★ FAM. Eprouver de l'indifférence ou du mépris : *Dites ce que vous voulez, je m'en moque.*

moral, e, aux [mɔral, o] adj. Qui concerne la morale ou les mœurs. ★ *Sens moral,* faculté de distinguer ce que la morale permet ou non. ★ Qui est conforme à l'idée qu'on se fait de la morale : *Ce film n'est pas moral, et on l'a interdit aux jeunes gens de moins de dix-huit ans.* ★ Qui est particulier à l'âme ou à l'esprit (par opposition à la *matière,* au *corps*) : *Je n'ai tiré aucun bénéfice de l'affaire, mais seulement une satisfaction morale.* ■ N. m. Etat d'esprit : *Ce malade pense qu'il ne pourra pas guérir, et il a très mauvais moral.*

morale [mɔral] n. f. Doctrine qui nous enseigne à faire le bien et à éviter le mal : *La morale nous enseigne à aider ceux qui sont dans le malheur.* ★ Leçon de morale qu'on peut tirer d'un texte, d'un événement, etc. : *Les fables de La Fontaine sont souvent suivies d'une morale.* ★ *Faire la morale à quelqu'un,* lui faire des reproches sur sa conduite.

moralité [mɔralite] n. f. Caractère moral d'une personne ou de ses actions : *Cet homme a déjà été arrêté deux fois pour vol; il n'a aucune moralité.* ★ Leçon de morale que l'on tire d'un récit ou d'un fait.

morceau [mɔrso] n. m. Partie d'un objet solide que l'on a brisé, coupé, etc. : *Il s'est blessé à la main en ramassant les morceaux du vase qu'il avait cassé.* ★ Partie d'une œuvre littéraire ou musicale qui forme un tout : *Pour terminer le concert, l'orchestre exécuta un morceau de Debussy.*

mordre [mɔrdr] v. tr. (Se conj. comme *rendre.*) Saisir, serrer et souvent blesser avec les dents : *Notre enfant a été mordu par un chien.*

mort [mɔr] n. f. Arrêt définitif de la vie : *Le vieillard sentit que la mort approchait.*

mort, e [mɔr, mɔrt] adj. Qui a cessé de vivre : *Elle a trouvé un oiseau mort dans le jardin.* ★ Où il n'y a plus d'activité, qui manque d'animation : *Cette ville qui était si active avant la guerre est maintenant une ville morte.* ★ *Nature morte,* peinture représentant des fleurs, des fruits, etc. ■ N. Personne qui a cessé de vivre : *Tous les morts de sa famille sont enterrés dans le cimetière du village.*

mortalité [mɔrtalite] n. f. Nombre de personnes qui, par rapport à un nombre déterminé d'êtres humains, meurent chaque année ou dans un temps déterminé : *Les progrès de la médecine ont fait beaucoup baisser la mortalité depuis un siècle.*

mortel, elle [mɔrtɛl] adj. Qui doit mourir un jour : *Tous les hommes sont mortels.* ★ Qui cause la mort : *Il a été victime, sur la route, d'un accident mortel.* ■ **Mortellement** adv.

mot [mo] n. m. Son ou groupe de sons, prononcé ou écrit, qui désigne un être, une idée, une action, etc. : *Cet élève a oublié un mot dans sa dictée.* ★ Ce qu'on dit ou écrit brièvement : *Je lui écrirai un mot pour lui donner de nos nouvelles.* ★ *En un mot,* en résumé. ★ *Mot à mot,* sans rien changer du texte.

moteur, trice [mɔtœr, tris] adj. Qui produit un mouvement : *L'électricité remplace de plus en plus la vapeur comme force motrice.* ■ N. m. Appareil qui transforme de l'énergie en travail : *Le moteur à explosion est utilisé dans les automobiles.*

motif [mɔtif] n. m. Raison qui justifie la façon dont on agit : *Il ne m'a jamais rendu l'argent qu'il me devait; c'est un bon motif pour ne plus lui en prêter!*

motocyclette ou **moto** [mɔtɔsiklɛt, moto] n. f. Véhicule à deux roues, que fait marcher un moteur à

explosion : *J'ai été réveillé ce matin par une motocyclette qui faisait un bruit épouvantable.*

mou [mu] (**mol** devant un nom masc. commençant par une voyelle), **molle** [mɔl] adj. Qui cède sous une légère pression : *Cette orange est trop molle, elle doit être gâtée!* ★ Qui manque de force physique ou morale : *Ses amis pensaient qu'il était trop mou pour prendre les mesures qui lui permettraient d'éviter la faillite.*

mouche [muʃ] n. f. Petit insecte qui a deux ailes transparentes, et qu'on trouve souvent dans les maisons en

été : *Les mouches se posent souvent sur des objets sales et peuvent transmettre des maladies.*

moucher (se) [muʃe] v. pron. Presser les narines et souffler avec force pour se vider le nez : *Notre fille ne cesse de se moucher depuis qu'elle est enrhumée.*

mouchoir [muʃwar] n. m. Petit carré de linge avec lequel on peut se moucher : *Comme il avait très chaud, il tira un mouchoir de sa poche et s'essuya le front.*

moudre [mudr] v. tr. (V. tableau p. 357.) Mettre en poudre du blé, du café, etc., au moyen d'un moulin : *Elle a acheté du poivre en grains, car elle préfère le moudre elle-même.*

mouiller [muje] v. tr. Mettre de l'eau sur quelqu'un, sur quelque chose :

Il avait beaucoup plu, et je suis rentré tout mouillé à la maison.

moule [mul] n. m. Objet creux fait de telle sorte que le corps liquide ou mou que l'on y place en reçoit une forme déterminée, qu'il garde après être devenu solide : *Les ornements de plâtre du plafond n'ont pas été sculptés à la main, ils ont été faits au moule.*

moulin [mulɛ̃] n. m. Appareil qui sert à réduire des grains en poudre : *J'ai acheté à ma femme un moulin à café électrique.* ★ Bâtiment où est installé un moulin : *Il y a encore beaucoup de moulins à vent en Hollande.*

mourir [murir] v. intr. (voir tableau p. 357). Cesser de vivre : *Il est mort de vieillesse à quatre-vingt-dix ans.* ★ *Mourir de faim, de soif,* etc., manière exagérée de dire qu'on a faim, soif, etc. : *Je mourais de faim quand je suis rentré de l'excursion.* ★ Cesser d'exister ou de fonctionner : *Le feu est mort, il faudra le rallumer.*

mousse [mus] n. f. Masse de plantes minuscules qui, dans les lieux humides, poussent sur les pierres, les troncs d'arbre, etc. ★ Matière molle que les gaz qui s'échappent forment à la surface de certains liquides : *Une mousse épaisse et blanche coulait du verre de bière.*

moustache [mustaʃ] n. f. Ensemble des poils qui poussent entre le nez et le bord de la lèvre supérieure : *Sa barbe est presque blanche, mais sa moustache est restée brune.*

moustique [mustik] n. m. Petit insecte qui a deux longues ailes transparentes et qui pique l'homme pour se

nourrir de son sang : *Il faut que je me lève pour tuer un moustique qui bourdonne dans la chambre.*

mouton [mutɔ̃] n. m. Mammifère domestique dont on coupe la laine

pour la tisser et dont on mange la chair : *Les moutons sont très nombreux en Australie.*

mouvement [muvmɑ̃] n. m. Action par laquelle une chose, un animal, une personne ou une de leurs parties change de place : *L'astronomie est une science qui observe les mouvements des astres. Il repoussa sa chaise d'un mouvement du pied.* ★ Activité qui se manifeste dans un groupe de personnes : *Le gouvernement craint que la hausse des prix ne provoque un mouvement de grève.*

mouvoir [muvwar] v. tr. (Se conj. comme *émouvoir,* sauf au part. passé : *mû, mue.*) Mettre en mouvement : *Ce bateau est mû par un moteur à essence.*

moyen [mwajɛ̃] n. m. Ce qui sert pour arriver à un résultat : *Pour atteindre son but, il n'a pas employé des moyens très honnêtes.* ★ Possibilité de faire quelque chose : *Je ne vois pas le moyen de vous aider.* ★ Pl. Argent nécessaire pour faire un achat ou pour vivre d'une manière déterminée : *Il voudrait bien acheter une voiture, mais il n'en a pas encore les moyens.*

moyen, enne [mwajɛ̃, ɛn] adj. Se dit de ce qui tient le milieu entre deux extrémités ou deux choses opposées : *Il n'est ni grand ni petit : il est de taille moyenne.* ★ Se dit de ce qui ne se distingue par aucune qualité exceptionnelle : *Il se croit supérieur aux autres, mais il n'a qu'une intelligence moyenne.* ★ *Classe moyenne,* catégorie sociale à qui son travail assure une vie sans luxe, mais confortable. ■

N. f. Chiffre qu'on obtient en divisant le total de plusieurs quantités par le nombre de ces quantités : *Mes enfants ont dix ans, huit ans et trois ans; la moyenne de leur âge est de sept ans.*

muet, ette [mɥɛ, ɛt] adj. Qui n'a pas l'usage de la parole : *Ce pauvre enfant est sourd et muet depuis sa naissance.* ★ GRAMM. Se dit des lettres qu'on ne fait pas entendre dans certains cas : *Dans « homme », l'« h » et l'« e » sont muets.*

multiplication [myltiplikasjɔ̃] n. f. Action d'augmenter un nombre : *La multiplication des voitures rend la circulation difficile.* ★ Opération d'arithmétique par laquelle on répète un nombre autant de fois qu'il y a d'unités dans un autre : *La multiplication de 12 par 5 donne 60.*

multiplier [myltiplije] v. tr. Augmenter un nombre. ★ Faire l'opération appelée « multiplication » : *Multipliez 15 par 3, et vous obtenez 45.* ■ **Se multiplier** v. pron. En parlant d'êtres vivants, devenir de plus en plus nombreux, en se reproduisant : *Depuis le développement de l'hygiène, la population du globe s'est multipliée.*

municipal, e, aux [mynisipal, o] adj. Qui appartient à la commune : *La fête de la jeunesse aura lieu au stade municipal.* ★ *Conseil municipal,* assemblée composée de membres (appelés conseillers municipaux) choisis par les électeurs d'une commune pour administrer celle-ci : *Le conseil municipal s'est réuni sous la présidence du maire.*

municipalité [mynisipalite] n. f. Ensemble des conseillers municipaux : *Depuis les dernières élections, le village a une municipalité socialiste.*

munir [mynir] v. tr. Pourvoir des choses qu'on croit utiles ou nécessaires : *Si vous partez en voyage cet hiver, munissez-vous de vêtements chauds.*

munitions [mynisjɔ̃] n. f. pl. Ensemble des projectiles pour armes à feu (balles, obus, etc.) : *L'homme s'arrêta de tirer, car il n'avait plus de munitions dans son revolver.*

mur [myr] n. m. Ouvrage fait de briques ou de pierres, que l'on élève pour servir de clôture, pour soutenir une charpente, etc. : *Je fais bâtir un mur pour séparer mon jardin de celui du voisin.*

mûr, e [myr] adj. Se dit d'une graine ou d'un fruit complètement développé et en état d'être récolté : *Le blé est mûr, la moisson va commencer.* ★ FIG. *Un esprit mûr,* une intelligence qui a atteint tout son développement.

mûrir [myrir] v. tr. Rendre mûr : *Le soleil mûrit les fruits.* ■ V. intr. Devenir mûr : *Les raisins mûrissent en septembre.*

murmurer [myrmyre] v. tr. Prononcer tout bas : *Il murmura quelque chose à l'oreille de sa fiancée.* ■ V. intr. Se plaindre tout bas : *Il murmurait entre ses dents, tandis que je lui faisais des reproches.*

muscle [myskl] n. m. Chez l'homme et les animaux, partie du corps qui compose la chair, et dont les contractions produisent les mouvements : *Le cœur est le plus important des muscles.*

musée [myze] n. m. Bâtiment où l'on expose des collections d'objets beaux, rares ou précieux : *Je suis allé au musée du Louvre pour y admirer des sculptures de la Renaissance.*

musicien, enne [myzisjɛ̃, ɛn] n. Personne qui connaît l'art de la musique : *Ce metteur en scène est un excellent musicien, il compose lui-même la musique de ses films.* ★ Personne dont le métier est de jouer ou de composer de la musique : *Notre* *voisin est musicien dans un orchestre de jazz. Rameau est le plus grand musicien français du XVIIIe siècle.*

musique [myzik] n. f. Art d'exprimer ou de provoquer certains sentiments en combinant des sons qui plaisent quand on les entend : *Un proverbe dit que la musique adoucit les mœurs.* ★ Œuvre destinée à être jouée en musique : *Bach a composé de la musique d'église.*

musulman, ane [myzylmɑ̃, an] adj. Qui se rattache à la foi prêchée par Mahomet : *La plupart des Arabes sont de religion musulmane.* ■ N. Personne qui croit en la foi prêchée par Mahomet.

myope [mjɔp] adj. Qui ne voit d'une manière nette que les objets peu éloignés : *Cet enfant ne peut lire que de près, il est sûrement myope.*

mystère [mistɛr] n. m. Ce qu'une religion considère comme vrai et que la raison n'arrive pas à expliquer. ★ Ce qui est tenu secret, ou que l'on a beaucoup de mal à s'expliquer : *Il y a un mystère dans la vie de cet homme; comment a-t-il tant d'argent?*

mystérieux, euse [misterjø, øz] adj. Qui, par sa nature, tient du mystère : *Le crime dont on parle est mystérieux, car personne n'avait intérêt à tuer la victime.* ★ Qui fait un secret de toute chose.

n' adv. de négation. V. NE.

nage [naʒ] n. f. Action de nager : *Cette jeune femme a accompli un exploit sportif, elle a traversé la Manche à la nage.*

nager [naʒe] v. intr. (Se conj. comme *manger.*) Se soutenir et se déplacer dans l'eau à l'aide de ses membres : *Cet enfant nage comme un poisson.*

naïf, ïve [naif, iv] adj. Se dit de quelqu'un dont la confiance vient d'une absence d'expérience : *Il fut bien naïf de croire qu'il allait retrouver l'argent qu'il avait perdu.* ■ **Naïvement** adv.

nain, e [nɛ̃, nɛn] adj. De taille très inférieure à la taille moyenne : *Les Japonais ont réussi à faire pousser des arbres nains dans des pots à fleurs.* ■ N. Personne qui est restée toute petite : *Les nains ont servi longtemps d'amusement aux princes.*

naissance [nɛsɑ̃s] n. f. Action de naître : *Le nombre des naissances a augmenté en France depuis 1945.* ★ FIG. Le commencement d'une chose : *L'année 1958 a vu la naissance de la Ve République.*

naître [nɛtr] v. intr. (voir tableau p. 357). En parlant des hommes et des animaux, venir au monde : *Louis XIV naquit en 1638.* ★ FIG. Commencer à exister : *Le cinéma est né à la fin du XIXe siècle.*

naïveté [naivte] n. f. Ignorance due à l'absence d'expérience : *Les enfants sont généralement d'une grande naïveté.*

nappe [nap] n. f. Pièce de linge que l'on étend sur la table, avant de mettre le couvert : *Elle mit sur la table une nappe en toile fine.*

narine [narin] n. f. Chacune des deux ouvertures par où l'air pénètre dans le nez : *Cet enfant est enrhumé et il a la narine gauche bouchée.*

natal, e, als [natal] adj. Se dit du lieu où l'on est né : *Domrémy est le village natal de Jeanne d'Arc.*

natalité [natalite] n. f. Rapport entre le nombre des naissances et le nombre d'habitants d'une région pendant un temps déterminé : *La natalité a été longtemps trop faible en France.*

nation [nasjɔ̃] n. f. Ensemble des habitants d'un même pays qui ont en commun un même passé historique, et souvent une même langue, une même religion, etc. : *Les représentants de plusieurs nations se sont réunis pour discuter de problèmes économiques.*

national, e, aux [nasjɔnal, o] adj. Qui appartient à une nation : *La fête nationale des Français est le 14 juillet.*

nationaliser [nasjɔnalize] v. tr. Remettre à la nation la propriété de quelque chose qui appartenait à des particuliers : *La Société des chemins de fer français (S. N. C. F.) est nationalisée depuis 1938.*

nationalisme [nasjɔnalism] n. m. Doctrine qui défend les traditions et les ambitions d'une nation. ★ Volonté que manifeste une nation d'être reconnue comme indépendante.

nationalité [nasjɔnalite] n. f. Caractère qui permet de distinguer une nation d'une autre. ★ Etat juridique d'une personne qui appartient à une nation : *Toute personne née en France de parents français possède la nationalité française.*

naturalisation [natyralizasjɔ̃] n. f. Acte officiel par lequel une personne prend une nouvelle nationalité : *La naturalisation peut être accordée à toute étrangère qui épouse un Français.*

nature [natyr] n. f. Tout ce qui existe sans que l'homme l'ait fabriqué : *Les gens des villes ont besoin de se reposer tous les ans au milieu de la nature.* ★ Ensemble des caractères propres à un être et qu'on ne peut lui enlever sans le détruire : *La nature du poisson est de vivre dans l'eau.*

naturel, elle [natyrɛl] adj. Ce qui est conforme à l'ordre de la nature : *La pluie et les marées sont des phénomènes naturels.* ★ Qui n'a pas été fait par l'homme : *Brest est un port naturel.* ★ Qui appartient à la nature d'un être : *La pensée est une faculté naturelle de l'homme.* ★ Se dit d'une personne qui parle, qui agit, etc., avec simplicité : *Il me dit sur un ton très naturel qu'il voulait se marier avec ma cousine.* ■ **Naturellement** adv.

naufrage [nofraʒ] n. m. Destruction d'un bateau en mer : *La tempête a causé le naufrage du navire.* ★ *Faire naufrage,* couler (en parlant d'un bateau).

naval, e, als [naval] adj. Qui concerne les navires : *Nantes est un grand centre de constructions navales.*

navigation [navigasjɔ̃] n. f. Action de naviguer par eau ou par air : *La navigation aérienne a fait de grands progrès depuis la dernière guerre.*

naviguer [navige] v. intr. Voyager sur l'eau ou dans l'air : *Christophe Colomb navigua longtemps avant de découvrir l'Amérique.*

navire [navir] n. m. Bateau de fort tonnage, fait pour naviguer sur mer : *De nombreux navires de guerre étaient rassemblés dans le port.*

ne [nə] adv. de négation (**n'** devant une voyelle ou un *h* muet). Nie l'idée exprimée par le verbe qui le suit, ce verbe étant le plus souvent précédé ou suivi lui-même de *pas, point, plus, aucun, personne,* etc. : *Personne n'est venu. Nous n'avons rien fait. Ils ne sont pas sortis hier.*

né, e [ne]. V. NAÎTRE.

néant [neɑ̃] n. m. Ce qui n'existe pas.

nécessaire [nesɛsɛr] adj. Dont on ne peut se passer : *Il est nécessaire de manger pour vivre.* ■ **Nécessairement** adv. ■ N. m. Ce qui est indispensable à la vie : *Il ne travaille pas, et ses enfants manquent du nécessaire.*

nécessité [nesɛsite] n. f. Caractère de ce qui est nécessaire : *L'eau est de première nécessité.* ★ Obligation à laquelle il est impossible de résister : *Beaucoup de gens travaillent par nécessité et non par plaisir.*

négatif, ive [negatif, iv] adj. Qui exprime un refus : *J'ai fait une demande d'emploi et j'ai reçu une réponse négative.* ★ Qui est nul : *Ils ne purent s'entendre, et leur discussion eut un résultat négatif.* ■ **Négativement** adv.

négation [negasjɔ̃] n. f. Action de nier : *La dictature est la négation de la liberté.* ★ GRAMM. *Adverbe de négation,* mot qui sert à nier.

négligeable [negliʒabl] adj. Que l'on peut négliger : *Ce problème est négligeable par rapport aux difficultés que nous traversons actuellement.*

négligence [negliʒɑ̃s] n. f. Manque de soin, d'application : *La négligence d'un employé a causé l'accident.* ★ Faute légère.

négliger [negliʒe] v. tr. (Se conj. comme *manger.*) Ne pas prendre soin d'une personne ou d'une chose : *Depuis le début de sa maladie, elle néglige son intérieur.* ★ Ne pas tenir compte de : *Il a négligé les conseils du docteur, et il est tombé malade.*

négocier [negɔsje] v. tr. Travailler à régler avec succès une affaire d'Etat ou une question intéressant le commerce, la politique, la haute finance, etc. : *L'accord sur la paix sera négocié avec difficulté.*

neige [nɛʒ] n. f. Eau gelée qui tombe sous forme de petites masses blanches : *En hiver, la neige recouvre les montagnes.*

neiger [nɛʒe] v. impers. (Se conj. comme *manger.*) Tomber (en parlant de la neige) : *Il a neigé deux fois à Paris cet hiver.*

nerf [nɛr] n. m. Matière blanche en forme de fil qui établit les communications entre le cerveau et les diverses parties du corps : *Depuis son accident, elle a les nerfs malades.*

nerveux, euse [nɛrvø, øz] adj. Qui concerne les nerfs : *Elle a dû entrer à l'hôpital, car elle est atteinte d'une maladie nerveuse.* ★ Se dit des personnes qui ne peuvent pas commander à leurs nerfs : *Les personnes nerveuses supportent difficilement le bruit.* ■ **Nerveusement** adv.

net, nette [nɛt] adj. Qui est propre, sans tache : *Ton visage n'est pas net, il faudra te débarbouiller!* ★ Qui peut être vu ou entendu de manière distincte : *Du sommet de la tour Eiffel, par temps clair, on a une vue très nette de Paris.* ★ *Prix net*, prix sur lequel on ne consent ni augmentation ni diminution. ★ *Poids net*, poids où n'entre pas le poids de l'emballage. ■ **Nettement** adv.

netteté [nɛtte] n. f. Qualité de ce qui est net : *L'avocat s'est exprimé avec beaucoup de netteté.*

nettoyage [nɛtwajaʒ] n. m. Action de rendre propre un objet ou un lieu : *Les teintureries se chargent du nettoyage des vêtements.*

nettoyer [nɛtwaje] v. tr. (Se conj. comme *payer.*) Rendre propre : *Il nettoie sa voiture dès qu'elle est sale.*

neuf [nœf] adj. num. Huit plus un.

neuf, neuve [nœf, nœv] adj. Qui est fait depuis peu de temps : *Dans mon quartier, il y a beaucoup de maisons neuves.* ★ Qui n'a jamais servi : *J'ai retrouvé dans mon armoire un chandail tout neuf que j'avais acheté il y a deux ans.* ★ FIG. : *Le sujet de cette pièce n'est pas neuf; il a déjà été traité par de nombreux écrivains.*

neutralité [nøtralite] n. f. Etat de celui qui reste neutre : *La Suisse est un pays dont la neutralité a été reconnue depuis longtemps.*

neutre [nøtr] adj. Qui ne prend pas parti entre des personnes en désaccord ou entre des pays en guerre : *La Suède est restée neutre pendant la guerre de 1939-1945.* ★ GRAMM. Dans certaines langues, genre qui n'est ni le masculin ni le féminin.

neuvième [nœvjɛm] adj. num. Qui indique la place qui suit la huitième. ■ N. m. Chacune des parties d'un tout divisé en neuf parties égales.

neveu [nəvø] n. m. Fils d'un frère ou d'une sœur : *Napoléon III était le neveu de Napoléon Ier.*

nez [ne] n. m. Organe qui sert à respirer et qui est situé entre le front et

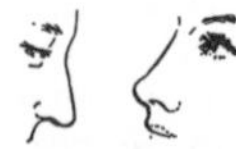

la bouche : *Il était enrhumé et ne pouvait pas respirer par le nez.*

ni [ni] conj. Lie deux ou plusieurs noms, adjectifs, verbes ou adverbes dans une proposition négative : *Il ne sait ni lire, ni écrire, ni compter. Il ne fait ni trop chaud ni trop froid.*

niche [niʃ] n. f. Petite cabane, souvent en bois, servant d'abri au chien :

Le chien sortit de sa niche en aboyant lorsqu'on sonna.

nickel [nikɛl] n. m. Métal blanc qui reste toujours très brillant et avec lequel on fabrique souvent des pièces de monnaie de faible valeur : *Il existe d'importantes mines de nickel en Nouvelle-Calédonie.*

nid [ni] n. m. Abri que se construisent un grand nombre d'oiseaux et

d'insectes pour y pondre leurs œufs, élever leurs petits, etc. : *Les oiseaux font leur nid au printemps.*

nièce [njɛs] n. f. Fille d'un frère ou d'une sœur : *Mes frères ont chacun une fille, j'ai donc deux nièces.*

nier [nje] v. tr. Dire que la chose dont il est question n'existe pas ou n'est pas vraie : *Vous ne pouvez pas nier que vous étiez hier à Paris, puisque je vous y ai vu!*

niveau [nivo] n. m. Hauteur d'un point par rapport à un plan horizontal : *Le niveau du fleuve monte quand il pleut.* ★ Fig. Grandeur de quelque chose par rapport à une grandeur moyenne donnée : *Le niveau intellectuel des populations varie suivant les pays.* ★ *Niveau de vie,* manière dont vit une catégorie déterminée de personnes : *Le niveau de vie des Français s'est élevé depuis trente ans.*

noble [nɔbl] adj. Qui appartient à la noblesse. ★ Qui montre de la grandeur de sentiments, de proportions, etc. : *Cet homme a eu une conduite très noble pendant la guerre.* ■ **Noblement** adv. ■ N. Personne qui appartient à la noblesse.

noblesse [nɔblɛs] n. f. Classe sociale privilégiée par sa naissance ou par décision d'un roi ou d'un empereur : *La noblesse française perdit la plupart de ses droits à la révolution de 1789.* ★ Qualité de ce qui donne une impression de grandeur.

noce [nɔs] n. f. (S'emploie surtout au pluriel.) Fête par laquelle on célèbre un mariage.

noël [nɔɛl] n. m. et f. Jour anniversaire de la naissance de Jésus-Christ : *Le jour de Noël est le 25 décembre.* ★ *Arbre de Noël,* arbre ou arbuste, décoré, auquel on attache des jouets, des bonbons, etc., pour les enfants, au moment des fêtes de Noël. ★ *Père Noël,* personnage déguisé en vieillard à barbe blanche qui, croient les enfants, apporte des jouets le jour de Noël.

nœud [nø] n. m. Partie d'un fil, d'un ruban ou d'une corde, dont on a fait une sorte d'anneau, puis que l'on a croisée sur elle-même et serrée : *Il a fait son nœud de cravate avec soin*

devant la glace. ★ Moyen d'attacher ensemble deux morceaux de fil, de corde, de ficelle : *Comme la ficelle était cassée, j'ai réuni les deux morceaux par un nœud.*

noir, e [nwar] adj. Se dit de ce qui n'est éclairé par aucune lumière ou qui est de la couleur la plus sombre : *Le maître écrit sur le tableau noir de la classe.* ★ *Il fait noir,* il n'y a pas de lumière. ■ N. m. Couleur noire : *Dans les pays d'Occident, le noir est la couleur du deuil.* ■ N. Personne de race noire (en ce sens, prend la majuscule).

noircir [nwarsir] v. tr. Rendre noir. ■ V. intr. Devenir noir : *L'argent noircit à l'air.*

nom [nɔ̃] n. m. Mot par lequel on désigne une personne, un animal ou une chose : *Chaque enfant reçoit un nom à sa naissance.* ★ *Nom propre,* nom qui désigne en particulier une personne, un animal, un lieu, etc. : *On écrit les noms propres avec une majuscule.* ★ *Nom commun,* nom qui désigne une catégorie de personnes, d'animaux ou de choses : *Les noms communs prennent l'article.*

nomade [nɔmad] adj. Se dit des personnes qui n'ont pas d'habitation fixe : *Au Sahara, certaines tribus mènent une vie nomade.* ■ N. Personne qui n'a pas d'habitation fixe : *Les nomades vivent en général sous la tente.*

nombre [nɔ̃br] n. m. Unité, réunion de plusieurs unités ou fractions d'unité : *On ignore le nombre des personnes qui sont venues visiter cette exposition.*

nombreux, euse [nɔ̃brø, øz] adj. Dont le nombre est grand : *Les touristes sont nombreux à Paris, en été.*

nomination [nɔminasjɔ̃] n. f. Acte par lequel un Etat ou une administration désigne une personne pour occuper un poste : *Le professeur a reçu sa nomination au lycée de Lyon.*

nommer [nɔme] v. tr. Donner un nom : *Nous avons nommé notre fils Daniel.* ★ Désigner une personne ou une chose par son nom : *L'instituteur demanda à l'élève de lui nommer les principaux fleuves d'Europe.* ★ Désigner une personne pour occuper une fonction : *Personne n'a encore été nommé directeur de ce service.* ■ **Se nommer** v. pron. Avoir comme nom : *Cet enfant se nomme André.*

non [nɔ̃] adv. de négation. Exprime la négation ou le refus : *Il n'a répondu ni oui ni non à ma proposition. Etes-vous déjà allé au Louvre? — Non, pas encore.* ★ *Non plus,* aussi, dans une phrase négative : *Il ne sait pas nager, moi non plus.* ★ *Non seulement..., mais encore,* construction qui permet d'insister sur les deux éléments d'une affirmation : *Non seulement il n'est pas intelligent, mais encore il est paresseux.*

nord [nɔr] n. m. Celui des quatre points cardinaux qui se trouve dans la direction de l'étoile Polaire : *La Suède est située au nord de l'Europe.*

normal, e, aux [nɔrmal, o] adj. Conforme à la règle, à ce que l'on a l'habitude de voir, de faire, etc. : *J'entends un bruit étrange dans le moteur; il se passe quelque chose qui n'est pas normal.* ■ **Normalement** adv.

nos [no] adj. poss. pluriel de *notre.*

notaire [nɔtɛr] n. m. Personne qui a pour fonction officielle de rédiger et de conserver des pièces telles que testaments, actes de vente, etc. : *Ils allèrent chez le notaire avant le mariage pour faire établir le contrat.*

notamment [nɔtamɑ̃] adv. Entre autres choses : *Elle a acheté diverses choses chez le marchand de couleurs, et notamment du savon.*

note [nɔt] n. f. Brève indication que l'on écrit pour se rappeler quelque chose : *Les étudiants prennent souvent des notes pendant les cours.* ★ Remarque ajoutée à un texte pour le rendre plus clair ou pour le compléter : *L'auteur a mis une note au bas de la page, pour expliquer une difficulté du texte.* ★ Chiffre qui mesure la valeur d'un travail scolaire : *En France, on donne généralement aux devoirs des notes de 0 à 20.* ★ Compte de ce qu'un voyageur doit payer à l'hôtel : *Avant de quitter l'hôtel, nous avons dû payer notre note.* ★ Signe qui représente le ton et la durée d'un son : *Pour jouer d'un instrument, on apprend d'abord à lire ses notes.*

noter [nɔte] v. tr. Prendre note de : *Je vais noter votre numéro de télé-*

phone, afin de m'en souvenir. ★ Mettre une note qui apprécie un travail scolaire : *Le professeur note les compositions françaises de ses élèves.*

notice [nɔtis] n. f. Texte assez court qui fait connaître un détail, un point particulier ou le mode d'emploi de quelque chose : *Avant d'utiliser un appareil ménager, il faut lire attentivement la notice.*

notion [nɔsjɔ̃] n. f. Idée que l'on a d'une chose : *Cet enfant n'a pas la notion du bien et du mal.* ★ Connaissance élémentaire et indispensable : *Pour réparer un appareil de radio, il faut avoir au moins quelques notions d'électricité.*

notre [nɔtr] adj. poss. 1re pers. du pl.; pl. **nos** [no]. Qui est à nous : *Nous habitons dans cette maison : c'est notre maison, nous y avons nos meubles.*

nôtre (pl. **nôtres**) [notr] pron. poss. (S'emploie toujours précédé de l'article défini.) Ce qui est à nous : *Vos livres sont abîmés; les nôtres sont encore neufs.*

nourrir [nurir] v. tr. Donner à manger : *Le fermier nourrit ses poulets avec du grain.*

nourriture [nurityr] n. f. Ce que l'on mange : *Les enfants doivent avoir une nourriture saine, pour bien se porter.*

nous [nu] pron. pers. Désigne plusieurs personnes, lorsqu'elles sont les sujets de l'action dont elles parlent : *Je suis partie en vacances avec mon frère, nous avons fait un beau voyage.* ★ Désigne les personnes qui parlent : *Parlez-nous de votre visite au musée. Cet ami a vécu chez nous pendant un an. On nous a offert une très belle plante pour notre anniversaire de mariage.*

nouveau [nuvo], **nouvel** devant un mot commençant par une voyelle ou un *h* muet, **nouvelle** adj. Qu'on voit pour la première fois : *Il n'avait jamais vu Paris; tout était pour lui un spectacle nouveau.* ★ Qui succède à quelque chose de même nature : *Un nouvel immeuble va bientôt être construit.* ★ *Le Nouvel An,* le premier jour de l'année. ■ *Nouveau-né* n. m. Enfant qui vient de naître. ■ LOC. ADV. *De nouveau, à nouveau,* encore une fois : *Il a été nommé de nouveau ministre.*

nouveauté [nuvote] n. f. Caractère de ce qui est nouveau : *La nouveauté de la pièce contribua à son succès.* ★ Chose nouvelle : *Il ne s'intéresse pas à la littérature classique, parce qu'il n'aime que les nouveautés.*

nouvelle [nuvɛl] n. f. Ce qu'on vient d'apprendre : *J'ai appris la nouvelle de votre arrivée.* ★ Renseignement sur la santé ou la situation d'une personne, d'un pays, etc. : *Si vous m'écrivez, donnez-moi des nouvelles de votre mère. J'achète tous les jours un journal pour connaître les nouvelles.* ★ Roman court où les aventures jouent souvent un rôle important : *« Carmen » est la meilleure nouvelle de Mérimée.*

novembre [nɔvɑ̃br] n. m. Le onzième mois de l'année.

noyau [nwajo] n. m. Petite boule très dure que l'on trouve à l'intérieur de certains fruits : *En mangeant des pêches, prenez garde au noyau.* ★ Partie qui se trouve au centre de certaines choses (cellule, atome, astre, etc.).

noyer [nwaje] v. tr. (Se conj. comme *payer.*) Faire mourir en maintenant sous l'eau. ■ **Se noyer** v. pron. Mourir dans l'eau : *Il s'est noyé, car il ne savait pas nager.*

nu, e [ny] adj. Qui est sans vêtements : *Le bébé était tout nu sur son lit à cause de la chaleur.*

nuage [nɥaʒ] n. m. Masse de vapeur d'eau qui se déplace dans le ciel : *Il y avait de gros nuages noirs qui annonçaient la pluie.* ★ FIG. Ce qui ressemble à un nuage : *La voiture passa en soulevant un nuage de poussière.*

nuageux, euse [nɥaʒø, øz] adj. Se dit du ciel quand il y a beaucoup de nuages : *Le temps est nuageux et lourd, nous craignons un orage.*

nuance [nyɑ̃s] n. f. Chacun des degrés différents d'une même couleur : *Le peintre a utilisé plusieurs nuances de bleu.* ★ FIG. Différence délicate entre choses du même genre.

nucléaire [nykleɛr] adj. Qui se rapporte au noyau de l'atome : *La pile atomique utilise l'énergie nucléaire.*

nuire [nɥir] v. intr. (Se conj. comme *conduire,* sauf au part. passé : *nui.*) Faire du mal ou causer un dommage : *Par sa mauvaise conduite, il a beaucoup nui à sa famille. L'alcool nuit à la santé.*

nuisible [nɥisibl] adj. Qui fait du mal : *Le rat est un animal nuisible, car il transmet de graves maladies.*

nuit [nɥi] n. f. Durée pendant laquelle le soleil n'éclaire pas la terre : *Il y avait un beau clair de lune la nuit dernière.* ★ *Bonne nuit!,* dormez bien.

nul, nulle [nyl] adj. indéf. Indique une quantité égale à zéro : *Nul homme n'est parfait.* ★ Qui n'a aucune valeur : *Ce testament est nul, parce qu'il n'est ni signé ni daté.* ■ Pron. indéf. Aucune personne : *Nul ne doit ignorer la loi.*

nullité [nylite] n. f. Caractère de ce que l'on considère comme sans existence ou sans valeur.

numéral, e, aux [nymeral, o] adj. Se dit des adjectifs qui désignent un nombre.

numéro [nymero] n. m. Chiffre indiquant le rang d'une chose ou d'une personne dans une série : *Dans les rues de Paris, chaque maison porte un numéro.*

numéroter [nymerɔte] v. tr. Attribuer un numéro : *Toutes les pages du livre sont numérotées.*

nuque [nyk] n. f. Partie postérieure du cou : *Les femmes ont souvent la nuque cachée par leurs cheveux.*

Nylon [nilɔ̃] n. m. (nom déposé). Sorte de textile synthétique : *Depuis quelques années, les bas de Nylon ont remplacé presque complètement les bas de soie.*

O

obéir [ɔbeir] v. intr. Faire ce qui est commandé : *Le soldat obéit aux ordres de ses chefs.*

obéissance [ɔbeisɑ̃s] n. f. Action de celui qui obéit : *Les parents récompensent l'obéissance de leurs enfants.*

objectif, ive [ɔbʒɛktif, iv] adj. Qui juge sans tenir compte de ses sentiments personnels : *Le journaliste a donné une critique très objective du film.* ■ **Objectivement** adv. ■ N. m. But qu'il faut atteindre : *Son objectif, c'est d'avoir une bonne situation.* ★ Système de lentilles d'un appareil d'optique.

objection [ɔbʒɛksjɔ̃] n. f. Ce que l'on dit pour s'opposer à une proposition, à un projet, etc. : *Votre opinion, qui ne tient pas compte de certains aspects du problème, soulève de sérieuses objections.*

objet [ɔbʒɛ] n. m. Tout ce dont les sens (vue, toucher, etc.) peuvent constater l'existence : *Les objets paraissaient tout gris dans le brouillard du matin.* ★ Chose quelconque : *Les chaises et les tables font partie des objets nécessaires dans une maison.* ★ But que l'on se propose d'atteindre : *Avant de m'introduire chez le ministre, on me demanda quel était l'objet de ma visite.* ★ GRAMM. *Complément d'objet,* complément désignant la personne, l'animal ou la chose qui subit l'action exprimée par un verbe transitif.

obligation [ɔbligasjɔ̃] n. f. Devoir ou nécessité qui s'imposent à tous : *Chaque contribuable a l'obligation de payer ses impôts.*

obligatoire [ɔbligatwar] adj. Ce qui est imposé par la loi, la religion, la morale, etc. : *Le permis de conduire est obligatoire pour tous les conducteurs d'un véhicule en France.* ■ **Obligatoirement** adv.

obliger [ɔbliʒe] v. tr. (Se conj. comme *manger.*) Agir de manière que quelqu'un soit forcé de faire quelque chose : *La loi oblige les parents à envoyer leurs enfants à l'école.*

oblique [ɔblik] adj. Qui s'écarte de la ligne verticale et de la ligne horizontale : *Les rayons obliques du soleil éclairaient faiblement la campagne.* ■ **Obliquement** adv.

obscur, e [ɔpskyr] adj. Qui n'est pas clair : *La nuit était obscure, car il n'y avait pas de clair de lune.* ■ **Obscurément** adv.

obscurité [ɔpskyrite] n. f. Absence de lumière : *On avait fermé les volets, et la pièce était plongée dans l'obscurité.*

obsèques [ɔpsɛk] n. f. pl. Ensemble des cérémonies qui accompagnent l'enterrement d'une personne : *On fit à Victor Hugo des obsèques nationales.*

observateur, trice [ɔpsɛrvatœr, tris] adj. Se dit d'une personne à qui n'échappe aucun détail de ce qu'elle voit : *Cet enfant est très observateur; il a remarqué que j'avais une nouvelle cravate.*

observation [ɔpsɛrvasjɔ̃] n. f. Action de regarder avec attention. ★ Remarque que l'on fait, après avoir regardé avec attention : *La météorologie a transmis à l'aéroport ses dernières observations.* ★ Action de suivre ce que prescrit une loi, la morale, etc. : *La police est chargée de veiller à l'observation des règlements de la circulation.* ★ Remarque que l'on fait, par écrit ou de vive voix, à quelqu'un dont on critique le travail ou la conduite : *On lui fit des observations, parce que son travail était mal fait.*

observatoire [ɔpsɛrvatwar] n. m. Bâtiment où sont installés les appareils dont on se sert pour observer les astres : *Les observatoires sont généralement situés dans des régions où le ciel est pur.*

observer [ɔpsɛrve] v. tr. Regarder en essayant de comprendre ce que l'on voit : *En observant son visage, j'ai vu qu'il mentait.* ★ Obéir à une loi, à un règlement, etc. : *Tout conducteur doit observer le code de la route.*

obstacle [ɔpstakl] n. m. Ce qui empêche de passer : *Le cavalier obligea son cheval à sauter par-dessus l'obstacle.*

obstiner (s') [sɔpstine] v. pron. Fixer, d'une manière tenace, son esprit ou sa volonté sur une idée ou sur un but à atteindre : *Malgré sa fatigue, il s'est obstiné à continuer son travail.*

obtenir [ɔptənir] v. tr. (Se conj. comme *tenir.*) Réussir à avoir ce que l'on désirait : *L'étudiant obtint son diplôme à la fin de l'année scolaire.*

obus [oby] n. m. Projectile en forme de cylindre terminé en pointe, et que

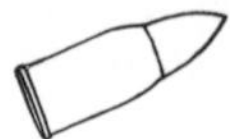

lance un canon : *Le soldat a été blessé d'un éclat d'obus à la jambe.*

occasion [ɔkazjɔ̃] n. f. Moment favorable pour faire quelque chose : *Il fait beau, c'est l'occasion d'aller se promener.* ★ Cause de quelque chose : *Cet héritage a été l'occasion d'un long procès.* ★ Objet, neuf ou non, que l'on paie à un prix inférieur à sa valeur : *J'ai acheté un meuble ancien qui est une occasion exceptionnelle.* ★ *D'occasion,* se dit d'un objet qui n'est plus neuf : *Certaines librairies vendent des livres d'occasion.*

occident [ɔksidɑ̃] n. m. Endroit du ciel où le soleil se couche. ★ Ensemble des pays situés à l'ouest de l'Europe. (En ce sens, s'écrit avec une majuscule.)

occidental, e, aux [ɔksidɑ̃tal, o] adj. Qui se trouve à l'ouest : *Le versant occidental des Alpes est tourné vers la France.* ★ Qui appartient en propre aux pays d'Occident : *C'est au Moyen Age que se développa la civilisation occidentale.*

occupation [ɔkypasjɔ̃] n. f. Travail que l'on fait pendant un certain temps : *Ses nombreuses occupations lui laissent peu de loisir.*

occuper [ɔkype] v. tr. S'établir en un lieu : *Après la bataille, les soldats occupèrent la ville ennemie.* ★ Remplir un espace : *Mon lit occupe la moitié de ma chambre, qui est très petite.* ★ Remplir un espace de temps : *La projection du film a occupé la fin de la soirée.* ★ *Occuper un poste,* exercer des fonctions : *Son frère occupe un poste important dans un laboratoire.* ■ **S'occuper** v. pron. Donner ses soins : *Ma mère s'occupe souvent du jardin.*

océan [ɔseɑ̃] n. m. Vaste étendue d'eau salée qui sépare les continents : *L'océan Atlantique sépare l'Europe de l'Amérique.*

octobre [ɔktɔbr] n. m. Le dixième mois de l'année.

oculiste [ɔkylist] n. m. Médecin qui soigne les yeux : *L'oculiste m'a ordonné de porter des lunettes.*

odeur [odœr] n. f. Sensation agréable ou désagréable perçue par le nez : *Ces roses ont une odeur très douce.*

odieux, euse [ɔdjø, øz] adj. Qui provoque la haine ou l'indignation :

Ce crime fut accompli dans d'odieuses circonstances. ■ **Odieusement** adv.

odorat [ɔdɔra] n. m. Sens par lequel on perçoit les odeurs : *Le nez est l'organe de l'odorat.*

œil (pl. **yeux**) [œj, jø] n. m. Organe de la vue : *Certains chats ont les yeux*

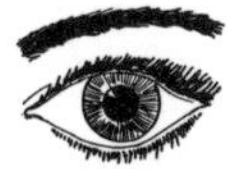

bleus. ★ *Jeter un coup d'œil,* regarder rapidement : *Avant de sortir, elle jeta un coup d'œil par la fenêtre, pour voir s'il faisait beau.*

œuf [œf, pl. ø] n. m. Masse organique plus ou moins ronde qui se forme dans le corps des femelles de

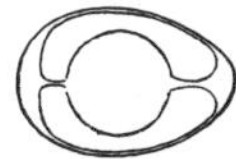

certains animaux (oiseaux, poissons, insectes) et qui renferme le germe d'un animal de même espèce : *Les poules pondent des œufs.*

œuvre [œvr] n. f. Travail : *La construction des cathédrales gothiques fut une œuvre longue et difficile.* ★ Résultat d'un travail important : *« Candide » est l'œuvre la plus connue de Voltaire.*

offenser [ɔfɑ̃se] v. tr. Attaquer moralement quelqu'un par des paroles ou des actes blessants : *Il m'a offensé en me traitant de menteur.*

office [ɔfis] n. m. Fonction que l'on doit remplir pendant quelque temps : *Ce jeune homme remplit l'office de secrétaire.* ★ Cérémonie du culte chrétien : *Les chrétiens doivent assister à un office, le dimanche.* ★ Organisme qui administre certains services de l'économie nationale : *Je me suis adressé à l'office du tourisme, pour obtenir des renseignements sur un séjour en France.*

officiel, elle [ɔfisjɛl] adj. Se dit de tout ce qu'un Etat, un gouvernement ou une administration dit, écrit ou fait : *Les journaux publièrent le texte officiel du discours du président.* ■ **Officiellement** adv.

officier [ɔfisje] n. m. Militaire qui a un grade au moins égal à celui de sous-lieutenant : *Les soldats doivent obéir à leurs officiers.*

officieux, euse [ɔfisjø, øz] adj. Se dit des informations qui ne sont pas garanties par un gouvernement, une administration, etc. : *On apprend de source officieuse la prochaine visite d'un chef d'Etat.* ■ **Officieusement** adv.

offrir [ɔfrir] v. tr. (Se conj. comme *ouvrir.*) Proposer ou donner quelque chose à quelqu'un sans rien lui demander en échange : *Les enfants ont offert un bouquet à leur mère.*

oiseau [wazo] n. m. Animal qui a deux pattes, deux ailes, dont le corps est couvert de plumes et qui pond des

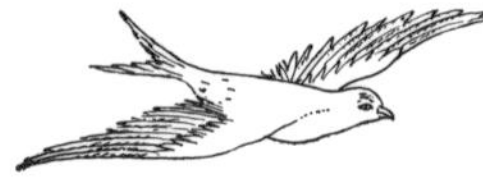

œufs : *L'oiseau se posa un instant sur la branche et s'envola.*

ombre [ɔ̃br] n. f. Tache sombre projetée par un objet qui arrête les rayons du soleil ou de la lumière : *Après leur partie de tennis, les joueurs s'assirent à l'ombre d'un arbre.*

on [ɔ̃] pron. indéf. Désigne d'une manière indéfinie une ou plusieurs personnes : *On frappe à la porte, qui est-ce?*

oncle [ɔ̃kl] n. m. Frère du père ou de la mère, ou mari de la tante : *Mon oncle est mort sans enfants, il a laissé sa fortune à ses neveux.*

onde [ɔ̃d] n. f. Mouvement circulaire qui se manifeste à la suite d'un choc : *Il lança un caillou, et des ondes s'élargirent à la surface de l'eau.* ★ Mouvement communiqué dans l'air par un bruit (onde sonore) ou par une émission électromagnétique (radio, télévision, etc.) : *Mon appareil de radio ne reçoit pas les ondes courtes.*

ongle [ɔ̃gl] n. m. Partie dure qui recouvre le bout des doigts de l'homme et de certains animaux : *On coupe régulièrement les ongles des bébés.*

onze [ɔ̃z] adj. num. Dix plus un.

opaque [ɔpak] adj. Qui n'est pas transparent : *La fenêtre de ma salle de bains a des vitres opaques.*

opéra [ɔpera] n. m. Spectacle au cours duquel les paroles sont chantées et accompagnées par l'orchestre : *« Faust » est un opéra qui obtint un grand succès.* ★ Théâtre où l'on joue les opéras. ★ *Opéra-comique,* pièce de théâtre dans laquelle le chant est mêlé aux paroles.

opération [ɔperasjɔ̃] n. f. Action qui produit un effet : *La fabrication de ce médicament est une opération délicate.* ★ Action réalisée par un chirurgien sur le corps d'un malade : *Notre ami est à l'hôpital, où il a subi une grave opération.*

opérer [ɔpere] v. tr. (Se conj. comme *céder.*) Procéder à une opération : *Le malade fut opéré d'urgence, et on dut l'amputer d'une jambe.*

opinion [ɔpinjɔ̃] n. f. Manière dont on juge une personne ou une chose : *On lui demanda ce qu'il pensait de ce roman, mais il ne voulut pas donner son opinion.*

opposé, e [ɔpoze] adj. Qui est contraire ou de nature différente : *Ils s'entendent mal, car ils ont des caractères opposés.* ■ N. m. Chose contraire : *Le chaud est l'opposé du froid.*

opposer [ɔpoze] v. tr. Placer une personne ou une chose en face d'une autre, pour lui faire obstacle : *Les deux équipes de football ont été opposées l'une à l'autre.* ★ Dire ou faire quelque chose qui fait obstacle à ce qui a été proposé ou demandé : *Vous ne partirez pas, car le patron a opposé un refus à votre demande de congé.* ■ **S'opposer** v. pron. : *Les parents s'opposèrent au mariage de leur fille.*

opposition [ɔpozisjɔ̃] n. f. Obstacle mis aux idées ou aux projets de quelqu'un : *Lorsque le jeune homme voulut faire ses études de médecine, il rencontra l'opposition de sa famille.*

oppression [ɔprɛsjɔ̃] n. f. Sensation de difficulté qu'on éprouve parfois dans la poitrine quand on respire. ★ Contrainte exercée sur une personne ou un groupe de personnes.

opprimer [ɔprime] v. tr. Accabler par la violence ou par l'abus d'autorité : *Les faibles sont souvent opprimés par les forts.*

opticien, enne [ɔptisjɛ̃, ɛn] n. Commerçant qui vend des appareils d'optique : *Je vais acheter des lunettes chez l'opticien.*

optimiste [ɔptimist] adj. Qui ne voit que le bon côté des choses : *Même pendant la guerre, il s'est toujours montré optimiste.* ■ N. : *C'est un optimiste, il est toujours de bonne humeur.*

optique [ɔptik] adj. Se dit de tout ce qui appartient à l'œil et à la vue : *Le nerf optique transmet les impressions lumineuses au cerveau.* ■ N. Partie de la physique qui étudie tout ce qui se rapporte à la lumière et à la vue.

or [ɔr] n. m. Métal jaune et brillant, de très grande valeur : *L'or est un métal précieux dont on fait surtout des bijoux.*

or [ɔr] conj. Indique que l'on passe d'une idée à une autre : *Je pensais sortir, or il pleut, donc je ne sors pas.*

orage [ɔraʒ] n. m. Changement de temps rapide, accompagné de pluie, de vent et d'éclairs : *Un terrible orage, accompagné de grêle, a détruit les récoltes au début de l'été.*

orageux, euse [ɔraʒø, øz] adj. Qui annonce un orage : *Il fait trop chaud, le temps est orageux.*

oral, e, aux [ɔral, o] adj. Qui est exprimé par la parole : *Une langue vivante s'apprend au moyen d'exercices écrits et d'exercices oraux.* ★ *Examen oral,* examen où le candidat répond à des questions orales. ■ **Oralement** adv. ■ N. m. Série d'épreuves orales au cours d'un examen : *Cet élève a été reçu à l'écrit du baccalauréat, mais il a échoué à l'oral.*

orange [ɔrɑ̃ʒ] n. f. Fruit d'une couleur jaune presque rouge, qui contient un jus à la fois acide et sucré : *Le sud*

de l'Espagne est une région productrice d'oranges. ■ N. m. Couleur intermédiaire entre le jaune et le rouge.

orateur [ɔratœr] n. m. Personne qui prononce un discours en public : *Cet avocat est un orateur remarquable.*

orchestre [ɔrkɛstr] n. m. Partie du théâtre située entre la scène et le public, où les musiciens se tiennent pour jouer. ★ Ensemble des musiciens qui se réunissent pour donner un concert : *Il assiste à toutes les répétitions de l'orchestre municipal.* ★ Ensemble des places de théâtre situées au rez-de-chaussée : *Nous avions loué des places au premier rang des fauteuils d'orchestre.*

ordinaire [ɔrdinɛr] adj. Qui est conforme à l'ordre habituel : *Il mène la vie ordinaire des enfants de son âge, c'est-à-dire qu'il mange, joue et dort.* ★ Qui est commun, médiocre : *La nourriture de ce restaurant est très ordinaire.* ■ **Ordinairement** adv. ★ Loc. adv. *D'ordinaire,* le plus souvent.

ordonnance [ɔrdɔnɑ̃s] n. f. Ordre écrit par un médecin qui prévoit certaines mesures pour soigner un malade : *Le médecin fit une ordonnance qui prescrivait certains médicaments difficiles à trouver.*

ordonner [ɔrdɔne] v. tr. Donner un ordre : *Le capitaine ordonna au sous-officier de lui amener dix hommes.*

ordre [ɔrdr] n. m. Disposition d'une chose, ou situation d'une personne conforme à la règle, à la morale, à la raison, au goût, etc. : *Avant de partir en voyage, j'ai mis de l'ordre dans mes affaires.* ★ *En ordre,* bien rangé. ★ Ce que l'on commande à quelqu'un : *L'agent de police lui donna l'ordre de s'arrêter.*

ordure [ɔrdyr] n. f. Chose que l'on jette parce qu'elle est sale, usée, etc. : *A Paris, les ordures ménagères sont enlevées chaque matin.*

oreille [ɔrɛj] n. f. Organe qui sert à entendre. ★ *Avoir de l'oreille,* être

capable de reconnaître si un son est juste ou faux. ★ Partie extérieure de l'organe qui permet d'entendre : *L'âne a de très longues oreilles.*

oreiller [ɔrɛje] n. m. Sorte de coussin, rempli généralement de plumes, sur lequel on pose la tête quand on est couché : *L'enfant s'endormit dès qu'il eut posé la tête sur l'oreiller.*

organe [ɔrgan] n. m. Dans un être vivant, ensemble des éléments constituant un tout et travaillant à une même fonction : *Le cœur est le principal organe de la circulation du sang.*

organique [ɔrganik] adj. Qui concerne les organes d'un être vivant. ★ Qui concerne les êtres vivants : *La chimie organique étudie la composition des tissus végétaux.*

organisateur, trice [ɔrganizatœr, tris] n. Personne qui organise : *Napoléon était un très grand organisateur.*

organisation [ɔrganizasjɔ̃] n. f. Manière dont les parties qui composent un être vivant, une administration, etc., sont disposées pour remplir certaines fonctions : *L'organisation de cette société prévoit un directeur et trois secrétaires généraux.*

organiser [ɔrganize] v. tr. Disposer les éléments d'un ensemble pour qu'ils fonctionnent convenablement : *Le nouveau ministre a chargé un de ses collaborateurs d'organiser son cabinet.* ■ **S'organiser** v. pron. Prendre les mesures nécessaires pour faire quelque chose : *Nous nous sommes mal organisés pour les vacances, nous aurions dû retenir nos chambres à l'hôtel.*

organisme [ɔrganism] n. m. Ensemble des organes qui constituent un être vivant : *L'organisme des enfants réclame une nourriture abondante et variée.* ★ Ensemble des bureaux formant un service à l'intérieur d'une administration : *Cet organisme, qui dépend du ministère des Affaires étrangères, est dirigé par un ancien diplomate.*

orge [ɔrʒ] n. f. Céréale dont le grain, plus allongé que le grain de blé, sert à fabriquer de la bière et à nourrir les animaux.

orgue [ɔrg] n. m. (f. au pl.). Instrument de musique à vent, composé de tuyaux de dimensions diverses, et que l'on fait marcher en se servant des mains et des pieds : *Les grandes orgues de la cathédrale jouèrent pendant l'office.*

orgueil [ɔrgœj] n. m. Sentiment qui porte une personne à avoir une opinion très élevée de sa valeur : *L'orgueil a conduit beaucoup de grands hommes à leur perte.*

orgueilleux, euse [ɔrgœjø, øz] adj. Qui a une opinion très élevée de sa valeur : *Cet homme est si orgueilleux qu'il ne veut jamais reconnaître ses torts.* ■ **Orgueilleusement** adv. ■ N. Personne qui a de l'orgueil.

orient [ɔrjɑ̃] n. m. Endroit du ciel où le soleil se lève. ★ Ensemble des pays situés à l'est par rapport à l'Europe (en ce sens, s'écrit avec une majuscule) : *La Chine est le pays le plus peuplé de l'Extrême-Orient.*

oriental, e, aux [ɔrjɑ̃tal, o] adj. Situé à l'orient. ★ Qui appartient à l'Orient : *J'achète mon thé dans un magasin où l'on vend des produits orientaux.*

orientation [ɔrjɑ̃tasjɔ̃] n. f. Action de déterminer les points cardinaux par rapport à la place qu'occupe une personne ou une chose : *La boussole permet une orientation précise.* ★ FIG. Direction donnée à une activité : *Le nouveau ministre donna une orientation nouvelle à la politique agricole de son pays.*

orienter [ɔrjɑ̃te] v. tr. Déterminer la place d'un monument, d'un bateau, etc., par rapport à l'un des points cardinaux : *Ma maison de campagne est bien orientée, car la plupart des fenêtres donnent au midi.* ★ FIG. Diriger une personne, une recherche, etc., dans un sens déterminé : *La police a orienté son enquête vers certains quartiers de la ville.* ■ **S'orienter** v. pron. Reconnaître dans quelle direction on doit aller : *L'avion chercha à s'orienter dans la brume.*

original, e, aux [ɔriʒinal, o] adj. Se dit d'une œuvre en l'état où elle fut exécutée pour la première fois : *J'aime lire les romans étrangers dans le texte original.* ★ Qui est nouveau et personnel : *Ce couturier a des idées originales, les robes qu'il a créées ont eu beaucoup de succès.* ■ N. Personne de caractère étrange : *Mon oncle est un original, qui vit seul entouré de nombreux chiens.*

originalité [ɔriʒinalite] n. f. Qualité d'une personne ou d'une chose possédant des caractères qui n'appartiennent qu'à elle seule : *L'œuvre de ce musicien manifeste une grande originalité.*

origine [ɔriʒin] n. f. Moment à partir duquel une personne, un groupe de personnes ou une chose a commencé d'exister : *Les savants ne sont pas d'accord sur les origines du monde.* ★ Milieu d'où sort une personne ou une chose : *Le football est un sport d'origine anglaise.*

ornement [ɔrnəmɑ̃] n. m. Tout ce qui a été ajouté à une chose pour la rendre plus belle : *Au-dessus de la porte du château, il y avait plusieurs ornements de pierre de style Louis XIV.*

orner [ɔrne] v. tr. Ajouter un ou plusieurs détails à une chose pour la rendre plus belle : *La table du déjeuner était ornée de fleurs.*

orphelin, e [ɔrfəlɛ̃, in] n. Enfant qui a perdu son père et sa mère, ou l'un d'eux : *Cet enfant est orphelin de père, il a été élevé par sa mère.*

orthodoxe [ɔrtɔdɔks] adj. Qui est conforme aux croyances ou aux idées considérées comme vraies : *L'opinion que j'ai n'est peut-être pas orthodoxe mais je la crois juste.* ★ *Eglise orthodoxe,* nom officiel de l'Eglise russe.

orthographe [ɔrtɔgraf] n. f. Manière d'écrire correctement les mots d'une langue : *Cet enfant fait des fautes d'orthographe aux mots les plus simples.*

os [ɔs, pl. o] n. m. Eléments solides et durs qui forment le squelette dans

le corps de l'homme et de certains animaux : *La cuisinière donna au chien les os du poulet.*

oser [oze] v. tr. Prendre le risque de faire quelque chose : *Il neigeait tellement qu'il n'osait pas sortir.*

otage [otaʒ] n. m. Personne que l'ennemi arrête et qui est considérée comme une sorte de garantie : *Un officier ennemi ayant été tué, plusieurs civils furent pris comme otages.*

ôter [ote] v. tr. Enlever un objet de l'endroit où il est : *Aussitôt arrivé, il ôta son manteau et ses gants.*

ou [u] conj. Marque l'alternative : *Que prendrez-vous? Du thé ou du café?*

où [u] adv. Marque le lieu dans une interrogation : *Où as-tu mis mes lunettes?* ■ Pron. rel. Marque le lieu ou le temps : *Voici le village où je suis né. Je suis tombé malade le lendemain du jour où je vous ai rencontré.*

oubli [ubli] n. m. Ce que l'on a oublié de dire, de prendre, de faire, etc. : *Je ne vous ai pas apporté le livre que je vous avais promis, c'est un oubli de ma part.*

oublier [ublije] v. tr. Ne pas garder dans la mémoire : *Les enfants oublient vite leurs peines, car ils vivent dans* *l'instant présent.* ★ Ne pas penser, par négligence ou distraction, à dire, à faire ou à prendre quelque chose : *Elle est tellement étourdie qu'elle oublie toujours l'heure de ses rendez-vous.*

ouest [wɛst] n. m. Celui des quatre points cardinaux qui est du côté où se couche le soleil : *L'océan Atlantique borde la France à l'ouest.*

oui [wi] adv. Signifie que l'on est du même avis que la personne qui vient de parler : *Les enfants disent toujours oui quand on leur offre un bonbon.*

ouïe [wi] n. f. Celui des cinq sens qui nous permet d'entendre : *Malgré son âge, ce vieillard a encore l'ouïe très fine.*

outil [uti] n. m. Objet simple que l'on tient à la main pour travailler la terre, la pierre, le bois, etc. : *Le jardinier range sa pelle, sa pioche et tous ses outils dans une cabane, au fond du jardin.*

outillage [utijaʒ] n. m. Ensemble des outils ou des machines nécessaires pour exécuter un travail : *Pour accélérer la production, on a modernisé l'outillage de l'usine.*

outre [utr] prép. En plus de. ■ Loc. ADV. *En outre,* en plus : *Je n'ai pas passé de très bonnes vacances, car j'ai été malade et, en outre, il a plu souvent.*

ouvert, e [uvɛr, ɛrt] adj. Qui n'est pas fermé : *Laissez les fenêtres ouvertes, car il fait très chaud.* ★ Qui a un caractère franc : *Mon neveu attire immédiatement la sympathie, car il a un visage très ouvert.* ★ Se dit d'un esprit qui s'intéresse à beaucoup de choses. ■ **Ouvertement** adv. Franchement.

ouverture [uvɛrtyr] n. f. Action d'ouvrir ou de commencer : *L'ouverture des magasins a généralement lieu à neuf heures du matin.* ★ Passage qui permet l'entrée ou la sortie de quelque chose ou de quelqu'un : *L'enfant introduisit la main par l'ouverture de la cage, pour attraper l'oiseau.* ★ Morceau de musique qui sert d'introduction à un opéra, à un ballet, etc.

ouvrage [uvraʒ] n. m. Travail par lequel on réalise quelque chose : *L'ouvrier se mit à l'ouvrage de bonne heure.* ★ Produit du travail d'un ouvrier ou d'un artiste : *Il possède dans sa bibliothèque de nombreux ouvrages de Balzac.*

ouvrier, ère [uvrije, ɛr] adj. Qui se rapporte aux ouvriers : *Le niveau de vie de la classe ouvrière s'est beaucoup élevé depuis cinquante ans.* ■ N. Personne qui, en échange d'un salaire, travaille de ses mains, ou avec l'aide de machines, à transformer une matière première : *Cette usine emploie de nombreux ouvriers étrangers.*

ouvrir [uvrir] v. tr. (voir tableau p. 357). Ne pas laisser fermé : *La jeune femme n'arrivait pas à ouvrir la boîte de conserves.* ■ V. intr. Ne plus être fermé : *Le musée de la ville ouvre à 10 heures.*

ovale [ɔval] adj. Dont la forme rappelle celle d'un œuf : *Le bassin du parc n'est pas rond comme vous le croyez, il est ovale.*

oxygène [ɔksiʒɛn] n. m. Gaz de l'atmosphère indispensable à la vie : *On respire mal dans un endroit où il n'y a pas assez d'oxygène.*

P

pacifier [pasifje] v. tr. Ramener l'ordre et le calme : *Les troupes reçurent l'ordre de pacifier le pays qui s'était révolté.*

pacifique [pasifik] adj. Qui aime la paix : *Son caractère pacifique lui fait éviter toute discussion.*

pacte [pakt] n. m. Acte signé par plusieurs nations, qui se sont mises d'accord entre elles pour régler des questions déterminées : *Les trois nations signèrent un pacte pour la défense commune de leurs intérêts.*

page [paʒ] n. f. Chacun des côtés d'une feuille de papier écrite ou imprimée : *Ce livre a deux cents pages.* ★ Texte écrit ou imprimé sur une page : *Le petit garçon lut deux pages de son livre, avant de s'endormir.*

paie [pɛ] ou **paye** [pɛj] n. f. Salaire que l'on donne aux ouvriers : *Les manœuvres touchèrent leur paie à la fin de la semaine.*

paille [paj] n. f. Tige du blé, de l'avoine, etc., quand elle a été débarrassée de son grain : *Les vaches étaient couchées sur de la paille.*

pain [pɛ̃] n. m. Aliment fait de farine travaillée avec de l'eau et cuite au four : *En France, chaque boulanger fabrique lui-même son pain.* ★ *Pain frais,* pain qui vient de sortir du four. ★ *Pain rassis,* pain qui n'est plus frais.

pair, e [pɛr] adj. Qui est le total de deux nombres entiers égaux : *2, 4, 6 sont des nombres pairs.* ★ *Etre au pair,* travailler en échange de la nourriture et du logement.

paire [pɛr] n. f. Ensemble de deux choses de même espèce qui sont faites pour aller toujours l'une avec l'autre : *Les chaussures et les gants se vendent toujours par paires.*

paix [pɛ] n. f. Etat dans lequel se trouve un pays qui n'est pas en guerre : *Le peuple, fatigué par la guerre, désirait vivement la paix.* ★ Traité mettant fin à la guerre : *La paix fut signée dans une petite ville, près de la frontière.* ★ Etat des êtres et des choses qui gardent le repos et le silence : *Il se retira à la campagne, pour travailler en paix.*

palais [palɛ] n. m. Riche habitation construite souvent pour un personnage important : *Louis XIV fit bâtir le palais de Versailles au XVIIe siècle.* ★ *Palais de justice,* bâtiment où le tribunal rend la justice.

pâle [pɑl] adj. Se dit d'une personne dont le visage a perdu ses couleurs : *En apprenant cette affreuse nouvelle, il devint très pâle.* ★ FIG. Se dit d'une couleur qui manque d'éclat : *J'ai fait peindre en vert pâle les murs de ma chambre.*

palier [palje] n. m. Plate-forme située entre deux étages : *Deux appartements donnent sur le palier du troisième.*

pâlir [pɑlir] v. intr. Devenir pâle : *Le malade pâlit en entrant dans la salle d'opération.*

pamplemousse [pɑ̃pləmus] n. m. Gros fruit jaune clair, dont le goût est à la fois amer et acide : *Comme hors-d'œuvre, on servit un demi-pamplemousse avec du sucre.*

pancarte [pɑ̃kart] n. f. Plaque de carton, de bois, etc., où sont inscrits des renseignements nécessaires au public : *Sur la porte du musée, une pancarte indique les heures d'ouverture.*

panier [panje] n. m. Objet creux et profond, fait de tiges végétales, et dont on se sert pour transporter les

provisions : *La fermière allait au marché avec un panier d'œufs suspendu à son bras.*

panique [panik] n. f. Peur subite et violente : *Les avions bombardaient la ville, et la panique s'empara de la population.*

panne [pan] n. f. Arrêt d'un moteur, de l'électricité, du gaz, etc., pour une cause imprévue : *Un bon mécanicien sait immédiatement trouver la cause d'une panne.* ★ *En panne,* dans l'impossibilité d'avancer, par suite de l'arrêt imprévu d'un moteur : *Comme nous n'avions plus d'essence, nous sommes tombés en panne à plusieurs kilomètres de la ville.*

panneau [pano] n. m. Surface entourée d'un cadre, et sur laquelle on lit des indications : *Des panneaux aident les automobilistes à se diriger.*

panorama [panɔrama] n. m. Vaste étendue de pays que l'on peut voir autour de soi, quand on est placé à une certaine hauteur : *On leur conseilla de monter au sommet de la tour pour admirer le panorama.*

pansement [pɑ̃smɑ̃] n. m. Ce que l'on met sur une blessure pour la soigner ou la protéger contre l'infection : *Il ne faut jamais mettre de pansements gras sur les brûlures.*

pantalon [pɑ̃talɔ̃] n. m. Vêtement qui va de la ceinture jusqu'aux pieds, en enveloppant chaque jambe séparément : *Il portait un pantalon gris et un veston bleu.*

pantoufle [pɑ̃tufl] n. f. Chaussure sans talon que l'on porte chez soi : *Il s'installa dans son fauteuil, les pieds dans ses pantoufles.*

papa [papa] n. m. Nom surtout utilisé par les enfants pour s'adresser à leur père ou pour parler de lui : « *Bonsoir, papa!* », *dit l'enfant à son père qui rentrait.*

pape [pap] n. m. Chef de l'Eglise catholique.

papeterie [paptri] n. f. Magasin où l'on vend tout ce qu'il faut pour écrire : *J'ai acheté dans cette papeterie les cahiers dont j'avais besoin.*

papier [papje] n. m. Matière faite de bois, de chiffons, etc., qui se présente sous forme de feuilles très minces, et que l'on utilise pour envelopper, imprimer, écrire, etc. : *Les pages de ce livre sont en papier de très bonne qualité.* ★ Pl. Acte, contrat ou document : *Il a caché tous les papiers secrets qui concernent cette affaire.* ★ *Papiers d'identité,* ou *papiers,* le passeport ou la carte d'identité : *Le gendarme arrêta ma voiture et me demanda mes papiers.*

papillon [papijɔ̃] n. m. Insecte dont les quatre ailes sont recouvertes d'une

sorte de poussière brillante et colorée, et qui vole de fleur en fleur : *L'enfant poursuivait les papillons avec un filet.*

paquebot [pakbo] n. m. Grand navire destiné au transport des passagers : *Les paquebots modernes traversent l'océan Atlantique en quatre jours.*

Pâques [pɑk] n. m. Fête religieuse que les chrétiens célèbrent en souvenir du retour de Jésus-Christ à la vie : *La fête de Pâques se place à des dates irrégulières, en mars ou en avril.*

paquet [pakɛ] n. m. Réunion de plusieurs objets attachés ou enveloppés ensemble : *La vendeuse fit un paquet de tous les articles que je venais d'acheter.*

par [par] prép. Indique le lieu traversé pour aller d'un endroit à un autre : *Pour se rendre de Paris à Marseille, on peut passer par Lyon.* ★ Indique le moyen : *Il prit son enfant par la main pour lui faire traverser la rue. Les voyages par avion sont plus rapides que les voyages par bateau.* ★ Indique la cause : *C'est par amitié qu'il m'a rendu service.* ★ Indique la personne, l'animal ou la chose qui fait l'action quand le verbe est au passif : *L'enfant fut renversé par une voiture.*

parachute [paraʃyt] n. m. Appareil qui ralentit la chute d'un corps :

Lorsque l'avion prit feu, le pilote sauta en parachute.

paradis [paradi] n. m. Dans certaines religions, lieu où les âmes qui l'auront mérité connaîtront le vrai bonheur. ★ Lieu où l'on vit heureux : *Ce jardin est un véritable paradis pour les enfants.*

paradoxe [paradɔks] n. m. Opinion, vraie ou fausse, qui semble contraire à l'opinion générale.

paraître [parɛtr] v. intr. (voir tableau p. 357). Se montrer soudain : *Lorsque l'acteur parut sur la scène, les spectateurs applaudirent.* ★ Avoir l'apparence : *Cette femme paraît plus âgée qu'elle ne l'est en réalité.* ■ V. impers. *Il paraît que,* on dit que : *Il paraît que nous paierons moins d'impôts cette année.*

parallèle [paralɛl] adj. Se dit d'une ligne ou d'un plan qui est toujours à la même distance d'une autre ligne ou d'un autre plan : *Les deux rails du chemin de fer sont parallèles.*

paralyser [paralize] v. tr. Priver une personne de l'usage de ses membres, de la parole, etc. : *Il ne peut plus marcher, car la maladie l'a complètement paralysé.* ★ Arrêter complètement : *La grève a paralysé le travail de l'usine.*

parapluie [paraplɥi] n. m. Instrument composé d'un manche et d'une

étoffe, que l'on peut tendre au-dessus de sa tête pour se protéger de la pluie : *Quand la pluie se mit à tomber, elle ouvrit son parapluie.*

parasite [parazit] adj. Se dit d'une plante ou d'un animal qui vit sur une autre plante ou sur un autre animal dont il tire sa nourriture. ■ N. m. Plante ou animal qui vit sur une autre plante ou sur un autre animal, dont il tire sa nourriture : *La puce est un parasite du chien.* ★ Pl. Bruits qui troublent une émission de radio.

parc [park] n. m. Vaste ensemble de bois et de jardins, situé le plus souvent autour d'une grande habitation : *Le* *parc du château de Versailles fut dessiné par Le Nôtre.* ★ *Parc à voitures,* endroit où l'on peut laisser sa voiture pendant un certain temps.

parce que [parskə] loc. conj. Indique la cause : *Il a été renversé par une voiture parce qu'il ne faisait pas attention en traversant la rue.*

parcourir [parkurir] v. tr. (Se conj. comme *courir.*) Aller en tous sens à l'intérieur d'un lieu déterminé : *Les gendarmes ont parcouru toute la région pour retrouver l'enfant disparu.* ★ Accomplir un certain trajet : *Avec ma nouvelle voiture, je parcours la distance Paris-Lyon en quelques heures.* ★ Prendre connaissance de quelque chose de manière rapide et superficielle : *Je n'ai pas eu le temps de lire ce livre, je n'ai fait que le parcourir.*

parcours [parkur] n. m. Distance parcourue d'un point à un autre : *Le magasin où je vais se trouve sur le parcours de l'autobus.*

pardessus [pardəsy] n. m. Vêtement d'homme que l'on met pardessus les autres pour se protéger du froid : *En hiver, à Paris, les hommes ne peuvent pas sortir sans pardessus.*

pardon [pardɔ̃] n. m. Ce que l'on accorde à quelqu'un dont on excuse la faute. ★ *Demander pardon,* prier quelqu'un d'excuser une faute que l'on a faite : *L'enfant demanda pardon à sa mère de lui avoir menti.* ★ *Pardon,* formule de politesse que l'on emploie pour s'excuser de déranger quelqu'un : *Pardon, monsieur, pourriez-vous m'indiquer où se trouve la gare?*

pardonner [pardɔne] v. tr. Ne pas reprocher à quelqu'un une faute commise : *Le médecin ne pardonna pas à l'infirmière d'avoir oublié de donner le médicament au malade.*

pareil, eille [parɛj] adj. Qui est semblable à une autre personne ou à une autre chose ; qui a la même apparence : *Nos deux manteaux sont exactement pareils; et pourtant nous les avons achetés dans des magasins différents.*

parent, e [parɑ̃, ɑ̃t] n. Personne qui est de la même famille que quelqu'un : *Ma famille est si nombreuse que j'ai, en province, beaucoup de parents que je ne connais pas.* ★ *Les parents de quelqu'un,* son père et sa mère.

parenthèse [parɑ̃tɛz] n. f. Signe de ponctuation [**(...)**] dont on encadre un membre de phrase, quand celui-ci n'est pas indispensable au sens général : *Faites-moi porter un panier de pommes (des grosses, de préférence).* ★ *Ouvrir, fermer la parenthèse,* mettre le signe qui marque le début, la fin d'une parenthèse. ★ Phrase que l'on ajoute à l'intérieur d'une phrase principale, sans qu'elle soit indispensable : *Il est difficile à comprendre, à cause des longues parenthèses qu'il introduit dans son récit.*

paresse [parɛs] n. f. Défaut d'une personne qui n'aime ni le travail ni l'effort : *Cet élève est intelligent, mais sa paresse l'empêchera de réussir à son examen.*

paresseux, euse [parɛsø, øz] adj. Qui n'aime pas le travail : *Elle est si paresseuse qu'elle n'a même pas le courage d'attacher ses chaussures.* ■ N. Personne qui n'aime ni le travail ni l'action.

parfait, e [parfɛ, ɛt] adj. Qui a toutes les qualités : *Pour un chrétien, Dieu est le seul être parfait.* ★ Qui ne présente aucun défaut dans un genre déterminé : *Le menuisier m'a livré une table dont le travail est parfait.* ■ **Parfaitement** adv. Indique aussi qu'on approuve ce qui vient d'être dit.

parfum [parfœ̃] n. m. Odeur agréable : *Ces roses ont un parfum* *délicieux.* ★ Liquide que l'on extrait généralement des fleurs, et dont l'odeur est agréable : *Les parfums français sont connus dans le monde entier.*

parier [parje] v. tr. Promettre de donner quelque chose à quelqu'un, si cette personne a raison en affirmant le contraire de ce que l'on dit soi-même : *J'ai parié cent francs avec un ami que je m'arrêterais de fumer.*

parlement [parləmɑ̃] n. m. Dans une démocratie, ensemble des assemblées qui font les lois : *Le Parlement s'est réuni pour discuter un projet de loi sur l'agriculture.*

parlementaire [parləmɑ̃tɛr] adj. Qui appartient au Parlement, aux assemblées : *Le traitement des députés s'appelle l'indemnité parlementaire.* ■ N. m. Personne qui a été élue membre d'une assemblée législative : *Beaucoup de parlementaires sont opposés à la politique économique du gouvernement.*

parler [parle] v. tr. Employer une langue : *Il habite en France depuis deux ans, et il parle maintenant très bien le français.* ■ V. intr. Prononcer des mots : *Les enfants commencent à parler vers l'âge de deux ans.* ★ Adresser la parole à une personne, au sujet de quelqu'un ou de quelque chose : *J'ai parlé à mes amis de mon prochain mariage.*

parmi [parmi] prép. Au milieu de : *Parmi tous ces livres, lequel préférez-vous?*

paroisse [parwas] n. f. Partie d'une région ou quartier d'une ville où s'exerce l'autorité spirituelle d'un curé : *Il a été nommé curé d'une paroisse de cinq mille habitants.*

parole [parɔl] n. f. Mot ou suite de mots qui exprime une pensée ou un sentiment : *En me voyant si triste, il m'a adressé quelques paroles de consolation.* ★ *Couper la parole à quelqu'un,* l'interrompre. ★ Faculté qui permet d'exprimer sa pensée à l'aide de mots : *Depuis qu'il est paralysé, il a presque perdu l'usage de la parole.* ★ *Donner sa parole,* affirmer sur son honneur. ★ *Tenir parole,* faire ce que l'on a promis.

parquet [parkɛ] n. m. Sol d'un logement recouvert de lames de bois : *Elle fait briller le parquet de la salle à manger en y mettant de la cire.*

parrain [parɛ̃] n. m. Celui qui, avec la marraine, présente l'enfant à la cérémonie du baptême : *Le parrain envoie un cadeau à chacun des anniversaires de son filleul.*

part [par] n. f. Partie d'une chose qui revient à chacun quand on la divise entre plusieurs personnes : *Chaque enfant eut une part de tarte comme dessert.* ★ *Un faire-part,* carte par laquelle on annonce à quelqu'un une naissance, un mariage, etc. ★ *Prendre part à un travail, à une expédition, etc.,* y participer. ★ *De la part de quelqu'un,* au nom de quelqu'un : *Quand vous verrez mon ami Jean, donnez-lui ce livre de ma part.* ■ Loc. adv. *Autre part,* ailleurs. ★ *Nulle part,* en aucun endroit : *J'ai cherché mon porte-monnaie dans toute la maison, je ne le trouve nulle part.* ★ *Quelque part,* en un lieu ou en un autre. ★ *A part,* séparément : *On me sert à part la viande et les légumes, car je n'aime pas les manger ensemble.* ■ Loc. prép. *A part,* excepté : *A part son mauvais caractère, c'est un garçon très sympathique.*

partager [partaʒe] v. tr. (Se conj. comme *manger.*) Diviser une chose en plusieurs parts : *Avant sa mort, le père avait partagé sa fortune entre ses enfants.* ★ Posséder ou éprouver en commun : *Les deux étudiants partagent la même chambre.*

partenaire [partənɛr] n. Personne avec qui l'on est provisoirement associé : *J'aimerais bien vous avoir comme partenaire pendant la prochaine partie de tennis.*

parti [parti] n. m. Profit que l'on tire de quelque chose : *Elle est économe, et elle sait tirer parti de tout.* ★ Groupe de personnes organisé pour défendre les mêmes opinions politiques ou les mêmes idées : *Dans ce pays, c'est le parti républicain qui a obtenu la majorité aux dernières élections.* ★ *Prendre le parti de quelqu'un,* défendre le point de vue de quelqu'un. ★ Résolution que l'on adopte : *Après avoir réfléchi, il prit le parti d'accepter ce qu'on lui proposait.*

participation [partisipasjɔ̃] n. f. Fait de prendre part à une action : *L'accusé a nié toute participation au crime.*

participe [partisip] n. m. Forme verbale ayant soit la nature du verbe, soit celle de l'adjectif.

participer [partisipe] v. intr. Prendre part à une action : *Le metteur en scène, les acteurs et les techniciens participent tous à la création du film.*

particulier, ère [partikylje, ɛr] adj. Qui appartient seulement à une personne, à un animal ou à une chose, et pas à d'autres : *Il a une allure particulière, que je pourrais reconnaître dans la foule.* ★ Qui n'est pas public : *J'aimerais avoir un entretien particulier avec vous, afin de vous parler d'une affaire importante.* ■ **Particulièrement** adv. ★ Loc. adv. *En particulier,* surtout : *Je voudrais visiter l'Italie, et en particulier Florence.*

partie [parti] n. f. Elément d'un ensemble : *Les principales parties du corps sont la tête, le tronc et les membres.* ★ Sorte de lutte qui oppose deux ou plusieurs joueurs, jusqu'à ce que l'un d'entre eux ait gagné : *Des amis sont venus chez moi faire une partie de cartes.* ■ Loc. adv. *En partie,* non entièrement : *Le groupe d'étudiants se composait en partie d'étrangers.*

partiel, elle [parsjɛl] adj. Qui ne concerne qu'une partie d'un tout : *S'il n'a eu entre les mains qu'une partie des documents, il ne peut avoir qu'une vue partielle de la question.* ■ **Partiellement** adv.

partir [partir] v. intr. (Se conj. comme *sentir.*) Quitter le lieu où l'on est : *Mon père est parti ce matin pour les Etats-Unis.* ■ Loc. prép. *A partir de,* en prenant comme point de départ un moment du temps ou un point de l'espace : *Je suis invité chez mes amis à partir du 1er octobre.*

partisan [partizɑ̃] n. Personne qui est attachée à une théorie, à une doctrine, etc. : *Je trouve votre méthode d'enseignement excellente, et j'en suis partisan.*

partitif, ive [partitif, iv] adj. Gramm. Qui désigne une partie d'un tout : *Quand je dis : « Je désire du chocolat », « du » est un article partitif.*

partout [partu] adv. En tous lieux : *Je l'ai cherché partout, mais je ne le trouve nulle part.*

parvenir [parvənir] v. intr. (Se conj. comme *venir.*) Arriver où l'on voulait, après un certain temps ou après certains efforts : *Après avoir longtemps marché, ils parvinrent au sommet de la montagne.* ★ Arriver à destination : *Ma lettre lui est parvenue le jour même.* ★ *Parvenir à* (+ infinitif), réussir à : *Il est parvenu à obtenir l'argent dont il avait besoin.*

pas [pɑ] n. m. Mouvement que fait l'homme ou l'animal en portant un pied devant l'autre : *Il marchait à grands pas, car il était pressé.* ★ Trace du pied sur le sol : *Un voleur a dû venir, car on voit des pas dans le jardin.* ★ *Marcher au pas,* marcher suivant un rythme donné. ★ *Le pas,* allure la plus lente du cheval.

pas [pα] adv. de négation. S'emploie généralement avec *ne* (voir ce mot) : *Je ne sais pas quelle heure il est. Vous êtes content de ce travail? Pas moi!*

passable [pαsabl] adj. Qui peut être accepté : *Ce devoir est loin d'être excellent, il n'est que passable.* ■ **Passablement** adv.

passage [pαsaʒ] n. m. Action de traverser un lieu : *Les chutes de neige ont rendu difficile le passage du col.* ★ Lieu par où l'on passe : *Je ne peux pas avancer, car une voiture se trouve sur mon passage.* ★ *Passage clouté,* endroit de la chaussée limité par des clous ou des bandes de couleur, que les piétons utilisent pour passer d'un trottoir à l'autre. ★ *Passage à niveau,* endroit où une voie de chemin de fer coupe une route. ★ Moment où passe une personne, un véhicule, etc. : *Le passage du facteur a lieu tous les jours à 4 heures.* ★ Partie d'un texte choisie pour une raison déterminée : *Je n'ai pas lu tout le roman, mais j'en ai parcouru des passages.*

passager, ère [pαsaʒe, ɛr] adj. Qui dure peu de temps : *Un malaise passager l'empêcha de se rendre au théâtre.* ■ N. Voyageur qui monte dans un bateau, un avion, etc., pour la durée d'un voyage : *Au départ d'un avion, les passagers doivent cesser de fumer.*

passant, e [pαsɑ̃, ɑ̃t] n. Personne qui passe dans la rue : *Il n'y a pas beaucoup de passants à 5 heures du matin.*

passé, e [pαse] adj. Se dit de ce qui n'appartient plus au présent : *Les vieillards aiment à se souvenir du temps passé.* ■ N. m. Temps écoulé avant le moment présent : *L'histoire étudie les faits du passé.* ★ GRAMM. Un des temps du verbe représentant l'action comme faite dans un temps écoulé : *L'imparfait, le passé simple et le passé composé sont les principaux temps du passé.*

passeport [pαspɔr] n. m. Document établi par la police, pour permettre à une personne d'aller dans certains pays étrangers : *J'ai présenté mon passeport au passage de la frontière.*

passer [pαse] v. tr. Aller au-delà d'un endroit déterminé : *Quand vous aurez passé le Rhin, vous serez en Allemagne.* ★ FIG. : *Si vous passez votre examen avec succès, on vous remettra un diplôme.* ★ Transporter ou conduire au-delà d'un endroit déterminé : *On a passé une lettre sous la porte.* ★ Prendre pour remettre à une personne : *Passez-moi la salade afin que j'en prenne un peu.* ★ Enlever d'un liquide les parties solides qui y sont contenues : *Je passe mon thé, car je n'aime pas trouver des feuilles dans ma tasse.* ★ Promener d'un mouvement léger ou rapide : *Le bébé passa la main sur mon visage.* ★ Ne pas dire ou ne pas faire volontairement : *J'ai fini de lire ton livre, mais j'en ai passé plusieurs pages.* ★ Employer un certain temps : *Il a passé deux heures à lui écrire une lettre.* ■ V. intr. Aller d'un lieu à un autre : *Il est passé de la cuisine à la salle à manger.* ★ Traverser un lieu : *Pour aller de France en Autriche, nous sommes passés par la Suisse.* ★ Changer d'état ou de manière d'être : *Quand l'eau bout, elle passe de l'état solide à l'état de gaz.* ■ **Se passer** v. pron. Se produire, avoir lieu : *L'action de cette pièce se passe en Amérique.* ★ *Se passer de,* ne pas se servir d'une chose, parce qu'on ne la considère pas comme indispensable : *Il peut très bien se passer de fumer.*

passif, ive [pasif, iv] adj. Se dit d'une personne ou d'une chose qui supporte sans réagir l'action à laquelle elle est soumise : *Dans cette affaire, il a eu un rôle passif et il a accepté tout ce qu'on lui proposait.* ★ GRAMM. *Forme* ou *voix passive,* forme que prend le verbe quand il exprime une action subie par le sujet : *A la forme passive, le verbe « aimer » se conjugue ainsi : Je suis aimé, j'étais aimé, etc.* ■ **Passivement** adv.

passion [pasjɔ̃] n. f. Violent mouvement de l'âme qui entraîne quelqu'un vers ce qu'il désire : *Mon ami aime jouer aux cartes, c'est chez lui une véritable passion.*

passionner [pasjɔne] v. tr. Provoquer un vif intérêt : *Notre discussion sur la littérature nous a passionnés.* ■ **Se passionner** v. pron. Eprouver un vif intérêt.

pasteur [pastœr] n. m. Prêtre protestant : *La femme du pasteur s'est rendue au temple ce matin pour écouter son mari.*

pâte [pɑt] n. f. Mélange d'eau et de différentes matières broyées : *La pâte à papier de bonne qualité est faite avec des chiffons.* ★ Mélange épais de farine et d'eau, auquel on ajoute parfois du sucre, des œufs, etc., et qu'on fait cuire au four : *Le boulanger a oublié de mettre du sel dans la pâte du pain.* ★ Pl. Produit d'alimentation fabriqué avec un mélange épais de farine, d'eau et de lait, qu'on a fait sécher : *Je mange de préférence les pâtes à la sauce tomate.*

pâté [pɑte] n. m. Morceaux de viande coupés, mélangés et cuits ensemble dans un récipient, d'où on les retire quand ils forment une sorte de pâte solide : *On a servi du pâté de foie comme hors-d'œuvre.* ★ Corps composé d'une pâte qui, en séchant, a pris une forme déterminée : *L'enfant faisait des pâtés de sable sur la plage.* ★ *Pâté de maisons,* groupe d'immeubles que des rues séparent des groupes de maisons voisines.

paternel, elle [patɛrnɛl] adj. Qui appartient au père : *Après une longue absence, leur fils rentra au domicile paternel.* ■ **Paternellement** adv.

patience [pasjɑ̃s] n. f. Qualité de celui qui sait attendre, supporter les injustices, etc., sans se plaindre : *J'ai de la patience, mais ce que vous me dites commence à m'énerver.*

patient, e [pasjɑ̃, ɑ̃t] adj. Se dit d'une personne qui supporte la douleur, qui sait attendre, etc. : *Ne vous mettez pas en colère et laissez-moi parler; vous n'êtes vraiment pas patient!* ■ **Patiemment** adv.

pâtisserie [pɑtisri] n. f. Pâte cuite au four, à laquelle on ajoute des fruits, de la crème, etc. : *Les enfants préfèrent la pâtisserie à la viande et aux légumes.* ★ Boutique où l'on vend des gâteaux : *A la porte de la pâtisserie, une vendeuse propose des glaces aux clients.*

pâtissier, ère [pɑtisje, ɛr] n. Personne qui fait et vend des gâteaux : *Nos enfants sont allés chez le pâtissier pour acheter une tarte aux pommes.*

patrie [patri] n. f. Pays auquel on appartient comme citoyen et auquel on est profondément attaché : *Son père est mort pour la patrie en 1940.*

patriotisme [patrijɔtism] n. m. Amour de la patrie : *Cet homme a fait preuve de courage et de patriotisme pendant la dernière guerre.*

patron, onne [patrɔ̃, ɔn] n. Chef d'une entreprise commerciale ou industrielle qui emploie des salariés : *Les ouvriers ont réclamé à leur patron une augmentation de salaire.*

patte [pat] n. f. Membre que possèdent certains animaux et dont ils se servent pour marcher, courir, etc. :

Mon chien s'est cassé une patte et il marche difficilement.

paupière [popjɛr] n. f. Partie mobile de la peau qui protège l'œil : *Quand on dort, on ferme les paupières.*

pauvre [povr] adj. Se dit des personnes qui ont juste ce qui est nécessaire pour vivre. ★ Se dit des personnes qui font pitié : *Le pauvre homme vient de perdre sa femme.* ★ Se dit des pays dont le sol produit peu : *Ce pays est pauvre, car il est occupé en grande partie par un désert.* ■ **Pauvrement** adv.

pauvreté [povrəte] n. f. Condition de celui qui manque du nécessaire : *Un proverbe dit que la pauvreté n'est pas un vice.*

pavé [pave] n. m. Bloc de pierre ou de bois ayant à peu près la forme d'un cube : *Il est tombé dans la rue en glissant sur les pavés humides.*

pavillon [pavijɔ̃] n. m. Maison peu élevée et entourée d'un jardin : *Il habite en banlieue un joli pavillon de cinq pièces.* ★ Drapeau qui indique la nationalité d'un bateau.

pavoiser [pavwaze] v. tr. Garnir de drapeaux les fenêtres d'une maison, d'un bâtiment officiel, etc. : *Le 14 juillet, Paris est pavoisé aux couleurs nationales.*

paye [pɛj] n. f. V. PAIE.

payer [pɛje] v. tr. (voir tableau p. 357). Donner à une personne de l'argent en échange d'un travail, d'une marchandise, etc. : *L'entrepreneur payait ses ouvriers tous les samedis.*

pays [pɛi] n. m. Territoire habité par un même peuple et gouverné selon les mêmes lois : *Notre pays a signé un accord commercial avec la Suisse.* ★ Région possédant des caractères particuliers : *Le Pays basque s'étend des deux côtés de la frontière franco-espagnole.*

paysage [pɛizaʒ] n. m. Vue étendue, et souvent pittoresque, que l'on a d'une certaine région : *Quand le train sortit du tunnel, le voyageur admira un beau paysage de montagnes.* ★ Tableau, dessin ou photographie représentant un paysage.

paysan, anne [pɛizɑ̃, ɑ̃n] n. Personne qui vit à la campagne, en travaillant la terre : *La plupart des paysans français utilisent maintenant des tracteurs.*

peau [po] n. f. Chez l'homme et chez beaucoup d'animaux, tissu formant une enveloppe souple qui protège le corps : *Les enfants ont une peau douce et sans rides.* ★ Enveloppe naturelle qui recouvre certains fruits : *Certains raisins ont une peau très épaisse.*

pêche [pɛʃ] n. f. Fruit dont la peau est douce comme du velours et dont le noyau est très dur : *Fais attention en mangeant ta pêche; tu fais couler tout le jus.*

pêche [pɛʃ] n. f. Action de prendre des poissons : *Mon père va à la pêche tous les dimanches.*

péché [peʃe] n. m. Faute contre la loi divine : *Les catholiques confessent leurs péchés au prêtre.*

pêcher [pɛʃe] v. tr. Prendre du poisson vivant, en le tirant hors de l'eau : *Je préfère pêcher au filet, car on prend plus de poisson qu'à la ligne.*

pêcheur [pɛʃœr] n. m. Personne qui pratique la pêche : *Sur le port, des pêcheurs raccommodaient leurs filets.*

pédagogie [pedagɔʒi] n. f. Ensemble des théories et des procédés qui permettent l'éducation et l'instruction des enfants ou l'enseignement de connaissances déterminées à des adultes : *La pédagogie des langues vivantes a fait de grands progrès depuis cinquante ans.*

pédale [pedal] n. f. Pièce d'un mécanisme qu'on fait marcher avec le pied : *Une bicyclette a deux pédales.*

peigne [pɛɲ] n. m. Instrument de corne, de matière plastique, etc., composé de dents, et servant à mettre les

cheveux en ordre : *Tu es mal coiffé, donne-toi un coup de peigne.*

peigner (se) [pɛɲe] v. pron. Mettre de l'ordre dans ses cheveux : *Les enfants se débarbouillent et se peignent avant de partir pour l'école.*

peindre [pɛ̃dr] v. tr. (Se conj. comme *craindre*.) Etendre de la couleur sur la surface d'un objet : *J'ai acheté des meubles de jardin, et il faut que je les fasse peindre en vert.* ★ Représenter quelque chose grâce à un dessin recouvert de couleurs : *Cet artiste a peint de très beaux paysages et d'excellents portraits.*

peine [pɛn] n. f. Douleur morale : *La mort de sa mère lui a causé beaucoup de peine.* ★ *Faire de la peine à quelqu'un,* causer une douleur morale. ★ Effort fourni pour obtenir un certain résultat : *Il a été blessé à la jambe, et il marche avec peine.* ★ *A peine,* depuis très peu de temps : *A peine était-il sorti que j'arrivai ;* presque pas : *Il sait à peine lire.* ★ *Valoir la peine,* avoir une certaine importance : *Cela ne vaut pas la peine d'en parler.*

peintre [pɛ̃tr] n. m. Personne qui exerce l'art ou le métier de peindre : *Le peintre nettoya ses pinceaux dans de l'essence.*

peinture [pɛ̃tyr] n. f. Liquide de couleur qu'on étend sur un objet pour le rendre plus beau ou pour le protéger : *Vous m'achèterez cinq kilos de peinture blanche pour peindre les murs de ma cuisine.* ★ Art par lequel on représente avec de la couleur, sur une toile ou sur un mur, des objets, des personnes, des formes inventées, etc. : *La peinture abstraite est très appréciée de certains amateurs.* ★ Action de peindre : *J'ai payé mille francs pour faire refaire la peinture de mon appartement.* ★ Résultat de cette action : *Le musée de Rouen possède de nombreuses peintures du XIXe siècle.* ★ FIG. Action de décrire avec des mots : *Ce roman nous offre une bonne peinture des mœurs d'aujourd'hui.*

péjoratif, ive [peʒɔratif, iv] adj. Qui exprime plus ou moins nettement une critique : *Le mot « individu » est souvent employé de manière péjorative.*

pelle [pɛl] n. f. Outil composé d'un manche de bois et d'une lame d'acier plus ou moins creuse, dont on se sert pour déplacer de la terre, du char-

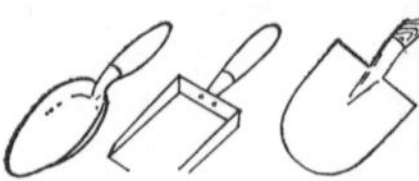

bon, etc. : *Après avoir balayé, la femme de ménage ramassa la poussière avec une pelle.*

pellicule [pɛlikyl] n. f. Feuille ayant subi une préparation chimique, et dont on place un rouleau dans un appareil photographique ou dans une caméra, pour photographier un certain nombre d'images : *Ce rouleau de pellicule me permet de faire 36 photographies.*

peloton [plɔtɔ̃] n. m. Groupe de soldats, de cyclistes, etc., exerçant leur activité : *En arrivant au col, le champion prit la tête du peloton.*

pelouse [pluz] n. f. Partie d'un jardin ou d'un parc sur laquelle on fait pousser du gazon : *Entre le château et le bassin s'étendait une pelouse bien entretenue.*

pencher [pɑ̃ʃe] v. tr. Mettre hors de son aplomb : *L'enfant se pencha à la fenêtre pour regarder les voitures qui passaient.* ■ V. intr. Etre hors de son aplomb : *Le mur penche, il faudra le faire réparer.*

pendant [pɑ̃dɑ̃] prép. Dans l'espace de temps que dure une chose : *Pendant la guerre, le ravitaillement était difficile.* ■ LOC. CONJ. *Pendant que,* tandis que, dans le temps que : *Pendant que tu te reposes, je ferai la vaisselle.*

pendre [pɑ̃dr] v. tr. (Se conj. comme *rendre.*) Attacher quelque chose par une extrémité, à distance du sol : *Le charcutier a pendu des jambons au plafond de sa boutique.* ★ Suspendre quelqu'un par le cou pour le faire mourir. ■ V. intr. Etre attaché par une extrémité au-dessus du sol et sans toucher celui-ci : *De nombreuses grappes de raisin pendaient à la vigne.*

pendule [pɑ̃dyl] n. f. Petite horloge qu'on pose sur un meuble ou

qu'on accroche au mur : *La pendule de la cheminée marquait 8 heures.*

pénétrer [penetre] v. intr. (Se conj. comme *céder.*) Entrer et s'avancer à l'intérieur : *Je me suis blessé avec des ciseaux; la pointe a pénétré profondément dans la chair.*

pénible [penibl] adj. Qui donne de la fatigue : *Le travail des champs est souvent pénible.* ★ Qui rend triste : *Il vient d'apprendre une pénible nouvelle : son ami s'est tué en voiture.* ■ **Péniblement** adv.

pensée [pɑ̃se] n. f. Faculté de l'esprit qui consiste à inventer et à organiser les idées : *C'est surtout la pensée qui distingue l'homme de l'animal.* ★ Acte de l'esprit orienté vers quelqu'un ou vers quelque chose : *J'ai eu une pensée pour vous, en passant devant votre maison.*

penser [pɑ̃se] v. tr. Avoir dans l'esprit : *On ne peut pas dire tout ce que l'on pense.* ★ Avoir l'intention de : *Je pense partir dimanche pour la campagne.* ★ Avoir une opinion : *Vous avez entendu ce qu'il a dit? Pensez-vous qu'il ait raison?* ■ V. intr. *Penser à,* avoir à l'esprit quelqu'un ou quelque chose : *Nous ne parlons pas de cette affaire, mais nous y pensons souvent.*

pension [pɑ̃sjɔ̃] n. f. Somme payée régulièrement à certaines personnes : *La veuve du professeur reçoit de l'Etat une pension importante.* ★ Argent que l'on verse à une personne, à un hôtel, à une école, etc., pour être nourri et logé pendant un certain temps : *Cette jeune fille paie une pension à sa tante qui la nourrit.* ★ Etablissement où l'on paie pour être nourri, logé, etc. ★ *Mettre en pension,* mettre quelqu'un dans un établissement où il est logé et nourri. ★ *Pension de famille,* sorte d'hôtel où l'on est logé et nourri au mois.

pente [pɑ̃t] n. f. Surface qui n'est ni horizontale ni verticale : *La petite maison semblait posée en équilibre sur la pente raide de la montagne.*

pépin [pepɛ̃] n. m. Une des graines qui se trouvent au centre de certains fruits : *La cuisinière éplucha les pommes et retira les pépins.*

percer [pɛrse] v. tr. (Se conj. comme *annoncer.*) Traverser en faisant un trou ou en ménageant un passage : *On a percé le mur pour y faire passer un tuyau.*

perdre [pɛrdr] v. tr. (Se conj. comme *rendre.*) Ne plus avoir un animal ou une chose qu'on possédait auparavant : *Ce monsieur a perdu son portefeuille dans le métro.* ★ *Perdre la tête,* ne plus savoir ce que l'on fait. ★ Ne plus avoir avec soi une personne que l'on aimait, et qui est morte ou disparue : *Il a perdu son fils dans un bombardement.* ★ Etre vaincu : *L'équipe de football a perdu le match.* ■ **Se perdre** v. pron. Ne plus retrouver son chemin : *Les enfants se sont perdus dans la forêt.*

père [pɛr] n. m. Homme qui a un ou plusieurs enfants : *Mon père avait trois enfants : mes deux sœurs et moi.*

perfection [pɛrfɛksjɔ̃] n. f. Etat de ce qui est parfait, ou extrêmement bien réussi : *On dit que la perfection n'est pas de ce monde.*

péril [peril] n. m. Situation où l'on est menacé : *Le bateau a été en péril pendant la tempête.*

périlleux, euse [perijø, øz] adj. Qui présente du danger : *Nous allions être entourés par l'ennemi, et notre situation était périlleuse.*

période [perjɔd] n. f. Division du temps pendant laquelle il s'est passé quelque chose de déterminé : *Pendant cette période de ma vie, j'ai vécu pauvrement.*

périodique [perjɔdik] adj. Se dit des faits qui se reproduisent après des espaces de temps déterminés : *Les mouvements des marées sont périodiques.* ■ **Périodiquement** adv. ■ N. m. Journal ou revue qui paraît à des époques régulières : *Je suis allé consulter des périodiques à la bibliothèque.*

périr [perir] v. intr. Mourir de mort violente : *Trente personnes ont péri dans l'accident d'aviation qui a eu lieu hier.*

perle [pɛrl] n. f. Petite boule blanche que l'on trouve dans certaines coquilles : *L'actrice portait un magnifique collier de perles.* ★ Petite boule blanche ou de couleur qui imite la perle.

permanent, e [pɛrmanɑ̃, ɑ̃t] adj. Qui dure, sans être interrompu, pendant un temps plus ou moins long : *Le spectacle de ce cinéma est permanent de quatorze heures à minuit.*

permettre [pɛrmɛtr] v. tr. (Se conj. comme *mettre.*) Donner la liberté de faire ou de dire quelque chose : *Je ne vous permets pas de me parler ainsi!* ★ Donner la possibilité de faire quelque chose : *Si mes occupations me le permettent, je passerai vous voir.*

permis [pɛrmi] n. m. Document délivré par une administration, et qui donne le droit de faire certaines choses : *Pour avoir le droit de chasser, il faut demander un permis à la Préfecture.*

permission [pɛrmisjɔ̃] n. f. Liberté donnée à une personne de faire quelque chose : *L'enfant demanda à sa mère la permission d'aller au cinéma.* ★ Congé de courte durée accordé à un militaire : *Le soldat obtint le samedi une permission de vingt-quatre heures.*

perpendiculaire [pɛrpɑ̃dikylɛr] adj. Qui rencontre à angle droit une ligne ou un plan : *Les murs d'une maison sont perpendiculaires au sol.* ■ **Perpendiculairement** adv. ■ N. f. Ligne ou plan qui rencontre une autre ligne ou un autre plan à angle droit.

perquisition [pɛrkizisjɔ̃] n. f. Recherche méthodique, faite par la police dans un lieu où elle pense trouver quelqu'un ou quelque chose : *A la* *suite du crime, une perquisition a eu lieu dans l'immeuble.*

persévérer [pɛrsevere] v. intr. (Se conj. comme *céder.*) Continuer, malgré les obstacles, à agir ou à penser comme on l'avait décidé : *Malgré plusieurs échecs, il persévéra dans son travail.*

persister [pɛrsiste] v. intr. Refuser d'abandonner une manière de penser ou d'agir : *Malgré l'avis de ses amis, il persiste dans sa résolution d'épouser la jeune fille.* ★ Continuer à se manifester : *Si le mauvais temps persiste, les pêcheurs n'iront pas en mer.*

personnage [pɛrsɔnaʒ] n. m. Personne, imaginaire ou non, mise en action dans une œuvre littéraire, une pièce de théâtre ou un film : *Le personnage de Hamlet est le plus connu du théâtre de Shakespeare.*

personnalité [pɛrsɔnalite] n. f. Personne importante en raison de ses fonctions ou de son influence : *De nombreuses personnalités ont été reçues par le président de la République au gala de l'Elysée.* ★ Caractère particulier et original d'une personne : *Cette femme n'est pas très instruite, mais elle a une remarquable personnalité.*

personne [pɛrsɔn] n. f. Individu appartenant à la race humaine : *Plus de cinquante mille personnes ont visité cette exposition.* ★ *Grande personne,* personne adulte. ★ *En personne,* moi-même, toi-même, etc. ★ GRAMM. Une des formes de la conjugaison, selon qu'il s'agit de celui qui parle (1re personne), à qui l'on parle (2e personne) ou de qui l'on parle (3e personne).

personne [pɛrsɔn] pron. indéf. m. sing. Quelqu'un. ★ Pas un être humain : *Personne n'est venu ici depuis hier. Voyez-vous quelqu'un dans le jardin? — Personne.*

personnel, elle [pɛrsɔnɛl] adj. Se dit de ce qui est particulier à une personne : *Il a dans son bureau un tiroir où il met ses lettres personnelles.* ★ GRAMM. *Pronom personnel,* mot qui remplace un nom de personne, d'animal ou de chose. ■ **Personnellement** adv. ■ N. m. Ensemble des travailleurs d'une administration, d'une entreprise, etc. : *Le personnel du service comprend une trentaine de dactylos et un comptable.*

perspective [pɛrspɛktiv] n. f. Technique permettant de représenter par le dessin les objets tels qu'ils paraissent quand ils sont vus à distance : *Dans ce tableau, la perspective n'est pas bien observée : toutes les lignes situées en face du spectateur devraient fuir vers l'horizon.* ★ Possibilité d'arriver à un résultat dans un avenir non immédiat : *L'énergie atomique ouvre à l'économie de larges perspectives.*

persuader [pɛrsɥade] v. tr. Amener quelqu'un à croire ou à faire quelque chose : *Son discours n'a persuadé personne.*

perte [pɛrt] n. f. Fait d'être privé de quelque chose ou de quelqu'un : *Elle ne s'est jamais consolée de la perte de son mari.*

pesanteur [pəzɑ̃tœr] n. f. Force qui attire un corps vers la terre en raison de son poids.

peser [pəze] v. tr. (Se conj. comme *mener.*) Mesurer le poids d'un corps : *L'épicier mit le sel sur la balance pour le peser.* ■ V. intr. Avoir un certain poids : *En général, les métaux pèsent lourd. Ce morceau de viande pèse deux kilos.*

pessimiste [pɛsimist] adj. Qui insiste sur le mauvais côté des choses : *Des bruits pessimistes continuent à circuler sur la situation financière de cette banque.* ■ N. Personne qui ne voit que le mauvais côté des choses ou des gens : *Quand la pluie commence, le pessimiste dit : « Il va sûrement pleuvoir tout l'été. »*

peste [pɛst] n. f. Maladie contagieuse, souvent mortelle, qui a disparu d'Europe, et qui se manifeste notamment par une fièvre très élevée : *Le microbe de la peste est transmis par le rat.*

petit, e [pəti, it] adj. Qui a peu de hauteur, peu de volume, etc. : *Les femmes sont souvent plus petites que les hommes.* ★ FIG. Qui est de peu d'importance par le nombre, la valeur, etc. : *Il est tombé une petite pluie qui a rafraîchi le temps.* ■ N. m. Animal qui est né depuis peu de temps : *La chatte défendit ses petits qu'un chien allait attaquer.* ■ LOC. ADV. *Petit à petit,* peu à peu.

petit-fils, petite-fille [pətifis, pətitfij] n. Pour une personne, le fils ou la fille d'un de ses enfants : *J'ai deux petits-enfants : un petit-fils de six ans et une petite-fille de dix ans; ce sont les enfants de mon fils aîné.*

pétrole [petrɔl] n. m. Huile minérale qu'on trouve dans certaines roches : *En raffinant du pétrole brut, on obtient de l'essence.*

peu [pø] n. m. Petite quantité : *Le peu d'argent que j'ai est pour vous, si vous en avez besoin. Il faut savoir se contenter de peu.* ■ Adv. Pas beaucoup : *Elle mange peu, car elle a une maladie d'estomac.* ★ LOC. ADV. *Un peu,* pas beaucoup : *Savez-vous nager? Oui, un peu.* ★ *Avant peu,* dans un avenir prochain. ★ *Depuis peu,* dans un passé récent. ★ *A peu près,* environ : *Cette salle contient à peu près cent personnes.* ★ *Peu à peu,* lentement, progressivement : *Les nuages se rapprochent peu à peu, il va bientôt y avoir un orage.*

peuple [pœpl] n. m. Ensemble des êtres humains vivant sur un même territoire et obéissant à un même gouvernement : *Le peuple français va bientôt élire une nouvelle Assemblée nationale.* ★ Ensemble d'êtres humains qui n'habitent pas un même pays, mais qui sont réunis par certains liens : origine, religion, langue, etc. : *Depuis quelques années, le peuple juif a pu enfin se rassembler en Palestine.* ★ Partie la plus nombreuse et la moins riche d'un pays : *Cet homme d'Etat n'a jamais oublié qu'il était un enfant du peuple.*

peuplé, e [pœple] adj. Se dit d'un lieu où il y a des êtres vivants : *Cette région est peu peuplée : on n'y compte que cinq habitants au kilomètre carré.*

peur [pœr] n. f. Sentiment d'un danger qui donne envie de fuir. ★ *Avoir peur,* éprouver de la peur : *Ce petit garçon n'est pas courageux : il a peur de s'endormir dans une chambre sans lumière.* ★ *Faire peur,* provoquer la peur chez quelqu'un. ★ *Mourir de peur,* éprouver une grande peur. ★ *Prendre peur,* sentir brusquement la peur. ★ Léger sentiment de crainte. ★ *De peur que* (+ subjonctif), *de peur de* (+ infinitif), dans la crainte que, dans la crainte de : *J'ai pris un imperméable de peur qu'il ne pleuve.*

peut-être [pøtɛtr] loc. adv. Indique la possibilité : *Je ne suis pas sûr de le voir demain, il m'a dit qu'il viendrait peut-être.*

phare [far] n. m. Tour au sommet de laquelle un feu guide la marche des navires et des avions pendant la

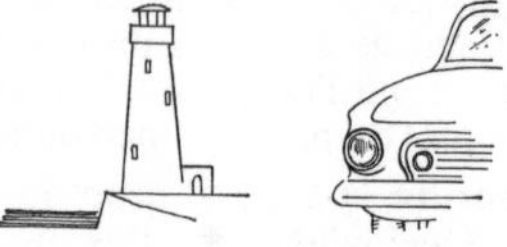

nuit : *Les phares modernes éclairent à des distances considérables.* ★ Sorte de feu assez puissant, placé à l'avant des voitures, des camions, etc. : *Nous avons été obligés d'allumer nos phares à quatre heures de l'après-midi, car il y avait du brouillard sur la route.*

pharmacie [farmasi] n. f. Maison de commerce où l'on prépare et où l'on vend des médicaments : *Elle est allée à la pharmacie acheter un tube de pommade contre les brûlures.* ★ Science qui apprend à préparer et à composer des médicaments : *Il est étudiant en pharmacie à la faculté de Paris.*

pharmacien, enne [farmasjɛ̃, ɛn] n. Personne qui a terminé ses études de pharmacie et qui travaille dans un laboratoire ou dans une pharmacie : *Dès le départ du médecin, je suis allé porter l'ordonnance chez le pharmacien.*

phénomène [fenɔmɛn] n. m. Fait extérieur dont la connaissance nous parvient grâce aux sens, ou fait intérieur dont nous avons conscience : *Le vent est un phénomène naturel.*

philosophe [filɔzɔf] n. Personne qui, par goût ou par profession, raisonne sur les principes, les effets et les causes : *Les philosophes cherchent à savoir quelle est la nature de la pensée.* ★ Personne qui sait vivre avec sagesse : *Il a accepté la perte de sa situation en philosophe.*

philosophie [filɔzɔfi] n. f. Science qui apprend à raisonner sur les principes, les effets et les causes. ★ Sagesse qui aide à supporter les coups du sort.

phonétique [fɔnetik] n. f. Science qui étudie les sons et la prononciation d'une langue.

photographie [fɔtɔgrafi] n. f. (abrév. **photo**). Technique qui permet d'obtenir, à l'intérieur d'un appareil spécial, des images fixées sur une pellicule par l'action de la lumière : *Il a longtemps étudié la photographie, car il espère en faire son métier.* ★ Image obtenue à l'intérieur d'un appareil de photographie, et reproduite sur du papier : *Il garde toujours dans son portefeuille une photographie de sa femme et de ses enfants.*

photographier [fɔtɔgrafje] v. tr. Obtenir une image grâce à la photographie : *Elle arrêta la voiture quelques instants pour photographier le château.*

phrase [fraz] n. f. Ensemble de mots qui exprime une idée complète : *Les phrases simples ne contiennent qu'une seule proposition.*

physionomie [fizjɔnɔmi] n. f. Expression du visage donnée par l'ensemble des traits : *On lisait sur sa physionomie qu'il était spirituel et gai.*

physique [fizik] n. f. Science qui étudie les propriétés des corps et les lois qui modifient leur état ou leur mouvement, sans modifier leur nature : *L'étude des phénomènes électriques est une des parties de la physique.*

physique [fizik] adj. Qui se rapporte aux corps que l'on peut rencontrer dans la nature : *Les sciences physiques étudient en particulier la structure des atomes.* ★ Qui se rapporte au corps humain : *Elle ne se préoccupait que de son aspect physique et passait de longues heures à sa toilette.* ■ **Physiquement** adv. ■ N. m. Aspect que présente le corps humain.

piano [pjano] n. m. Instrument de musique dont on joue avec les mains,

et dont les sons sont produits par des cordes métalliques frappées par de petits marteaux : *La petite fille était au piano et jouait avec un doigt les premières notes d'une chanson.*

pièce [pjɛs] n. f. Partie d'un ensemble organisé : *En remontant son moteur, il s'aperçut qu'il manquait une pièce.* ★ *Mettre en pièces,* déchirer en morceaux. ★ Morceau de tissu, de métal, etc., dont on se sert pour réparer un objet de même nature : *Elle avait brûlé le rideau de sa chambre en le repassant, et elle fut obligée d'y mettre une pièce.* ★ Chacune des parties d'un logement où l'on peut vivre : *Mon oncle vient d'acheter un bel appartement, comprenant trois pièces, une cuisine et une salle de bains.* ★ Ouvrage en vers ou en prose (se dit surtout d'une œuvre théâtrale) : *Le critique déclara qu'il n'aimait pas du tout cette nouvelle pièce de théâtre.* ★ Morceau de métal en forme de disque, utilisé comme monnaie : *Il a trouvé une pièce de cinq francs dans la rue.*

pied [pje] n. m. Chacune des deux parties du corps humain situées à l'extrémité de la jambe, et sur laquelle on s'appuie pour marcher : *Les chaussures que je viens d'acheter sont trop petites, et elles me font mal aux pieds.*

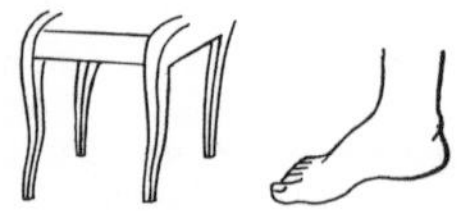

(Se dit aussi des animaux.) ★ Partie d'un objet qui touche au sol : *La table penchait, car l'un de ses pieds était légèrement plus court que les autres.* ■ Loc. adv. *A pied,* en marchant : *J'ai parcouru à pied les quatre kilomètres qui séparent mon domicile du village.*

piège [pjɛʒ] n. m. Appareil destiné à capturer les animaux sauvages ou nuisibles : *Il a posé des pièges dans le bois, pour essayer de prendre un renard.* ★ Procédés que l'on utilise pour tromper quelqu'un.

pierre [pjɛr] n. f. Matière minérale dure et solide, que l'on trouve sous terre ou à la surface du sol : *On extrait beaucoup de pierre de taille aux environs de Paris.* ★ Morceau de cette matière : *Les enfants s'amusaient à lancer des pierres dans l'étang.*

piété [pjete] n. f. Amour respectueux, vif et sincère que l'on témoigne à Dieu.

piéton [pjetɔ̃] n. m. Personne qui va à pied : *Les piétons doivent marcher sur les trottoirs.*

pile [pil] n. f. Ensemble d'objets posés les uns sur les autres : *Il y avait chez le libraire des piles de livres neufs.* ★ Appareil dans lequel un phénomène chimique produit un courant électrique : *J'ai demandé à l'électricien une pile pour mon poste de radio portatif.* ★ *Pile atomique,* ensemble d'appareils qui produit de l'énergie en utilisant certaines propriétés de l'atome.

pilier [pilje] n. m. Pile de pierres ou bloc de ciment vertical qui soutient un édifice : *Dans l'église, les touristes admirèrent les sculptures des piliers.*

piller [pije] v. tr. Prendre de force, dans une maison, une ville, un pays, etc., ce dont on a envie ou besoin : *Pendant la guerre, notre maison a été pillée deux fois.*

pilote [pilɔt] n. m. Celui qui fait entrer un bateau dans un port : *La sirène du navire appelle le pilote.* ★ Celui qui conduit un avion ou une voiture de course : *Quand l'avion prit feu, le pilote sauta en parachute.*

pilule [pilyl] n. f. Médicament présenté sous la forme d'une petite boule : *Elle laissa tomber ses pilules, qui roulèrent un peu partout sur le plancher.*

pince [pɛ̃s] n. f. Outil ou instrument qui sert à saisir et à serrer fortement les objets : *Elle prit un morceau de sucre avec la pince.*

pinceau [pɛ̃so] n. m. Instrument fait d'une touffe de poils très souples fixée à un petit manche, et qui sert à

peindre, à mettre de la colle, etc. : *Quand le peintre eut fini son travail, il nettoya ses pinceaux.*

pincer [pɛ̃se] v. tr. (Se conj. comme *annoncer.*) Saisir et serrer fortement avec les doigts, avec une pince, etc. : *Elle pinça le bras de son amie pour l'avertir du danger.*

pioche [pjɔʃ] n. f. Outil fait d'un fer pesant, pointu d'un bout et tranchant de l'autre, fixé en son milieu à

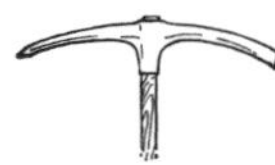

un manche et qui sert à creuser la terre : *La pioche heurta une pierre et fit jaillir des étincelles.*

pipe [pip] n. f. Objet formé d'un mince tuyau terminé par un petit cylindre, dans lequel on met du tabac

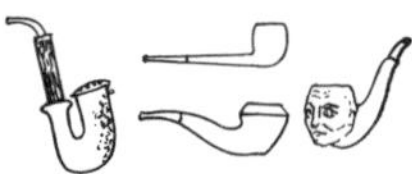

pour le fumer : *On dit qu'il est moins dangereux de fumer la pipe que la cigarette.*

piquer [pike] v. tr. Faire une piqûre : *Je crois que c'est une abeille qui m'a piqué.* ★ Faire pénétrer quelque chose qui se termine en pointe : *Elle piqua l'aiguille dans l'étoffe pour être certaine de la retrouver le lendemain.* ★ Coudre à l'aide d'une machine.

piquet [pikɛ] n. m. Bâton pointu, plus ou moins gros, que l'on enfonce dans le sol : *La vieille paysanne attacha sa chèvre à un piquet.* ★ Groupe d'hommes qui sont de garde : *Un piquet de grévistes se tenait à l'entrée de l'usine.*

piqûre [pikyr] n. f. Petite blessure faite en profondeur par quelque chose de fin et de pointu ou par un insecte : *Elle a sur le bras une piqûre de moustique.* ★ Introduction d'un médicament liquide dans le corps, au moyen d'un instrument terminé par une aiguille creuse : *Le médecin ordonna à l'infirmière de faire immédiatement une piqûre au malade.* ★ Rang de points réguliers, généralement faits à la machine à coudre : *Cette robe n'est pas terminée; il reste encore quelques piqûres à faire.*

pire [pir] adj. Plus mauvais : *Hier, il pleuvait; mais aujourd'hui le temps est encore pire : il y a du vent et il fait froid.*

pis [pi] adv. Plus mal. ★ *Tant pis!*, exclamation qui indique que l'on se résigne à quelque chose : *Je voulais aller me promener, mais il pleut; tant pis, je n'irai pas!*

piscine [pisin] n. f. Bassin rempli d'eau, où l'on peut nager : *En hiver, on chauffe l'eau des piscines.*

piste [pist] n. f. Trace que laisse derrière soi un animal ou une personne : *Le chien, le nez au sol, suivait la piste du renard.* ★ Passage à peine marqué à travers la brousse, la forêt, la montagne, etc. : *Le guide affirma qu'il connaissait la piste qui conduisait au puits le plus proche.* ★ Terrain dont on a rendu le sol propre à l'exercice de certains sports, de certaines activités, etc. : *La cloche annonça aux coureurs le dernier tour de piste.*

pistolet [pistɔlɛ] n. m. Arme à feu

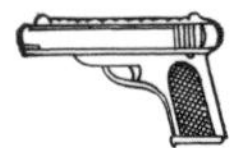

portative, avec laquelle on tire d'une

seule main : *Dans l'armée, les officiers ont le droit de porter un pistolet.*

pitié [pitje] n. f. Sentiment qui pousse à s'intéresser aux malheurs des autres : *Quand il arriva sur les lieux de l'incendie, il eut un sentiment de pitié pour cette famille qui venait de perdre tout ce qu'elle possédait.* ★ *Avoir pitié*, éprouver un sentiment de pitié.

pittoresque [pitɔrɛsk] adj. Qui plaît par sa variété, son caractère agréable et surprenant : *Ce village de montagne est très pittoresque ; les gens y vivent encore exactement comme au XIXe siècle.*

pivot [pivo] n. m. Morceau de métal qui soutient un corps solide, afin de lui permettre de tourner.

placard [plakar] n. m. Espace que l'on aménage dans un mur pour qu'il puisse servir d'armoire : *Cet appartement est très pratique, car l'on y a fait de nombreux placards.*

place [plas] n. f. Partie de l'espace qu'occupe ou peut occuper une personne, une chose : *Le pardessus prenait trop de place dans la valise, et l'on ne pouvait plus la fermer. Pour ne pas chercher cette clef, je vous conseille de la mettre toujours à la même place.* ★ Dans un train, au théâtre, etc., lieu où l'on peut s'asseoir : *J'ai loué deux places pour le prochain spectacle de l'opéra.* ★ Etendue de terrain entourée de maisons et qui forme une sorte de carrefour : *J'ai rencontré le notaire sur la place du marché.* ★ Emploi où l'on est au service d'un patron : *Hier, les annonces du journal offraient plusieurs places de secrétaire.* ■ LOC. PRÉP. *A la place de*, pour remplacer : *Je suis allé chez le garagiste à la place de mon père, qui était occupé.*

placer [plase] v. tr. (Se conj. comme *annoncer*.) Mettre dans un lieu précis une personne ou une chose : *Elle plaça ses lunettes dans son sac.* ★ Remettre de l'argent à une banque, etc., pour que cet argent rapporte un intérêt.

plafond [plafɔ̃] n. m. Surface qui forme la partie supérieure d'une pièce : *Le plafond de notre chambre est très sale, il faudra le faire blanchir pendant les vacances.*

plage [plaʒ] n. f. Bande de sable ou de pierres polies qui s'étend le long de la mer : *Un petit enfant en maillot rouge faisait des châteaux de sable sur la plage.*

plaider [plɛde] v. intr. Défendre une cause devant des juges : *Les avocats de l'accusé ont si bien plaidé que leur client a été condamné à une peine très légère.*

plaidoirie [plɛdwari] n. f. Discours prononcé devant un tribunal par un avocat qui défend une cause : *La dernière journée du procès sera réservée aux plaidoiries et au verdict.*

plaie [plɛ] n. f. Blessure des chairs faite à la surface ou à l'intérieur du corps par une arme, un outil, un coup, une chute, etc. : *Elle s'est fait une plaie au genou en tombant de bicyclette.*

plaindre [plɛ̃dr] v. tr. (Se conj. comme *craindre*.) Témoigner ou éprouver de la pitié pour quelqu'un : *Nous l'avons plainte, quand nous avons appris que son fils était tombé gravement malade.* ■ **Se plaindre** v. pron. Exprimer qu'on n'est pas content : *Il se plaignait très souvent de ne pas avoir de nouvelles de son fils.*

plaine [plɛn] n. f. Etendue de pays plat : *La plaine du Rhône est située entre les Alpes et le Massif central.*

plainte [plɛ̃t] n. f. Parole ou son qui exprime la douleur : *On entendait les plaintes du blessé qui gémissait sur le bord de la route.* ★ Parole exprimant un sentiment de mécontentement : *Il avait tout pour être heureux, mais il* *accablait ses amis de ses plaintes.* ★ Déclaration en justice indiquant que quelqu'un vous a causé du tort : *On m'a volé mon appareil de photo, et j'ai porté plainte au commissariat de police.*

plaire [plɛr] v. intr. (voir tableau p. 357). Causer à quelqu'un un sentiment, une impression agréable : *La maison ne plaisait plus au propriétaire, qui décida de la vendre.* ★ *S'il vous plaît,* formule de politesse employée pour demander quelque chose à quelqu'un. ■ **Se plaire** v. pron. Se trouver bien dans un lieu ou avec quelqu'un : *Vous plaisez-vous au bord de la mer? — Non, je préfère la campagne.*

plaisanter [plɛzɑ̃te] v. tr. Se moquer légèrement de quelqu'un pour faire rire : *Ses amies la plaisantèrent sur son nouveau chapeau.* ■ V. intr. Dire ou faire des choses qui font rire : *Il plaisante volontiers quand il a réussi une bonne affaire.*

plaisanterie [plɛzɑ̃tri] n. f. Chose dite ou faite dans l'intention de faire rire : *Au milieu du cours, un élève a fait une plaisanterie qui a amusé toute la classe.*

plaisir [plɛzir] n. m. Sentiment agréable provoqué par ce qui satisfait le corps ou l'esprit : *L'hiver, on éprouve du plaisir à se chauffer au coin du feu.*

plan, e [plɑ̃, an] adj. GÉOM. Se dit de ce qui est plat. ■ N. m. GÉOM. Surface où toute droite passant par deux de ses points est entièrement contenue. ★ Dessin, souvent à échelle réduite, qui montre la disposition des éléments d'une ville, d'une machine, etc. : *L'architecte montra au contremaître le plan des futurs bâtiments.* ★ FIG. Ensemble des idées principales d'un ouvrage littéraire, dans l'ordre où elles sont ou seront développées : *Avant de commencer son roman, l'écrivain rédigea un plan très précis.* ★ Ensemble des idées que l'on organise entre elles pour arriver à un résultat : *Les deux prisonniers ne réussirent pas à s'évader, car leur plan n'avait pas été assez préparé.* ★ Ce qui, dans une photo, dans un tableau, semble plus ou moins proche de celui qui regarde : *Au premier plan, l'artiste avait peint une petite place déserte.* ★ *Une affaire de premier plan,* une affaire importante : *C'est une affaire de premier plan, qui emploie plus de 1 500 ouvriers.*

planche [plɑ̃ʃ] n. f. Morceau de bois plat, de peu d'épaisseur, et beaucoup plus long que large : *On a mis une planche pour pouvoir traverser le ruisseau.*

plancher [plɑ̃ʃe] n. m. Sol d'un logement, quand il est garni de planches : *Les deux enfants faisaient rouler leurs jouets sur le plancher.*

planète [planɛt] n. f. Astre qui tourne autour du Soleil : *Les habitants de la Terre se demandent souvent si les autres planètes sont habitées.*

plantation [plɑ̃tasjɔ̃] n. f. Action de planter : *On a fait dans la montagne des plantations de jeunes sapins sur plus de mille hectares.* ★ Très vaste domaine, cultivé de manière à faire produire une certaine plante en grosses quantités : *Notre usine vient de vendre vingt camions au propriétaire d'une plantation de coton.*

plante [plɑ̃t] n. f. Nom par lequel on désigne tous les végétaux : *Elle cultive des plantes exotiques dans son jardin.*

planter [plɑ̃te] v. tr. Mettre une plante en terre, pour qu'elle y prenne racine : *Le jardinier arrose les fleurs qu'il a plantées hier.* ★ Enfoncer dans le sol : *Les deux alpinistes plantèrent un drapeau au sommet de la montagne.*

plaque [plak] n. f. Morceau de matière quelconque, rigide, mince et plat : *Le médecin a fait poser une plaque de cuivre sur sa porte, pour indiquer ses heures de consultation.*

plastique [plastik] adj. Qui peut prendre une forme déterminée. ★ *Arts plastiques,* ensemble des arts du dessin (peinture, sculpture, etc.). ■ *Matière plastique* ou *plastique* (n. m.), matière artificielle, utilisée dans l'industrie et susceptible de prendre toutes les formes qu'on lui impose : *Beaucoup d'objets de bois, de verre ou de porcelaine sont remplacés par des objets en matière plastique.*

plat, e [pla, at] adj. Qui présente une surface sans relief : *L'utilisation du tracteur est plus facile dans un pays plat que dans un pays de montagnes.* ■ N. m. Sorte de grande assiette dans laquelle on sert les aliments : *Il a découpé le poulet et en a déposé les morceaux dans un plat de porcelaine.* ★ Ce que l'on prépare à la cuisine pour le servir dans un plat et le manger à table : *Au restaurant, j'ai mangé un plat de viande et un dessert.*

plateau [plato] n. m. Grand plat de métal, de verre, de bois, etc., sur lequel on peut présenter un assez grand nombre d'objets : *Le garçon de*

café a mis trois verres et six tasses sur son plateau. ★ GÉOGR. Etendue de terres plates située à une certaine altitude : *Notre village est situé sur un plateau, d'où l'on domine toute la forêt.*

plate-forme [platfɔrm] n. f. Surface plate sur laquelle on peut marcher, construire, etc. : *Quand je prends l'autobus, je préfère rester sur la plate-forme, car on y respire mieux.*

plâtre [plɑtr] n. m. Substance minérale blanche que l'on réduit en poudre et qui, mélangée à l'eau, donne une pâte qui durcit rapidement : *La maison avait été abandonnée depuis fort longtemps, et, par endroits, le plâtre laissait voir les briques du mur.*

plein, e [plɛ̃, ɛn] adj. Qui contient tout ce qu'il peut contenir : *La salle était pleine, et nous avons dû rester debout pendant la distribution des prix.* ★ A quoi il ne manque rien : *Le gouvernement a demandé les pleins pouvoirs.* ★ *En plein(e),* au milieu de : *Il fut arrêté en pleine rue par un ami qu'il n'avait pas vu depuis des années.* ■ **Pleinement** adv. ■ N. m. *Faire le plein,* remplir d'essence le réservoir d'une auto, d'un avion, etc.

pleurer [plœre] v. tr. Eprouver le regret douloureux que cause la mort de quelqu'un : *Leur fils a été tué à la guerre, et ils le pleurent encore.* ■ V. intr. Verser des larmes : *Un petit garçon, qui avait perdu sa mère, pleurait au milieu de la foule.*

pleuvoir [pløvwar] v. impers. (voir tableau p. 358). Tomber, en parlant de la pluie : *Il a plu sans arrêt pendant trois jours.*

pli [pli] n. m. Forme que l'on donne à un tissu, à du papier, quand on met deux de ses parties l'une sur l'autre : *Il faudra faire un pli au bas de cette robe, car elle est trop longue.* ★ Marque qui reste sur un tissu, sur du papier, etc., après qu'on l'a plié : *Il demanda à sa femme de refaire le pli de son pantalon.* ★ Formes que prend un tissu quand il est dans une certaine position : *Son manteau était trop large et faisait des plis dans le dos.*

plier [plije] v. tr. Mettre deux parties d'un même tissu, d'une même feuille de papier, etc., l'une sur l'autre : *Elle plia ses draps avant de les ranger dans l'armoire.* ★ Amener les deux extrémités d'une chose l'une sur l'autre : *Elle s'était blessée au coude, et elle ne pouvait plus plier le bras.*

plomb [plɔ̃] n. m. Métal très lourd, d'une couleur gris-bleu, et relativement mou : *L'eau circule sous pression dans des tuyaux de plomb.*

plombier [plɔ̃bje] n. m. Homme dont la profession consiste à poser et à entretenir les installations sanitaires : *On a fait venir le plombier, car il y avait une fuite d'eau dans la salle de bains.*

plonger [plɔ̃ʒe] v. tr. (Se conj. comme *manger.*) Enfoncer dans un liquide : *Il hésitait à se baigner et plongea la main dans la rivière, pour sentir si l'eau était froide.* ★ Faire éprouver un sentiment d'une certaine violence : *Il était plongé dans l'angoisse depuis que les journaux avaient annoncé la catastrophe.* ■ V. intr. Se jeter dans l'eau : *Les enfants s'amusaient à plonger du haut du pont.*

pluie [plɥi] n. f. Eau qui tombe des nuages sous forme de gouttes : *D'abondantes pluies d'automne ont grossi la rivière.*

plume [plym] n. f. Ce qui couvre le corps des oiseaux : *Le chat ne put attraper l'oiseau, mais lui arracha*

quelques plumes. ★ Morceau de métal pointu avec lequel on écrit : *Il acheta une nouvelle plume pour son stylo.*

plupart (la) [laplypar] n. f. La plus grande partie : *La plupart des gens sont obligés de travailler pour vivre.*

pluriel, elle [plyrjɛl] adj. GRAMM. Qui marque qu'il s'agit de plusieurs personnes, de plusieurs animaux, de plusieurs choses : « *Nous* » *est un pronom pluriel.* ■ N. m. Forme plurielle : *Le pluriel de canal est canaux.*

plus [ply ou plys] adv. A un degré supérieur : *La tour Eiffel est plus haute que Notre-Dame.* ★ En plus grande quantité : *Il y a plus de monde aujourd'hui qu'hier.* ★ *De plus en plus,* progressivement et davantage : *Les avions volent de plus en plus vite.* ★ LOC. ADV. *Ne... plus,* marque qu'une action ou un état a cessé : *Nous sortirons quand il ne pleuvra plus.*

plusieurs [plyzjœr] adj. indéf. plur. Un certain nombre : *Plusieurs personnes sont descendues du train à Tours, et les autres ont continué jusqu'à Paris.* ■ Pron. indéf. : *J'ai acheté une douzaine d'œufs, mais plusieurs se sont cassés.*

plus-que-parfait [plyskəparfɛ] n. m. Temps du verbe qui marque que, dans le passé, une action a été terminée avant une autre.

plutôt [plyto] adv. De préférence : *J'hésite entre ces deux chapeaux, mais je crois que je prendrai plutôt le bleu.*

pluvieux, euse [plyvjø, øz] adj. Où il pleut souvent : *Le climat de la France est doux et pluvieux.*

pneu [pnø] n. m. (abrév. de **pneumatique**). Enveloppe circulaire de caoutchouc, fixée autour des roues de certains véhicules, et à l'intérieur de laquelle se trouve une autre enveloppe circulaire gonflée d'air : *Il est très dangereux de rouler avec des pneus usés.*

poche [pɔʃ] n. f. Petit sac d'étoffe cousu à l'intérieur d'un vêtement, dans lequel on met son mouchoir, ses clefs, etc. : *Il gardait toujours son portefeuille dans la poche intérieure de son veston.*

poêle [pwal] n. m. Appareil dans lequel on brûle du bois, du charbon, du gaz, pour se chauffer en hiver :

Nous n'avons plus de poêle, depuis que nous avons fait installer le chauffage central.

poêle [pwal] n. f. Sorte de casserole en fer ou en aluminium, peu profonde

et munie d'un long manche : *Ma sœur fait cuire le poisson à la poêle.*

poème [pɔɛm] n. m. Ouvrage écrit en vers : *Il a écrit un recueil de poèmes qui n'a pas encore été publié.*

poésie [pɔezi] n. f. Art d'écrire selon certaines règles, et généralement en vers : *Les tragédies de Racine sont des chefs-d'œuvre de poésie dramatique.* ★ Ouvrage court, écrit en vers : *Il apprend par cœur une poésie de Victor Hugo.* ★ Caractère de ce qui touche particulièrement l'imagination et le cœur : *Ce paysage de montagne est d'une poésie sauvage.*

poète, poétesse [pɔɛt, pɔetɛs] n. Personne qui sait s'exprimer en vers : *Les vers de Baudelaire sont l'œuvre d'un très grand poète.* ★ Personne qui sait exprimer ses émotions avec sensibilité.

poétique [pɔetik] adj. Relatif à la poésie. ★ Se dit d'un ouvrage écrit en vers : *Les œuvres poétiques de Voltaire sont inférieures à son œuvre en prose.* ★ Qui est susceptible d'inspirer de la poésie : *Le film n'a pas eu beaucoup de succès, car il était trop poétique.* ■ **Poétiquement** adv.

poids [pwa] n. m. Caractéristique d'un objet qui fait que l'on a besoin de plus ou moins de force pour le déplacer, le soulever, le porter : *Le poids d'un litre d'eau est plus élevé que celui d'un litre d'air.* ★ Bloc de métal qui sert à peser : *L'épicier a*

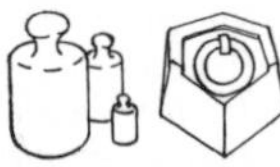

placé un poids de cent grammes sur la balance. ★ *Poids lourd,* gros camion.

poignée [pwaɲe] n. f. Ce que peut tenir la main fermée : *La fermière a donné deux poignées de grain aux poules.* ★ *Donner une poignée de main,* prendre et serrer la main de quelqu'un pour le saluer. ★ Partie d'un objet qui permet de le prendre avec la main : *La poignée de son sac était cassée, et elle fut obligée de la faire réparer.*

poignet [pwaɲɛ] n. m. Articulation de la main et du bras : *Les os du poignet sont nombreux et fragiles.* ★ Dans certains vêtements, partie de la manche qui touche le poignet : *Il a mouillé le poignet de sa chemise en se lavant les mains.*

poil [pwal] n. m. Production de la peau en forme de fil souple et très fin qui pousse sur certaines parties du corps de l'homme et de nombreux animaux : *Elle prit sur ses genoux un chat qui laissa de nombreux poils sur sa jupe.*

poing [pwɛ̃] n. m. La main fermée :

Les boxeurs combattent à coups de poing.

point [pwɛ̃] n. m. Piqûre faite dans un tissu avec une aiguille et du fil : *Elle cousait à grands points.* ★ Petite marque ronde que l'on met sur un *i* ou un *j* : *On oublie souvent les points sur les i.* ★ Signe de ponctuation (.). ★

Endroit précis : *Allez tout droit jusqu'à l'église; quand vous atteindrez ce point, vous tournerez à droite.* ★ Chacun des éléments qui forment la note que mérite un devoir d'élève : *Le professeur enlève un point par faute d'orthographe.* ★ Dans un jeu, unité de nombre que l'on marque chaque fois que l'on remporte un avantage sur son adversaire. ★ GÉOM. Lieu de l'espace sans étendue. ★ Partie de l'espace aussi petite que l'on peut l'imaginer : *L'avion volait si haut qu'il était comme un point dans le ciel.* ★ L'un des éléments d'un livre, d'un discours, etc. : *L'élève demanda au maître de préciser un point de la leçon qu'il n'avait pas compris.* ★ Etat déterminé auquel est parvenue une personne ou une chose : *Il en était arrivé à un tel point de fureur qu'il ne savait plus ce qu'il disait.* ★ *Mettre au point,* porter au plus haut point possible de précision : *Les pilotes d'essai mettent au point les nouveaux avions.* ★ *Point de vue,* paysage que l'on peut voir d'un certain lieu; au *fig.*, manière d'envisager les choses : *Du haut du Sacré-Cœur, il y a un beau point de vue sur Paris. A mon point de vue, il aurait mieux fait de ne pas vendre sa maison.* ★ *A point,* au bon moment; cuit comme il faut. ★ *Sur le point de* (+ infinitif), près de : *Je suis sur le point de partir en promenade.*

pointe [pwɛ̃t] n. f. Extrémité fine et piquante d'un objet : *Elle s'est piquée avec la pointe de son aiguille en cousant.* ★ Bande de terre qui s'avance dans la mer en se rétrécissant : *Deux pointes de rochers limitent le golfe au nord et au sud.* ★ *Sur la pointe des pieds,* sans poser le talon sur le sol. ★ *En pointe,* en forme de pointe.

pointu, e [pwɛ̃ty] adj. Se dit d'un objet dont une extrémité se termine en pointe : *La plume du stylo est pointue.*

pointure [pwɛ̃tyr] n. f. Numéro par lequel on désigne les dimensions des chaussures, des gants, etc. : *Il essaya plusieurs paires de gants avant de trouver la pointure qui lui convenait.*

poire [pwar] n. f. Fruit de forme plus ou moins allongée, à peau fine, très commun en France, qui contient

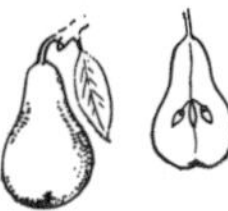

un jus sucré et qui enferme au centre de petits pépins bruns : *J'ai mangé une poire délicieuse comme dessert.*

pois [pwa] n. m. *Petits pois,* légume qui se présente sous la forme de petites boules vertes : *On a servi pour le déjeuner un rôti aux petits pois.*

poison [pwazɔ̃] n. m. Substance très dangereuse pour la santé si elle pénètre dans le corps : *L'alcool pris en grande quantité est un poison.*

poisson [pwasɔ̃] n. m. Animal qui ne peut vivre et respirer que dans

l'eau, et dont le squelette est généralement formé d'arêtes : *Il y a d'énormes poissons dans la mer.*

poitrine [pwatrin] n. f. Partie du corps dans laquelle se trouvent le cœur et les poumons. ★ Partie extérieure de la poitrine : *Le boxeur avait une large poitrine.*

poivre [pwavr] n. m. Petit grain de goût très fort, utilisé pour assaisonner certains plats : *L'odeur du poivre le fit éternuer.*

polaire [pɔlɛr] adj. Qui se trouve autour d'un des pôles : *Les régions polaires sont très froides.*

pôle [pol] n. m. Chacune des deux extrémités de l'axe de la Terre. ★ Partie du globe terrestre située aux environs des pôles : *On a exploré le pôle Sud en 1911.*

polémique [pɔlemik] n. f. Discussion dans laquelle les adversaires opposent violemment leurs arguments sur des questions politiques, littéraires, religieuses, etc. : *Les théories des savants donnent souvent lieu à des polémiques.*

poli, e [pɔli] adj. Lisse parce qu'il a été frotté : *Ce rocher a été poli par la mer.* ★ Qui sait se conduire en société, parce qu'on le lui a appris : *Les enfants bien élevés sont polis.* ■ **Poliment** adv.

police [pɔlis] n. f. Règles et organisation qui maintiennent dans un Etat l'ordre et la sécurité : *Tout pays bien organisé doit avoir une police.* ★ Surveillance exercée dans la rue pour y maintenir l'ordre et la sécurité : *L'agent de police règle la circulation.* ★ Administration chargée de l'ordre public : *La police a interdit les manifestations.*

policier, ère [pɔlisje, ɛr] adj. Qui se rapporte à la police : *L'enquête policière permit de découvrir le criminel.* ■ N. m. Fonctionnaire appartenant à la police : *Des policiers ont fait une perquisition dans son appartement.*

politesse [pɔlitɛs] n. f. Qualité des gens qui savent se conduire en société : *Quand il m'aperçut, il me salua avec politesse.*

politique [pɔlitik] adj. Qui concerne la politique : *Tout bon citoyen doit s'intéresser à la vie politique de son pays.* ★ *Droits politiques,* droits du citoyen. ★ *Homme politique,* homme qui participe à la vie politique d'un pays.

politique [pɔlitik] n. f. Manière de conduire un Etat : *L'empereur voulut adopter une politique plus libérale.* ★ Ensemble des affaires qui concernent un Etat : *Comme je m'intéresse beaucoup à la politique, je lis plusieurs journaux chaque jour.*

pommade [pɔmad] n. f. Substance molle et grasse que l'on met sur la peau pour l'adoucir ou pour guérir une plaie : *Le pharmacien lui donna une pommade contre les brûlures.*

pomme [pɔm] n. f. Fruit rond, à peau fine, très commun en France, dont le jus ne coule pas quand on le coupe et qui renferme au centre de petits pépins bruns : *J'ai mangé hier*

une délicieuse tarte aux pommes. ★ *Pomme de terre,* grosse racine, de forme presque ronde, qui est un des aliments principaux des Européens : *La pomme de terre, qui vient d'Amérique du Sud, fut introduite en Europe au XVIe siècle.*

pompe [pɔ̃p] n. f. Appareil dont on se sert pour faire monter l'eau : *Il y avait une pompe au fond du jardin, et on allait y chercher de l'eau fraîche.* ★ Appareil dont on se sert pour gonfler les pneus.

pompier [pɔ̃pje] n. m. Homme spécialisé dans la lutte contre les incendies : *En France, les voitures des pompiers sont rouges.*

ponctuation [pɔ̃ktɥasjɔ̃] n. f. Partie de l'orthographe qui apprend à utiliser les signes qui marquent certaines intentions de la pensée : *Les principaux signes de ponctuation sont le point* (.), *la virgule* (,), *le point-virgule* (;), *les deux points* (:), *le point d'interrogation* (?), *le point d'exclamation* (!), *la parenthèse* [( )] *et les guillemets* (« »).

pondre [pɔ̃dr] v. tr. (Se conj. comme *rendre.*) En parlant de la femelle des oiseaux, des insectes, des poissons, etc., déposer des œufs : *La poule a pondu un bel œuf, ce matin.*

pont [pɔ̃] n. m. Construction qui sert à franchir un cours d'eau, une voie de chemin de fer, etc. : *A Paris, de nom-*

breux ponts permettent de traverser la Seine. ★ Plancher établi sur toute la longueur et la largeur d'un bateau : *Les marins lavent le pont à grande eau.*

populaire [pɔpylɛr] adj. Qui appartient au peuple : *Chaque pays a ses traditions populaires.* ★ Qui est aimé par un grand nombre de gens : *Le football est un sport très populaire.*

population [pɔpylasjɔ̃] n. f. Ensemble des habitants qui vivent dans un pays : *La population de la France est de 47 millions d'habitants.*

porc [pɔr] n. m. Cochon : *Ce fermier élève des porcs.* ★ Nom de la viande de cochon : *Les charcutiers vendent du porc.*

porcelaine [pɔrsəlɛn] n. f. Poterie blanche et brillante, d'un grain dur et serré, dont on fait les tasses, la vaisselle, etc. : *La porcelaine de Limoges est connue dans le monde entier.*

port [pɔr] n. m. Endroit communiquant avec la mer ou avec un fleuve, où s'abritent les bateaux et où ils peuvent embarquer et débarquer leur cargaison et leurs passagers : *Marseille est un grand port de commerce sur la mer Méditerranée.*

portatif, ive [pɔrtatif, iv] adj. Se dit d'un objet qu'on peut porter facilement : *On fabrique des postes de radio portatifs.*

porte [pɔrt] n. f. Grande plaque de métal ou de bois épais, que l'on ma-

nœuvre pour ouvrir ou fermer un passage : *Il frappa à la porte avant d'entrer.*

portefeuille [pɔrtəfœj] n. m. Petite poche de cuir léger où l'on transporte son argent en billets et ses papiers : *Il ouvrit son portefeuille et en tira un billet de cent francs.* ★ Dans le vocabulaire politique, ministère.

porte-monnaie [pɔrtmɔnɛ] n. m. inv. Petit sac de cuir où l'on transporte son argent en pièces : *J'ai trois pièces de 20 centimes dans mon porte-monnaie.*

porte-parole [pɔrtparɔl] n. m. inv. Personne chargée de parler au nom d'autres personnes.

porte-plume [pɔrtəplym] n. m. inv. Objet composé d'un manche assez mince et d'une plume dont se servent les écoliers pour écrire : *Le petit garçon trempa son porte-plume dans l'encrier et commença à écrire.*

porter [pɔrte] v. tr. Avoir dans les mains, entre les bras, sur les épaules, quelque chose qui ne touche pas terre : *Il marchait lentement, car il portait deux grosses valises.* ★ Avoir sur soi : *En hiver nous portons des vêtements chauds.* ★ Prendre avec soi et déposer quelque part : *Elle alla porter des fleurs à sa grand-mère.* ★ Avoir pour objet : *Ma critique porte beaucoup plus sur des détails que sur le sujet même de la pièce.* ■ **Se porter bien, se porter mal** v. pron. Etre en bonne ou en mauvaise santé.

porteur [pɔrtœr] n. m. Dans les gares, homme dont le métier est de porter les bagages : *En descendant du train, il appela un porteur pour transporter sa valise jusqu'au taxi.*

portion [pɔrsjɔ̃] n. f. Part préparée et mesurée d'avance, que l'on donne à quelqu'un : *Hier, au restaurant, on m'a servi une portion abondante de légumes.*

portrait [pɔrtrɛ] n. m. Image peinte, dessinée ou photographiée, qui reproduit une personne : *« La Joconde », œuvre la plus connue de Léonard de Vinci, est le portrait de Monna Lisa.*

pose [poz] n. f. Action de poser : *Le ministre procéda à la pose de la première pierre de l'école.* ★ Attitude du corps : *L'artiste a peint son modèle dans des poses différentes : assis, debout, couché.*

poser [poze] v. tr. Mettre à une place un objet que l'on tenait : *Il posa ses livres sur la table, à côté de la lampe.* ★ Placer à l'endroit convenable : *J'ai acheté des rideaux et les ai posés à la fenêtre.* ★ *Poser une question,* demander quelque chose. ■ V. intr. Servir de modèle à un peintre : *Elle pose devant l'artiste qui fait son portrait.* ■ **Se poser** v. pron. En parlant d'un oiseau ou d'un avion, ne plus voler : *L'oiseau s'est posé sur la branche et s'est mis à chanter.*

positif, ive [pozitif, iv] adj. Qui est certain, qui peut être vérifié : *Mes lettres et mes visites n'ont encore obtenu aucun résultat positif.* ■ **Positivement** adv.

position [pozisjɔ̃] n. f. Manière dont une personne ou une chose est posée : *La position debout est fatigante.* ★ Fig. Attitude d'une personne ou d'un groupe de personnes : *La position de la France n'a pas changé au cours des négociations.* ★ *Prendre position,* prendre une attitude déterminée.

posséder [pɔsede] v. tr. (Se conj. comme *céder*.) Avoir complètement à soi : *Cet homme possède une grande fortune.*

possessif, ive [pɔsɛsif, iv] adj. Gramm. Qui marque la possession : *« Mon » est un adjectif possessif; « le mien » est un pronom possessif.*

possession [pɔsɛsjɔ̃] n. f. Fait de posséder : *La possession d'une grande fortune lui assurait de nombreux loisirs.*

possibilité [pɔsibilite] n. f. Qualité de ce qui est possible : *Si j'en avais la possibilité, je voyagerais.*

possible [pɔsibl] adj. Qui peut avoir lieu : *Il est possible qu'il pleuve demain.*

postal, e, aux [pɔstal, o] adj. Qui concerne la poste : *Les tarifs postaux sont affichés dans les bureaux de poste.*

poste [pɔst] n. f. Administration publique qui fait parvenir à leur adresse les lettres, les sommes d'argent, les petits paquets qu'on lui remet : *La poste fonctionne en France d'une façon parfaite.* ★ Bâtiment où sont installés les bureaux de la poste : *Il alla porter sa lettre à la poste.*

poste [pɔst] n. m. Endroit où quelqu'un est placé pour remplir une fonction : *Les soldats reçurent l'ordre de ne pas quitter leur poste.* ★ Fonction souvent administrative : *Cet homme occupe un poste important au ministère des Affaires étrangères.* ★ *Poste de radio, de télévision,* appareil qui transmet ou reçoit les ondes. ★ *Poste de police,* endroit où se tiennent d'une façon permanente les agents de police.

poster [pɔste] v. tr. Placer quelqu'un à un endroit déterminé : *Le capitaine posta des sentinelles à l'entrée du camp.* ★ Mettre une lettre ou un paquet à la poste. ■ **Se poster** v. pron. Se placer à un endroit pour attendre : *Le chasseur se poste derrière un arbre pour guetter le gibier.*

postérieur, e [pɔsterjœr] adj. Qui vient après : *L'art gothique est postérieur à l'art roman.* ■ **Postérieurement** adv.

post-scriptum [pɔstskriptɔm] n. m. inv. Ce qu'on ajoute à sa lettre après l'avoir signée.

pot [po] n. m. Récipient quelconque de terre ou de métal : *Chaque jour, elle arrosait les pots de fleurs placés sur son balcon.*

potable [pɔtabl] adj. Se dit de l'eau que l'on peut boire sans danger : *L'eau des étangs n'est jamais potable.*

potage [pɔtaʒ] n. m. Bouillon dans lequel on a mis des légumes, de la viande, etc. : *En France, le dîner commence souvent par un potage.*

potager, ère [pɔtaʒe, ɛr] adj. Qui concerne les légumes : *Mon père a un jardin potager où il cultive des carottes et des pommes de terre.* ■ N. m. Jardin où l'on cultive des légumes : *Je vais dans le potager cueillir des haricots verts.*

poteau [pɔto] n. m. Longue et grosse pièce de bois, de ciment, etc., plantée en terre.

poterie [pɔtri] n. f. Vaisselle de terre cuite : *Ce vase est une poterie très ancienne.* ★ Art de celui qui fabrique de la vaisselle de terre cuite : *La poterie est souvent un art régional.*

poubelle [pubɛl] n. f. Récipient où l'on met les ordures ménagères : *Les poubelles sont vidées tous les jours.*

pouce [pus] n. m. Le plus gros et le plus court des doigts de la main. ★ Le plus gros des doigts du pied.

poudre [pudr] n. f. Substance très fine obtenue en broyant un corps dur : *Il mit du sucre en poudre sur les fraises.* ★ Substance très fine qu'utilisent les femmes pour se maquiller. ★ Mélange de produits solides broyés, qui a une grande puissance d'explosion et qui est employé dans les armes à feu : *Le chasseur versa de la poudre dans ses cartouches.*

poudrer (se) [pudre] v. pron. En parlant des femmes, se mettre sur le visage un peu de poudre parfumée.

poule [pul] n. f. Femelle du coq : *Les poules pondent des œufs.*

poulet [pulɛ] n. m. Jeune poule ou jeune coq : *Nous avons mangé hier du poulet rôti.*

poumon [pumɔ̃] n. m. Chacun des deux organes de la respiration situés à l'intérieur de la poitrine de l'homme et de certains animaux : *La tuberculose est une maladie des poumons.*

poupée [pupe] n. f. Jouet de carton, de bois, de tissu, etc., ayant forme humaine et avec lequel s'amusent les

petites filles : *Il a encore arraché un bras de la poupée de sa sœur.*

pour [pur] prép. Indique que deux êtres ou deux choses se substituent l'un à l'autre : *En arrivant chez mon oncle, embrassez-le bien pour moi. Il reçut un cadeau pour ses bonnes notes en classe.* ★ Indique le but de l'action : *Il est parti pour l'Espagne ce matin. Je travaille pour gagner ma vie.* ★ Indique une cause : *Le soldat a été félicité pour son courage.* ★ Indique combien de temps va durer un état ou une action : *Nous sommes à Paris pour un mois.* ■ LOC. CONJ. *Pour que*

(+ subjonctif), afin que : *Je lui ai téléphoné pour qu'il vienne me voir.*

pourboire [purbwar] n. m. Petite somme d'argent donnée par un client en plus du prix demandé : *En quittant l'hôtel, il a donné un pourboire au garçon d'ascenseur.*

pourcentage [pursɑ̃taʒ] n. m. Quantité représentant le rapport qui existe entre deux nombres, le plus grand des deux étant égal à 100 : *Dans cette usine, le pourcentage des frais généraux atteint 30 p. 100.*

pourquoi [purkwa] adv. S'emploie pour poser une question relative à la cause d'un fait : *Pourquoi partez-vous si vite? — Parce que j'ai du travail. Je ne sais pas pourquoi je n'ai pas encore reçu de réponse à ma lettre.*

pourrir [purir] v. intr. En parlant de la matière vivante, se décomposer : *En automne, les feuilles des arbres tombent et pourrissent.*

poursuite [pursɥit] n. f. Action de poursuivre ★ Action dirigée contre quelqu'un pour l'obliger à paraître devant un tribunal : *On a engagé des poursuites contre la personne qui a provoqué l'accident.* ■ LOC. PRÉP. *A la poursuite de,* pour poursuivre : *Il se lança à la poursuite du voleur.*

poursuivre [pursɥivr] v. tr. (Se conj. comme *suivre.*) Courir à la suite de quelqu'un pour le rattraper : *Le chien poursuivait l'enfant en aboyant.* ★ Continuer ce qu'on avait commencé à faire : *Malgré la pluie, ils poursuivent leur voyage.* ■ **Se poursuivre** v. pron. Courir l'un après l'autre. ★ En parlant d'une action, continuer son cours : *On pense que les négociations vont se poursuivre encore quelques jours.*

pourtant [purtɑ̃] conj. Oppose la proposition qui suit à celle qui précède : *Elle a beaucoup de charme, pourtant elle n'est pas vraiment jolie.*

pourvoir [purvwar] v. intr. (Se conj. comme *prévoir,* sauf au passé simple : *je pourvus,* et à l'imparf. du subj. : *que je pourvusse.*) Donner à quelqu'un ce dont il a besoin : *Les parents de l'étudiant pourvoient à ses besoins matériels.* ★ *Etre pourvu,* avoir tout ce qui est nécessaire : *Il était pourvu de toutes les qualités d'un homme de science.*

pourvu que [purvykə] loc. conj. (+ subjonctif). Précède l'expression d'un souhait dont on craint qu'il ne se réalise pas : *Pourvu qu'il fasse beau pendant les vacances!* ★ A condition que : *Vous pouvez emporter mon livre, pourvu que vous me le rendiez avant dimanche.*

pousser [puse] v. tr. Déplacer une personne ou une chose par une pression ou un coup : *Il poussa la porte pour la fermer.* ★ FIG. Exercer son influence sur quelqu'un pour le faire agir : *Ses amis l'ont poussé à changer de situation.* ★ Faire sortir un son de sa poitrine : *La jeune fille a poussé un cri, en apercevant la souris.* ■ V. intr. Grandir, en parlant des plantes : *Beaucoup de fleurs poussent dans le jardin du curé.*

poussière [pusjɛr] n. f. Matière sèche, composée de terre, de débris, etc., réduite en grains petits et légers, qui volent facilement : *La voiture passa en soulevant un nuage de poussière.*

poutre [putr] n. f. Grosse pièce de bois, de métal ou de ciment utilisée dans une construction : *En entrant dans le grenier, il dut se baisser pour ne pas se heurter aux poutres.*

pouvoir [puvwar] v. tr. (voir tableau p. 358). Devant un infinitif, avoir la force physique, morale ou intellectuelle de faire quelque chose : *La valise était si lourde qu'il ne pouvait pas la soulever.* ★ Avoir les qualités nécessaires à une chose : *La salle peut contenir cinq cents personnes.* ★ Avoir le droit ou la permission de faire une chose : *On ne peut pas fumer dans les salles de théâtre.* ★ Avoir la possibilité de faire une chose : *Pourriez-vous venir me voir la semaine prochaine?*

pouvoir [puvwar] n. m. Force ou autorité qui permet d'agir : *J'aimerais vous aider, mais je n'en ai pas le pouvoir.* ★ Gouvernement d'un pays : *Le pouvoir politique n'a pas à intervenir dans les questions d'ordre judiciaire.*

prairie [prɛri] n. f. Etendue de terrain qui produit de l'herbe et du foin : *Il y avait deux chevaux dans la prairie, derrière la ferme.*

pratique [pratik] adj. Qui se rapporte non à la théorie, mais à la réalisation : *Pour les étudiants en sciences, les travaux pratiques ont autant d'importance que les conférences.* ★ Se dit de ce que l'on peut utiliser facilement : *Le métro est un moyen de transport très pratique.* ★ Se dit des personnes qui savent utiliser d'une manière concrète toutes les possibilités qui leur sont offertes : *Les gens pratiques réussissent dans les affaires.* ■ **Pratiquement** adv. ■ N. f. Mise en application de connaissances déterminées : *Après ses études, ce dentiste a acquis une excellente pratique de son métier.*

pratiquer [pratike] v. tr. Exercer une activité : *Il est robuste et pratique plusieurs sports.* ★ Exécuter quelque chose : *Le voleur a pratiqué une brèche dans le mur, pour pénétrer dans le jardin.*

pré [pre] n. m. Petite prairie : *Dans certaines régions, les vaches passent la nuit dans les prés en été.*

précaution [prekosjɔ̃] n. m. Mesure que l'on prend à l'avance pour éviter un risque : *Il s'entoure de précautions pour ne pas attraper froid.*

précédent, e [presedɑ̃, ɑ̃t] adj. Qui se produit ou est situé avant : *Son nouveau travail lui laisse moins de loisirs que le précédent.* ■ **Précédemment** adv. ■ N. m. Fait passé dont on se sert pour justifier un fait à peu près de même nature : *Il a gelé à Paris le 15 mai, c'est un fait sans précédent.*

précéder [presede] v. tr. (Se conj. comme *céder*.) Etre avant, dans le temps ou dans l'espace : *Les actualités précèdent généralement le film.*

prêcher [prɛʃe] v. tr. Enseigner la parole de Dieu : *Lorsqu'ils entrèrent dans l'église, le prêtre était en train de prêcher.*

précieux, euse [presjø, øz] adj. Se dit d'un objet qui a une grande valeur : *L'or est un métal précieux.* ■ **Précieusement** adv. Avec beaucoup de soin.

précipitation [presipitasjɔ̃] n. f. Manière d'agir dans laquelle les gestes et les actions se succèdent très vite : *Il est parti avec une telle précipitation qu'il a oublié la moitié de ses affaires.*

précipiter [presipite] v. tr. Faire tomber brusquement d'un endroit élevé. ■ **Se précipiter** v. pron. S'élancer aussi vite qu'on peut : *Le chien de garde s'est précipité sur moi quand j'ai ouvert la porte.*

précis, e [presi, iz] adj. Qui est si exact qu'il ne laisse place à aucun risque d'erreur : *Le tir était si précis qu'au premier coup le but fut atteint.* ■ **Précisément** adv.

préciser [presize] v. tr. Fournir un supplément d'indications : *On demanda au témoin de préciser les circonstances de l'accident.*

précision [presizjɔ̃] n. f. Caractère de ce qui est rigoureusement exact : *Il me fixa avec précision l'heure et l'endroit du rendez-vous.* ★ *Travail de précision,* travail dont l'exécution demande des calculs et des gestes précis. ★ Détail qui permet de mieux savoir, de mieux connaître, de mieux comprendre : *Le nouvel employé demanda quelques précisions sur le travail qu'il aurait à faire.*

précoce [prekɔs] adj. Qui a lieu avant le temps normal : *Le printemps a été précoce, cette année, et les arbres ont fleuri très tôt.*

prédécesseur [predesɛsœr] n. m. Personne qui en a précédé une autre dans une fonction, un emploi, etc. : *Mon prédécesseur a occupé pendant vingt ans les fonctions que j'ai actuellement.*

prédire [predir] v. tr. (Se conj. comme *dire,* sauf à la 2e pers. du pl. de l'indic. présent : *vous prédisez,* et de l'impér. : *prédisez.*) Annoncer ce qui arrivera plus tard : *Personne ne peut prédire l'avenir.*

préfabriqué, e [prefabrike] adj. Fabriqué en usine pour être monté rapidement : *On a dressé des bâtiments préfabriqués pour la durée de l'exposition.*

préface [prefas] n. f. Texte que l'on place en tête d'un livre, pour présenter celui-ci : *L'auteur explique dans la préface comment il a conçu son roman.*

préfecture [prefɛktyr] n. f. Chef-lieu du département où réside le préfet : *Versailles est la préfecture de la Seine-et-Oise.* ★ Bâtiment où sont installés les bureaux du préfet.

préférable [preferabl] adj. Qui mérite d'être préféré : *Je voulais sortir, mais j'ai trouvé préférable de rester, car j'ai du travail à faire.*

préférence [preferɑ̃s] n. f. Sentiment qui porte à choisir une chose ou une personne, au lieu d'une autre : *J'aime beaucoup lire, mais j'ai une préférence pour les livres d'histoire.* ■ Loc. adv. *De préférence,* en choisissant une chose plutôt qu'une autre.

préférer [prefere] v. tr. (Se conj. comme *céder.*) Aimer ou estimer mieux une personne ou une chose : *Ma femme et moi, nous préférons la ville à la campagne.*

préfet [prefɛ] n. m. Fonctionnaire qui administre un département et y représente l'Etat.

préfixe [prefiks] n. m. Gramm. Lettre ou ensemble de lettres qui précède une racine pour en modifier le sens : *Dans immobiliser, « im » est le préfixe et « iser » est le suffixe.*

préhistorique [preistɔrik] adj. Qui concerne la période de l'humanité qui s'étend avant l'époque à partir de laquelle nous possédons des documents écrits de caractère historique : *C'est au cours de l'époque préhistorique que l'homme a inventé le feu.*

préjudice [preʒydis] n. m. Perte physique ou tort moral causé à une personne : *Les derniers orages ont porté un grave préjudice aux récoltes de blé.*

préjugé [preʒyʒe] n. m. Opinion que l'on s'est faite d'avance et qu'on a adoptée sans examen : *Ma vieille tante manifeste des préjugés ridicules sur la nourriture.*

prélever [prelve] v. tr. (Se conj. comme *mener.*) Prendre une partie d'un tout, avant d'attribuer le reste : *Pour constituer la retraite des fonctionnaires, l'Etat prélève 6 p. 100 de leurs traitements.* ★ Prendre une quantité déterminée d'une chose en vue de l'analyser : *On a prélevé de l'eau du puits pour savoir si elle était potable.*

prématuré, e [prematyre] adj. Se dit de ce qui se produit trop tôt : *Une chaleur prématurée a fait fleurir les arbres fruitiers en mars.* ■ **Prématurément** adv.

préméditer [premedite] v. tr. Etudier à l'avance et secrètement ce qui est nécessaire à l'exécution de quelque chose : *L'assassin avait prémédité son crime depuis plusieurs mois.*

premier, ère [prəmje, ɛr] adj. num. Indique la place qui vient en tête : *Janvier est le premier mois de l'année.* ★ *En premier,* d'abord. ■ **Premièrement** adv.

prendre [prɑ̃dr] v. tr. (voir tableau p. 358). Mettre dans la main pour tenir : *Pour boire, on prend d'abord son verre, et on le porte ensuite à la bouche.* ★ Se rendre maître de : *L'ennemi a pris la ville après une rude bataille.* ★ Recevoir : *J'ai pris les informations, ce matin, à la radio. Il prend des leçons de guitare chez un professeur.* ★ Se procurer : *Tu prendras, en passant, un litre d'huile chez l'épicier.* ★ *Prendre froid,* tomber malade à cause du froid : *Elle a pris froid en sortant sans manteau.* ★ Faire usage de ; absorber : *Il prend l'avion pour aller à Londres. Je ne prends jamais de vin en mangeant. Pour rétablir l'ordre, le gouvernement a pris les mesures qui s'imposaient.* ★ *Prendre pour,* considérer comme : *Je le prenais pour quelqu'un d'intelligent, je m'étais trompé.* ■ V. intr. Produire un effet : *Le feu a pris si rapidement que les pompiers n'ont pas eu le temps d'intervenir.* ■ **Se prendre pour** v. pron. Se croire : *Il est très orgueilleux et il se prend pour un génie.*

prénom [prenɔ̃] n. m. Nom particulier donné à un enfant, à sa naissance : *Les enfants des Dupont portent comme prénoms Jacques et Anne-Marie.*

préoccupation [preɔkypasjɔ̃] n. f. Pensée qui ne laisse pas l'esprit tranquille : *Son état de santé donne beaucoup de préoccupations à sa mère.*

préoccuper [preɔkype] v. tr. Occuper fortement l'esprit : *Elle est invitée à un bal, et sa toilette la préoccupe beaucoup.* ■ **Se préoccuper** v. pron. S'inquiéter au sujet de quelqu'un ou de quelque chose : *L'opinion publique se préoccupe de la hausse des prix.*

préparatifs [preparatif] n. m. pl. Ensemble des choses que l'on fait pour préparer une entreprise quelconque : *La veille du départ a été occupée par de nombreux préparatifs.*

préparation [preparasjɔ̃] n. f. Action de préparer quelque chose ou de se préparer à quelque chose : *Le gâteau que vous mangez demande une longue préparation.*

préparer [prepare] v. tr. Faire ce qu'il faut pour obtenir un certain résultat : *Nous préparons un voyage en Italie.* ■ **Se préparer** v. pron. Préparer pour soi. ★ Etre prêt à se produire : *La guerre se préparait quand il arriva au ministère, en 1914.* ★ Agir de manière à être prêt : *Ma fille se prépare ; elle a presque fini de s'habiller.* ★ *Se préparer à* (+ infinitif), se disposer à : *Il se prépare à peindre sa cuisine.*

préposition [prepozisjɔ̃] n. f. GRAMM. Mot généralement court, qui introduit un complément.

près [prɛ] adv. A très petite distance dans l'espace ou dans le temps : *Nous arriverons rapidement chez lui, car il habite tout près.* ★ LOC. ADV. *A peu près,* presque : *J'ai à peu près terminé mon courrier, je pourrai l'envoyer ce soir.* ★ *De près,* d'un endroit peu éloigné : *Le visiteur s'approcha du tableau et le regarda de près.* ■ LOC. PRÉP. *Près de,* à petite distance de : *Versailles est près de Paris.* ★ Presque : *Il était près de deux heures quand je suis arrivé.* ★ Sur le point de : *Etes-vous près de partir?*

prescrire [prɛskrir] v. tr. (Se conj. comme *écrire.*) Ordonner par une formule déterminée : *Le médecin prescrivit dans son ordonnance de donner au malade dix gouttes de médicament deux fois par jour.*

présence [prezɑ̃s] n. f. Fait pour une personne ou une chose de se trouver dans un lieu déterminé : *J'espère que ma présence ne vous gêne pas.*

présent, e [prezɑ̃, ɑ̃t] adj. Qui se trouve en personne dans un certain lieu : *Vous étiez présent quand il est arrivé, puisqu'il vous a parlé.* ▪ N. m. Espace de temps où l'on est : *Les êtres jeunes vivent dans le présent, et les vieillards dans le passé.* ★ GRAMM. Temps du verbe qui place l'état ou l'action dans le moment où l'on est. ▪ LOC. ADV. *A présent,* maintenant.

présentateur, trice [prezɑ̃tatœr, tris] n. Personne chargée de présenter un spectacle ou une émission de radio ou de télévision : *Après les informations, la présentatrice vint annoncer le programme de la soirée.*

présentation [prezɑ̃tasjɔ̃] n. f. Action de présenter une personne, un objet, un spectacle, etc. : *J'ai assisté hier à la présentation de la collection de printemps chez un grand couturier.*

présenter [prezɑ̃te] v. tr. Mettre une chose devant quelqu'un, pour qu'il la regarde ou la prenne : *On lui a présenté plusieurs chapeaux avant qu'elle en choisisse un.* ★ FIG. Offrir aux regards, à l'attention, etc. : *L'océan présentait un spectacle grandiose.* ★ Mettre en présence deux ou plusieurs personnes, pour leur faire faire connaissance : *Au cours de la réception, j'ai eu l'occasion de présenter plusieurs de mes amis à mon beau-père.* ▪ **Se présenter** v. pron. Se mettre en présence : *Dès son arrivée au régiment, le capitaine alla se présenter au colonel.* ★ Avoir telle apparence : *L'affaire se présentait dans de mauvaises conditions.*

préserver [prezɛrve] v. tr. Mettre à l'abri ou protéger une personne ou une chose : *La peinture préserve le bois de la pluie.*

président, e [prezidɑ̃, ɑ̃t] n. Personne qui préside : *En France, le président de la République est élu pour sept ans.*

présider [prezide] v. tr. Diriger les travaux d'une assemblée, d'un tribunal, d'une affaire, etc. : *C'est un professeur d'université qui préside la distribution des prix du lycée, cette année.*

presque [prɛsk] adv. Pas tout à fait : *Le champion a presque réussi à battre le record, mais il a échoué de quelques secondes.*

presse [prɛs] n. f. Ensemble des journaux : *J'achète tous les soirs « le Monde », mais je lis souvent aussi la presse anglaise.*

pressentiment [prɛsɑ̃timɑ̃] n. m. Prévision vague et sans motif de ce qui doit arriver : *Il ne prit pas l'avion, car il avait le pressentiment que l'appareil aurait un accident.*

pressentir [prɛsɑ̃tir] v. tr. (Se conj. comme *sentir.*) Avoir le pressentiment d'une chose : *J'avais pressenti son succès à l'examen et je ne m'étais pas trompé.*

presser [prɛse] v. tr. Serrer en appuyant fortement : *Il pressa l'orange pour en faire couler le jus.* ★ Faire aller plus vite : *Il dut presser le pas pour arriver à l'heure.* ▪ **Se presser** v. pron. Aller plus vite : *Pressez-vous, le train part dans cinq minutes.* ★ Se serrer en très grand nombre : *La foule se pressait à l'entrée des grands magasins.*

pression [prɛsjɔ̃] n. f. Force exercée par un corps sur la surface intérieure ou extérieure d'un objet : *La pression de l'atmosphère est un peu supérieure à 1 kg par centimètre carré.* ★ FIG. Contrainte exercée sur quelqu'un : *On découvrit que sa décision avait été prise à la suite d'une pression faite par son directeur.*

prestige [prɛstiʒ] n. m. Réputation brillante dont sont entourés une forte personnalité, une idée, un sentiment, etc. : *L'Espagne avait un très grand prestige en Europe au XVIe siècle.*

prêt, e [prɛ, ɛt] adj. Que l'on a fini de préparer : *Les bagages sont prêts, tu peux les mettre dans le coffre de la voiture.* ★ *Etre prêt à* (+ infinitif), être sur le point de ; être en état de : *L'avion était prêt à décoller.*

prêt [prɛ] n. m. Chose ou somme que l'on a prêtée : *Il m'a remboursé le prêt de mille francs que je lui avais fait le mois dernier.*

prétendre [pretɑ̃dr] v. tr. (Se conj. comme *rendre.*) Affirmer avec force une chose dont les autres doutent : *Vous prétendez que vous étiez hier en voyage, mais je vous ai vu ici.* ★ Avoir l'ambition de : *L'industrie automobile française prétend dominer le marché de ce pays.*

prétentieux, euse [pretɑ̃sjø, øz] adj. Qui montre ouvertement qu'il s'estime supérieur aux autres : *Il est devenu très prétentieux depuis qu'il a fait fortune.*

prétention [pretɑ̃sjɔ̃] n. f. Action de réclamer une chose que l'on considère comme due. ★ Désir ambitieux : *Ce jeune député a la prétention de devenir ministre.*

prêter [prɛte] v. tr. Céder une chose à une personne qui doit le rendre après un temps déterminé : *Comme il pleuvait, je lui ai prêté mon imperméable, car il avait oublié le sien.*

prétexte [pretɛkst] n. m. Raison que l'on donne pour cacher le véritable motif : *Il cherche toujours un prétexte pour ne pas travailler.* ■ LOC. CONJ. *Sous prétexte que,* en prétendant que.

prêtre [prɛtr] n. Ministre d'un culte religieux : *Les prêtres catholiques disent la messe tous les jours.*

preuve [prœv] n. f. Fait qui sert à montrer qu'une chose est vraie : *Le sol est mouillé, c'est la preuve qu'il a plu.* ★ *Faire preuve de,* manifester.

prévenir [prevnir] v. tr. (Se conj. comme *venir.*) Informer quelqu'un à l'avance : *Je l'ai prévenu que nous arriverions la semaine prochaine.*

prévision [previzjɔ̃] n. f. Action de prévoir. ★ Ce que l'on prévoit : *Les prévisions de la météorologie nationale annoncent du beau temps.* ■ LOC. PRÉP. *En prévision de,* en prévoyant : *Elle a mis de l'argent de côté en prévision des vacances.*

prévoir [prevwar] v. tr. (voir tableau p. 358.) Voir à l'avance ce qui doit arriver, en raisonnant sur ce que l'on constate : *L'état du ciel fait prévoir un changement de temps.* ★ Prendre des précautions nécessaires à l'exécution de quelque chose : *Elle n'avait rien prévu pour le repas et ils durent aller au restaurant.*

prier [prije] v. tr. S'adresser à Dieu : *Elle entra un moment à l'église pour prier.* ★ Demander à quelqu'un d'accorder quelque chose : *Il m'a prié de lui servir de témoin à son mariage.* ■ **Se faire prier** v. pron. Attendre, avant de faire quelque chose, qu'on vous l'ait demandé plusieurs fois.

prière [prijɛr] n. f. Paroles que l'on adresse à Dieu ou aux saints pour leur demander une grâce ou les remercier : *Elle fit une prière à saint Antoine pour lui demander de l'aider à retrouver le porte-monnaie qu'elle avait perdu.* ★ FIG. Demande adressée à quelqu'un pour obtenir quelque chose. ★ *Prière* *de* (+ infinitif), on est prié de : *Prière de s'essuyer les pieds avant d'entrer.*

primaire [primɛr] adj. Qui appartient à l'enseignement du premier degré : *Il a quitté l'école primaire à onze ans pour entrer dans un lycée.*

prime [prim] n. f. Somme que l'on verse à une compagnie d'assurances pour être assuré. ★ Objet donné par un commerçant à ses clients, pour les encourager à acheter chez lui : *Mon épicier donne une assiette en prime à tous ceux qui achètent un kilo de café.* ★ Somme d'argent versée par l'Etat, une société, etc., pour récompenser quelqu'un et l'encourager à continuer : *La Sécurité sociale donne une prime aux jeunes mères à la naissance de leur enfant.*

primeurs [primœr] n. f. pl. Les premiers légumes ou les premiers fruits de la saison : *Beaucoup de primeurs françaises viennent de Bretagne.*

primitif, ive [primitif, iv] adj. Se dit des êtres et des choses qui se situent au commencement : *Les hommes primitifs vivaient dans des grottes.* ★ Qui est simple et naïf comme aux premiers temps : *C'est une peinture primitive, un peu grossière, mais pleine de charme.* ■ **Primitivement** adv. A l'origine.

primordial, e, aux [primɔrdjal, o] adj. Qui est de première importance : *L'éducation des enfants est un des éléments primordiaux de l'avenir d'un pays.*

prince, esse [prɛ̃s, sɛs] n. Personne appartenant à une famille royale : *Le roi donna de grandes fêtes à l'occasion du mariage de la princesse, sa fille.*

principal, e, aux [prɛ̃sipal, o] adj. Se dit de ce qui est plus important que tout le reste : *L'un des principaux acteurs étant malade, on dut annuler la représentation.* ★ GRAMM. *Proposition principale,* proposition dont d'autres dépendent et qui ne dépend d'aucune autre.

principe [prɛ̃sip] n. m. Commencement, origine d'une chose. ★ Règle générale de conduite : *Elle a pour principe de ne jamais faire de dettes.* ★ Loi à caractère général servant de base au raisonnement : *Au lycée, on enseigne aux enfants les principes de la géométrie.* ■ LOC. ADV. *En principe,* d'une manière générale : *En principe, je suis levé à huit heures.*

printemps [prɛ̃tɑ̃] n. m. Saison qui succède à l'hiver et qui, dans l'hémisphère Nord, commence le 21 mars : *Au printemps, les arbres fruitiers sont en fleur.*

priorité [prijɔrite] n. f. Droit que l'on a de passer avant les autres : *En France, la priorité à droite est un des principes de la circulation.*

prise [priz] n. f. Action de prendre : *Après la prise de la ville par l'ennemi, des incendies éclatèrent partout. Avant de l'opérer, on lui a fait une prise de sang.* ★ Point d'une conduite d'eau ou d'une ligne électrique par lequel on peut se procurer de l'eau, de l'électricité : *Il a fait installer une prise de courant dans sa cuisine pour le réfrigérateur.*

prison [prizɔ̃] n. f. Etablissement où l'on enferme les personnes que l'on veut priver de liberté, pour une raison quelconque : *Les prisons sont généralement entourées de très hauts murs.*

prisonnier, ère [prizɔnje, ɛr] adj. Qui n'a plus sa liberté : *La cage retient l'oiseau prisonnier.* ■ N. Personne qui est en prison : *Les prisonniers doivent nettoyer leur cellule.* ★ Soldat pris par l'ennemi : *Les soldats croisaient des prisonniers en marche vers l'arrière.*

privation [privasjɔ̃] n. f. Fait d'être privé : *La privation de nourriture affaiblit les malades.*

privé, e [prive] adj. Qui n'est pas public : *Une route privée conduisait à la propriété de mes amis. L'actrice répondit aux journalistes que sa vie privée ne les concernait pas.*

priver [prive] v. tr. Enlever à une personne ce qui lui était utile, agréable, etc. : *L'enfant a été privé de dessert pour avoir désobéi.* ■ **Se priver de** v. pron. Ne pas vouloir profiter de quelque chose : *Elle s'est privée de vacances pour pouvoir acheter une nouvelle voiture.*

privilégié, e [privileʒje] adj. Qui a des avantages que les autres n'ont pas : *Le sud-ouest de la France a un climat privilégié.*

prix [pri] n. m. Somme que l'on doit payer pour acheter un objet : *Le prix de ce meuble est de cinq cents francs.* ★ Fig. Récompense donnée à quelqu'un à cause de ses mérites : *Jean a eu, cette année, le premier prix de mathématiques.* ■ Loc. adv. *A tout prix,* même si cela doit coûter des efforts extraordinaires : *Il faut à tout prix que nous ayons terminé ce soir.* ★ *Hors de prix,* extrêmement cher.

probable [prɔbabl] adj. Qui, toute réflexion faite, a les plus grandes chances d'être vrai, ou d'arriver : *Il est probable que ce mauvais temps ne durera pas toujours!* ■ **Probablement** adv.

problème [problɛm] n. m. Difficulté à laquelle il faut trouver une solution : *On a donné à l'examen un problème de géométrie très difficile. Pour éviter les grèves, le gouvernement dut s'occuper du problème de la hausse des prix.*

procédé [prɔsede] n. m. Manière de s'y prendre à l'égard d'une personne : *Il entre toujours sans frapper : je n'aime pas ce procédé.* ★ Manière de s'y prendre pour faire ou fabriquer quelque chose : *On a trouvé des procédés pour empêcher le fer de rouiller.*

procéder [prɔsede] v. intr. (Se conj. comme *céder.*) Agir d'une certaine manière : *Si tu veux apprendre une langue, tu dois procéder avec méthode.*

procès [prɔsɛ] n. m. Affaire confiée à la justice pour être réglée : *Mon voisin a perdu son procès, car on a prouvé qu'il avait tort.* ★ *Faire un procès à quelqu'un,* l'attaquer devant la justice.

procès-verbal [prɔsɛvɛrbal] n. m. Acte officiel rédigé pour constater une désobéissance aux règlements. ★ *Dresser un procès-verbal,* constater par un procès-verbal : *La police de la route m'a dressé un procès-verbal pour excès de vitesse.* ★ Document officiel rapportant ce qu'on a dit, fait, décidé dans une circonstance déterminée.

prochain, e [prɔʃɛ̃, ɛn] adj. Qui vient immédiatement après ce dont il est question : *Nous prendrons de l'essence au prochain village. Cette semaine je travaille, mais je me reposerai la semaine prochaine.* ■ **Prochainement** adv.

proche [prɔʃ] adj. Qui n'est pas éloigné dans le temps ou dans l'espace : *Notre hôtel est proche de la gare.* ★ *Les proches parents,* les personnes de la famille auxquelles on est le plus lié.

proclamer [prɔklame] v. tr. Annoncer en public d'une manière solennelle : *Le président du jury a proclamé les résultats de l'examen.*

procurer [prɔkyre] v. tr. Agir pour faire obtenir : *Il est venu me voir pour me demander de lui procurer un emploi.* ■ **Se procurer** v. pron. Obtenir quelque chose grâce à des efforts :

A force de chercher, j'ai réussi à me procurer le livre rare dont j'avais besoin.

prodigieux, euse [prɔdiʒjø, øz] adj. Qui se manifeste d'une manière extraordinaire : *Il a une mémoire prodigieuse : il connaît les numéros de téléphone de plusieurs dizaines de personnes.* ■ **Prodigieusement** adv.

producteur, trice [prɔdyktœr, tris] adj. Qui crée par son travail des produits agricoles, industriels, etc. : *La France est un pays producteur de vins.* ■ N. Personne qui crée par son travail des produits agricoles ou industriels : *Les producteurs de sucre ont protesté contre les nouveaux impôts.*

production [prɔdyksjɔ̃] n. f. Action de produire : *La production en masse permet d'abaisser les prix.* ★ Ce qui est produit : *La production de blé de ce pays a beaucoup augmenté depuis cinq ans.*

produire [prɔdɥir] v. tr. (Se conj. comme *conduire.*) Faire venir sous une certaine forme : *Ce bassin houiller produit une très grande quantité de charbon.* ■ **Se produire** v. pron. Se manifester : *A la suite de l'orage, un incendie s'est produit et une partie de la forêt a brûlé.*

produit [prɔdɥi] n. m. Ce que l'homme tire du travail agricole ou industriel : *Nous vendons au marché les produits de notre jardin.* ★ Résultat d'une opération chimique : *Je suis allé chez le marchand de couleurs acheter un produit pour enlever les taches de graisse.*

professeur [prɔfɛsœr] n. m. Personne qui enseigne un art, une science ou une technique : *Ma fille a un excellent professeur de piano qui lui fait faire de grands progrès.*

profession [prɔfɛsjɔ̃] n. f. Métier habituel : *Lorsqu'on lui demanda quelle était sa profession, il répondit qu'il était médecin.*

professionnel, elle [prɔfɛsjɔnɛl] adj. Qui concerne une profession : *Il a appris le métier de menuisier à l'école professionnelle de notre petite ville.*

profil [prɔfil] n. m. Ensemble des lignes d'un visage vu de côté : *Le peintre dessina sur la toile le profil de son modèle.* ★ *De profil,* lorsqu'on voit le profil : *Comme il a un grand nez, il ne se fait jamais photographier de profil.*

profit [prɔfi] n. m. Avantage que l'on obtient quand on fait quelque chose : *Il ne tire aucun profit de ses lectures, parce qu'il choisit mal ses livres.* ★ Bénéfice commercial : *Il a réalisé un gros profit en vendant très cher sa maison de campagne.*

profitable [prɔfitabl] adj. Qui procure un profit : *Au cours de ses voyages, il a acquis une expérience profitable.*

profiter [prɔfite] v. intr. Tirer un profit de quelque chose : *J'ai profité de mon voyage à Paris pour revoir les musées.*

profond, e [prɔfɔ̃, ɔ̃d] adj. Dont le fond est très loin de l'entrée ou de la partie supérieure : *La rivière est très profonde, beaucoup de gens s'y sont noyés.* ★ FIG. Qui est extrême : *Il dormait d'un profond sommeil.* ★ Qui témoigne d'une grande réflexion : *Les ouvrages de Pascal contiennent des pensées très profondes.* ■ **Profondément** adv.

profondeur [prɔfɔ̃dœr] n. f. Distance entre le fond et la surface opposée : *Le puits a 40 mètres de profondeur.* ★ FIG. Qualité qui manifeste de la réflexion : *C'est un ouvrage philosophique d'une grande profondeur.*

programme [prɔgram] n. m. Indications concernant la matière d'un travail, d'un examen, d'une fête, d'un spectacle, etc. : *Les journaux donnent tous les jours le programme des théâtres.*

progrès [prɔgrɛ] n. m. Mouvement vers l'avant : *On peut constater d'heure en heure les progrès de l'inondation.* ★ FIG. : *Le maître félicita l'écolier de ses progrès.*

progressif, ive [prɔgrɛsif, iv] adj. Qui se déplace selon un mouvement continu : *Un bon enseignement doit être progressif pour être efficace.* ■ **Progressivement** adv.

progression [prɔgrɛsjɔ̃] n. f. Mouvement continu vers l'avant : *Ils observèrent de loin la progression des alpinistes sur le glacier.*

proie [prwa] n. f. Etre vivant que certains animaux sauvages saisissent pour s'en nourrir : *Le loup tua l'agneau et emporta sa proie pour la manger.* ★ FIG. *Etre la proie de, être en proie à,* être livré sans défense à : *Un violent incendie se déclara et le bateau devint la proie des flammes.*

projectile [prɔʒɛktil] n. m. Tout corps lancé avec force à la main ou avec une arme : *L'enfant lança une pierre et le projectile vint briser un carreau.*

projection [prɔʒɛksjɔ̃] n. f. Action de lancer en avant. ★ Action de projeter un film ou des vues fixes sur un écran : *Les spectateurs sortirent après la projection du film.*

projet [prɔʒɛ] n. m. Idée que l'on se propose de réaliser : *Les deux amis firent le projet d'aller en Grèce l'année suivante.*

projeter [prɔʒte] v. tr. (Se conj. comme *jeter.*) Lancer en avant : *Le soleil projette ses rayons sur la campagne.* ★ Envoyer sur un écran une image photographique éclairée (film ou vues fixes) : *Mon frère a projeté chez lui un film qu'il avait réalisé pendant les vacances.* ★ Faire des projets : *Comme il faisait beau, nous avons projeté de déjeuner sur l'herbe.*

prolonger [prɔlɔ̃ʒe] v. tr. (Se conj. comme *manger.*) Augmenter la longueur ou la durée de quelque chose : *La route a été prolongée jusqu'au village.*

promenade [prɔmnad] n. f. Action de se promener : *Comme il faisait beau, nous décidâmes de faire une promenade à la campagne.* ★ Lieu aménagé pour que l'on s'y promène : *La Promenade des Anglais, à Nice, se trouve en bordure de la mer.*

promener [prɔmne] v. tr. Mener quelqu'un dans un lieu pour lui donner de l'exercice, lui faire prendre l'air, etc. : *La grand-mère promène son petit-fils tous les jours dans le parc.* ★ Faire aller de côté et d'autre : *Il promena son regard sur la foule qui l'entourait.* ■ **Se promener** v. pron. Aller à pied, en voiture, etc., sans se presser, pour se reposer ou se distraire : *S'il fait beau, je prendrai ma bicyclette, et je me promènerai dans la forêt.*

promesse [prɔmɛs] n. f. Ce qu'on promet de faire, de dire, de donner, etc. : *J'ai dit à mes enfants que je les emmènerais au cirque; il faut que je tienne ma promesse.*

promettre [prɔmɛtr] v. tr. (Se conj. comme *mettre.*) S'engager, oralement ou par écrit, à faire ou à dire quelque chose : *Le tailleur promit que le costume serait prêt à la date prévue.*

pronom [prɔnɔ̃] n. m. GRAMM. Mot qui remplace un nom : « *Je* », « *tu* », « *il* », *etc., sont des pronoms personnels.*

pronominal, e, aux [prɔnɔminal, o] adj. Qui concerne le pronom. ★ GRAMM. *Verbe pronominal,* verbe accompagné par un des pronoms personnels *me, te, se, nous, vous,* représentant la même personne ou la même chose que le sujet : *« S'habiller » est un verbe pronominal.*

prononcer [prɔnɔ̃se] v. tr. (Se conj. comme *annoncer.*) Faire entendre publiquement : *Le député a prononcé un discours devant ses électeurs.* ★ Emettre les sons qui composent un mot ou une langue : *Je ne sais pas ce qu'a voulu dire cet étranger, qui prononce très mal le français.*

prononciation [prɔnɔ̃sjasjɔ̃] n. f. Manière dont on fait entendre les sons d'un mot ou d'une langue : *Chaque langue a ses règles particulières de prononciation.*

propagande [prɔpagɑ̃d] n. f. Action organisée en vue de répandre une opinion, une religion, des idées politiques, etc. : *Les journaux et la radio facilitent la propagande des idées.*

propager [prɔpaʒe] v. tr. (Se conj. comme *manger.*) Répandre des nouvelles, des idées, etc. : *Les journaux propagèrent la nouvelle de la catastrophe.* ■ **Se propager** v. pron. Se répandre. ★ FIG. En parlant d'un incendie, d'une maladie, etc., gagner du terrain : *Le feu, qui avait éclaté dans la cuisine, se propagea rapidement dans le reste de la maison.*

proportion [prɔpɔrsjɔ̃] n. f. Grandeur d'une partie par rapport aux autres parties : *Quand on dessine un objet, il faut bien observer ses proportions. Il faut récompenser les gens en proportion des services qu'ils ont rendus.* ★ Etendue ou intensité d'une chose : *L'inondation a pris des proportions considérables.*

proportionnel, elle [prɔpɔrsjɔnɛl] adj. Qui varie en proportion avec une autre quantité : *Dans une école, le nombre des maîtres doit être proportionnel au nombre des élèves.* ■ **Proportionnellement** adv.

propos [prɔpo] n. m. Paroles échangées dans la conversation : *Au cours du dîner, les invités ont tenu des propos sans intérêt.* ■ LOC. ADV. *A propos,* au moment qui convient : *Je me suis aperçu que je les dérangeais et que j'arrivais mal à propos.* ■ LOC. PRÉP. *A propos de,* au sujet de : *J'ai deux mots à vous dire à propos de cette affaire.*

proposer [prɔpoze] v. tr. Mettre quelque chose en avant, pour qu'on l'examine ou qu'on le prenne : *J'ai proposé mon avis, mais on ne l'a pas suivi.* ★ Présenter une personne comme candidat : *Le capitaine a été proposé pour le grade de commandant.* ■ **Se proposer de** v. pron. Avoir l'intention de : *Je me propose depuis longtemps de vous écrire.*

proposition [prɔpozisjɔ̃] n. f. Idée, projet offert à l'examen de quelqu'un : *Nous irons nous promener demain, si cette proposition vous convient.* ★ GRAMM. Mot ou groupe de mots exprimant un jugement, un sentiment, un désir, etc. : *Il y a trois sortes de propositions : la proposition indépendante, la proposition principale et la proposition subordonnée.*

propre [prɔpr] adj. Qui appartient à une seule personne ou à une seule chose : *Je suis sûr qu'il est arrivé, car je l'ai vu de mes propres yeux.* ★ *Nom propre,* v. NOM. ★ *Sens propre,* signification réelle d'un mot, par opposition au *sens figuré.* ★ Qui n'a pas été sali ou qui n'est plus sale : *La blanchisseuse a rapporté le linge propre.* ■ **Proprement** adv.

propreté [prɔprəte] n. f. Qualité de ce qui est net, lavé, entretenu, etc. : *La propreté des villages d'Alsace est bien connue.*

propriétaire [prɔprijetɛr] n. Personne à qui une chose appartient en propriété : *Mon frère est propriétaire de deux chevaux de course.* ★ Personne qui a la propriété d'une maison occupée par un ou plusieurs locataires : *Tous les trois mois, je paie mon loyer au propriétaire.*

propriété [prɔprijete] n. f. Droit par lequel une chose ou un animal appartient légalement à quelqu'un : *L'appartement qu'il occupe est sa propriété ; il l'a acheté l'année dernière.* ★ Maison entourée d'un grand jardin. ★ Qualité propre à une chose : *Une des propriétés du sucre, c'est de se dissoudre dans l'eau.*

prose [proz] n. f. Manière de s'exprimer, employée notamment en parlant, qui n'est pas soumise aux règles de la poésie : *Les romans modernes sont toujours écrits en prose.*

prospectus [prɔspɛktys] n. m. Imprimé où l'on explique les caractéristiques et les qualités d'un objet, d'une affaire, etc. : *J'ai pris des prospectus dans une agence de voyages.*

prospérité [prɔsperite] n. f. Etat d'une affaire publique ou privée qui donne satisfaction : *La prospérité d'un pays dépend en grande partie du travail de ses habitants.*

protection [prɔtɛksjɔ̃] n. f. Action de protéger ou de secourir : *La protection des citoyens est assurée par la police et l'armée.* ★ Ce qui protège.

protéger [prɔteʒe] v. tr. (Se conj. comme *abréger.*) Couvrir pour mettre à l'abri : *Le toit protège la maison de la pluie et du froid.* ★ Défendre contre un danger : *Les forts doivent protéger les faibles.*

protestant, e [prɔtɛstɑ̃, ɑ̃t] adj. Qui appartient au protestantisme : *Les pasteurs sont les ministres du culte protestant.* ■ N. Personne dont la religion est le protestantisme.

protestantisme [prɔtɛstɑ̃tism] n. m. Ensemble des religions chrétiennes qui, depuis la Réforme du XVIe s., sont fondées sur la seule autorité des Ecritures et le salut par la foi, et qui ne reconnaissent que Jésus-Christ comme chef de l'Eglise : *Calvin fut le fondateur du protestantisme en France.*

protestation [prɔtɛstasjɔ̃] n. f. Déclaration par laquelle on affirme qu'on n'est pas d'accord avec quelque chose : *Des protestations s'élevèrent lorsqu'on annonça que l'avion ne partirait pas.*

protester [prɔtɛste] v. intr. Faire savoir que l'on est contre quelque chose : *Voltaire écrivit de nombreux ouvrages pour protester contre les abus de son temps.*

prouver [pruve] v. tr. Etablir la vérité d'une chose de manière certaine : *Copernic prouva scientifiquement le mouvement de la Terre autour du Soleil.* ★ Montrer par une preuve : *Il a prouvé son courage en sauvant une personne qui allait se noyer.*

provenance [prɔvnɑ̃s] n. f. Lieu d'origine d'une personne ou d'un produit : *Le train en provenance de Marseille arrive à Paris à 8 heures 40.*

provenir [prɔvnir] v. intr. (Se conj. comme *venir.*) Avoir comme source ou comme origine : *Le thé provient surtout de Chine et de Ceylan.*

proverbe [prɔvɛrb] n. m. Courte phrase, souvent citée, formulant un conseil de morale pratique : *Les proverbes sont l'expression de la sagesse populaire.*

providence [prɔvidɑ̃s] n. f. Sagesse par laquelle Dieu conduit toutes choses. ★ Hasard favorable.

providentiel, elle [prɔvidɑ̃sjɛl] adj. Envoyé par la Providence. ★ Se dit de ce qui arrive à propos pour protéger ou aider les hommes : *Une pluie providentielle a sauvé la récolte.* ■ **Providentiellement** adv.

province [prɔvɛ̃s] n. f. Division administrative d'un Etat, correspondant ou non à une région naturelle : *L'Italie est divisée en plusieurs provinces.* ★ En France, nom donné au territoire, par opposition à Paris et à sa banlieue : *Ces ouvriers sans travail ont quitté la province et se sont installés dans la capitale.*

provincial, e, aux [prɔvɛ̃sjal, o] adj. Qui appartient à la province, par opposition à Paris : *Bien qu'il soit à Paris depuis longtemps, il a gardé un accent provincial très marqué.* ★ Qui a les qualités et les défauts de la province : *Quelques vieilles rues de Paris ont conservé un charme très provincial.* ■ N. Personne qui habite la province.

provision [prɔvizjɔ̃] n. f. Ensemble des choses nécessaires à la vie d'un groupe de personnes, et qu'on accumule en vue d'un usage prochain : *Les ménagères rangent leurs provisions dans le buffet de la cuisine. J'ai fait rentrer dans ma cave une provision de charbon pour l'hiver.*

provisoire [prɔvizwar] adj. Qui ne doit durer qu'un certain temps : *Une infirmière donna des soins provisoires au blessé en attendant l'arrivée du médecin.* ■ **Provisoirement** adv.

provoquer [prɔvɔke] v. tr. Exciter la colère de quelqu'un : *Un homme ivre provoquait les passants en leur disant des injures.* ★ Agir de manière à être la cause de quelque chose : *Certains microbes provoquent des maladies très graves.*

proximité [prɔksimite] n. f. Situation de ce qui est proche dans l'espace ou dans le temps : *Grâce à la proximité de la mer, nous pouvons nous baigner tous les jours. La proximité du départ excitait les enfants.* ■ LOC. PRÉP. *A proximité de,* tout près de.

prudence [prydɑ̃s] n. f. Habileté dans la conduite, qui permet de prévoir et d'éviter une faute ou un danger : *La plus grande prudence est recommandée aux automobilistes.*

prudent, e [prydɑ̃, ɑ̃t] adj. Se dit d'une personne qui agit de manière à éviter une faute ou un danger : *On recommanda à l'enfant d'être prudent en traversant la rue.* ★ Qui est conforme à la prudence : *Il va peut-être pleuvoir; il serait prudent de prendre un parapluie.* ■ **Prudemment** adv.

psychanalyse [psikanaliz] n. f. Science qui, grâce à l'examen des rêves et d'autres phénomènes inconscients, permet de guérir certains troubles de l'esprit et du corps.

psychiatre [psikjatr] n. Médecin spécialiste des maladies mentales : *Les psychiatres ont guéri mon voisin, qui commençait à perdre la raison.*

psychologie [psikɔlɔʒi] n. f. Etude scientifique des phénomènes qui se passent dans l'esprit : *La psychologie de l'enfant a fait faire de grands progrès à la pédagogie.* ★ Forme d'instinct ou d'intelligence qui permet de comprendre l'esprit, le caractère des gens, de deviner leurs réactions, etc. : *Cette femme a plus de psychologie que son mari.*

psychologique [psikɔlɔʒik] adj. Qui concerne la psychologie : *L'analyse psychologique tient une place importante dans les tragédies de Racine.* ■ **Psychologiquement** adv.

psychologue [psikɔlɔg] adj. Se dit d'une personne qui sait observer ou deviner ce qui se passe dans l'esprit des autres : *Cet homme n'est pas très psychologue, et il ne comprend pas toujours les réactions de son fils.* ■ N. Personne qui étudie, d'une manière plus ou moins scientifique, ce qui se passe dans l'esprit des autres : *Les psychologues modernes ont découvert les complexes.*

public, publique [pyblik] adj. Qui est destiné à tout le monde : *Les enfants jouent dans le jardin public.* ★ Qui concerne tout un peuple : *Les chefs d'Etat doivent se préoccuper de l'intérêt public.* ■ **Publiquement** adv. ■ N. m. Ensemble des personnes auxquelles on s'adresse : *Le spectacle ne commençait pas, et le public s'impatientait.* ★ *En public,* devant un grand nombre de personnes.

publication [pyblikasjɔ̃] n. f. Action de publier : *La publication de la pièce a eu lieu bien après sa représentation au théâtre.* ★ Livre ou journal qu'on publie : *Ce libraire vend beaucoup de publications illustrées.*

publicité [pyblisite] n. f. Etat de ce qui est porté à la connaissance du public. ★ Ensemble des procédés employés dans le commerce pour vanter et faire vendre un produit : *Une grande publicité a été faite pour lancer une nouvelle marque de lessive.*

publier [pyblije] v. tr. Faire imprimer et mettre en vente un livre, un journal : *On vient de publier le premier roman d'un jeune écrivain.* ★ Faire connaître à tout le monde.

puce [pys] n. f. Très petit insecte sans ailes, qui peut se déplacer en sautant et qui se nourrit du sang de l'homme et de certains animaux : *Le chien se grattait, car une puce l'avait piqué.*

puis [pɥi] adv. Indique une succession dans le temps ou dans l'espace : *Hier, j'ai dîné de bonne heure, puis je suis allé au cinéma.*

puisque [pɥisk] conj. Marque la raison qui justifie une action : *Puisque vous partez, je vous accompagne.*

puissance [pɥisɑ̃s] n. f. Force qui permet de commander, d'agir : *La puissance de ce remède est bien connue.* ★ Autorité morale qui permet d'exercer une influence : *La puissance de l'exemple est plus grande que celle des conseils ou des critiques.* ★ Etat possédant la souveraineté : *Les puissances européennes se sont fait longtemps la guerre.*

puissant, e [pɥisɑ̃, ɑ̃t] adj. Qui a beaucoup de force, de pouvoir, d'influence : *Les avions ont des moteurs puissants qui leur permettent d'atteindre des vitesses considérables.* ■ **Puissamment** adv.

puits [pɥi] n. m. Trou profond, creusé dans la terre pour en tirer de l'eau ou des minéraux : *Il y a dans le jardin un puits qui donne une eau très fraîche. On a mis en service un nouveau puits de pétrole.*

pulmonaire [pylmɔnɛr] adj. Qui concerne les poumons : *Les personnes atteintes de maladies pulmonaires doivent souvent faire un long séjour en montagne.*

punir [pynir] v. tr. Faire subir à quelqu'un la peine que mérite sa faute ou son crime : *L'élève qui n'avait pas appris sa leçon a été puni par son maître.*

punition [pynisjɔ̃] n. f. Action de punir. ★ Peine infligée à une personne qui a commis une faute : *L'enfant a reçu une punition pour avoir menti.*

pur, e [pyr] adj. Qui n'est pas mélangé d'éléments étrangers : *A la fin du repas, il but un verre de vin pur.* ★ Qu'aucun élément mauvais ne vient troubler : *En haute montagne, on respire un air très pur.* ■ **Purement** adv.

purée [pyre] n. f. Plat de légumes écrasés : *Il commanda au restaurant un bifteck et de la purée de pommes de terre.*

pureté [pyrte] n. f. Etat de ce qui ne comporte aucun élément étranger ou mauvais : *La pureté du ciel laissait prévoir un temps magnifique.*

purifier [pyrifje] v. tr. Rendre pur : *Il faudra purifier cette eau, qui a mauvais goût.*

pus [py] n. m. Liquide épais et jaune, qui se forme dans une plaie mal soignée : *Nettoyez cette blessure à l'alcool, sinon il va s'y former du pus.*

pyjama [piʒama] n. m. Vêtement de tissu léger, composé d'une veste et d'un pantalon, que l'on porte la nuit : *Il se déshabilla, mit son pyjama et se coucha.*

pylône [pilon] n. m. Poteau de grandes dimensions, en métal ou en béton, qui supporte une ligne électrique aérienne : *Un courant électrique de très haute tension circule dans les fils qui passent sur les pylônes.*

pyramide [piramid] n. f. Solide dont la base a plusieurs côtés et dont

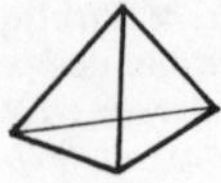

les faces, en forme de triangle, se réunissent toutes en un même point.

Q

quai [ke] n. m. Sorte de plate-forme construite le long d'un cours d'eau, d'un port, d'une voie ferrée, etc., qui permet le passage des personnes et le chargement des marchandises : *Les quais de la Seine offrent un spectacle merveilleux au touriste qui visite Paris.*

qualificatif, ive [kalifikatif, iv] adj. Se dit des adjectifs qui donnent une qualité au nom : *Dans la phrase « j'ai un bon chien », « bon » est un adjectif qualificatif.*

qualifier [kalifje] v. tr. Attribuer une qualité ou un titre à quelque chose ou à quelqu'un : *On manque de mots pour qualifier une conduite aussi cruelle.*

qualité [kalite] n. f. Manière d'être, bonne ou mauvaise, d'une chose : *Le vin est de mauvaise qualité, cette année, car l'été n'a pas été assez chaud.* ★ Supériorité physique ou morale : *Cet enfant est bien élevé, intelligent et travailleur; il a beaucoup de qualités.* ■ LOC. PRÉP. *En qualité de,* à titre de : *C'est en qualité de maire qu'il a assisté au banquet des anciens combattants.*

quand [kɑ̃] conj. Introduit une proposition déterminant le moment où se passe quelque chose : *Quand il fait beau, je vais me promener.* ■ Adv. interr. A quel moment ? : *Quand viendrez-vous dîner chez moi?* ★ LOC. ADV. *Quand même,* malgré cela : *Il était malade, mais il est quand même venu travailler.*

quant à [kɑ̃ta] loc. prép. En ce qui concerne : *Cet enfant travaille bien à l'école; quant à son frère, c'est un paresseux.*

quantité [kɑ̃tite] n. f. Tout ce dont la mesure s'exprime en nombres : *Le cerisier a donné, cette année, une grande quantité de cerises.*

quarante [karɑ̃t] adj. num. Dix fois quatre.

quart [kar] n. m. Une des parties d'un tout divisé en quatre parties égales.

quartier [kartje] n. m. Partie d'un tout que l'on a coupé en quatre ou en plus de quatre morceaux : *Chaque enfant eut droit à un quartier de pomme.* ★ Petite division administrative d'une ville : *A Paris, il y a un commissariat de police par quartier.* ★ Habitants d'une partie de la ville : *Le quartier a été réveillé, cette nuit, par une explosion de gaz.*

quatorze [katɔrz] adj. num. Treize plus un. ■ N. m. Nom de nombre égal à treize plus un.

quatre [katr] adj. num. Trois plus un : *Deux et deux font quatre.* ■ N. m. Nom de nombre égal à trois plus un.

quatre-vingts [katrəvɛ̃] adj. num. Quatre fois vingt : *On écrit : quatre-vingts francs, mais quatre-vingt-dix francs.*

quatrième [katrijɛm] adj. num. qui indique la place qui suit la troisième.

que [kə] pron. rel. (*Qu'* devant une voyelle ou un *h* muet.) Pronom qui a toujours la fonction d'objet direct : *Le livre que je lis est amusant.* ■ Pron. interr. Quelle chose ? : *Que voyez-vous là-bas?* ★ *Qu'est-ce que?,* quelle chose ? : *Qu'est-ce que vous voulez?* ★ *Qu'est-ce qui?,* quelle chose ? (dans ce cas désigne le sujet) : *Qu'est-ce qui va le plus vite, le train ou l'avion?*

que [kə] conj. (*Qu'* devant une voyelle ou un *h* muet.) Introduit une proposition subordonnée sujet, attribut ou complément d'objet : *Il faut* *que je parte.* ■ Adv. Marque la surprise, l'admiration, etc. : *Que tu as mauvais caractère!* ★ Loc. adv. *Ne... que,* seulement : *Il ne boit que de l'eau.*

quel m., **quelle** f., **quels** m. pl., **quelles** f. pl. [kɛl] adj. interr. Indique que l'interrogation porte sur le nom qui suit : *Quel film avez-vous vu? Quelles fleurs préférez-vous?* ■ Adj. exclam. Indique que le nom qui le suit est l'objet de l'exclamation : *Quel temps magnifique!* ★ *Quel que,* si grand que (exprime l'idée d'opposition) : *Quels que soient les avantages que vous puissiez retirer de cette affaire, ne vous en occupez pas.*

quelconque [kɛlkɔ̃k] adj. indéf. N'importe lequel : *Il ne savait pas où aller, il emprunta un chemin quelconque.* ★ Fam. Qui n'a pas beaucoup de valeur, d'intérêt, etc.

quelque [kɛlk] adj. indéf. Indique qu'on ne peut préciser une quantité, une valeur, une durée, etc. : *Ce soir, je réunis quelques amis à dîner.* ★ *Quelque chose,* une chose ou une autre : *La mère promit à l'enfant de lui donner quelque chose, s'il était sage.*

quelquefois [kɛlkəfwa] adv. Un petit nombre de fois : *Nous ne sortons pas souvent, mais nous allons quelquefois au cinéma.*

quelqu'un [kɛlkœ̃] pron. indéf. Désigne une personne dont on ne précise pas l'identité : *J'ai vu quelqu'un entrer dans votre maison.* ★ Pl. *Quelques-uns, quelques-unes,* un petit nombre : *Parmi mes amis, quelques-uns sont français, d'autres sont étrangers.*

querelle [kərɛl] n. f. Désaccord entre deux ou plusieurs personnes qui se manifeste par des mots violents : *Une querelle éclata entre les deux automobilistes.*

question [kɛstjɔ̃] n. f. Demande que l'on fait pour savoir quelque chose : *L'élève n'avait pas très bien compris la leçon, et il a posé des questions à son professeur.* ★ Problème qu'il faut examiner : *C'est une question de droit que je ne peux résoudre, et il faut demander conseil à un avocat.* ★ *Il est question de,* on parle de : *Il est question de construire un nouveau stade dans notre ville.*

questionnaire [kɛstjɔnɛr] n. m. Imprimé portant une série de questions auxquelles on doit répondre par écrit : *Pour m'inscrire à cette école, j'ai dû remplir un questionnaire sur mes études précédentes.*

questionner [kɛstjɔne] v. tr. Demander quelque chose à quelqu'un, pour obtenir certains renseignements : *Au baccalauréat, le professeur questionna longuement le candidat.*

queue [kø] n. f. Partie du corps de certains animaux qui prolonge la colonne vertébrale : *Les chats n'aiment pas qu'on leur tire la queue.* ★ Ce qui rattache une feuille, une fleur ou un fruit à une branche. ★ Partie qui termine certains objets, et par laquelle on peut les saisir : *Cette casserole a une queue en bois.* ★ File de gens qui attendent pour être servis, pour passer, etc. : *J'ai fait la queue un quart d'heure avant d'entrer dans le cinéma.*

qui [ki] pron. rel. Pronom qui désigne une personne ou une chose lorsqu'il est sujet, et qui, aux autres fonctions, ne peut désigner que des personnes : *Les livres qui sont sur la table sont à moi. C'est lui qui a porté la lettre à la poste. Je vous présente les amis avec qui j'ai passé la soirée d'hier.* ■ Pron. interr. Quelle personne? : *Qui vient de sonner? — C'est le facteur.* ★ *Qui est-ce qui?* Quelle personne? : *Qui est-ce qui veut m'accompagner à la gare?*

quincaillerie [kɛ̃kajri] n. f. Ensemble des objets ménagers en métal et de peu de valeur. ★ Magasin où sont vendus ces objets : *Je suis allée à la quincaillerie pour acheter des casseroles et un panier à salade.*

quinzaine [kɛ̃zɛn] n. f. Groupe qui compte soit exactement, soit environ quinze unités : *Il est parti se reposer à la montagne pour une quinzaine de jours.*

quinze [kɛ̃z] adj. num. Quatorze plus un. ■ N. m. Nom de nombre égal à quatorze plus un.

quittance [kitɑ̃s] n. f. Ecrit que l'on remet à quelqu'un pour certifier qu'il a payé ce qu'il devait : *J'ai payé mon loyer au propriétaire, qui m'a remis une quittance.*

quitter [kite] v. tr. S'éloigner d'une personne, d'un lieu, etc. : *Il a quitté son pays natal quand il avait cinq ans.* ★ Enlever (en parlant d'un vêtement) : *En arrivant chez lui, il quitta ses chaussures et mit ses chaussons.*

quoi [kwa] pron. rel. Désigne sans précision une chose (s'emploie toujours avec une préposition) : *Je ne sais de quoi l'on parle ici. C'est en quoi vous vous trompez.* ★ *Quoi que*, quelle que soit la chose que : *Quoi que je dise, vous me donnez toujours tort.* ■ Pron. interr. Quelle chose? : *De quoi vous occupez-vous? Quoi de plus beau que la mer!* ■ Interj. Marque la surprise : *Quoi! vous n'êtes pas parti?*

quoique [kwak] conj. Bien que : *J'aime bien cet enfant, quoiqu'il ait un caractère difficile.* (Ne pas confondre avec *quoi que*. V. QUOI.)

quotidien, enne [kɔtidjɛ̃, ɛn] adj. Qui a lieu tous les jours : *Je fais une visite quotidienne à ma grand-mère qui est malade.* ■ **Quotidiennement** adv. ■ N. m. Journal qui paraît tous les jours : *Un grand quotidien parisien publie une série d'articles sur la jeunesse.*

quotient [kɔsjɑ̃] n. m. Nombre obtenu en divisant un nombre par un autre : *Le quotient de la division de 20 par 4 est 5.*

R

rabais [rabɛ] n. m. Diminution de prix ou de valeur consentie par quelqu'un : *Pour liquider son stock, ce commerçant fait de très gros rabais sur sa marchandise.*

rabattre [rabatr] v. tr. (Se conj. comme *battre.*) Ramener plus bas : *Pour se protéger de la pluie, il rabattit son chapeau sur ses yeux.*

rabbin [rabɛ̃] n. m. Ministre de la religion israélite.

raccommoder [rakɔmɔde] v. tr. Réparer un vêtement : *La femme de ménage raccommoda le pyjama que l'enfant avait déchiré.*

raccourci [rakursi] n. m. Chemin plus court : *Comme la route faisait des zigzags, il prit un raccourci à travers champs.*

raccourcir [rakursir] v. tr. Rendre plus court : *Ma robe est trop longue pour la mode de cette année, je vais la raccourcir.* ■ V. intr. Devenir plus court : *Les jours raccourcissent en hiver.*

race [ras] n. f. Ensemble des gens et des animaux chez qui l'on trouve de génération en génération les mêmes caractères physiques, intellectuels, etc. : *Les gens de race jaune ont les cheveux noirs.*

racheter [raʃte] v. tr. (Se conj. comme *mener.*) Acheter ce qu'on a vendu auparavant. ★ Acheter une chose de la même espèce que celle que l'on a déjà achetée : *J'ai cassé beaucoup d'assiettes, il faudra que j'en rachète.*

racine [rasin] n. f. Partie d'une plante qui fixe celle-ci dans le sol et y absorbe ce qui est nécessaire à sa nourriture : *Les racines de cet arbre sont très profondes et s'étendent loin dans le jardin.* ★ Partie par laquelle un organe est retenu dans un tissu vivant : *Le dentiste eut beaucoup de mal à extraire la racine de la dent.* ★ GRAMM. Mot primitif d'où proviennent d'autres mots.

raconter [rakɔ̃te] v. tr. Faire un récit avec des détails : *Le grand-père raconte des histoires merveilleuses à ses petits-enfants.*

radar [radar] n. m. Appareil qui permet de déterminer la position d'objets éloignés, en émettant des ondes qui se réfléchissent sur ces objets : *Le radar sert à guider les avions et les bateaux dans le brouillard.*

radiateur [radjatœr] n. m. Appareil ménager qui répand la chaleur produite par une installation utilisant le charbon, le gaz, etc. : *Dans chaque pièce de notre appartement, on a installé un radiateur électrique.*

radiation [radjasjɔ̃] n. f. Rayon émis par certains corps : *Une explosion atomique émet des radiations très dangereuses.*

radical, e, aux [radikal, o] adj. Ce qui appartient au principe d'une chose. ★ Qui est très complet ou très efficace : *J'ai remarqué un changement radical dans son attitude.* ★ Se dit d'un parti politique qui est partisan de réformes démocratiques. ■ **Radicalement** adv. ■ N. m. Partisan de réformes démocratiques : *Les radicaux sont d'accord avec les socialistes sur la politique extérieure.* ★ GRAMM. Ce qui appartient à la racine d'un mot : *« Aim » est le radical du verbe aimer, « er » en est la terminaison.*

radio [radjo] n. f. Abréviation de *radiodiffusion* et de *radiographie.* ★ *Radiodiffusion,* émission d'ondes permettant la transmission de concerts, d'informations, etc. : *J'ai écouté hier à la radio une conférence très intéressante.* ★ *Radiographie,* photographie faite grâce à certains rayons, qui permet de montrer l'intérieur des organes : *Avant de pratiquer l'opération, le chirurgien consulta la radio avec attention.* ■ N. m. Abréviation de *radiotélégraphiste* et de *radiotéléphoniste,* techniciens qui, à bord d'un bateau, d'un avion, etc., envoient des messages en utilisant un appareil qui émet des ondes.

radium [radjɔm] n. m. Métal rare qui émet des radiations très actives : *Le radium est utilisé pour soigner le cancer.*

raffiner [rafine] v. tr. Rendre une matière plus pure en la débarrassant de certains éléments inutiles, grâce à des procédés chimiques : *On doit raffiner le pétrole avant de l'utiliser dans l'industrie.* ★ FIG. Rendre plus fin, plus délicat.

raffinerie [rafinri] n. f. Usine où l'on raffine du sucre, du pétrole, etc.

rafraîchir [rafrɛʃir] v. tr. Rendre plus frais : *Buvez cette boisson glacée, elle vous rafraîchira.*

rage [raʒ] n. f. Maladie mortelle que transmettent, en mordant, les chiens et les chats déjà atteints : *Pasteur a découvert le vaccin contre la rage.* ★ Crise de colère impuissante : *Si l'on refuse quelque chose à cet enfant, il entre dans une rage terrible.* ★ Douleur violente : *Il n'a pas dormi de la nuit, car il souffre d'une rage de dents.*

raide [rɛd] adj. Qui plie avec difficulté ou qui ne plie pas : *Depuis son accident, il marche difficilement, car sa jambe est raide.* ★ Dont la pente ne peut être montée facilement : *Cet escalier est si raide que j'ai été obligé de m'arrêter deux fois en le montant.*

raie [rɛ] n. f. Ligne tracée sur une surface : *L'étoffe de son manteau était grise avec de petites raies bleues.* ★ Ligne tracée avec un peigne pour séparer les cheveux : *Il demanda à son coiffeur de lui faire une raie sur le côté.*

rail [raj] n. m. Chacune des deux barres d'acier sur lesquelles roule un train ou un tramway : *Au cours du dernier accident de chemin de fer, deux trains se sont rencontrés et plusieurs wagons ont quitté les rails.*

raisin [rɛzɛ̃] n. m. Fruit de la vigne :

Le raisin qui pousse dans cette région donne un vin très sucré.

raison [rɛzɔ̃] n. f. Faculté qui permet à l'homme de juger : *L'homme peut agir suivant la raison, les animaux n'agissent que par instinct.* ★ Motif que l'on a pour faire ou ne pas faire quelque chose : *Quelle est la raison de votre visite?* ★ *Avoir raison,* agir ou parler de manière conforme au bon sens, à la vérité, à la règle : *J'ai eu raison de prendre mon parapluie pour sortir, car il pleut.*

raisonnable [rɛzɔnabl] adj. Qui se conduit selon la raison : *On dit que l'homme est un animal raisonnable.* ★ Qui est conforme à la raison : *Ce n'est pas raisonnable de sortir alors que vous êtes enrhumé.* ■ **Raisonnablement** adv.

raisonnement [rɛzɔnmɑ̃] n. m. Action ou manière de raisonner. ★ Idées assemblées de manière à démontrer quelque chose : *Après un long raisonnement, l'élève trouva la solution du problème.*

raisonner [rɛzɔne] v. intr. Se servir de la raison pour juger. ★ Lier des idées pour démontrer quelque chose : *Vous raisonnez mal sur cette affaire, car vous ne la connaissez pas très bien.*

rajeunir [raʒœnir] v. tr. Faire paraître plus jeune : *Cette dame porte une robe de couleur claire qui la rajeunit.*

ralentir [ralɑ̃tir] v. tr. Faire aller plus lentement : *Je ralentirai le pas, si tu ne peux pas me suivre.* ■ V. intr. Aller plus lentement : *La voiture ralentit en arrivant au croisement.*

rallumer [ralyme] v. tr. Allumer quelque chose qui était éteint : *Il commence à faire froid, il faut que je rallume le feu.*

ramasser [ramase] v. tr. Prendre un objet qui était à terre : *L'enfant ne voulait pas ramasser le jouet qu'il avait fait tomber.*

rame [ram] n. f. Longue pièce de bois avec laquelle on frappe l'eau pour

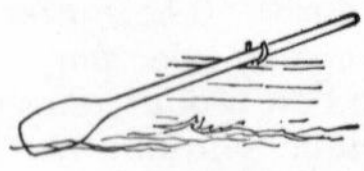

faire avancer un bateau : *Avant l'invention de la vapeur, les marins utilisaient la rame et la voile.*

ramener [ramne] v. tr. Amener une personne ou un animal à l'endroit où il était auparavant : *L'enfant, qui s'était perdu, a été ramené à ses parents par une voisine.*

ramer [rame] v. intr. Faire avancer un bateau à l'aide de rames : *Le dimanche après-midi, je vais souvent ramer sur le lac.*

ramper [rɑ̃pe] v. intr. Se déplacer en se traînant sur le ventre : *Un serpent rampait sur le sol.*

rance [rɑ̃s] adj. Se dit d'un corps gras qui a pris une odeur forte en vieillissant : *Nous n'avons pas pu manger le beurre, car il était rance.*

rancune [rɑ̃kyn] n. f. Sentiment que l'on ressent envers une personne qui vous a fait du mal : *Le petit garçon éprouvait une profonde rancune envers son frère qui l'avait battu.*

rang [rɑ̃] n. m. Chacune des lignes formées par des personnes ou des choses placées l'une derrière l'autre, ou l'une à côté de l'autre : *Les enfants se mettent en rang pour rentrer dans la classe.* ★ Dans une série de personnes ou de choses, importance attribuée à chacune d'entre elles : *Les invités furent placés autour de la table selon leur rang.*

rangée [rɑ̃ʒe] n. f. Suite d'objets disposés sur une même ligne : *Une rangée d'arbres bordait la route nationale.*

ranger [rɑ̃ʒe] v. tr. (Se conj. comme *manger.*) Mettre en rang : *Le petit garçon rangea ses soldats de plomb en ordre de bataille.* ★ Mettre en ordre : *Il rangea les papiers qui traînaient sur son bureau.*

ranimer [ranime] v. tr. Rendre la conscience ou l'activité à quelqu'un ou à quelque chose qui en avait été privé : *On a ranimé un homme qui avait failli se noyer.*

rapatrier [rapatrije] v. tr. Faire revenir quelqu'un dans sa patrie : *Après la signature du traité de paix, les prisonniers furent rapatriés.*

râper [rɑpe] v. tr. Réduire en morceaux minuscules en frottant contre une surface rugueuse : *La bonne est en train de râper le fromage qu'elle va mettre dans les pâtes.*

rapide [rapid] adj. Qui parcourt beaucoup d'espace en peu de temps : *L'avion est le plus rapide des moyens de transport.* ★ Qui fait beaucoup de choses en peu de temps : *Mon frère a fini son travail avant moi, car il est très rapide.* ■ **Rapidement** adv. ■ N. m. Train dont la vitesse est grande et qui parcourt de longues distances sans s'arrêter.

rapidité [rapidite] n. f. Caractère de ce qui est rapide : *La rapidité et l'exactitude des chemins de fer français font l'admiration des étrangers.*

rappeler [raple] v. tr. (Se conj. comme *appeler.*) Appeler pour faire revenir : *Nous avons rappelé d'urgence le docteur, car l'état du malade nous inquiétait.* ■ **Se rappeler** v. pron. Faire revenir dans la mémoire : *Il se rappelait m'avoir rencontré pendant la guerre.*

rapport [rapɔr] n. m. Exposé écrit ou oral par lequel on dit ce qu'on a fait ou vu : *On a demandé à l'ingénieur d'écrire un rapport sur la fabrication d'un nouveau moteur à explosion.* ★ Relation que l'esprit découvre entre des idées, des choses ou des personnes : *Il n'y a pas de rapport entre ce que vous me dites et le sujet de notre discussion.* ★ Relations entre des personnes : *J'ai d'excellents rapports avec mes collègues.* ■ LOC. PRÉP. *Par rapport à,* en proportion de : *La Terre est très petite par rapport au Soleil.*

rapporter [rapɔrte] v. tr. Apporter une chose au lieu où elle était auparavant : *Vous seriez gentil de me rapporter le livre que je vous ai prêté.* ★ FIG. Fournir un bénéfice : *Cette terre est excellente, elle rapporte beaucoup au fermier qui la possède.* ■ **Se rapporter** v. pron. Etre en relation avec. ★ GRAMM. : *Les pronoms relatifs « qui » et « que » ne doivent pas être séparés du nom auquel ils se rapportent.*

rapprochement [raprɔʃmɑ̃] n. m. Action de rapprocher. ★ FIG. Action de rapprocher par la pensée : *On peut établir un rapprochement entre le caractère de cet écrivain et celui du héros de son livre.* ★ FIG. Action de deux personnes, de deux Etats, etc., qui désirent reprendre de bonnes relations : *Un rapprochement entre les deux pays ennemis paraît impossible.*

rapprocher [raprɔʃe] v. tr. Placer plus près : *Rapprochez votre fauteuil du feu, ainsi vous aurez plus chaud.* ■ **Se rapprocher** v. pron. Aller près de : *Je cherche un nouvel appartement, pour me rapprocher de mon travail.*

raquette [rakɛt] n. f. Instrument formé d'un manche et d'une plaque, ou d'un cadre de bois ovale garni d'un

filet, et dont on se sert pour frapper une balle : *Un bon joueur de tennis prend grand soin de sa raquette et la protège de l'humidité.*

rare [rar] adj. Qui existe en petit nombre ou qui ne se produit pas souvent : *Le radium est un métal rare.* ■ **Rarement** adv.

raser [rɑze] v. tr. Couper le poil très court, au niveau de la peau. ★ Abattre un bâtiment, des arbres, etc., de façon qu'ils ne dépassent pas le niveau du sol : *Pendant la guerre, les maisons du village furent rasées par l'ennemi.* ■ **Se raser** v. pron. Se couper la barbe ou la moustache avec un rasoir : *Il s'est coupé en se rasant.*

rasoir [rɑzwar] n. m. Instrument qui sert à raser la barbe et la moustache : *Beaucoup d'hommes utilisent aujourd'hui un rasoir électrique.*

rassemblement [rasɑ̃bləmɑ̃] n. m. Action de rassembler : *Le rassemblement des troupes a eu lieu dans la cour de la caserne.* ★ Ensemble de gens rassemblés : *Un rassemblement de grévistes a eu lieu devant la mairie.*

rassembler [rasɑ̃ble] v. tr. Grouper en un même lieu un grand nombre de personnes ou de choses : *La petite fille rassembla ses jouets et les plaça dans une caisse.* ■ **Se rassembler** v. pron. Se réunir : *De nombreuses personnes se sont rassemblées sur le passage du président de la République.*

rassis, e [rasi, iz] adj. (S'emploie surtout au masculin.) Se dit du pain devenu sec : *Tu as acheté trop de pain; demain, il sera rassis.*

rassurer [rasyre] v. tr. Rendre confiance à quelqu'un : *Le malade était inquiet, le médecin l'a rassuré.*

rat [ra] n. m. Petit mammifère, généralement gris, à longue queue, un peu

plus gros qu'une souris, qui ronge les grains, le bois, etc. : *Mon chat a attrapé un rat dans la cave.*

râteau [rɑto] n. m. Instrument garni de dents, dont on se sert pour

ramasser l'herbe coupée, les feuilles mortes, etc.

rater [rate] v. tr. Manquer un but : *Le chasseur tira, mais rata le lapin.* ★ FAM. Ne pas réussir.

ratifier [ratifje] v. tr. Donner à un écrit un caractère authentique : *Le traité de paix a été ratifié par le Parlement.*

ration [rasjɔ̃] n. f. Quantité de nourriture, de boisson, etc., attribuée chaque jour à des soldats, à des prisonniers, etc. : *Les soldats ont reçu aujourd'hui leur ration de tabac.*

rationnel, elle [rasjɔnɛl] adj. Qui est fondé sur la raison : *Dans cette usine, l'organisation du travail n'est pas rationnelle et le rendement est médiocre.* ■ **Rationnellement** adv.

rattacher [rataʃe] v. tr. Attacher de nouveau : *Il se baissa pour rattacher son lacet de chaussures.*

rattraper [ratrape] v. tr. Attraper de nouveau quelqu'un ou quelque chose qui s'était échappé : *J'ai rattrapé mon chien, qui avait quitté la maison.* ★ Atteindre une personne ou une chose qui avait de l'avance : *A Dijon, le rapide rattrapa le train qui était parti de Paris une heure avant lui.* ★ *Rattraper un retard, rattraper le temps perdu,* agir de façon à ne plus avoir de retard.

ravage [ravaʒ] n. m. Destruction causée par une catastrophe : *On a attribué une forte somme aux victimes des ravages de l'inondation.*

ravi, e [ravi] adj. Très content : *Il y a longtemps que je ne vous avais vu, je suis ravi de vous rencontrer.*

ravin [ravɛ̃] n. m. Sorte de chemin profond creusé par les eaux : *Le touriste eut le vertige en se penchant audessus du ravin.*

ravissant, e [ravisɑ̃, ɑ̃t] adj. Qui plaît par son charme : *Le metteur en scène était accompagné d'une actrice ravissante.*

ravitaillement [ravitajmɑ̃] n. m. Ensemble de ce dont ont besoin des personnes dans une situation déterminée (se dit particulièrement de la nourriture) : *Pendant l'occupation de la ville par une armée étrangère, le ravitaillement a été difficile à assurer.*

rayé, e [rɛje] adj. Se dit d'un objet sur lequel on a tracé des raies : *Elle a acheté une étoffe rayée pour faire des rideaux.*

rayon [rɛjɔ̃] n. m. Trajectoire suivie par la lumière (se dit notamment de la ligne lumineuse qui part du soleil, de la lune, etc.) : *Un rayon de lune* *pénétrait par la fenêtre et éclairait la pièce qui était dans l'obscurité.* ★ Ligne qui relie le centre du cercle à un point quelconque de la circonférence : *Le rayon est égal à la moitié du diamètre.* ★ Chacune des parties de métal, de bois, etc., qui, dans une roue, partent du centre et se dirigent, en s'écartant, vers le bord : *L'enfant a cassé plusieurs rayons de sa roue de bicyclette.* ★ Dans un grand magasin, ensemble des comptoirs où l'on vend des articles de même espèce : *Quelques jours avant Noël, les parents achètent des cadeaux pour leurs enfants dans les rayons de jouets des grands magasins.* ★ Chacune des planches horizontales d'un meuble : *Ma femme a rangé les chemises sur un des rayons de l'armoire à linge.*

rayonner [rɛjɔne] v. intr. Emettre de la lumière, de la chaleur, etc. : *Il faisait beau et le soleil rayonnait sur la campagne.*

réaction [reaksjɔ̃] n. f. Action causée par une autre action physique ou morale : *Si l'on verse du vinaigre sur la craie, il se produit une réaction chimique. Son discours a provoqué dans la salle des réactions violentes.* ★ *Moteur à réaction,* moteur rejetant des gaz qui font avancer l'appareil dans un sens opposé. ★ *Avion à réaction,* avion qui utilise un ou plusieurs moteurs à réaction.

réagir [reaʒir] v. intr. Exercer une action provoquée par une autre action. ★ En parlant d'une personne, avoir une réaction très nette : *Quand sa femme lui reprocha de boire, il réagit avec brutalité.*

réalisation [realizasjɔ̃] n. f. Action de réaliser quelque chose : *La réalisation d'un film demande beaucoup d'argent.* ★ Chose réalisée : *La Foire de Paris a exposé les dernières réalisations de l'industrie française.*

réaliser [realize] v. tr. Donner réalité à quelque chose qui n'existait qu'en projet : *Le plan de travail des ingénieurs du barrage a été réalisé rapidement.* ★ Réussir à force de travail, de courage, etc. : *Depuis son arrivée au pouvoir, le ministre a réalisé une œuvre considérable.*

réalisme [realism] n. m. Caractère de celui qui sait voir les faits et les gens tels qu'ils sont : *Cet homme d'affaires n'est pas naïf, et il envisage les choses avec réalisme.* ★ Doctrine littéraire ou artistique prétendant que l'art doit être l'expression de la réalité de tous les jours : *Balzac et Flaubert sont les principaux représentants du réalisme dans la littérature française du XIX*[e] *siècle.*

réalité [realite] n. f. Etat de ce qui a une existence réelle : *Ce n'est pas un esprit pratique, il préfère les rêves à la réalité.* ★ Chose réelle. ■ LOC. ADV. *En réalité,* réellement : *Il paraît heureux, mais en réalité il a beaucoup de soucis.*

rebelle [rəbɛl] adj. Se dit de celui qui se révolte contre l'autorité : *Le gouvernement s'est enfui devant les troupes rebelles.* ■ N. Personne qui se révolte : *Les forces de l'ordre ont repris un village aux rebelles.*

rebondir [rəbɔ̃dir] v. intr. En parlant d'un corps qui tombe ou qui est lancé, faire un ou plusieurs sauts après avoir touché le sol, un mur, etc. : *L'enfant jeta au sol une balle qui rebondit trois ou quatre fois.*

recensement [rəsɑ̃smɑ̃] n. m. Action par laquelle une administration fait le compte des personnes, des voitures, etc. : *On a fait le recensement des électeurs de la commune.*

récent, e [resɑ̃, ɑ̃t] adj. Qui s'est produit il n'y a pas longtemps : *De récents événements internationaux* *ont modifié l'atmosphère politique.* ■ **Récemment** adv.

réception [resɛpsjɔ̃] n. f. Action de recevoir : *A la réception des marchandises, vérifiez donc s'il ne manque rien.* ★ Réunion de personnes qu'on reçoit avec cérémonie : *Une réception a eu lieu dans les salons de l'ambassade.*

recette [rəsɛt] n. f. Total des sommes reçues dans la caisse d'une affaire commerciale ou industrielle : *L'épicier fait tous les soirs le compte de ses recettes et de ses dépenses.* ★ Procédé utilisé pour réussir certaines préparations, certains plats : *Ce cuisinier connaît des recettes de sauces extraordinaires.*

receveur [rəsəvœr] n. m. Personne chargée par une administration de recevoir de l'argent : *Le receveur des contributions m'a posé des questions sur mes revenus.* ★ Employé qui reçoit l'argent payé par les voyageurs, dans un autobus, un tramway, etc.

recevoir [rəsəvwar] v. tr. (voir tableau p. 358). Prendre ce qui est présenté, offert ou payé par quelqu'un : *Beaucoup d'ouvriers reçoivent leur salaire à la fin de la quinzaine.* ★ Prendre livraison d'une lettre, de marchandises, etc., expédiées par quelqu'un : *J'ai bien reçu le colis de fruits que vous m'avez envoyé. Le commandant du navire de guerre reçut par radio l'ordre de se diriger vers le port.* ★ Accueillir quelqu'un : *Le jour de l'an, j'ai reçu de nombreux amis.* ★ Accepter quelqu'un qui a subi un examen : *Il a été reçu à l'Ecole navale.* ★ Subir une action : *Il a reçu une blessure au cours de la guerre.*

réchaud [reʃo] n. m. Petit fourneau portatif fonctionnant au gaz, au charbon, à l'électricité, etc. : *Si nous campons cet été, nous emporterons un réchaud à alcool.*

réchauffer [reʃofe] v. tr. Faire chauffer ce qui est refroidi : *Il arriva en retard pour le dîner, et sa femme lui fit réchauffer la soupe.*

recherche [reʃɛrʃ] n. f. Action de rechercher ce que l'on a perdu ou ce que l'on veut découvrir : *Le criminel a disparu, mais la police se livre à des recherches pour le retrouver.* ★ Travail qui a pour objet de découvrir quelque chose de nouveau : *Les chimistes font des recherches pour trouver un carburant solide.* ■ LOC. PRÉP. *A la recherche de,* pour trouver : *Une équipe de secours est partie à la recherche de l'alpiniste disparu.*

rechercher [rəʃɛrʃe] v. tr. Chercher avec méthode quelque chose ou quelqu'un : *Je recherche des documents qui ont été égarés.* ★ Essayer de se procurer : *Les petits pays recherchent l'amitié des grandes nations.*

récipient [resipjɑ̃] n. m. Objet creux destiné surtout à contenir quelque chose : *Quel récipient faut-il prendre pour faire cuire la viande? Une casserole ou une poêle?*

réciproque [resiprɔk] adj. Qui a lieu entre deux personnes ou deux choses agissant l'une sur l'autre : *Une sympathie réciproque a rapproché les deux collègues de bureau.* ■ **Réciproquement** adv.

récit [resi] n. m. Histoire racontée oralement ou par écrit : *Il a fait à ses amis le récit de son accident de voiture.*

réciter [resite] v. tr. Dire à haute voix un texte qu'on a appris : *L'élève a très bien récité sa leçon d'histoire.*

réclamation [reklamasjɔ̃] n. f. Action de demander ce qui est dû : *La valise que j'avais déposée aux bagages ayant disparu, j'ai adressé une réclamation à l'administration des chemins de fer.*

réclame [reklam] n. f. Publicité faite grâce à des affiches, à des prospectus, etc. : *Cette marque de savon fait beaucoup de réclame.*

réclamer [reklame] v. tr. Demander en insistant ce que l'on considère comme dû, juste ou nécessaire : *Le malade, se sentant plus mal, réclama un médecin.*

récolte [rekɔlt] n. f. Action de recueillir les produits du sol : *Le fermier et ses enfants ont fait la récolte des pommes de terre.* ★ Produits du sol récoltés : *Il a beaucoup plu cette année et la récolte n'a pas été bonne.*

récolter [rekɔlte] v. tr. Faire la récolte : *Le blé a été récolté avec des moissonneuses.*

recommandation [rəkɔmɑ̃dasjɔ̃] n. f. Action de recommander quelqu'un. ★ Parole ou lettre par laquelle on recommande quelqu'un : *Il vient chercher la recommandation que vous lui avez promise.* ★ Conseil qui recommande de faire quelque chose : *En quittant son fils, la mère lui fit toutes sortes de recommandations.*

recommander [rəkɔmɑ̃de] v. tr. Désigner particulièrement à l'attention de quelqu'un une personne qui possède des titres particuliers : *Je vous recommande mon collaborateur, qui pourra vous rendre de grands services.* ★ Désigner une chose comme ayant certaines qualités : *Nos amis nous ont recommandé un nouveau restaurant, qui est, paraît-il, excellent.* ★ Payer une taxe spéciale pour que le facteur remette une lettre, un paquet, etc., personnellement à son destinataire : *Lorsqu'on envoie un objet de valeur, il vaut mieux le recommander.*

recommencer [rəkɔmɑ̃se] v. tr. (Se conj. comme *annoncer.*) Commencer de nouveau quelque chose : *Mon travail était mauvais, je l'ai recommencé.* ■ V. intr. Commencer de nouveau : *La séance recommencera à quinze heures.*

récompense [rekɔ̃pɑ̃s] n. f. Ce que l'on donne à quelqu'un pour un service qu'il a rendu ou une action bien faite : *Je donnerai une récompense à la personne qui me rapportera le sac que j'ai perdu.*

récompenser [rekɔ̃pɑ̃se] v. tr. Donner quelque chose à une personne qui s'est distinguée par son travail ou ses services : *L'instituteur a récompensé ses meilleurs élèves en les emmenant en promenade.*

réconcilier [rekɔ̃silje] v. tr. Rétablir l'amitié, l'affection, etc., entre deux personnes qui s'étaient fâchées : *Il a pu, non sans difficulté, réconcilier les deux frères qui s'étaient disputés.*

réconforter [rekɔ̃fɔrte] v. tr. Rendre force ou courage à quelqu'un qui avait perdu ses forces physiques ou morales : *Après une nuit de travail, une tasse de café m'a réconforté.*

reconnaissable [rəkɔnɛsabl] adj. Que l'on peut reconnaître : *Les hommes du Nord sont reconnaissables à leur haute taille et à leurs cheveux blonds.*

reconnaissance [rəkɔnɛsɑ̃s] n. f. Action par laquelle on cherche à savoir ce qui se passe dans un lieu inconnu : *Un groupe de soldats s'est livré à une reconnaissance à l'intérieur des lignes ennemies.* ★ Sentiment par lequel on se sent lié à une personne qui vous a rendu service : *Il témoigne de la reconnaissance envers ses parents, qui lui ont fait donner une bonne instruction.*

reconnaître [rəkɔnɛtr] v. tr. (Se conj. comme *connaître.*) Retrouver dans sa mémoire le souvenir de la personne ou de la chose en présence de laquelle on se trouve de nouveau : *Il reconnut sans difficulté l'endroit où il* *avait passé son enfance.* ★ Accepter après discussion comme juste ou vraie une chose qu'on jugeait injuste ou fausse : *C'est vous qui aviez raison, et je reconnais que je m'étais trompé.*

reconstituer [rəkɔ̃stitɥe] v. tr. Former de nouveau : *La marine marchande, qui avait été détruite pendant la guerre, a été rapidement reconstituée.*

reconstruction [rəkɔ̃stryksjɔ̃] n. f. Construction nouvelle de ce qui a été détruit : *La reconstruction de l'église a eu lieu immédiatement après l'incendie.*

recopier [rəkɔpje] v. tr. Copier ce qui était écrit : *Vous me recopierez cette lettre, où il y a plusieurs fautes d'orthographe.*

record [rəkɔr] n. m. Exploit sportif qui dépasse tous les autres du même genre : *Le record du monde de saut en longueur a été battu hier dans un stade parisien.*

recouvrir [rəkuvrir] v. tr. (Se conj. comme *ouvrir.*) Couvrir de nouveau ou complètement : *La neige recouvrait la montagne.*

récréation [rekreasjɔ̃] n. f. Temps accordé aux enfants pour jouer : *La récréation a sonné, et les élèves sortent de la classe.*

recruter [rəkryte] v. tr. Engager des personnes pour compléter le nombre de celles que l'on emploie déjà : *L'administration des postes a organisé un concours pour recruter des employés.*

rectangle [rɛktɑ̃gl] n. m. Surface limitée par quatre côtés égaux deux à

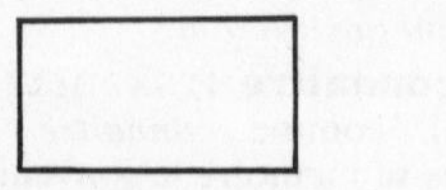

deux et se coupant à angles droits : *La surface du rectangle est égale au produit de la longueur par la largeur.*

rectangulaire [rɛktɑ̃gylɛr] adj. Qui a la forme d'un rectangle.

rectification [rɛktifikasjɔ̃] n. f. Correction apportée à une chose pour la rendre exacte : *Le savant procédait à la rectification de ses calculs.*

rectifier [rɛktifje] v. tr. Rendre droit. ★ Rendre exact en corrigeant une erreur : *Le comptable a rectifié ses comptes avant de les présenter à son patron.*

reçu [rəsy] n. m. Papier par lequel on reconnaît avoir reçu une somme d'argent, une lettre, un paquet, etc. : *Quand mon ami m'a prêté de l'argent, je lui ai donné un reçu que j'ai signé.*

recueil [rəkœj] n. m. Réunion de textes : *Il étudie le français dans un recueil de morceaux choisis du XXe siècle.*

recueillir [rəkœjir] v. tr. (Se conj. comme *cueillir.*) Ramasser, rassembler, réunir des produits naturels : *Nous recueillons l'eau de pluie dans une citerne.* ★ Rassembler de l'argent : *Il a recueilli une forte somme et il a fait bâtir une maison pour loger des aveugles.* ★ Recevoir chez soi une personne qui a besoin d'aide : *Elle a recueilli une orpheline, qu'elle élève avec ses propres enfants.*

recul [rəkyl] n. m. Mouvement en arrière : *Le recul du fusil blessa à l'épaule le jeune soldat.* ★ Distance sur laquelle on recule : *Prends un peu de recul pour mieux sauter.*

reculer [rəkyle] v. tr. Tirer ou pousser un objet en arrière : *Reculez la chaise, elle empêche d'ouvrir la fenêtre.* ★ Remettre à plus tard : *La maladie l'obligea à reculer la date de son départ.* ■ V. intr. Aller en arrière : *Tout en continuant à regarder devant lui, l'enfant recula et se cogna à un meuble.*

reculons (à) [arəkylɔ̃] loc. adv. En allant en arrière : *Quand elle vit* *le voleur devant elle, elle eut peur et marcha à reculons.*

récupérer [rekypere] v. tr. (Se conj. comme *céder*.) Rentrer en possession de quelque chose qu'on croyait perdu : *J'ai pu, non sans difficultés, récupérer les sommes que je lui avais prêtées.*

rédacteur, trice [redaktœr, tris] n. Fonctionnaire qui a pour métier de rédiger des textes administratifs : *Après avoir obtenu sa licence en droit, il est entré comme rédacteur dans un ministère.* ★ Personne dont le métier est d'écrire des articles de journaux : *Le rédacteur en chef choisit et corrige les articles que doit publier son journal.*

rédaction [redaksjɔ̃] n. f. Travail qui consiste à rédiger un texte : *La rédaction de ce rapport m'a demandé deux jours.* ★ Texte rédigé à titre de devoir scolaire : *Les élèves ont à faire une rédaction qui a pour sujet « Souvenirs de vacances ».*

rédiger [rediʒe] v. tr. (Se conj. comme *manger*.) Exprimer par écrit, en composant soigneusement : *Une semaine avant de mourir, le vieillard rédigea son testament.*

redire [rədir] v. tr. (Se conj. comme *dire*.) Dire plusieurs fois : *Redites-moi cela, car je vous ai mal entendu.*

redoutable [rədutabl] adj. Qui est fort à craindre : *Ce gros chien de garde est un animal redoutable.*

redouter [rədute] v. tr. Craindre quelqu'un ou quelque chose de dangereux ou de désagréable : *Les marins redoutent la tempête.*

redresser [rədrɛse] v. tr. Remettre dans la position verticale : *Redresse l'échelle qui est tombée, pour que je puisse monter sur l'arbre.* ★ Remettre dans la ligne droite. ★ FIG. Remettre en bon état : *Ses affaires allaient mal, mais, grâce à son énergie, il a redressé la situation.*

réduction [redyksjɔ̃] n. f. Action de ramener à un état plus simple, plus petit ou plus ancien. ★ FIG. Diminution de prix : *Le commerçant à qui j'ai acheté des meubles d'occasion m'a consenti une réduction de 20 p. 100.*

réduire [redɥir] v. tr. (Se conj. comme *conduire*.) Ramener à un état plus petit : *Le café est réduit en poudre dans un moulin.* ★ Amener à se soumettre à une contrainte : *La misère a réduit ce pauvre homme à mendier son pain.*

réel, elle [reɛl] adj. Dont on peut constater l'existence : *J'ai fait un rêve qui ressemblait à la vie réelle.* ■ **Réellement** adv.

refaire [rəfɛr] v. tr. (Se conj. comme *faire*.) Faire de nouveau ce que l'on a déjà fait : *Il y a trop d'erreurs dans cette lettre, il faut la refaire.*

référendum [referɛ̃dɔm] n. m. Vote par lequel on demande aux citoyens de faire connaître leur avis sur une question d'ordre politique ou constitutionnel.

réfléchi, e [refleʃi] adj. PHYSIQ. Renvoyé dans une autre direction. ★ Qui montre de la réflexion : *Cet enfant raisonne bien, il est très réfléchi pour son âge.* ★ GRAMM. Se dit des pronoms personnels qui désignent la même personne que le sujet du verbe : *Quand je dis : elle se lave, « se » est un pronom réfléchi.*

réfléchir [refleʃir] v. tr. Renvoyer un rayon lumineux, une image, etc. : *La lune réfléchit la lumière du soleil.* ■ V. intr. Examiner longtemps ce à quoi l'on pense : *J'ai réfléchi à ce que vous m'avez dit, et j'accepte votre proposition.* ■ **Se réfléchir** v. pron. En parlant d'une image, d'un rayon, etc., être renvoyé comme par une glace : *Les arbres se réfléchissent dans l'eau de la rivière.*

refléter [rəflete] v. tr. (Se conj. comme *céder.*) Renvoyer l'image, la couleur d'un corps : *L'eau du lac reflète les nuages.* ▪ **Se refléter** v. pron. Etre reflété : *La statue se reflète dans la fontaine.*

réflexe [reflɛks] adj. Se dit de ce qui est produit involontairement par l'organisme. ▪ N. m. Phénomène automatique provoqué dans l'organisme par une réaction de la matière vivante : *Quand l'œil a reçu un grain de poussière, un réflexe fait fermer les paupières.*

réflexion [reflɛksjɔ̃] n. f. PHYSIQ. Phénomène par lequel une image, un rayon lumineux sont renvoyés par une surface réfléchissante dans une autre direction. ★ Action de l'esprit qui examine longuement et profondément une pensée : *Il m'a fallu une demi-heure de réflexion pour découvrir la solution du problème.* ★ Phrase courte par laquelle on exprime sa pensée : *Mon amie m'a fait une réflexion désagréable parce que j'avais oublié de lui souhaiter son anniversaire.*

réforme [refɔrm] n. f. Changement fait en vue d'une amélioration : *Notre directeur a apporté des réformes importantes dans notre administration.* ★ *La Réforme,* transformation apportée, au XVIe s., par Luther, Calvin, etc., à la religion chrétienne.

réformer [refɔrme] v. tr. Opérer un changement en vue d'une amélioration : *Nous allons réformer l'enseignement pour l'adapter aux besoins d'aujourd'hui.* ★ Déclarer quelqu'un impropre au service militaire.

réfrigérateur [refriʒeratœr] n. m. Appareil qui conserve les aliments en produisant du froid : *Depuis que j'ai acheté mon réfrigérateur, je peux boire de l'eau fraîche pendant les chaleurs de l'été.*

refroidir [rəfrwadir] v. tr. Rendre froid : *L'enfant soufflait sur la soupe brûlante pour la refroidir.* ▪ V. intr. Devenir froid : *Le gâteau refroidit; nous le mangerons quand il sera complètement froid.* ▪ **Se refroidir** v. pron. Devenir froid : *Le temps s'est beaucoup refroidi cette semaine.*

refroidissement [rəfrwadismɑ̃] n. m. Baisse de la température : *Nous approchons de l'hiver; le refroidissement de la température est sensible.*

refuge [rəfyʒ] n. m. Endroit où l'on peut se mettre à l'abri d'un danger : *Au Moyen Age, les églises servaient de refuge aux populations pendant les invasions.*

réfugié, e [refyʒje] n. Personne chassée de sa maison par l'ennemi : *Quand l'ennemi approcha, des colonnes de réfugiés encombrèrent les routes.*

réfugier (se) [refyʒje] v. pron. Aller dans un lieu pour y être à l'abri : *Ils se sont réfugiés sous les arbres pendant la pluie.*

refus [rəfy] n. m. Action de refuser : *La jeune fille opposa un refus à ma demande en mariage.*

refuser [rəfyze] v. tr. Ne pas accepter une chose offerte : *J'ai refusé une invitation à dîner, car je n'étais pas libre ce soir-là.* ★ Ne pas accorder ce qui est demandé : *Les grands-parents ne savent rien refuser à leurs petits-enfants.* ★ Ne pas recevoir un étudiant à un examen : *Mon frère vient d'être refusé au baccalauréat.*

regagner [rəgaɲe] v. tr. Revenir dans un endroit qu'on avait quitté : *Notre voyage est terminé, et demain nous aurons regagné Paris.* ★ Obtenir ou gagner de nouveau : *Il avait fait* *de mauvaises affaires, mais il est en train de regagner tout l'argent qu'il avait perdu.*

regard [rəgar] n. m. Mouvement de l'œil qui se fixe sur quelqu'un ou sur quelque chose : *L'enfant jetait des regards d'envie sur la poupée qui était dans la vitrine.*

regarder [rəgarde] v. tr. Tourner les yeux et les fixer sur quelqu'un ou sur quelque chose : *Un badaud regardait attentivement ce qui se passait dans la rue.* ★ Considérer quelqu'un ou quelque chose : *Je regarde cette affaire comme terminée.* ★ Concerner quelqu'un : *Ma vie privée ne vous regarde pas.*

régime [reʒim] n. m. Forme ou mode de gouvernement. ★ Règle observée dans la manière de vivre et de se nourrir : *Elle suit un régime sévère pour rester mince.*

régiment [reʒimɑ̃] n. m. Unité militaire comptant plusieurs milliers d'hommes et commandée par un colonel.

région [reʒjɔ̃] n. f. Partie d'un territoire qui présente les mêmes caractères physiques : *La Normandie est une région humide.* ★ Etendue quelconque qui entoure un point déterminé : *Il voudrait acheter une maison dans la région de Lyon.*

régional, e, aux [reʒjɔnal, o] adj. Qui appartient à une région ou qui est caractéristique d'une région : *Quand il voyage dans un pays, il aime bien manger la cuisine régionale.*

registre [rəʒistr] n. m. Gros cahier où l'on note régulièrement les faits que l'on veut se rappeler : *Les commerçants inscrivent sur un gros registre leurs recettes et leurs dépenses.*

règle [rɛgl] n. f. Instrument de bois ou de métal qui sert à tirer des lignes droites. ★ Principe auquel on doit obéir pour se conduire dans la vie : *L'éducation sert à donner une règle*

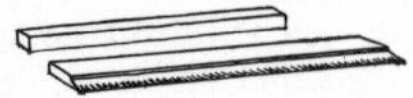

de bonne conduite aux enfants. ★ Principe auquel on doit obéir si l'on veut pratiquer une science, un art, un jeu, etc. : *Pour bien écrire le français, il faut connaître certaines règles de grammaire.* ★ *En règle,* conforme à la règle.

règlement [rɛgləmɑ̃] n. m. Ensemble des règles qui prescrivent ce que l'on doit faire dans une situation déterminée : *Lisez attentivement le règlement avant de commencer le concours.*

réglementer [regləmɑ̃te] v. tr. Soumettre à un règlement : *Dans une prison, la vie des prisonniers est sévèrement réglementée.*

régler [regle] v. tr. (Se conj. comme *céder.*) Soumettre à des règles : *Les agents de police règlent la circulation.* ★ *Régler une affaire,* la conclure. ★ Mettre au point un mécanisme : *L'horloger a réglé ma montre qui retardait.* ★ Payer ce que l'on doit : *Avant de quitter l'hôtel, j'ai réglé ma note.*

règne [rɛɲ] n. m. Durée pendant laquelle un pape, un roi ou un empereur exercent le pouvoir : *La Révolution française éclata sous le règne de Louis XVI.* ★ Chacune des grandes divisions des corps de la nature : *Les pierres appartiennent au règne minéral.*

régner [reɲe] v. intr. (Se conj. comme *céder.*) En parlant d'un pape, d'un roi ou d'un empereur, exercer le pouvoir : *Louis XV régna de 1715 à 1774.*

regret [rəgrɛ] n. m. Sentiment de tristesse que l'on éprouve lorsqu'on est privé d'une personne ou d'une chose : *Je pense avec regret à la maison où j'ai passé mon enfance.* ★ Sentiment désagréable laissé par une action que l'on voudrait ne pas avoir faite : *J'ai beaucoup de regrets d'être partie sans vous dire au revoir.*

regretter [rəgrεte] v. tr. Eprouver le regret de quelqu'un ou de quelque chose : *Une fois rentré chez lui, en province, il regretta beaucoup la vie de Paris.* ★ Eprouver le regret de faire ou de ne pas faire : *Je regrette de ne pas pouvoir vous accompagner au concert, mais je dois travailler.*

régulariser [regylarize] v. tr. Rendre conforme à ce que veut le règlement : *Si tes papiers d'identité ne sont pas en règle, il faut les faire régulariser par la police.*

régulier, ère [regylje, εr] adj. Qui est tel que le veut la règle : *Les verbes terminés en « er » sont presque tous réguliers.* ★ Qui a lieu à jours ou à heures fixes : *Sur cette ligne, le passage des autobus est très régulier.* ■ **Régulièrement** adv.

rein [rε̃] n. m. Organe double, en forme de haricot, situé à l'intérieur du corps, de chaque côté de la colonne vertébrale : *Les reins servent à éliminer certaines substances toxiques de l'organisme.*

reine [rεn] n. f. Epouse d'un roi : *Marie-Antoinette, reine de France, était la femme de Louis XVI.* ★ Femme qui exerce le pouvoir royal : *La plus célèbre reine d'Angleterre fut Elizabeth Ire.*

rejeter [rəʒte] v. tr. (Se conj. comme *jeter.*) Jeter quelque chose qu'on ne veut pas ou qu'on ne peut pas garder : *La mer a rejeté sur la plage l'épave d'un bateau.* ★ FIG. Ne pas accepter ce que l'on vous offre : *Les grévistes ont rejeté les propositions du directeur.*

rejoindre [rəʒwε̃dr] v. tr. (Se conj. comme *craindre.*) Réunir des parties séparées. ★ Aller retrouver quelqu'un : *Vous pouvez partir en avant, je vous rejoindrai dans une heure.*

réjouir [reʒwir] v. tr. Donner de la joie : *Le cirque réjouit les enfants.* ■ **Se réjouir** v. pron. Eprouver de la joie : *Je me réjouis à l'idée de voir bientôt mes amis.*

relâcher [rəlɑʃe] v. tr. Cesser de tendre un objet. ★ Remettre en liberté : *Après dix ans de prison, le prisonnier fut relâché.*

relatif, ive [rəlatif, iv] adj. Qui concerne : *Des mesures relatives à la sécurité doivent être prises immédiatement.* ★ GRAMM. Se dit des pronoms qui relient une proposition à une autre : *« Qui » et « que » sont des pronoms relatifs.* ★ Se dit d'une proposition qui commence par un pronom relatif : *Dans la phrase « Je connais l'homme qui parle », « qui parle » est une proposition relative.* ■ **Relativement** adv.

relation [rəlasjɔ̃] n. f. Lien qui rattache un fait à un autre : *Il y a une relation entre la fièvre et la présence de microbes dans l'organisme.* ★ Lien qui unit des personnes, des groupes de personnes : *Nous nous entendons très bien, et nous entretenons des relations d'amitié très étroites.* ★ Personne que l'on connaît : *Il a beaucoup de relations, mais peu d'amis intimes.*

relever [rəlve] v. tr. (Se conj. comme *mener.*) Remettre debout quelqu'un ou quelque chose : *Relève la chaise que tu viens de faire tomber.*

relief [rəljεf] n. m. Partie d'une surface plus élevée que le reste : *Sur une photographie prise d'un avion, on voit le relief du pays.* ★ *Mettre en relief*, faire remarquer : *Les décors de cette pièce de théâtre mettent en relief le milieu dans lequel se déroule l'action.*

relier [rəlje] v. tr. Attacher ensemble différents objets : *Je vais faire relier en un seul volume tous les numéros de cette revue.* ★ Faire communiquer par des routes, des canalisations, etc. : *La presqu'île du Mont-Saint-Michel est reliée à la terre par une route étroite.*

religieux, euse [rəliʒjø, øz] adj. Qui concerne la religion : *J.-S. Bach a écrit de nombreuses œuvres de musique religieuse.* ■ N. Personne qui appartient à un ordre religieux.

religion [rəliʒjɔ̃] n. f. Lien par lequel l'homme se sent rattaché à Dieu ou aux dieux. ★ Doctrine et pratiques religieuses : *La plupart des Français sont de religion catholique.*

relire [rəlir] v. tr. (Se conj. comme *lire.*) Lire de nouveau : *J'ai relu plusieurs fois ce texte difficile pour bien le comprendre.*

remanier [rəmanje] v. tr. Changer la forme par un nouveau travail : *L'écrivain remanie ce qu'il a écrit pour améliorer son style.*

remarquable [rəmarkabl] adj. Qui mérite d'être remarqué : *C'est un ouvrage remarquable que vous devez étudier attentivement.* ■ **Remarquablement** adv.

remarque [rəmark] n. f. Ce que l'on dit ou écrit après avoir observé quelque chose : *Il me fit la remarque que j'avais une tache sur mon veston.*

remarquer [rəmarke] v. tr. Distinguer une chose ou une personne parmi d'autres : *J'ai remarqué qu'il avait changé de coiffure.*

rembourser [rɑ̃burse] v. tr. Rendre à une personne la somme qu'on lui doit : *Je dois vous rembourser le livre que vous avez acheté pour moi.*

remède [rəmɛd] n. m. Ce qu'on emploie pour soigner une maladie : *Les boissons chaudes sont un excellent remède contre le mal de gorge.* ★ Fig. Ce qui sert à corriger un désordre, à améliorer une situation, etc. : *Le travail est un remède contre l'ennui.*

remédier [rəmedje] v. intr. Servir de remède : *Pour remédier à la crise financière, le gouvernement décida d'augmenter les exportations.*

remerciement [rəmɛrsimɑ̃] n. m. Action de remercier : *Je dois envoyer une lettre de remerciements à des amis qui m'ont reçu chez eux.*

remercier [rəmɛrsje] v. tr. Dire merci : *J'ai remercié le monsieur qui m'avait si gentiment aidé à porter ma valise.*

remettre [rəmɛtr] v. tr. (Se conj. comme *mettre.*) Placer une chose à la place où elle était avant qu'on ne l'enlève : *Je perds toujours mes affaires, car je ne les remets jamais à leur place.* ★ Donner une chose à la personne à qui elle est destinée : *Je suis chargé par mon père de vous remettre une lettre très importante.* ★ Renvoyer à plus tard : *Je dois remettre ma visite à huit jours, car j'ai trop de travail.* ★ Rétablir la santé de quelqu'un : *Après sa maladie, un séjour en montagne l'a remis rapidement.* ■ **Se remettre** v. pron. Recommencer une activité : *Elle s'est remise à jouer du piano après un arrêt de deux ans.* ★ Revenir à un meilleur état de santé physique ou morale, à une meilleure situation, etc. : *Elle fut longue à se remettre de la peur qu'elle avait éprouvée en tombant dans l'escalier.*

remonter [rəmɔ̃te] v. tr. Monter les marches, l'escalier, etc., que l'on a déjà descendus : *Il remonta la pente et s'élança à nouveau sur la piste.* ★ Porter en haut ce que l'on avait descendu : *La mère dit à l'enfant de* *remonter ses jouets dans l'appartement.* ★ Tendre un ressort, pour le mettre en état de faire fonctionner un mécanisme : *Je remonte ma montre tous les soirs avant de me coucher.* ★ Remettre en place les différentes pièces d'une machine, d'un meuble, etc. ■ V. intr. Monter de nouveau au lieu d'où l'on est descendu : *Il fut obligé de remonter chez lui, car il avait oublié son portefeuille.*

remords [rəmɔr] n. m. Sentiment que l'on éprouve quand on se reproche une mauvaise action : *Il se sentit envahi de remords à la pensée qu'il n'avait pas secouru son ami.*

remorque [rəmɔrk] n. f. Véhicule sans moteur, traîné par une voiture, un camion, etc. : *Ma voiture n'est pas assez puissante pour tirer une remorque aussi chargée.*

remplacer [rɑ̃plase] v. tr. (Se conj. comme *annoncer.*) Mettre une personne, une chose à la place d'une autre : *Il a fallu remplacer la vitre qui était cassée.* ★ Occuper la place d'une autre personne : *Quand il part en vacances, c'est moi qui le remplace dans son travail.*

remplir [rɑ̃plir] v. tr. Rendre plein jusqu'aux bords : *Elle remplissait le vase d'eau fraîche pour y mettre les roses.* ★ FIG. Répondre aux questions posées, sur un papier plus ou moins officiel : *A notre arrivée à l'hôtel, on nous fit remplir à chacun une fiche.* ★ *Remplir une fonction, une mission,* accomplir une tâche fixée à l'avance.

remuer [rəmɥe] v. tr. Faire des mouvements avec : *Mon chien remue la queue quand il est content.* ★ Changer de place. ■ V. intr. Faire des mouvements : *Il y avait dans l'autobus, à côté de moi, un petit garçon qui ne cessait de remuer.*

renard [rənar] n. m. Animal carnassier, de couleur rousse ou brune, qui vit dans les bois, et dont la queue très longue est couverte d'une épaisse fourrure : *Quand la fermière descen-*

dit dans la cour, elle vit que le renard avait tué trois poules pendant la nuit.

rencontre [rɑ̃kɔ̃tr] n. f. Action de rencontrer : *En venant vous voir, j'ai fait une heureuse rencontre : j'ai vu mon vieil ami Pierre.* ■ LOC. PRÉP. *A la rencontre de,* pour rencontrer : *Je suis allé à la rencontre de mon frère.*

rencontrer [rɑ̃kɔ̃tre] v. tr. Trouver quelqu'un sur son chemin, le plus souvent par hasard : *En allant à la poste, j'ai rencontré ton frère et je l'ai invité à dîner.* ■ **Se rencontrer** v. pron. Se retrouver par hasard ou dans un lieu fixé à l'avance : *La première fois que nous nous sommes rencontrés, vous portiez un manteau rouge.*

rendement [rɑ̃dmɑ̃] n. m. Quantité produite ou fabriquée dans un temps déterminé : *Le rendement de l'usine est plus faible lorsque les ouvriers sont fatigués.*

rendez-vous [rɑ̃devu] n. m. Décision prise en commun par deux ou plusieurs personnes de se rencontrer plus tard, à un moment et en un lieu déterminés : *J'ai un rendez-vous chez le médecin, mardi prochain, à 10 heures.*

rendre [rɑ̃dr] v. tr. (voir tableau p. 358). Remettre à une personne ce qu'on lui a emprunté : *Je voudrais qu'il me rende le disque que je lui ai prêté.* ★ Rejeter de l'estomac par la bouche. ★ Faire devenir : *Sa maladie l'a rendu triste.* ■ **Se rendre** v. pron. Se déplacer pour aller dans un lieu : *Nous nous sommes rendus à la gare pour le voir partir.* ★ FIG. Renoncer à se battre : *La ville assiégée fut obligée de se rendre à l'ennemi.* ★ Agir de façon à être considéré comme : *Il s'est rendu indispensable pendant la maladie de son directeur.*

renfermer [rɑ̃fɛrme] v. tr. Tenir fermé à l'intérieur d'un espace : *Cette boîte renferme peut-être un trésor.* ★ FIG. : *Ce livre est mal écrit, mais renferme des idées très intéressantes.*

renfort [rɑ̃fɔr] n. m. Troupe qui arrive pour en aider une autre : *Notre armée dut attendre du renfort pour pouvoir continuer la bataille.*

renoncer [rənɔ̃se] v. intr. (Se conj. comme *annoncer.*) Décider de ne plus avoir la possession de : *Le roi renonce à ses droits en faveur de son fils.* ★ Décider de ne plus faire quelque chose : *J'ai renoncé à faire bâtir une maison, car cela coûtait trop cher.*

renouveler [rənuvle] v. tr. (Se conj. comme *appeler.*) Faire que quelque chose soit nouveau : *J'ai fait renouveler mon passeport, qui n'était plus valable.* ★ Répéter une demande, une défense, etc. : *J'ai renouvelé plusieurs fois ma demande, mais je n'ai obtenu aucune réponse.*

rénover [renɔve] v. tr. Remettre à neuf un service, des institutions : *Les ateliers de l'usine ont été rénovés pour améliorer les conditions de travail des ouvriers.*

renseignement [rɑ̃sɛɲəmɑ̃] n. m. Ce que l'on répond à une personne qui demande à être informée sur un point particulier : *Cette agence vous fournira tous les renseignements nécessaires.*

renseigner [rɑ̃sɛɲe] v. tr. Donner un renseignement à quelqu'un : *Ce bureau l'a renseigné sur toutes les formalités à remplir.* ■ **Se renseigner** v. pron. Demander un renseignement : *Je vais à la gare pour me renseigner sur l'heure du train du soir.*

rente [rɑ̃t] n. f. Somme fixe que touche tous les ans une personne qui a placé de l'argent.

rentrée [rɑ̃tre] n. f. Action de rentrer ou de reprendre ses fonctions après les vacances : *En France, la rentrée des classes a lieu le 15 septembre.*

rentrer [rɑ̃tre] v. tr. Ne pas laisser dehors : *Après la moisson, les paysans rentrent la paille dans la grange.* ■ V. intr. En parlant d'une personne ou d'un animal, entrer de nouveau dans un lieu dont on est sorti : *En voyant la pluie, je suis rentré à la maison chercher mon imperméable.* ★ En parlant de deux objets, pouvoir pénétrer l'un dans l'autre : *Je suis allé chercher le serrurier, car ma clef ne rentrait plus dans la serrure de ma porte.*

renverser [rɑ̃vɛrse] v. tr. Mettre à l'envers. ★ Faire tomber un objet ou une personne qui se trouve dans la position verticale : *Il renversa son verre de vin sur la nappe. Une voiture a renversé un enfant qui traversait la rue.*

renvoi [rɑ̃vwa] n. m. Action de renvoyer : *Nous protestons tous contre le renvoi de cet employé, qui était très honnête.*

renvoyer [rɑ̃vwaje] v. tr. (Se conj. comme *envoyer.*) Envoyer une personne à l'endroit d'où elle vient : *Le directeur a renvoyé les élèves chez eux, car le professeur était malade.* ★ Faire porter une chose à quelqu'un pour la lui rendre : *Il m'a renvoyé le livre que je lui avais prêté.* ★ Remettre à un moment plus ou moins éloigné : *La réunion est renvoyée à la fin du mois, le président étant absent.* ★ Ne pas garder quelqu'un à son service.

réorganisation [reɔrganizasjɔ̃] n. f. Action d'organiser d'une manière plus moderne : *Pour la réorganisation* *de ce bureau, on a fait appel à un spécialiste.*

répandre [repɑ̃dr] v. tr. (Se conj. comme *rendre*). Faire couler sur une surface : *En renversant la carafe, j'ai répandu du vin sur la table.* ■ **Se répandre** v. pron. S'étendre sur une surface : *Il y avait une fuite dans la salle de bains, et l'eau se répandait partout.* ★ FIG. : *La nouvelle de sa mort s'est répandue dans toute la ville.*

réparation [reparasjɔ̃] n. f. Action de remettre en état de servir : *J'ai eu de grosses réparations à faire à ma voiture après l'accident.* ★ FIG. Action de réparer un tort ou un dommage.

réparer [repare] v. tr. Remettre en état de servir : *Il faut que je fasse réparer ma montre, qui retarde beaucoup.*

repartir [rəpartir] v. intr. Partir après s'être arrêté : *Après une panne d'une heure, le train repartit enfin.*

répartir [repartir] v. tr. Partager entre plusieurs personnes, en attribuant à chacune une part : *Le père, avant de mourir, répartit tous ses biens entre ses enfants.*

répartition [repartisjɔ̃] n. f. Action de répartir : *La nouvelle répartition des terres a satisfait les paysans.*

repas [rəpɑ] n. m. Nourriture que l'on prend à heure fixe : *En France, on prend généralement deux repas principaux par jour : le déjeuner et le dîner.*

repasser [rəpase] v. tr. Traverser de nouveau. ★ Faire passer un fer chaud sur un vêtement, une étoffe, etc., pour en effacer les faux plis : *La jeune femme repassait les chemises de son mari, qu'elle avait lavées la veille.* ■ V. intr. Passer de nouveau dans un endroit : *Le docteur a dit qu'il repasserait ce soir pour voir si le malade allait mieux.*

répercussion [repɛrkysjɔ̃] n. f. Conséquences lointaines d'un fait : *Dix ans après, les répercussions de la guerre se faisaient encore sentir dans le pays.*

répéter [repete] v. tr. (Se conj. comme *céder.*) Dire ou faire plusieurs fois de suite une même chose : *J'avais beau répéter mon nom au téléphone, elle ne comprenait pas. Le professeur de gymnastique fit répéter cinq fois le même mouvement à ses élèves.* ★ Faire plusieurs fois une même chose pour la mettre au point avant de la présenter au public : *Les acteurs répétèrent la pièce qu'ils devaient jouer le lendemain.* ■ **Se répéter** v. pron. Dire plusieurs fois la même chose inutilement. ★ Se reproduire, en parlant d'événements et de phénomènes : *On va prendre des mesures pour éviter que les inondations ne se répètent tous les ans.*

répétition [repetisjɔ̃] n. f. Action de dire de nouveau : *Lorsqu'on rédige une lettre, il est conseillé d'éviter les répétitions.* ★ Travail auquel se livrent les acteurs et le metteur en scène, avant de jouer en public : *L'auteur assista à toutes les répétitions de sa pièce.*

replier [rəplije] v. tr. Plier à nouveau. ★ Remettre dans ses plis une carte, une pièce d'étoffe, etc. : *Après avoir consulté le plan, il le replia et le mit dans sa poche.*

répondre [repɔ̃dr] v. tr. (Se conj. comme *rendre.*) Dire ou écrire à quelqu'un, qui a posé une question, ce que l'on croit bon de lui dire : *Le professeur répond à toutes les questions que lui posent ses étudiants.*

réponse [repɔ̃s] n. f. Ce que l'on dit ou écrit à quelqu'un pour lui répondre : *Je n'ai jamais reçu de réponse à la lettre que j'ai écrite il y a un mois.*

reportage [rəpɔrtaʒ] n. m. Travail qui consiste à faire une enquête sur un sujet donné, pour faire un article. ★ Article qui donne le résultat d'une enquête faite par des reporters : *Dans le dernier numéro de la revue, j'ai lu un reportage sur la vie au Japon.*

reporter [rəpɔrtɛr] n. m. Journaliste qui fait des enquêtes et qui rédige des articles sur ce qu'il a vu ou appris : *A la suite de la catastrophe, le journal envoya un reporter sur les lieux.*

reporter [rəpɔrte] v. tr. Porter de nouveau. ★ Porter une chose à l'endroit d'où elle vient : *Elle a reporté sa robe chez la couturière, car elle avait un défaut.* ★ Remettre à plus tard : *Le maire décida de reporter la date de la fête de la Jeunesse, à cause de la pluie.*

repos [rəpo] n. m. Etat dans lequel on ne fait aucun mouvement. ★ Etat dans lequel on est quand on ne fait aucun travail : *Après ma maladie, le docteur m'a mis au repos pour un mois.*

reposer [rəpoze] v. tr. Poser de nouveau : *Quand elle eut lavé et repassé les rideaux, elle les reposa aux fenêtres.* ★ Procurer le repos au corps ou à l'esprit : *L'étudiant aimait lire des romans policiers, car cela lui reposait l'esprit.* ■ V. intr. Rester sans être agité. ★ Etre établi : *Cette maison est solidement bâtie, car elle repose sur des piliers de ciment.* ■ **Se reposer** v. pron. Prendre du repos : *Comme il était très fatigué, il est parti se reposer à la campagne.*

repousser [rəpuse] v. tr. Faire reculer en poussant : *Lorsque le chien s'est précipité sur moi, je l'ai repoussé d'un coup de pied.* ★ Ne pas accepter : *Il a repoussé les propositions qu'on lui avait faites.* ■ V. intr. Pousser de nouveau, en parlant des plantes, des cheveux, etc. : *Elle fut étonnée de constater que la plante qu'elle croyait morte repoussait.*

reprendre [rəprɑ̃dr] v. tr. (Se conj. comme *prendre*.) Prendre de nouveau : *Je voudrais bien reprendre de la crème.* ★ Enlever à quelqu'un ce qu'on lui a donné : *La petite fille pleura quand son frère voulut lui reprendre la poupée qu'il lui avait donnée.* ★ Continuer une activité que l'on a interrompue : *Après avoir bien réfléchi, il reprit la carrière politique qu'il avait abandonnée depuis longtemps.* ■ V. intr. Pousser de nouveau, en parlant d'une plante que l'on vient de planter : *J'espère que les arbustes que le jardinier a plantés vont reprendre.* ★ Recommencer, en parlant d'un phénomène physique : *Après une période douce, le froid a repris brusquement.*

représailles [rəprezaj] n. f. pl. Mal que l'on fait à un ennemi pour se venger de lui.

représentant [rəprezɑ̃tɑ̃] n. m. Personne chargée de représenter une autre personne, un groupe, un gouvernement, etc. ★ *Représentant de commerce,* employé qui est envoyé par une maison de commerce auprès de ses clients pour vendre la marchandise : *Ce représentant ne sait pas mettre en valeur la qualité des machines qu'il veut vendre.*

représentation [rəprezɑ̃tasjɔ̃] n. f. Manière dont on conçoit quelque chose. ★ Action de donner un spectacle : *Cette troupe de théâtre donnera plusieurs représentations en province.*

représenter [rəprezɑ̃te] v. tr. Décrire par le dessin, la peinture, etc. : *Ce tableau représente la maison où le peintre a passé son enfance.* ★ Jouer une pièce de théâtre devant un public : *Pour la fête de l'école, les élèves représentèrent une comédie.* ★ Etre chargé par quelqu'un ou un groupe de personnes d'exercer des fonctions en leur absence : *Le maire fut représenté à la* *réception par son adjoint.* ■ **Se représenter** v. pron. Se présenter de nouveau. ★ Former dans son esprit une image de quelque chose : *Je ne connais pas votre chambre, mais je me la représente très bien d'après votre description.*

réprimer [reprime] v. tr. Empêcher par la force que ne se développe quelque chose que l'on considère comme mauvais : *Il faut réprimer dès maintenant tes mauvaises habitudes.*

reprise [rəpriz] n. f. Action de prendre de nouveau ce qu'on avait abandonné ou interrompu : *Les ouvriers ayant obtenu satisfaction, la reprise du travail fut décidée pour le lendemain.* ★ *A plusieurs reprises,* plusieurs fois de suite.

reproche [rəprɔʃ] n. m. Ce que l'on dit à une personne pour lui exprimer que l'on est mécontent d'elle : *Comme j'étais en retard, il me fit de nombreux reproches.*

reprocher [rəprɔʃe] v. tr. Dire à une personne que l'on est mécontent de ce qu'elle a fait, dit, etc. : *Le père reproche à son fils d'être paresseux.* ■ **Se reprocher** v. pron. Etre mécontent de quelque chose que l'on a fait : *Mon amie se reproche d'avoir refusé de partir pour l'étranger.*

reproduction [rəprɔdyksjɔ̃] n. f. Fonction par laquelle les êtres vivants se reproduisent : *Le professeur de sciences naturelles a fait un cours sur la reproduction chez les oiseaux.* ★ Imitation très exacte d'une œuvre d'art : *Ce tableau n'a pas de valeur, car ce n'est qu'une reproduction.*

reproduire [rəprɔdɥir] v. tr. (Se conj. comme *conduire.*) Produire de nouveau. ★ Refaire aussi exactement que possible : *Ce sculpteur reproduit parfaitement les statues grecques.* ■ **Se reproduire** v. pron. Se produire de nouveau : *Si cet incident se reproduit, nous serons obligés de prévenir la police.* ★ En parlant des êtres vivants, donner naissance à un être de la même espèce : *Certains poissons se reproduisent à une très grande rapidité.*

républicain, e [repyblikɛ̃, ɛn] adj. Qui appartient à la république : *La France a un gouvernement républicain.* ■ N. Qui est partisan de la république : *Les républicains s'opposèrent violemment au retour de la dictature.*

république [repyblik] n. f. Forme de gouvernement dans laquelle le peuple désigne des représentants qui exercent le pouvoir pour un temps limité : *En France, la Ire République, née en 1792, a succédé à la monarchie.*

réputation [repytasjɔ̃] n. f. Opinion, bonne ou mauvaise, généralement admise au sujet de quelqu'un : *Cette personne a une excellente réputation, et tout le monde dit du bien d'elle.*

réseau [rezo] n. m. Ensemble de voies de communication, de lignes téléphoniques, etc. : *La France dispose d'un très bon réseau de routes.* ★ Groupement clandestin de personnes qui ont un but commun.

réserve [rezɛrv] n. f. Chose que l'on met de côté, pour s'en servir plus tard, en cas de besoin : *Les ennemis bloquaient la ville, et les réserves de vivres commençaient à s'épuiser.* ★ *En réserve,* gardé en attendant d'être utilisé. ★ Restriction apportée à quelque chose que l'on accepte : *Je suis d'accord avec vous sans aucune réserve.* ★ Attitude d'une personne qui manifeste très peu ses sentiments, ses idées, etc. : *Cet homme si froid sortit de sa réserve pour exprimer son indignation.*

réserver [rezɛrve] v. tr. Garder en vue d'un usage déterminé : *En période* *de vacances, il est prudent de réserver sa chambre d'hôtel longtemps à l'avance.*

réservoir [rezɛrvwar] n. m. Lieu ou récipient destiné à garder quelque chose en réserve : *Avant de partir, vous devriez faire remplir votre réservoir d'essence.*

résider [rezide] v. intr. Demeurer dans un lieu de manière habituelle : *Je réside à Paris, mais je pars pour la campagne à chaque week-end.*

résigner [reziɲe] v. tr. Abandonner des fonctions. ■ **Se résigner** v. pron. Se décider à subir quelque chose : *Notre boucher a dû se résigner à voir son fils abandonner le commerce familial.*

résistance [rezistɑ̃s] n. f. Qualité d'un corps qui lui permet de s'opposer à l'action d'une force déterminée : *La résistance du fer est plus grande que celle du caoutchouc.* ★ Force que l'on oppose à une autre force : *L'ennemi opposa une vive résistance à nos troupes.* ★ Force grâce à laquelle une personne ne se fatigue pas rapidement : *Bien que petit et maigre, le coureur avait une grande résistance physique.*

résister [reziste] v. intr. Opposer sa propre force à une action qui s'exerce contre elle : *L'acier est un alliage qui résiste très bien aux chocs.*

résolution [rezɔlysjɔ̃] n. f. Décision de faire quelque chose, même si des difficultés se présentent : *Sur le conseil de son médecin, il prit la résolution de se reposer.* ★ Solution d'une question difficile.

résoudre [rezudr] v. tr. (voir tableau p. 358). Venir à bout d'une difficulté : *Les élèves avaient à résoudre un problème de mathématiques.*

respect [rɛspɛ] n. m. Sentiment inspiré par une personne ou une chose en raison de sa grandeur, de son âge, etc. : *Les enfants doivent le respect aux vieillards.*

respecter [rɛspɛkte] v. tr. Eprouver du respect : *Un maître doit savoir se faire respecter de ses élèves.* ★ Considérer comme une chose dont il faut tenir compte : *Les automobilistes doivent respecter le code de la route.*

respectueux, euse [rɛspɛktɥø, øz] adj. Qui marque du respect : *Transmettez mon respectueux souvenir à vos parents.* ■ **Respectueusement** adv.

respiration [rɛspirasjɔ̃] n. f. Fonction par laquelle un corps vivant absorbe l'air qui est nécessaire à sa vie : *Les poumons sont les organes de la respiration.*

respirer [rɛspire] v. tr. Faire pénétrer dans les poumons : *En montagne, on respire un air pur.* ■ V. intr. Absorber l'air dont on a besoin pour vivre : *Quand on est enrhumé, on respire mal.*

responsabilité [rɛspɔ̃sabilite] n. f. Obligation par laquelle quelqu'un est engagé, à cause de ses actes ou des actes d'une personne qui dépend de lui : *La responsabilité de l'ouvrier n'est pas engagée, car il n'était pas de service quand l'accident s'est produit.*

responsable [rɛspɔ̃sabl] adj. Qui a la responsabilité de ses actions ou de celles d'une autre personne : *Les fous ne sont pas responsables de leurs actes.*

ressemblance [rəsɑ̃blɑ̃s] n. f. Rapport de forme, de caractère, etc., qui existe entre deux personnes ou entre deux choses : *Elle a une grande ressemblance avec sa mère; de loin, on pourrait les prendre l'une pour l'autre.*

ressembler [rəsɑ̃ble] v. intr. Rappeler l'image d'une personne ou d'une chose avec laquelle on a quelque chose de semblable : *On dit que je ressemble à mon père.*

ressentir [rəsɑ̃tir] v. tr. (Se conj. comme *sentir.*) Recevoir une impression agréable ou pénible : *Depuis qu'elle a des rhumatismes, elle ressent une douleur à l'épaule.*

resserrer [rəsɛre] v. tr. Serrer plus fort : *Elle resserra sa ceinture, car sa jupe tombait.*

ressort [rəsɔr] n. m. Pièce d'acier élastique qui, en se relâchant, fait marcher certains mécanismes ou rend

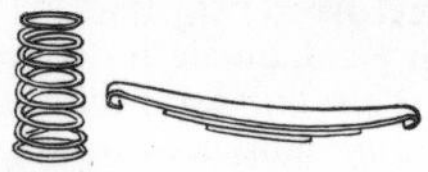

supportables certaines secousses : *Il a cassé le ressort de sa montre en la remontant.*

ressource [rəsurs] n. f. Moyen qu'on trouve à sa disposition quand on en a besoin : *Pour sauver le malade, il ne restait qu'une ressource : tenter une opération.* ★ Pl. Eléments de la richesse d'une personne ou d'un pays : *Les ressources principales de la Normandie sont l'élevage et l'industrie textile.*

ressusciter [resysite] v. tr. Ramener quelqu'un de la mort à la vie. ■ V. intr. Revenir de la mort à la vie : *D'après les Evangiles, Jésus ressuscita le jour de Pâques.*

restaurant [rɛstɔrɑ̃] n. m. Etablissement public où l'on donne des repas en échange d'une somme d'argent : *Quand j'étais étudiant, je déjeunais souvent dans un restaurant du Quartier latin.*

restaurer [rɛstɔre] v. tr. Remettre en bon état : *La cathédrale de Reims a été restaurée après la guerre.*

reste [rɛst] n. m. Ce qui reste d'une chose dont on a déjà pris une partie : *Ce soir, nous mangerons le reste de la soupe. Il a pris sa retraite, et, pendant le reste de sa vie, il vivra à la campagne.*

rester [rɛste] v. intr. Etre encore là quand les autres personnes ou les autres choses n'y sont plus : *Après le bombardement, il ne restait presque plus rien du centre de la ville.* ★ Ne pas changer de lieu, de position, d'état, etc. : *Ses parents sont partis, mais elle est restée à la maison. Ils sont restés assis.*

restriction [rɛstriksjɔ̃] n. f. Action par laquelle on réduit la valeur d'une affirmation, d'une autorisation, etc. : *Quand on lit quelque part « Défense de fumer », cet avis concerne tout le monde sans restriction.*

résultat [rezylta] n. m. Conséquence d'une action, d'un fait : *Les élèves ont obtenu de bons résultats à l'examen de fin d'année.*

résumé [rezyme] n. m. Texte qui contient l'essentiel d'un discours, d'un chapitre de livre, etc. : *Le maître dicta à ses élèves le résumé de la leçon.*

résumer [rezyme] v. tr. Exprimer en peu de mots ce qui a déjà été dit ou écrit plus longuement : *Dans la préface de son livre, l'auteur résume ses intentions.*

rétablir [retablir] v. tr. Remettre dans un état qui existait antérieurement : *Une révolte éclata dans la prison, mais l'ordre a été tout de suite rétabli.* ■ **Se rétablir** v. pron. Retrouver la santé : *Après une longue maladie, elle fit un séjour à la montagne pour se rétablir.*

retard [rətar] n. m. Fait d'arriver ou d'agir plus tard qu'il n'aurait fallu : *Quand il arriva au théâtre, avec dix minutes de retard, le spectacle était déjà commencé.* ★ *En retard,* après l'heure prévue : *Il était en retard, et il a encore manqué son train.*

retarder [rətarde] v. tr. Remettre à un moment plus éloigné : *La neige, qui est tombée hier, a retardé le départ du train.* ■ V. intr. Aller trop lentement, en parlant d'une montre, d'une pendule, etc. : *L'horloge retarde, il faudra l'avancer de dix minutes.*

retenir [rətnir] v. tr. (Se conj. comme *tenir*.) Empêcher quelqu'un ou quelque chose de partir ou de tomber : *Nous avons retenu notre ami à déjeuner. Le paysan avait de la peine à retenir son cheval.* ★ FIG. Garder dans sa mémoire : *Je ne peux retenir aucun numéro de téléphone, sauf le mien.* ★ Prendre à l'avance : *Si vous partez le 1er juillet, retenez une place dans le train.* ■ **Se retenir** v. pron. S'empêcher de tomber : *Il glissa et dut se retenir à la rampe de l'escalier.* ★ *Se retenir de,* s'empêcher de : *La mère ne pouvait se retenir d'embrasser son bébé.*

retirer [rətire] v. tr. Tirer de nouveau. ★ Tirer ou enlever une personne ou une chose hors de l'endroit où elle était : *Les parents retirèrent leur enfant de l'école.* ■ **Se retirer** v. pron. Se rendre dans un lieu pour se reposer : *Quand il eut soixante-cinq ans, le colonel alla se retirer dans le village où il était né.*

retomber [rətɔ̃be] v. intr. Tomber de nouveau : *Le blessé se releva, mais, après quelques pas, il retomba sur le bord de la route.*

retour [rətur] n. m. Action de revenir à l'endroit d'où l'on est parti : *Son retour eut lieu huit jours après son départ.* ★ *De retour,* revenu : *Parti dans la matinée, il était de retour à la maison vers cinq heures.*

retourner [rəturne] v. tr. Tourner de nouveau. ★ Mettre dessus ce qui était dessous : *Il faudra retourner la terre avant de planter ces fleurs.* ■ V. intr. Aller de nouveau : *Je ne suis jamais retourné chez ce commerçant malhonnête.* ★ Se diriger vers le lieu d'où l'on vient : *Comme il avait oublié ses clefs, il retourna chez lui pour les prendre.* ■ **Se retourner** v. pron. Regarder derrière soi.

retraite [rətrɛt] n. f. Action de se retirer. ★ Marche en arrière d'une armée qui recule devant l'ennemi : *La retraite de Russie fut terrible pour l'armée de Napoléon.* ★ Etat de celui qui se retire de sa profession et qui reçoit une pension annuelle : *Ce militaire sera à la retraite à soixante ans.* ★ Pension que touche un salarié qui a cessé toute activité professionnelle. ★ *Prendre sa retraite,* cesser l'exercice de sa profession : *Bien que jeune encore, le directeur décida de prendre sa retraite.*

rétrécir [retresir] v. tr. Rendre plus étroit. ■ V. intr. Devenir plus étroit : *Cette chemise a rétréci au lavage.*

retrousser [rətruse] v. tr. Relever de bas en haut quelque chose de souple : *Il se déchaussa, retroussa son pantalon, et traversa le ruisseau.*

retrouver [rətruve] v. tr. Trouver de nouveau. ★ Trouver une chose oubliée ou perdue : *Le vieillard retrouva ses lunettes qu'il avait laissées sur la table.* ■ **Se retrouver** v. pron. Etre de nouveau avec quelqu'un.

réunion [reynjɔ̃] n. f. Action de réunir. ★ Temps pendant lequel on se réunit : *Au cours de la réunion, j'ai parlé à mes collègues d'un problème important.* ★ Groupe de personnes assemblées pour travailler, s'amuser, etc.

réunir [reynir] v. tr. Rapprocher ce qui était séparé. ★ Rassembler des personnes ou des choses : *Le directeur* *réunit ses employés à l'occasion du nouvel an. Les membres du gouvernement se sont réunis pour examiner la situation politique.*

réussir [reysir] v. intr. Obtenir du succès : *Les élèves travailleurs réussissent bien dans leurs études.* ★ Parvenir à faire ou à dire quelque chose : *La police n'a pas réussi à découvrir où se cache le voleur.*

revanche [rəvɑ̃ʃ] n. f. Action par laquelle quelqu'un reprend sur une personne l'avantage que cette personne avait d'abord pris sur lui : *Il a été désagréable avec moi hier, mais j'ai pris ma revanche aujourd'hui en me moquant de lui.* ★ Seconde partie que l'on joue après avoir perdu la première.

rêve [rɛv] n. m. Ensemble des images qui se présentent à l'esprit pendant le sommeil : *J'ai fait, cette nuit, un rêve très bizarre.* ★ Projet que l'on fait, tout en sachant qu'on a peu de chances de le réaliser : *Il avait fait le rêve de construire une petite maison au bord de la mer.*

réveil [revɛj] n. m. Moment où l'on cesse de dormir : *L'heure du réveil est un moment pénible quand on n'a pas assez dormi.* ★ Petite pendule qu'on fait sonner à l'heure où l'on veut se réveiller : *Comme il devait se lever tôt, il a fait sonner son réveil à 6 heures.*

réveiller [revɛje] v. tr. Tirer du sommeil : *Tous les matins, la mère venait réveiller l'enfant en l'embrassant.* ■ **Se réveiller** v. pron. Sortir du sommeil : *Je me suis réveillé très tard, ce matin.*

révélation [revelasjɔ̃] n. f. Action de faire connaître quelque chose qui était resté caché.

révéler [revele] v. tr. (Se conj. comme *céder.*) Faire connaître ce qui était inconnu ou secret : *Avant de mourir, l'homme révéla un crime qu'il avait commis il y avait trente ans.*

revendication [rəvɑ̃dikasjɔ̃] n. f. Action de réclamer avec insistance quelque chose que l'on croit dû : *Le gouvernement a dû céder aux revendications des fonctionnaires.*

revenir [rəvnir] v. intr. (Se conj. comme *venir.*) Venir de nouveau : *Je suis revenu à la maison, parce que j'avais oublié mon portefeuille.* ★ Coûter, après que l'on a tout compté : *Si l'on compte le prix du terrain et celui de la construction, cette maison me revient à cent mille francs.*

revenu [rəvny] n. m. Somme que rapporte chaque année une maison, un commerce, un capital, etc. : *Mon voisin possède une terre qui lui procure un revenu considérable.*

rêver [rɛve] v. tr. Faire un rêve pendant le sommeil : *J'ai rêvé que je volais au-dessus de la ville.* ■ V. intr. *Rêver de,* voir en rêve pendant la nuit : *Depuis leur départ, elle rêve souvent de ses enfants.* ★ Faire des projets vagues : *Les jeunes mariés rêvent d'une maison de campagne.*

révision [revizjɔ̃] n. f. Action d'examiner en détail les éléments qui constituent quelque chose : *J'ai demandé, au garage, qu'on fasse la révision de mon moteur.*

revoir [rəvwar] v. tr. (Se conj. comme *voir.*) Voir de nouveau : *Toutes les fois qu'il venait à Paris, il avait beaucoup de plaisir à en revoir les monuments.* ■ N. m. *Au revoir,* formule de politesse qu'on emploie quand on quitte quelqu'un.

révolte [revɔlt] n. f. Opposition violente à une autorité légitime.

révolter [revɔlte] v. tr. Pousser à la révolte. ★ FIG. : *Le procédé que vous employez m'a révolté, et je vous donne ma démission.* ■ **Se révolter**

v. pron. Entrer en révolte : *Le peuple de la province se révolta contre l'autorité du gouvernement.*

révolution [revɔlysjɔ̃] n. f. Changement violent apporté à l'état politique, social, économique d'un pays : *De nombreuses personnes ont été tuées au cours de la révolution.* ★ Changement apporté dans les arts, les mœurs, l'opinion, etc. : *En France, la révolution romantique commença au début du XIXe siècle.*

révolutionnaire [revɔlysjɔnɛr] adj. Qui a rapport à la révolution politique ou qui lui est favorable : *A la fin du XVIIIe siècle, la France a répandu dans le monde les idées révolutionnaires.* ■ N. Partisan de la révolution.

revolver [revɔlvɛr] n. m. Petite arme à feu, qu'on tient à la main et dont les balles de réserve sont placées

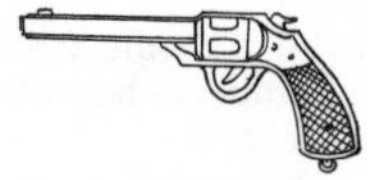

dans une partie tournante en forme de cylindre : *J'ai vu hier un film d'aventures où le héros tirait des coups de revolver sur les bandits qui l'attaquaient.*

revue [rəvy] n. f. Action d'examiner en détail des personnes ou des choses nombreuses : *Le colonel passa son régiment en revue.* ★ Périodique où se trouvent des articles relatifs aux idées, aux hommes et aux événements plus ou moins récents : *Il publia le résultat de ses travaux dans une revue médicale mensuelle.*

rez-de-chaussée [redʃose] n. m. inv. Partie de la maison qui se trouve au niveau du sol : *Je suis heureux d'habiter au rez-de-chaussée, mais je suis un peu gêné par les bruits de la rue.*

rhumatisme [rymatism] n. m. Douleur qui se manifeste dans les muscles et les articulations : *Ma grand-mère craint l'humidité, car elle souffre de rhumatismes.*

rhume [rym] n. m. Légère maladie, causée par le froid : *Je commence à tousser; j'ai dû attraper un rhume.*

riche [riʃ] adj. Qui possède beaucoup d'argent ou des choses de valeur : *Je sais qu'il est riche, car il est propriétaire de plusieurs usines.* ★ Qui possède ou qui produit quelque chose en abondance : *La région du Nord est une des plus riches de France. Ce musée est très riche en sculptures antiques.* ■ **Richement** adv.

richesse [riʃɛs] n. f. Abondance d'argent ou d'objets de valeur. ★ Ce qui fait qu'une chose est riche : *La richesse d'un pays peut se mesurer au nombre des voitures qui y circulent.*

ride [rid] n. f. Pli de la peau humaine, amené généralement par l'âge : *Mon grand-père avait le visage couvert de rides.*

rideau [rido] n. m. Pièce d'étoffe tendue devant une ouverture, pour empêcher la lumière de passer ou pour protéger des regards : *Ferme les rideaux de ta chambre, sinon tu seras réveillé par le jour.*

ridicule [ridikyl] adj. Qui donne envie de se moquer : *Elle faisait porter à son chien un ridicule petit manteau à carreaux.* ■ **Ridiculement** adv. ■ N. m. Ce qui fait rire par suite d'un manque de goût. ★ *Tourner quelqu'un en ridicule,* se moquer de lui.

ridiculiser [ridikylize] v. tr. Rendre ridicule : *Une comédie de Molière ridiculise les avares.*

rien [rjɛ̃] pron. indéf. Peu de chose : *Il se fâche pour rien.* ★ Aucune chose (suivi ou précédé de la négation *ne*) : *Je vous raconte cela, mais n'en dites* *rien à personne. Il pleut maintenant, mais rien ne dit qu'il ne fera pas beau ce soir.*

rigide [riʒid] adj. Qu'on ne peut pas plier : *Un fil de plomb est moins rigide qu'un fil d'acier.*

rigoureux, euse [rigurø, øz] adj. Qui est très sévère : *Comme elle veut maigrir, elle suit un régime rigoureux.* ★ Qui est très exact : *Les ingénieurs font des calculs rigoureux pour déterminer la forme du barrage.* ★ En parlant de la température, qui est très froid : *Il fait en Sibérie, pendant l'hiver, une température très rigoureuse.* ■ **Rigoureusement** adv.

rime [rim] n. f. En français, répétition d'un ou de plusieurs sons à la fin des mots qui terminent deux ou plusieurs vers : *Dans cette poésie, « maison » est la rime de « raison », et « amour » est la rime de « toujours ».*

rincer [rɛ̃se] v. tr. (Se conj. comme *annoncer*.) Nettoyer en lavant dans beaucoup d'eau pure : *Après avoir lavé le linge, elle l'a rincé plusieurs fois.*

rire [rir] v. intr. (voir tableau p. 358). Exprimer sa gaieté par un mouvement des muscles du visage, accompagné souvent de bruit : *Cette histoire amusante le fit bien rire.* ★ Se moquer de : *On ne doit pas rire du malheur des autres.* ■ N. m. Action d'exprimer la gaieté : *Les personnes gaies disent que le rire est nécessaire à la santé.*

risque [risk] n. m. Danger possible : *Il y a des risques d'incendie partout où l'on accumule des matières inflammables.*

risquer [riske] v. tr. Exposer à un danger possible : *Il a risqué sa vie pour sauver un enfant qui se noyait.* ■ V. intr. Etre exposé à : *Si tu travailles trop, tu risques de tomber malade.*

rival, e, aux [rival, o] adj. Se dit d'une personne qui est en concurrence avec une autre : *Chacune des deux maisons rivales essayait d'attirer les clients de l'autre.* ■ N. Personne qui est en rivalité avec une autre : *Il y a quatre candidats au poste d'ingénieur en chef, mais le plus jeune surpasse ses trois rivaux par son intelligence.*

rivalité [rivalite] n. f. Etat dans lequel se trouvent deux personnes ou deux groupes dont les intérêts sont opposés : *La rivalité économique des deux pays se manifeste surtout dans le domaine industriel.*

rive [riv] n. f. Terrain qui borde un cours d'eau : *Il s'était installé sur la rive pour regarder les bateaux passer.*

rivière [rivjɛr] n. f. Cours d'eau plus ou moins important qui se jette dans un fleuve ou dans une autre rivière : *L'Oise est une rivière qui se jette dans la Seine.*

riz [ri] n. m. Céréale cultivée dans les régions chaudes et humides, et dont on mange les grains : *Le riz cuit à l'eau est la principale nourriture des peuples d'Extrême-Orient.*

robe [rɔb] n. f. Vêtement de femme fait d'une seule pièce et couvrant le corps des épaules jusqu'aux genoux ou plus bas : *Elle portait une robe d'été, de couleur claire.* ★ Tenue de cérémonie des magistrats, avocats, etc. ★ *Robe de chambre,* vêtement confortable que l'on porte à l'intérieur de la maison.

robinet [rɔbinɛ] n. m. Appareil permettant d'établir ou d'arrêter le

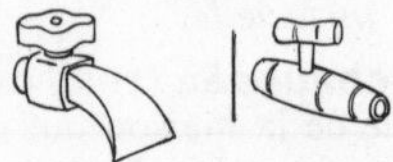

passage d'un liquide ou d'un gaz : *Elle tourna le robinet du tonneau et remplit une bouteille de vin.*

robuste [rɔbyst] adj. Qui est solidement constitué : *Il était si robuste qu'à soixante ans il en paraissait quarante-cinq.*

roche [rɔʃ] n. f. Masse de matière minérale : *Le marbre est une roche dure, la craie est une roche tendre.* ★ Masse de pierre dure paraissant à la surface du sol : *La montagne était dominée par un bloc de roches pointues.*

rocher [rɔʃe] n. m. Masse importante de roches à la surface du sol : *Les vagues se brisaient sur les rochers de la côte.*

roi [rwa] n. m. Chef d'Etat auquel on rend des honneurs spéciaux et à la mort duquel succède généralement une personne de sa famille : *Le roi Louis XVIII étant mort sans enfants, son frère lui succéda sous le nom de Charles X.*

rôle [rol] n. m. *A tour de rôle,* chacun son tour. ★ Texte qu'un acteur doit réciter dans une pièce ou dans un film : *La troupe était mauvaise, et certains acteurs ne savaient même pas leur rôle.* ★ Fonction tenue par quelqu'un ou par quelque chose : *L'électricité joue un rôle très important dans l'industrie moderne.*

roman [rɔmɑ̃] n. m. Œuvre littéraire en prose, généralement assez longue, où l'auteur raconte la vie de personnages plus ou moins imaginaires : *La jeune fille lisait avec intérêt un roman d'amour.*

roman, e [rɔmɑ, an] adj. Se dit de l'art chrétien du Moyen Age, qui a été remplacé par l'art gothique : *Saint-Germain-des-Prés est une des églises romanes de Paris.*

romanesque [rɔmanɛsk] adj. Se dit des situations, des idées, etc., qu'on trouve dans les romans et non pas dans la vie réelle : *Cette jeune fille a une conception romanesque de la vie, et elle se fait beaucoup d'illusions.* ★ Se dit d'une personne qui conçoit la vie comme un roman.

romantique [rɔmɑ̃tik] adj. Se dit des sentiments, des idées, des mœurs, etc., répandus par une école littéraire et artistique qui s'est manifestée dans différents pays d'Europe, et notamment en France, entre 1820 et 1850 : *Victor Hugo est le plus grand des écrivains romantiques.* ★ Qui accorde une importance exagérée aux sentiments exprimés autrefois par la littérature romantique.

rompre [rɔ̃pr] v. tr. (Se conj. comme *rendre.*) Casser en morceaux : *La corde s'est rompue, car elle n'était pas assez solide.* ★ Faire cesser les relations : *Depuis la guerre, j'ai rompu toutes relations avec lui.* ■ V. intr. Cesser d'avoir des relations : *Il a rompu avec sa femme, et ils vont demander le divorce.*

rond, e [rɔ̃, rɔ̃d] adj. Se dit de ce qui a la forme d'un cercle : *La table de ma chambre est ronde.*

ronfler [rɔ̃fle] v. intr. Respirer avec bruit pendant le sommeil : *Je n'ai pas pu dormir à l'hôtel, cette nuit, car un homme ronflait dans la chambre voisine.* ★ Produire un bruit sourd et prolongé : *Dès que nous fûmes assis dans l'avion, les moteurs se mirent à ronfler.*

ronger [rɔ̃ʒe] v. tr. (Se conj. comme *manger.*) Détacher de petits morceaux d'un ensemble avec ses dents ou avec son bec : *Les rats ont rongé des livres dans le grenier.*

rose [roz] n. f. Fleur d'un arbuste garni d'épines, dont la couleur varie

et dont le parfum est délicat : *On dit*

que la rose est la reine des fleurs. ■ Adj. Dont la couleur, intermédiaire entre le rouge et le blanc, rappelle celle de certaines roses : *Les jeunes filles s'habillent souvent en rose.* ■ N. m. Couleur rose : *Le rose est ma couleur préférée.*

rôti, e [roti] adj. Cuit au four : *Le poulet rôti sortit du four tout doré.* ■ N. m. Morceau de viande cuit au four : *Le rôti était excellent, j'en ai repris deux fois.*

rôtir [rotir] v. tr. Faire cuire à feu vif, sans eau ou avec peu d'eau : *Elle mit la viande à rôtir pour le déjeuner.*

roue [ru] n. f. Pièce de forme circulaire tournant autour d'un axe : *L'au-*

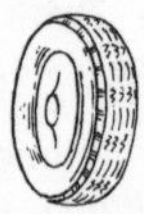

tomobile est un véhicule à quatre roues.

rouge [ruʒ] adj. Dont la couleur rappelle celle du sang frais : *Il devint rouge de colère, quand il vit qu'on l'insultait.* ■ N. m. Couleur rouge : *Cette étoffe a été teinte en rouge foncé.* ★ Produit avec lequel les femmes se colorent les lèvres, les joues, les ongles.

rougir [ruʒir] v. tr. Rendre rouge : *Il faisait tellement froid que le vent lui rougissait le nez.* ■ V. intr. Devenir rouge : *La petite fille rougit, et on comprit qu'elle mentait.*

rouiller [ruje] v. tr. Attaquer le fer, en parlant de l'humidité : *La pluie a rouillé le couteau que j'avais laissé dans le jardin.* ■ V. intr. En parlant du fer, être attaqué par l'humidité : *L'outil a rouillé dans la cave humide.*

rouleau [rulo] n. m. Objet qui a la forme d'un cylindre : *Elle plaça les revues dans un rouleau de carton et l'envoya par la poste.*

roulement [rulmɑ̃] n. m. Mouvement de ce qui roule. ★ Bruit produit par le mouvement : *On entend le roulement des voitures dans la rue.* ★ Succession de personnes qui viennent remplacer d'autres personnes à leur travail : *Les ouvriers de cette usine travaillent par roulement : trois équipes se remplacent toutes les huit heures.*

rouler [rule] v. tr. Déplacer une chose en la faisant tourner sur elle-même : *Pour faire entrer un tonneau dans la boutique, le marchand de vin l'a fait rouler sur le sol.* ■ V. intr. Se déplacer en tournant sur soi-même ou sur des roues : *La voiture roulait à vive allure sur la route nationale.*

route [rut] n. f. Large chemin construit entre les villes pour le passage des véhicules et des gens : *La route, large et bordée d'arbres, passait non loin de la rivière.* ★ Direction suivie pour aller quelque part : *Le pilote s'aperçut qu'il s'était trompé de route.* ★ *Faire fausse route,* s'écarter de la bonne direction. ★ *En route!* Partons!

routine [rutin] n. f. Habitude que l'on a de faire une chose déterminée toujours de la même façon : *Son travail, qu'il fait depuis vingt ans, est devenu pour lui une sorte de routine.*

roux, rousse [ru, rus] adj. Dont la couleur se situe entre le jaune et le rouge (se dit particulièrement des cheveux) : *Les feuilles des arbres sont rousses en automne.* ★ Se dit d'une personne dont les cheveux sont roux : *Les personnes rousses ont généralement la peau très blanche.* ■ N. Personne dont les cheveux sont roux.

royal, e, aux [rwajal, o] adj. Qui appartient à un roi ou se rapporte à lui : *Versailles était un château royal.* ■ **Royalement** adv.

royaume [rwajom] n. m. Pays gouverné par un roi : *La France a été* *un royaume jusqu'à la révolution de 1789.*

ruban [rybɑ̃] n. m. Etroite bande de tissu, de métal, etc. : *La petite fille portait dans les cheveux un ruban de soie bleue.*

rude [ryd] adj. Qui n'est pas doux au toucher : *Cette étoffe de laine est trop rude et trop grossière pour qu'on en fasse un vêtement.* ★ Qui cause de la fatigue, de la douleur : *Le froid est rude, cet hiver.*

rue [ry] n. f. Chemin bordé de maisons ou de murs, dans une ville ou un village : *Ma maison donne sur une rue étroite où ne passent que peu de voitures.*

rugby [rygbi] n. m. Sport qui se joue avec un ballon ovale et qui oppose deux équipes de quinze ou de treize joueurs qui essaient de placer le ballon derrière une ligne.

rugueux, euse [rygø, øz] adj. Qui est rude au toucher : *La surface de la table n'a pas été bien polie, et elle est restée rugueuse.*

ruine [rɥin] n. f. Chute d'une construction. ★ Débris d'une construction : *Au-dessus de la ville s'élèvent les ruines d'un château du Moyen Age.* ★ *Tomber en ruine,* être en très mauvais état : *Les monuments de cette ville ont besoin d'être restaurés, car ils tombent en ruine.*

ruiner [rɥine] v. tr. Faire tomber en débris une construction. ★ FIG. Causer la perte de la santé, de la fortune, etc. : *La guerre a ruiné ma famille.*

ruisseau [rɥiso] n. m. Etroit cours d'eau qui se jette dans une rivière : *Le ruisseau qui coule près de notre village est à sec en été.* ★ Eau qu'on fait couler le long des trottoirs : *L'employé de la ville trempa son balai dans le ruisseau pour nettoyer le bord de la chaussée.*

rupture [ryptyr] n. f. Action de se rompre : *La rupture du barrage causa une terrible catastrophe.* ★ FIG. : *La rupture des relations économiques entre les deux pays est un fait grave.*

rural, e, aux [ryral, o] adj. Qui appartient à la campagne : *La vie rurale est généralement plus rude que la vie des villes.*

ruse [ryz] n. f. Procédé que l'on emploie pour tromper : *Les fables de La Fontaine donnent de nombreux exemples de la ruse du renard.*

rythme [ritm] n. m. Ordre qui se manifeste dans une suite de faits (musique, poésie, etc.), donnant l'impression qu'entre ces faits il existe certaines proportions : *J'ai entendu hier, au concert, une œuvre dont le rythme est voisin de celui du jazz.* ★ Vitesse moyenne avec laquelle on fait quelque chose : *Le rythme de fabrication de l'usine a doublé en quelques années.*

S

s' V. SE et SI.

sa [sa] adj. poss. f. V. SON.

sable [sɑbl] n. m. Roches réduites en poudre, qu'on trouve notamment au bord de la mer ou sur les rives des cours d'eau : *Avec une pelle, le maçon mêlait du sable, du ciment et de l'eau.*

sabot [sabo] n. m. Chaussure faite d'un bloc de bois creusé, qu'on porte quelquefois à la campagne : *La fer-*

mière mit ses sabots, car l'herbe était mouillée. ★ Enveloppe de corne qui entoure le pied de certains mammifères : *Le bœuf frappa du sabot sur le sol.*

sac [sak] n. m. Pièce de tissu, de cuir, de papier, etc., mise en double et

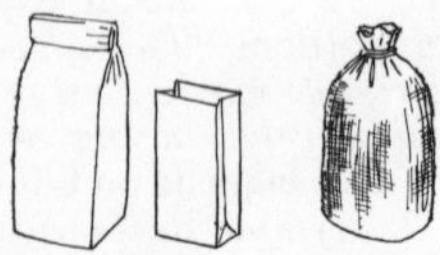

cousue ou collée sur deux ou trois côtés : *C'est dans des sacs que le blé a été transporté.*

sacré, e [sakre] adj. Se dit des personnes ou des choses qu'on doit respecter parce qu'elles ont un caractère religieux ou moral : *On a volé des objets sacrés dans une église.*

sacrement [sakrəmɑ̃] n. m. Une des cérémonies instituées par Jésus-Christ ou par l'Eglise, afin de donner ou d'augmenter la grâce dans l'âme du chrétien : *Le baptême, la communion et le mariage sont des sacrements.*

sacrifice [sakrifis] n. m. Abandon volontaire d'une chose ou d'une personne consenti à Dieu ou à une grande idée : *Ce soldat a fait le sacrifice de sa vie à la patrie.*

sacrifier [sakrifje] v. tr. Abandonner volontairement une personne ou une chose, en échange de quelqu'un ou de quelque chose qu'on juge plus important : *Il a sacrifié sa santé à son travail.*

sage [saʒ] adj. Qui pense et qui agit de manière juste : *Mon ami est un homme sage qui vit heureux sans avoir beaucoup d'argent.* ★ Se dit d'un enfant qui est calme et qui obéit à ses parents et à ses maîtres : *Votre fils est l'élève le plus sage de la classe.* ■ **Sagement** adv. ■ N. m. Personne qui a de la sagesse. ■ N. f. *Sage-femme,* femme dont la profession est d'aider les femmes qui accouchent et de les soigner.

sagesse [saʒɛs] n. f. Exacte connaissance de ce qu'il faut faire en toutes circonstances pour vivre en paix avec les autres et avec soi-même : *On dit que dans certains pays d'Orient des hommes sont parvenus à une grande sagesse.*

saigner [sɛɲe] v. tr. Faire perdre son sang à une personne ou à un animal. ■ V. intr. Perdre son sang : *Vous saignez un peu du menton : vous avez dû vous couper avec votre rasoir.*

saillant, e [sajɑ̃, ɑ̃t] adj. Se dit d'une chose qui s'avance au-dehors : *L'enfant s'est blessé à une partie saillante de l'armoire.*

saillie [saji] n. f. Partie d'un corps qui dépasse de la surface. ★ *En saillie,* qui dépasse d'une surface : *Il pleuvait, et il s'abrita sous le toit en saillie de la maison.*

sain, e [sɛ̃, sɛn] adj. Dont l'organisme est en bon état : *Dans l'Antiquité, on disait que l'homme devait posséder une âme saine dans un corps sain.* ★ Qui est bon pour la santé : *L'air de la montagne est très sain pour les enfants.* ■ **Sainement** adv.

saint, e [sɛ̃, sɛ̃t] adj. Se dit des personnes ou des choses qui ont en elles quelque chose de la perfection de Dieu : *La Sainte Vierge était la mère du Christ.* ★ Se dit de ce qui appartient à la religion : *Une église est un lieu saint.* ■ **Saintement** adv. ■ N. Personne qui, parvenue dans la vie à une grande perfection morale, a été jugée digne par l'Eglise d'être l'objet d'un culte : *Jeanne d'Arc a été reconnue sainte par l'Eglise.*

saisir [sɛzir] v. tr. Prendre d'un geste rapide : *Quand il vit qu'il allait tomber, il saisit une branche d'arbre pour se rattraper.* ★ Bien comprendre : *Il a tout de suite saisi mon explication.* ★ *Saisir une occasion,* mettre à profit : *Vous devriez saisir l'occasion de faire ce voyage.*

saison [sɛzɔ̃] n. f. Chacune des quatre périodes de trois mois qui divisent l'année : *La plus agréable des saisons est le printemps.* ★ Moment de l'année marqué par une végétation et des activités déterminées : *Septembre est la saison des vendanges.*

salade [salad] n. f. Plat composé de certaines herbes potagères ou de légumes assaisonnés avec une sauce faite d'huile, de vinaigre, de sel, de poivre, etc. : *Comme hors-d'œuvre, j'ai préparé une salade de carottes râpées.* ★ Nom donné à certaines plantes potagères qui ont de larges feuilles vertes et que l'on mange en salade : *Va au jardin cueillir une salade.*

salaire [salɛr] n. m. Somme d'argent payée, pour l'exécution d'un travail, à quelqu'un que l'on emploie : *Le samedi, à midi, le patron paie le salaire de ses ouvriers.*

salarié, e [salarje] adj. Se dit d'une personne qui est payée par une autre pour exécuter un travail régulier. ■ N. Personne payée par une autre, qui l'emploie pour faire un travail : *Le nombre des salariés augmente dans les Etats modernes.*

sale [sal] adj. Se dit de ce qui a besoin d'être nettoyé : *En quittant leur travail, les mineurs ont les vêtements et les mains sales.* ■ **Salement** adv.

saler [sale] v. tr. Assaisonner avec du sel : *On sale les aliments pour leur donner du goût.*

saleté [salte] n. f. Etat de ce qui est sale.

salir [salir] v. tr. Rendre sale : *Les oiseaux ont sali leur cage, et il faudra la nettoyer.*

salissant, e [salisɑ̃, ɑ̃t] adj. Qui salit facilement : *Elle porte une blouse, car elle fait un travail salissant.* ★ Qui se salit facilement : *Les robes blanches sont très salissantes.*

salive [saliv] n. f. Liquide naturel qui sort de glandes situées dans la bouche : *La salive mouille les aliments et permet de les absorber.*

salle [sal] n. f. Pièce, généralement de dimensions assez grandes : *Le professeur a fait une conférence dans une des salles de la faculté.* ★ Ensemble des personnes se trouvant dans une salle de spectacle : *La salle applaudit longuement les musiciens à la fin du concert.* ★ *Salle à manger,* pièce d'appartement où l'on prend ses repas. ★ *Salle de bains,* pièce pourvue d'une baignoire. ★ *Salle d'attente,* pièce où l'on attend l'heure d'un train ou le moment d'être reçu par un médecin, un dentiste, etc. ★ *Salle de séjour,* dans un appartement, pièce où l'on vit habituellement.

salon [salɔ̃] n. m. Pièce qui, dans un appartement, sert à recevoir les visiteurs : *Elle m'a reçu dans un salon très élégant, où il y avait de jolis fauteuils Louis XVI.* ★ Exposition temporaire d'objets d'art, de machines ou d'appareils : *Au salon de l'automobile, j'ai admiré de nouveaux modèles de voitures.*

saluer [salɥe] v. tr. Donner à quelqu'un, par la parole ou le geste, une marque de politesse, de respect, d'amitié, etc. : *Notre voisin nous salua de loin en retirant son chapeau.* ★ Manifester en public ses sentiments : *La fin de la guerre fut saluée avec enthousiasme.*

salut [saly] n. m. Action d'échapper à un grave danger : *Poursuivi par des ennemis, il ne dut son salut qu'à la fuite.* ★ Marque de politesse que l'on donne à quelqu'un par certains mots ou certains gestes : *Quand le soldat passa devant le capitaine, il lui fit un salut militaire.*

salutations [salytasjɔ̃] n. f. pl. Action de saluer (ne s'emploie que pour terminer poliment une lettre) : *Je vous prie de recevoir, Monsieur, mes salutations les plus distinguées.*

samedi [samdi] n. m. Le dernier jour de la semaine.

sanction [sɑ̃ksjɔ̃] n. f. Punition, ou plus rarement récompense, fixée par les lois ou les règlements : *Les personnes qui n'obéissent pas aux lois s'exposent à des sanctions.*

sandale [sɑ̃dal] n. f. Chaussure plate faite d'une semelle maintenue au pied par des lacets ou des bandes étroites : *Pendant ses vacances, elle marchait toujours en sandales.*

sandwich [sɑ̃dwitʃ] n. m. Tranches de pain entre lesquelles on a mis du beurre, du jambon, du fromage, etc. : *Comme je n'avais pas le temps de déjeuner, j'ai mangé un sandwich.*

sang [sɑ̃] n. m. Liquide qui circule dans toutes les parties du corps et qui nourrit l'organisme : *Les serpents sont des animaux à sang froid, alors que les mammifères sont des animaux à sang chaud.* ■ N. m. *Sang-froid,* contrôle de soi-même qu'on parvient à garder dans des circonstances difficiles : *Quand l'alpiniste comprit qu'il glissait, il eut le sang-froid de s'attacher à un rocher.*

sanglant, e [sɑ̃glɑ̃, ɑ̃t] adj. Où il y a du sang répandu : *Le boucher essuya ses mains, qui étaient sanglantes.* ★ Qui cause une grande perte d'hommes : *La bataille de Verdun reste une des plus sanglantes de l'histoire.*

sanitaire [sanitɛr] adj. Relatif à la santé publique : *Les populations de certaines régions pauvres sont dans un état sanitaire très mauvais.* ★ *Installation sanitaire,* installation de bains, de w.-c., etc., dans une maison.

sans [sɑ̃] prép. Marque l'absence : *Son frère est malade, il est parti sans lui. Que voulez-vous que j'achète sans argent? Il partit sans prendre ses bagages.* ■ LOC. CONJ. *Sans que* (+ subjonctif) : *Le temps passe sans que l'on s'en aperçoive.*

santé [sɑ̃te] n. f. Bon état de l'organisme : *Ne buvez pas trop si vous voulez conserver votre santé.* ★ Etat ordinaire de l'organisme : *Sa fille tousse, elle a toujours eu une santé délicate.* ★ *Maison de santé,* maison où l'on soigne des malades. ★ *Boire à la santé de quelqu'un,* boire en exprimant un vœu en faveur de quelqu'un.

sapin [sapɛ̃] n. m. Arbre qui pousse

en montagne et dans les pays froids, et dont les feuilles ressemblent à des aiguilles : *Les enfants veulent que j'achète un sapin pour le placer dans leur chambre pendant les fêtes de Noël.*

sardine [sardin] n. f. Petit poisson de mer qu'on mange soit frais, soit en conserve : *Elle alla chez l'épicier acheter une boîte de sardines à l'huile.*

satellite [satɛlit] n. m. Petite planète qui tourne autour d'une autre planète : *La Lune est le satellite de la Terre.*

satisfaction [satisfaksjɔ̃] n. f. Sentiment agréable éprouvé quand on obtient ce que l'on espérait : *Le camarade de mon fils donne satisfaction à ses parents.*

satisfaire [satisfɛr] v. tr. (Se conj. comme *faire*.) Faire plaisir à quelqu'un en faisant ce qu'il désire : *J'ai satisfait mes enfants en leur offrant un voyage.*

sauce [sos] n. f. Préparation, cuite ou non, généralement liquide, qu'on sert avec la viande, le poisson, etc., pour leur donner meilleur goût : *Au restaurant, on m'a servi des pommes de terre avec une sauce au beurre fondu.*

saucisse [sosis] n. f. Morceau de viande (généralement de porc), coupé en morceaux très fins, remplissant une enveloppe en forme de cylindre, fermée aux deux extrémités : *Ma femme a mis une saucisse dans la soupe aux choux.*

saucisson [sosisɔ̃] n. m. Grosse saucisse faite de viande de porc ou de bœuf fortement pressée, qu'on mange le plus souvent froide : *Elle coupa le saucisson en tranches minces et le plaça sur un plat de hors-d'œuvre.*

sauf [sof] prép. Excepté : *Après avoir fait faillite, il a vendu tout ce qu'il possédait, sauf sa petite maison.*

saut [so] n. m. Mouvement par lequel on se lance en l'air : *Le pêcheur posa le poisson sur l'herbe, mais celui-ci fit un saut et retomba dans l'eau.*

sauter [sote] v. tr. Se lancer en l'air pour franchir un obstacle : *Le cheval sauta la haie sans effort.* ★ Oublier, volontairement ou non, une partie du texte, quand on lit ou quand on copie : *En imprimant ce livre, on a sauté une ligne.* ■ V. intr. Se lancer en l'air pour franchir un obstacle : *Le prisonnier sauta par la fenêtre, tomba dans la cour et s'échappa.*

sauvage [sovaʒ] adj. Se dit des animaux qui vivent loin des hommes, des plantes qui poussent sans qu'on les cultive : *Le lion est le roi des animaux sauvages. Je préfère les fraises sauvages à celles de mon jardin.* ★ Qui n'est pas civilisé. ■ **Sauvagement** adv. D'une manière cruelle. ■ N. m. Personne qui n'a jamais été en contact avec aucune civilisation : *Il y a dix mille ans, les habitants de l'Europe étaient encore des sauvages.*

sauver [sove] v. tr. Faire échapper à un grave danger : *Il plongea courageusement et sauva l'enfant qui se noyait.* ■ **Se sauver** v. pron. Courir très vite pour échapper à un danger : *En voyant le gros chien, l'enfant a eu peur et s'est sauvé.*

savant, e [savɑ̃, ɑ̃t] adj. Se dit des personnes qui ont beaucoup étudié et beaucoup appris : *Pascal était un homme très savant.* ★ Se dit des choses où il y a beaucoup de science : *J'ai lu dans une revue un savant article sur les vitamines.* ■ **Savamment** adv. ■ N. m. Personne savante : *Pasteur fut le plus grand savant français du XIXe siècle.*

savoir [savwar] v. tr. (voir tableau p. 358). Connaître d'une manière complète. ★ Avoir retenu dans sa mémoire : *L'élève n'a pu réciter sa leçon, car il ne la savait pas.* ★ Posséder la science, l'art ou la pratique de quelque chose : *Je sais conduire un camion.*

savon [savɔ̃] n. m. Matière qui produit de la mousse dans l'eau, et dont on se sert pour se laver, pour nettoyer le linge, etc. : *Ma femme a acheté un savon de toilette, avec lequel nous nous débarbouillons.*

scandale [skɑ̃dal] n. m. Evénement qui indigne ou qui révolte beaucoup de gens : *Le scandale financier qui a éclaté a été exploité par l'opposition.*

scandaleux, euse [skɑ̃dalø, øz] adj. Qui provoque l'indignation publique : *Sa famille lui reproche sa conduite scandaleuse.* ■ **Scandaleusement** adv.

scénario [senarjo] n. m. Texte donnant le détail des diverses scènes d'un film : *Le scénario de ce film a été tiré d'un roman policier.*

scène [sɛn] n. f. Partie du théâtre où jouent les acteurs : *Dans ce théâtre, la scène est reliée aux fauteuils d'orchestre par un petit escalier.* ★ Lieu où se passe l'action d'une pièce : *La scène, qui change au troisième acte, représente la chambre du roi.* ★ Division d'un acte déterminée par l'entrée ou la sortie de personnages : *Le héros du drame meurt à la dernière scène du cinquième acte.* ★ Spectacle qui intéresse, qui émeut, etc. : *J'ai assisté à une scène dramatique dans la rue, ce matin.*

scepticisme [sɛptisism] n. m. Attitude des gens qui hésitent à croire ce qu'on leur dit : *Comme il ment quelquefois, je l'ai écouté avec un certain scepticisme.*

sceptique [sɛptik] adj. Qui doute de tout ce qui n'est pas absolument certain : *Vous pouvez dire ce que vous voulez, je reste sceptique sur l'intérêt de votre invention.*

schéma [ʃema] n. m. Dessin très simplifié, représentant le fonctionnement de quelque chose : *En quelques traits, l'ingénieur fit le schéma de l'appareil de radio.*

scie [si] n. f. Instrument fait d'une lame d'acier découpée en dents, et qui

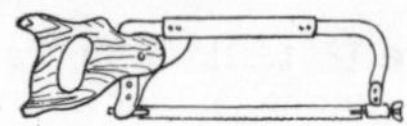

sert à couper le bois ou le métal : *La scie à métaux a des dents plus fines que la scie à bois.*

science [sjɑ̃s] n. f. Ensemble des connaissances relatives à des faits, et qu'il est possible d'exprimer par des lois : *Le développement des mathématiques a permis à la science de faire de grands progrès.* ★ Ensemble des connaissances qu'on peut acquérir dans un domaine déterminé : *Les sciences naturelles étudient les plantes et les animaux.*

scientifique [sjɑ̃tifik] adj. Qui appartient à la science : *Les connaissances scientifiques se sont répandues grâce à d'excellents manuels.* ★ Qui a les caractères exigés par la science : *On ne peut pas écrire un ouvrage scientifique sur le Congo si l'on n'est jamais allé en Afrique.* ■ **Scientifiquement** adv.

scier [sje] v. tr. Couper une matière avec une scie : *Il faut que je scie du bois, car l'hiver approche.*

scolaire [skɔlɛr] adj. Qui a rapport aux écoles et à l'enseignement : *Pour les lycées, l'année scolaire commence le 15 septembre.*

scrupule [skrypyl] n. m. Inquiétude qui trouble la conscience de quelqu'un, pour une chose plus ou moins importante : *Le maître donna une* *mauvaise note à l'enfant, mais il eut des scrupules en pensant que celui-ci avait beaucoup travaillé.*

scrutin [skrytɛ̃] n. m. Vote qui se manifeste par des bulletins déposés dans une urne et comptés ensuite : *Le scrutin pour l'élection des députés aura lieu dimanche prochain.*

sculpter [skylte] v. tr. Tailler la pierre, le bois, etc., avec une intention artistique : *C'est un grand artiste qui a sculpté dans le marbre la Vénus de Milo.*

sculpture [skyltyr] n. f. Art de sculpter : *La sculpture grecque a réalisé d'admirables chefs-d'œuvre.* ★ Objet représenté au moyen de cet art : *Le visiteur regardait avec attention les sculptures qui encadrent la grande porte de la cathédrale.*

se [sə] pron. pers. de la 3ᵉ pers. (s' devant une voyelle ou un *h* muet). Désigne la même personne que le sujet : *La petite fille se regardait dans la glace. Les enfants se sont lancé des boules de neige.*

séance [seɑ̃s] n. f. Réunion de travail d'une assemblée, d'un tribunal, etc. : *Le Parlement a voté le budget en séance de nuit.* ★ Nom donné à certains spectacles : *La séance de cinéma a duré deux heures.*

seau [so] n. m. Récipient ayant généralement la forme d'un cylindre, muni d'une anse, et servant à recueil-

lir et à transporter de l'eau, de la terre, etc. : *La fermière a porté un grand seau de lait dans sa cuisine.*

sec, sèche [sɛk, sɛʃ] adj. Qui ne contient plus d'humidité : *Il n'avait pas plu depuis un mois et la campagne était sèche.* ■ Loc. adv. *A sec,* sans eau : *Le puits était à sec depuis le début des grandes chaleurs.*

sécher [seʃe] v. tr. (Se conj. comme *céder.*) Rendre sec : *Le soleil a séché mes vêtements humides.* ■ V. intr. Devenir sec : *J'ai mis du linge à sécher au soleil.*

sécheresse [seʃrɛs] n. f. Etat de ce qui est sec. ★ Absence de pluie : *Il n'y a plus beaucoup d'eau dans la rivière, à cause de la sécheresse.* ★ Fig. Caractère de ce qui manque de douceur : *Il a répondu avec sécheresse à mes questions.*

second, e [səgɔ̃, ɔ̃d] adj. num. Indique la place qui suit la première : *Nous occupions le second rang aux fauteuils d'orchestre.*

secondaire [səgɔ̃dɛr] adj. Qui ne vient qu'au second rang pour l'importance : *La bonne santé est quelque chose d'essentiel, le reste est secondaire.* ★ S'est longtemps dit de l'enseignement donné dans les lycées et les collèges : *Il a fait toutes ses études secondaires dans un lycée parisien.*

seconde [səgɔ̃d] n. f. Une des soixante parties de la minute : *Trois coureurs sont arrivés cinq secondes après le vainqueur de l'étape.* ★ Très petit espace de temps : *Attendez-moi, je reviens dans une seconde.*

secouer [səkwe] v. tr. Agiter brusquement quelqu'un ou quelque chose : *Nous allons secouer l'arbre pour faire tomber les pommes.*

secourir [səkurir] v. tr. (Se conj. comme *courir.*) Porter une aide à quelqu'un qui se trouve en danger ou dans le besoin : *On a pu secourir rapidement les deux victimes de l'accident d'automobile.*

secours [səkur] n. m. Aide que l'on porte à quelqu'un qui est en danger ou en difficulté : *Sa voiture étant* *restée en panne, il téléphona au garage pour demander du secours.* ★ *Au secours!,* cri pour demander de l'aide.

secousse [səkus] n. f. Mouvement assez brutal qui agite une personne ou un objet : *Les secousses de la voiture ont fatigué le malade.*

secret, ète [səkrɛ, ɛt] adj. Qui est tenu caché : *Une entrevue secrète a eu lieu entre les deux chefs de gouvernement.* ■ N. m. Chose que l'on doit tenir cachée : *Elle révéla à ses amies le secret que son mari lui avait confié.* ■ LOC. ADV. *En secret,* sans témoin : *Je lui ai parlé en secret de cette affaire, car je ne désire pas que tout le monde soit au courant.*

secrétaire [səkretɛr] n. Personne qui a pour travail de composer ou de dactylographier les lettres de quelqu'un : *Il dictait son courrier à sa femme, qui lui servait de secrétaire.* ★ Dans une assemblée, personne qui rédige le procès-verbal des séances. ■ N. m. Meuble sur lequel on écrit et dans lequel on range des papiers.

secrétariat [səkretarja] n. m. Ensemble des secrétaires d'un service : *Le secrétariat de la maison de commerce se compose d'une secrétaire et de trois dactylos.* ★ Bureau des secrétaires : *Laissez votre adresse au secrétariat, on vous écrira.*

secteur [sɛktœr] n. m. Partie de la surface d'un cercle comprise entre deux rayons. ★ FIG. Partie nettement délimitée à l'intérieur d'un ensemble : *Les deux ingénieurs de l'usine ont des secteurs d'activité assez différents : le premier dirige le service commercial et le second s'occupe de la partie technique de l'affaire.*

section [sɛksjɔ̃] n. f. Action de couper. ★ Division administrative : *La section financière du tribunal a prescrit une enquête.*

sécurité [sekyrite] n. f. Etat d'esprit d'une personne qui croit qu'elle n'a rien à craindre : *Le petit chat se sentait en sécurité sous le fauteuil.* ★ *Sécurité sociale,* administration qui, en France, assure obligatoirement tous les salariés contre la maladie, les accidents, etc.

séduire [sedɥir] v. tr. (Se conj. comme *conduire*.) Entraîner quelqu'un par son charme : *J'ai acheté cette cravate, car j'ai été séduit par sa couleur.*

seigle [sɛgl] n. m. Céréale dont les grains sont plus petits que ceux du blé

et dont la farine est moins blanche : *On mange souvent les coquillages avec du pain de seigle et du beurre.*

seigneur [sɛɲœr] n. m. Nom donné autrefois à ceux qui possédaient une terre et exerçaient certains droits sur les personnes qui y vivaient : *Ce château, qui fut construit par un seigneur au XIIe siècle, a été détruit au temps de Louis XIV.* ★ Membre de la noblesse. ★ *Notre-Seigneur,* Jésus-Christ.

sein [sɛ̃] n. m. Partie du corps humain comprise entre le cou et le creux de l'estomac. ★ Chacune des deux mamelles de la femme : *Leur bébé a été nourri au sein.*

seize [sɛz] adj. num. Quinze plus un. ■ N. m. Nom de nombre égal à quinze plus un.

séjour [seʒur] n. m. Temps limité pendant lequel on se trouve dans un certain lieu : *Il a fait un temps superbe pendant notre séjour dans le sud de la France.*

séjourner [seʒurne] v. intr. Rester un certain temps dans un lieu : *Il a séjourné pendant de nombreuses années au Mexique.*

sel [sɛl] n. m. Substance blanche, d'un goût piquant, que l'on trouve dans le sol ou que l'on tire de l'eau de mer, et qui sert à assaisonner les aliments : *Elle prépara la salade en y mettant du sel, du poivre, de l'huile et du vinaigre.*

sélection [selɛksjɔ̃] n. f. Choix d'animaux ou de végétaux destinés à la reproduction. ★ Choix méthodique que l'on fait parmi des personnes : *Le nombre de places étant limité, la sélection des candidats fut sévère.* ★ Ensemble de personnes ou de choses choisies par sélection : *Vous trouverez dans ce rayon une sélection de disques.*

selle [sɛl] n. f. Sorte de siège que l'on place sur le dos d'un cheval : *Le cavalier sauta en selle et partit au grand galop.* ★ Siège sur lequel on prend place quand on fait de la bicyclette ou de la moto : *La selle de sa bicyclette était si basse que ses pieds touchaient terre.*

selon [səlɔ̃] prép. En considérant la personne ou la chose dont on tient compte : *Il faut traiter les gens non selon leur fortune, mais selon leur mérite.*

semaine [səmɛn] n. f. Suite de sept jours à partir du dimanche : *Je paie ma femme de ménage à la fin de la semaine.* ★ Les jours de la semaine où l'on travaille : *Je reste à Paris toute la semaine, mais je pars le dimanche.*

semblable [sɑ̃blabl] adj. Qui a la même manière d'être qu'une autre personne ou qu'une autre chose : *Les deux frères portaient des vêtements semblables.*

sembler [sɑ̃ble] v. intr. Avoir l'apparence de quelque chose : *Ce garçon est gai et semble heureux de vivre.* ■ V. impers. *Il semble que,* il est probable que : *Le ciel est gris, il semble qu'il va neiger.*

semelle [səmɛl] n. f. Partie de la chaussure placée sous le pied : *Les semelles de cuir tiennent moins chaud que les semelles de caoutchouc.*

semer [səme] v. tr. (Se conj. comme *mener.*) Répandre des graines sur un sol cultivé : *On sème le blé à la fin de l'automne.*

semestre [səmɛstr] n. m. Suite de six mois. ★ Période de plusieurs mois pendant laquelle les cours d'un établissement scolaire ont lieu de manière continue : *Il se fit inscrire à l'université au début du semestre d'hiver.*

sénat [sena] n. m. Assemblée parlementaire dont les membres sont soit désignés, soit élus au suffrage indirect.

sénateur [senatœr] n. m. Membre du sénat : *Pour être élu sénateur en France, il fallait être âgé de plus de quarante ans.*

sens [sɑ̃s] n. m. Chacune des sensations qui mettent l'homme et les animaux en relation avec le monde extérieur : *On dit généralement que l'homme a cinq sens, qui sont : la vue, l'ouïe, le toucher, l'odorat et le goût.* ★ Faculté qui permet à l'homme de connaître les choses par intuition : *Cet homme n'a aucune notion du bien et du mal, on dirait qu'il est privé de sens moral.* ★ *Bon sens,* faculté que possèdent certaines personnes, instruites ou non, de juger raisonnablement des choses : *Il a fait preuve de bon sens en ne participant pas à cette manifestation politique.* ★ Ce que veut dire un mot, une phrase, ou tout autre signe : *Le verbe « faire » a de nombreux sens.* ★ Direction donnée à un mouvement : *La circulation dans ma rue est à sens unique. Pliez cette feuille de papier dans le sens de la longueur.*

sensation [sɑ̃sasjɔ̃] n. f. Impression que la conscience reçoit des objets par les sens : *Mettez le doigt sur un* *morceau de glace, et vous aurez une sensation de froid.* ★ *Faire sensation,* provoquer soudain l'admiration, la surprise, etc.

sensationnel, elle [sɑ̃sasjɔnɛl] adj. Qui fait sensation : *La première traversée de l'océan Atlantique en avion fut un exploit sensationnel.*

sensibilité [sɑ̃sibilite] n. f. Faculté de recevoir des impressions physiques ou morales : *Il fait si froid que mes doigts n'ont plus aucune sensibilité. Les descriptions de J.-J. Rousseau portent la marque d'une très vive sensibilité.*

sensible [sɑ̃sibl] adj. Qui a la faculté de ressentir des impressions physiques ou morales d'une manière agréable ou pénible : *Je suis extrêmement sensible aux odeurs. Elle est si sensible qu'elle ne peut pas voir un aveugle sans être émue.* ■ **Sensiblement** adv.

sensuel, elle [sɑ̃sɥɛl] adj. Qui concerne les plaisirs des sens. ★ Qui aime les plaisirs des sens. ■ **Sensuellement** adv.

sentence [sɑ̃tɑ̃s] n. f. Décision rendue par des juges : *L'accusé accueillit avec indifférence la sentence qui le condamnait à cinq ans de prison.*

sentier [sɑ̃tje] n. m. Etroit chemin à travers les bois, les prés, la montagne, etc. : *Nous suivions l'un derrière l'autre le sentier qui faisait le tour du lac.*

sentiment [sɑ̃timɑ̃] n. m. Etat de la sensibilité qui permet de comprendre les êtres et les choses, ou d'éprouver certaines réactions, sans faire appel à la raison : *L'amour est un sentiment qui a été souvent chanté par les poètes.*

sentimental, e, aux [sɑ̃timɑ̃tal, o] adj. Qui a tendance à se laisser dominer par ses sentiments : *Cette vieille dame est si sentimentale qu'elle a gardé tous les objets qui avaient autrefois appartenu à son mari.*

sentinelle [sɑ̃tinɛl] n. f. Soldat qui monte la garde : *La sentinelle va et vient devant la porte de la caserne.*

sentir [sɑ̃tir] v. tr. (voir tableau p. 358). Eprouver une impression par l'intermédiaire du goût, de l'odorat ou du toucher : *J'ai senti une odeur de gaz en entrant dans la cuisine. Je sens le froid, tu devrais fermer la fenêtre.* ★ Avoir par intuition la conscience de quelque chose : *J'ai senti que notre amitié ne durerait pas toujours.* ■ V. intr. Répandre une certaine odeur : *La soupe sent bon et je me mettrai à table avec appétit.* ■ **Se sentir** v. pron. Eprouver en soi un certain état : *Je ne me sens pas très bien depuis quelques jours, il faut que j'aille chez le médecin.*

séparation [separasjɔ̃] n. f. Action de séparer ou de se séparer : *Elle est partie pour Londres et, depuis leur séparation, il est très triste.* ★ Chose qui sépare : *Le cabinet de toilette était isolé de la chambre par une séparation en bois.*

séparément [separemɑ̃] adv. D'une manière isolée : *Il voyage toujours séparément, car il n'aime pas vivre en groupe.*

séparer [separe] v. tr. Mettre loin l'une de l'autre deux personnes ou deux choses qui étaient très près : *Elle cassa des œufs et en sépara le blanc et le jaune pour faire un gâteau.* ★ Etre placé entre deux personnes ou deux choses : *La Manche sépare la France de l'Angleterre.* ■ **Se séparer** v. pron. Se quitter pour un certain temps, en parlant de deux ou de plusieurs personnes : *A la fin des vacances, les clients de l'hôtel se séparèrent avec regret.*

sept [sɛt] adj. num. Six plus un : *Quatre et trois font sept.* ■ N. m. Nom de nombre égal à six plus un.

septembre [sɛptɑ̃br] n. m. Neuvième mois de l'année : *Cette année, la rentrée des classes aura lieu le 15 septembre.*

septième [sɛtjɛm] adj. num. Indique la place qui suit la sixième. ■ N. m. L'une des parties d'un tout que l'on a séparé en sept parties égales.

sergent [sɛrʒɑ̃] n. m. Sous-officier du grade le moins élevé : *Le capitaine a envoyé un sergent et une douzaine d'hommes pour garder le pont.*

série [seri] n. f. Suite de choses mises dans un ordre déterminé : *Dans la série des nombres, trois vient après deux.* ★ Suite non interrompue : *A la fin de la conférence, les étudiants ont posé une série de questions au professeur.* ★ *Production en série,* fabrication en usine d'un grand nombre d'objets identiques qui reproduisent tous un même modèle.

sérieux, euse [serjø, øz] adj. Se dit d'une personne qui voit surtout le côté grave des choses : *Cet enfant est trop sérieux pour son âge, il n'aime pas jouer.* ★ Se dit d'une personne en qui l'on peut avoir confiance : *Mes amis cherchent une personne sérieuse à qui confier leur bébé.* ★ Se dit des choses qui ont un caractère grave, important, lourd de conséquences : *Cette blessure est plus sérieuse que vous ne le croyez, il faut aller chercher un médecin.* ■ **Sérieusement** adv.

serment [sɛrmɑ̃] n. m. Promesse solennelle : *Le témoin prêta serment devant le tribunal.*

serpent [sɛrpɑ̃] n. m. Animal sans membres, qui se déplace en rampant et dont les piqûres sont parfois venimeuses.

serrer [sere] v. tr. Tenir en pressant fortement : *Le chien ne voulait pas lâcher l'os qu'il serrait dans sa gueule.* ★ *Serrer les dents,* presser fortement les deux mâchoires l'une contre l'autre. ★ Etre trop petits en parlant des vêtements, des chaussures : *Elle avait acheté des chaussures un peu justes, qui lui serraient le pied.* ★ *Etre serré,* ne pas avoir de place pour bouger : *A 6 heures du soir, on est très serré dans le métro.*

serrure [seryr] n. f. Mécanisme que l'on fait fonctionner avec une clef, et dont on se sert pour maintenir fermés une porte, un couvercle, etc. : *Il fit poser une serrure sur la porte de la cave.*

serrurier [seryrje] n. m. Celui qui fabrique, vend, pose, répare les serrures : *Va chez le serrurier commander une clef semblable à celle que j'ai perdue.*

service [sɛrvis] n. m. Fonction ou charge dont une personne s'acquitte pour une administration, un tribunal, etc. : *Ce fonctionnaire termine son service à 6 heures.* ★ *Service militaire,* temps pendant lequel un citoyen français sert l'armée. ★ *Etre de service,* être dans l'exercice de ses fonctions. ★ Division d'une administration, d'une entreprise commerciale, etc. : *Il entra à la préfecture et demanda où se trouvait le service des passeports.* ★ Aide que l'on apporte à quelqu'un : *Vous m'avez rendu un grand service en me prêtant votre voiture.* ★ *Escalier de service,* escalier par lequel passent les domestiques et les personnes qui font des livraisons. ★ *Service public,* organisme travaillant plus ou moins sous le contrôle de l'Etat, et chargé de satisfaire certains besoins collectifs : *La Société nationale des chemins de fer français est un service public.* ★ *Mettre en service,* mettre en état de fonctionner. ★ Ensemble d'objets ayant un même usage domestique : *Nous lui avons offert un service à café en porcelaine.*

serviette [sɛrvjɛt] n. f. Linge dont on se sert pour s'essuyer la bouche quand on est à table, ou pour s'essuyer le corps quand on fait sa toilette : *A-t-on pensé à mettre des serviettes propres dans la salle de bains?* ★ Sac de cuir plat qui sert à mettre toutes sortes de documents et que l'on porte avec soi : *Quand l'ingénieur revint à sa voiture, il s'aperçut qu'on lui avait volé sa serviette.*

servir [sɛrvir] v. tr. (Se conj. comme *sentir : je sers, nous servons.*) Fournir de la marchandise : *C'est le même boucher qui nous sert depuis quinze ans.* ★ S'acquitter de certaines fonctions, de certains devoirs : *Le rôle des fonctionnaires est de servir l'Etat.* ★ Apporter un aliment sur la table, pour qu'on le mange ou qu'on le boive : *On attendait son arrivée pour commencer à servir le potage.* ★ Donner à quelqu'un sa part d'un plat ou d'une boisson : *Le garçon servit au client un verre de vin rouge.* ■ V. intr. Etre utile ou nécessaire : *Ne jette pas ce vieux couteau, il peut encore servir.* ★ *Servir de,* être utilisé comme : *Mon ami nous servira d'interprète quand nous irons en Allemagne.* ■ **Se servir** v. pron. Prendre soi-même d'un aliment, d'une boisson : *Il avait soif, et il s'est servi un grand verre d'eau.* ★ *Se servir de,* utiliser : *Pour faire les courses, je me sers parfois de ma voiture.*

ses [sɛ] adj. poss. V. SON.

session [sɛsjɔ̃] n. f. Partie de l'année pendant laquelle une assemblée se réunit pour siéger : *La dernière session du Parlement a duré d'avril à fin juin.*

seul, e [sœl] adj. Qui n'est pas accompagné par une autre chose ou par une autre personne : *Il n'y avait qu'un seul bateau de pêche dans le petit port.* ■ **Seulement** adv. Sans rien de plus, sans aucune autre personne : *Il prend seulement une tasse de café au petit déjeuner.* ★ Marque la restriction : *Je ne savais pas que l'autobus passait seulement toutes les demi-heures.* ★ LOC. ADV. *Non seulement..., mais encore,* indique qu'il ne faut pas se limiter à la chose dont on vient de parler : *Non seulement il n'est pas venu, mais encore il a oublié de me prévenir.*

sévère [sevɛr] adj. Qui n'est pas indulgent à l'égard des autres : *Les élèves craignent beaucoup ce professeur, car il est très sévère.* ★ Qui est grave : *C'est un ouvrage sévère, qui ne peut être lu rapidement.* ■ **Sévèrement** adv. D'une manière rigoureuse.

sexe [sɛks] n. m. Ce qui, physiquement, constitue la différence entre l'homme et la femme, entre le mâle et la femelle.

si [si] (s' devant *il*) conj. Marque une supposition : *S'il fait beau demain, nous irons à la campagne. Si j'avais de l'argent en ce moment, j'achèterais une voiture. Si j'avais su que vous veniez, je serais allé vous chercher à la gare.* ★ Marque l'interrogation indirecte : *Savez-vous si ce musée est ouvert le dimanche? Nous ne savons pas si nos parents sont revenus de voyage.* ★ Marque le motif : *S'il a raté son examen, c'est qu'il n'a pas assez travaillé.* ★ Marque l'expression d'un désir, d'un souhait, d'un regret : *Si nous allions au cinéma, ce soir!*

si [si] adv. Marque la quantité : *Le vent fut si violent qu'il arracha quelques tuiles du toit. Il courait si vite qu'il est tombé.* ★ Marque l'affirmation quand on répond à une question négative : *N'êtes-vous jamais allé* *en France? — Mais si, j'y suis déjà allé deux fois.* ■ LOC. CONJ. *Si bien que,* de telle manière que : *Elle a mis très longtemps à se préparer, si bien que nous sommes arrivés en retard au théâtre.*

siècle [sjɛkl] n. m. Période de cent ans : *Nous sommes en 1962; il y a juste un siècle naissait Claude Debussy.* ★ Période de cent ans comptés à partir de la naissance de Jésus-Christ : *L'utilisation de l'énergie atomique restera la grande découverte du XXe siècle.*

siège [sjɛʒ] n. m. Meuble ou objet fait pour que l'on s'y assoie : *Il avait mis sa valise à côté de lui, sur le siège de l'autobus.* ★ FIG. Charge d'un administrateur élu : *La gauche a gagné des sièges aux élections municipales.* ★ Endroit où se réunit et travaille une assemblée, un tribunal : *Le Palais-Bourbon est le siège de l'Assemblée nationale.* ★ Endroit où naît et se développe un phénomène : *Le cerveau est le siège de la pensée.* ★ Opération militaire destinée à isoler une ville, pour s'en emparer ensuite par la force.

siéger [sjeʒe] v. intr. (Se conj. comme *abréger.*) Faire partie d'une assemblée, d'un tribunal. ★ En parlant d'une autorité, d'un tribunal, avoir comme lieu de réunion; tenir une séance : *Le gouvernement français siège à Paris.*

sien, sienne [sjɛ̃, sjɛn] (pl. **siens, siennes**) pron. poss. (S'emploie toujours précédé de l'article défini.) Ce qui est à lui, ce qui est à elle : *Mon père et moi avons chacun une bicyclette, mais je crois que la sienne roule mieux que la mienne.*

siffler [sifle] v. tr. Reproduire un air en émettant un son aigu avec la bouche ou avec un instrument : *Les ouvriers sifflaient un air à la mode tout en travaillant.* ★ Au spectacle, montrer que l'on est mécontent de quelqu'un ou de quelque chose en sifflant : *Une grande partie du public siffla la pièce.* ■ V. intr. Produire un son aigu avec la bouche ou avec un instrument : *Le train siffla trois fois avant d'entrer en gare.* ★ Produire un son aigu semblable à celui que l'on fait en sifflant : *Les balles sifflaient aux oreilles des soldats.*

signal, aux [siɲal, o] n. m. Signe déterminé à l'avance et par lequel on indique quelque chose : *Il a donné le signal du départ en abaissant un drapeau.* ★ Appareil disposé le long des voies de communication et qui sert à régler la marche des véhicules : *Le métro s'arrêta quelques instants, car les signaux étaient au rouge.*

signalement [siɲalmɑ̃] n. m. Description des signes extérieurs qui caractérisent une personne ou une chose et permettent de la reconnaître : *Votre signalement figure sur votre passeport.*

signaler [siɲale] v. tr. Dire par signaux : *L'avion signala qu'il allait atterrir.* ★ Faire remarquer quelque chose à quelqu'un : *L'agent me signala qu'une portière de ma voiture était mal fermée.*

signature [siɲatyr] n. f. Nom d'une personne écrit par elle-même à la fin d'un texte qu'elle a rédigé ou dont elle approuve le contenu : *Vous avez oublié de mettre votre signature au bas de ce chèque.*

signe [siɲ] n. m. Chose à partir de laquelle on peut prévoir l'apparition d'un phénomène : *Quand il y a des nuages noirs dans le ciel, c'est souvent un signe d'orage.* ★ Chose qui est la marque apparente d'un état : *Posséder une écurie de courses est considéré comme un signe extérieur de richesse.* ★ Geste par lequel on manifeste une pensée ou un sentiment : *Il me fit signe d'avancer et de venir m'asseoir.*

signer [siɲe] v. tr. Mettre sa signature : *Il signa sa lettre avant de la mettre dans une enveloppe.*

signification [siɲifikasjɔ̃] n. f. Ce que signifie une chose : *Je ne comprends pas la signification de ce poème.*

signifier [siɲifje] v. tr. Avoir un sens déterminé : *Si vous n'écrivez pas, cela signifiera que tout va bien.*

silence [silɑ̃s] n. m. Fait de ne pas parler : *Le policier lui posa de nombreuses questions, mais il garda le silence.* ★ Absence de tout bruit : *Le silence était profond dans l'appartement désert.*

silencieux, euse [silɑ̃sjø, øz] adj. Qui ne dit rien : *Le public resta silencieux pendant toute la durée de la cérémonie.* ★ Qui ne fait pas de bruit : *Le chat a une démarche souple et silencieuse.* ★ Où l'on n'entend aucun bruit : *Quand les enfants dorment, la maison est enfin silencieuse.* ■ **Silencieusement** adv.

simple [sɛ̃pl] adj. Qui est fait d'un seul élément : *L'or est un corps simple.* ★ Qui n'est pas compliqué : *Ce problème de géométrie est très simple, il vous faudra peu de temps pour le résoudre.* ★ Qui est sans ornement : *Elle portait ce jour-là une robe très simple.* ★ Qui ne recherche pas le luxe : *Ce sont des gens très simples, qui préfèrent vivre à la campagne.* ★ GRAMM. *Temps simple,* temps qui se conjugue sans l'aide d'un auxiliaire. ■ **Simplement** adv.

simplifier [sɛ̃plifje] v. tr. Rendre simple une question, une affaire, une machine, etc. : *Les progrès de la technique simplifient de plus en plus le travail en usine.*

sincère [sɛ̃sɛr] adj. Qui dit ce qu'il pense, comme il le pense : *J'ai cru ce qu'il disait, car il avait l'air vraiment sincère.* ★ Qui est dit ou fait tel qu'on le pense ou qu'on le sent : *Je vous adresse mes sincères félicitations pour votre mariage.* ■ **Sincèrement** adv.

sincérité [sɛ̃serite] n. f. Caractère de celui qui est sincère : *Vous ne pouvez douter de sa sincérité quand il vous dit qu'il l'aime.* ★ Caractère de ce qui est sincère : *La sincérité de son discours a ému les auditeurs.*

singe [sɛ̃ʒ] n. m. Mammifère possédant deux mains et deux pieds, et dont certains caractères physiques

peuvent être comparés à ceux de l'homme : *Des singes se poursuivaient d'arbre en arbre en poussant des cris.*

singulier, ère [sɛ̃gylje, ɛr] adj. Qui a un caractère qui le rend unique ou extraordinaire : *C'est une aventure singulière que d'entreprendre à pied un si long voyage.* ★ GRAMM. Qui désigne une seule personne, une seule chose. ■ **Singulièrement** adv. ■ N. m. GRAMM. Forme qui indique qu'il s'agit d'une seule personne, d'une seule chose : *« Cheval » est un nom au singulier, le pluriel est « chevaux ».*

sinistre [sinistr] adj. Qui annonce un malheur. ★ Dont l'aspect provoque la peur : *Je n'aime pas traverser la forêt en pleine nuit, car elle me paraît sinistre.*

sinistré [sinistre] adj. Se dit des choses ravagées par la guerre, l'inondation, l'incendie, etc. : *Les villes sinistrées sont couvertes de ruines.* ■ N. Personne qui a été victime d'une inondation, d'un incendie, etc. : *Les sinistrés furent logés provisoirement dans l'école du village.*

sinon [sinɔ̃] conj. Dans le cas contraire : *Allez louer vos places à la gare dès demain, sinon vous risquez de voyager debout.*

sirène [sirɛn] n. f. Appareil dont le son très puissant sert à avertir d'un danger, d'une arrivée, d'un départ, etc. : *La sirène de l'usine annonça aux ouvriers que leur journée de travail était terminée.*

situation [sitɥasjɔ̃] n. f. Place ou position qu'occupe un objet, un pays, etc. : *Grâce à l'industrie, la situation économique de cette région est excellente.* ★ Place qu'une personne occupe dans un métier, dans la société, etc. : *Il a une belle situation dans l'aviation commerciale.*

situer [sitɥe] v. tr. Placer dans un certain endroit : *Notre villa est située au bord de la mer.*

six [sis] adj. num. Cinq plus un. ■ N. m. Nom de nombre égal à cinq plus un.

sixième [sizjɛm] adj. num. Indique la place qui suit la cinquième. ■ N. m. L'une des parties d'un tout que l'on a divisé en six parties égales.

ski [ski] n. m. Planche étroite, longue et plate, que l'on fixe à chaque pied pour glisser sur la neige : *Il mit*

ses skis, saisit ses bâtons et s'engagea dans la descente. ★ Sport que l'on pratique au moyen des skis : *L'hiver, nous allons souvent faire du ski dans les Alpes.*

slip [slip] n. m. Sorte de petite culotte que l'on porte directement sur la peau.

slogan [slɔgɑ̃] n. m. Phrase courte qu'on répète avec une intention de propagande ou de publicité : *Au cours de la manifestation, les étudiants marchaient en répétant le slogan : « De l'argent et des locaux! »*

sobre [sɔbr] adj. Qui boit et mange avec mesure. ★ Qui garde la mesure : *Grâce à la vie sobre qu'il a menée, il a atteint un âge avancé.* ■ **Sobrement** adv.

sobriété [sɔbrijete] n. f. Qualité d'une personne qui n'abuse pas de la boisson. ★ FIG. Caractère d'une chose qui n'exprime que l'essentiel : *Le style de Stendhal est remarquable par sa sobriété.*

social, e, aux [sɔsjal, o] adj. Qui a rapport à la société humaine : *L'ordre social a été troublé par de graves manifestations.* ★ Qui a pour but l'amélioration des conditions de vie des travailleurs : *Grâce aux assurances sociales, les salariés sont moins inquiets de leur sort.* ★ Qui appartient à une société commerciale : *Le siège social de notre société est à Marseille.*

socialisme [sɔsjalism] n. m. Système politique et économique qui se propose de nationaliser progressivement tous les moyens de production et de donner à chacun le salaire qui correspond aux services qu'il rend à la société.

socialiste [sɔsjalist] adj. Qui appartient au socialisme ou qui est partisan des doctrines socialistes : *Le parti socialiste a fait de grands progrès dans cette ville depuis les dernières élections.* ■ N. Personne qui adopte les théories du socialisme : *Les socialistes siègent à la gauche de l'Assemblée nationale.*

société [sɔsjete] n. f. Ensemble des personnes vivant selon des lois communes : *La religion jouait un rôle très important dans les sociétés primitives.* ★ Réunion de personnes qui s'assemblent dans un but commun : *Je fais partie, depuis deux ans, d'une* *société sportive.* ★ Association de plusieurs personnes qui mettent en commun leur argent ou leur activité pour réaliser une affaire déterminée : *Ses deux frères et lui ont créé une société de transports en commun.*

sœur [sœr] n. f. Personne du sexe féminin née du même père et de la même mère : *J'habite avec ma sœur, qui a cinq ans de plus que moi.*

soi [swa] pron. pers. Désigne à la 3e personne la même personne que le sujet, lorsque celui-ci est indéfini : *On a souvent besoin d'un plus petit que soi.* ■ Adj. invar. *Soi-disant,* qui prétend être : *On a arrêté un soi-disant médecin, qui n'avait aucun diplôme.*

soie [swa] n. f. Matière textile légère, souple et brillante, produite par un insecte qu'on appelle le ver à soie. ★ *Soie artificielle,* étoffe ressemblant à la soie, fabriquée grâce à des procédés chimiques : *Les femmes préfèrent la soie naturelle à la soie artificielle.*

soif [swaf] n. f. Besoin de boire. ★ *Avoir soif,* éprouver le besoin de boire : *On a soif quand on mange quelque chose de très salé.*

soigner [swaɲe] v. tr. Avoir soin de quelqu'un : *Vous pouvez me confier votre fils pendant les vacances; il sera très bien soigné.* ★ Avoir soin de la santé de quelqu'un : *Il a été mal soigné, et son état est assez grave.*

soin [swɛ̃] n. m. Attention apportée à faire quelque chose : *Le menuisier travaille avec soin, et il m'a livré une armoire très bien faite.* ★ *Avoir soin de, prendre soin de,* s'occuper avec soin de, ne pas oublier : *Quand vous partirez, ayez soin de fermer la porte.* ★ PL. Moyens par lesquels on cherche à guérir un malade : *Cette infirmière m'a donné des soins après mon opération.*

soir [swar] n. m. La fin du jour : *Je vous attendrai après mon travail, à sept heures du soir.*

soirée [sware] n. f. Espace de temps qui s'écoule entre le coucher du soleil et le moment où l'on se couche : *Venez nous voir dans la soirée : nous ne sortons pas.* ★ Réception ou spectacle qui a lieu le soir : *Nos voisins ont donné une soirée, et nous avons entendu du bruit jusqu'à minuit.*

soixante [swasɑ̃t] adj. num. Six fois dix.

sol [sɔl] n. m. Surface de la terre : *Quand il gèle, le sol est dur.* ★ Surface sur laquelle on marche : *Il a glissé sur le sol humide.* ★ Terrain où l'on peut faire pousser des plantes : *Le sol est fertile dans cette région.*

soldat [sɔlda] n. m. Homme dont la profession est de servir dans l'armée. ★ Militaire sans grade : *Il est encore simple soldat, mais il ne tardera pas à être sous-officier.*

solde [sɔld] n. f. Somme d'argent que l'Etat verse régulièrement aux soldats : *Il n'avait pour vivre que sa solde de capitaine.* ■ N. m. Marchandise vendue à un prix plus bas que le prix habituel : *Elle entra dans le magasin où il y avait des soldes, et elle y acheta un chandail très bon marché.* ★ *En solde,* à un prix plus bas.

soleil [sɔlɛj] n. m. Astre qui éclaire la Terre : *Le Soleil est une source énorme de chaleur et de lumière.* ★ *Coup de soleil,* brûlure de la peau causée par le soleil.

solennel, elle [sɔlanɛl] adj. Qui se fait avec cérémonie : *L'inauguration solennelle de l'université a eu lieu en présence de nombreuses personnalités.* ■ **Solennellement** adv.

solidarité [sɔlidarite] n. f. Sentiment qui fait que les hommes éprouvent le besoin de s'aider : *Les ouvriers ont fait grève par solidarité avec un de leurs camarades qu'on avait renvoyé.*

solide [sɔlid] adj. Se dit des corps qui, dans la nature, ont une forme déterminée : *La glace est un corps solide.* ★ Se dit de ce qui résiste au choc et à l'usage, au temps, etc. : *Ce pont n'est pas assez solide pour que l'on puisse y faire passer un camion.* ■ **Solidement** adv. ■ N. m. Corps solide.

solidité [sɔlidite] n. f. Caractère de ce qui est solide : *Le maçon a confiance dans la solidité du mur qu'il construit.*

solliciter [sollisite] v. tr. Demander quelque chose d'une manière officielle : *J'ai écrit au ministre pour solliciter une entrevue.*

solution [sɔlysjɔ̃] n. f. Liquide dans lequel on a fait dissoudre un solide ou un gaz : *Le médecin a conseillé au malade de se rincer la bouche avec une solution de sel et d'eau.* ★ Action de résoudre un problème, ou résultat de cette action : *Il fallut deux heures à l'élève pour trouver la solution des questions d'algèbre.*

sombre [sɔ̃br] adj. Peu éclairé : *Autrefois, les fenêtres étaient petites et les appartements étaient toujours sombres.* ★ Qui est d'une couleur se rapprochant du noir : *Les femmes âgées portent souvent des vêtements sombres.* ★ FIG. Se dit de ce qui exprime ou inspire de la tristesse : *Il a l'air sombre depuis que son fils est parti.*

sommaire [sɔmɛr] adj. Se dit de ce qui est réduit à l'indispensable : *Nous nous contentons d'une installation sommaire, car nous déménagerons dans six mois.* ■ **Sommairement** adv. ■ N. m. Résumé d'un ouvrage.

somme [sɔm] n. f. Résultat d'une addition : *La somme de 25 et de 33 donne 58.* ★ Quantité d'argent exprimée par un nombre : *Il a fait plusieurs achats et il a dépensé en tout la somme de cent francs.*

sommeil [sɔmɛj] n. m. Etat dans lequel les êtres vivants se reposent en perdant conscience : *Le chien qui rêvait aboya dans son sommeil.* ★ *Avoir sommeil,* éprouver le besoin de dormir.

sommet [sɔmɛ] n. m. Partie la plus élevée d'un arbre, d'une montagne, d'un édifice : *Il y a un coq au sommet du clocher.*

son, sa, ses [sɔ̃, sa, sɛ] adj. poss. 3e pers. du sing. Qui est à lui, ce qui est à elle : *Elle est partie avec sa valise et son manteau, mais elle a oublié ses gants.*

son [sɔ̃] n. m. Ce qui frappe l'ouïe : *Nous entendions des sons de cloche dans le lointain.*

songer [sɔ̃ʒe] v. intr. (Se conj. comme *manger.*) Penser à quelqu'un ou à quelque chose de façon plus ou moins précise : *Je songe à changer de voiture, mais je ne suis pas encore décidé.*

sonner [sɔne] v. intr. Faire entendre un ou plusieurs sons : *J'aime entendre sonner la pendule de grand-mère.* ★ Faire fonctionner une sonnerie : *L'inconnu sonna trois fois à la porte.*

sonnerie [sɔnri] n. f. Mécanisme, électrique ou non, qui sert à faire sonner un appareil : *Je suis arrivé en retard, car je n'ai pas entendu la sonnerie de mon réveil.*

sonore [sɔnɔr] adj. Qui rend un son : *Le bronze est un métal sonore.*

sort [sɔr] n. m. Ce qui arrive à quelqu'un, en bien ou en mal : *Il est en bonne santé, ses affaires marchent bien, il n'a pas à se plaindre de son sort.* ★ Puissance qui règle le destin de chacun : *Le sort a voulu qu'il ne soit pas chez lui quand la maison s'est écroulée.* ★ *Tirer au sort,* laisser le sort décider : *Les enfants tirèrent au sort pour savoir s'ils iraient au cinéma ou s'ils joueraient à la maison.*

sorte [sɔrt] n. f. Ensemble des personnes ou des choses ayant quelque chose en commun : *Il y a dans le jardin de nombreuses sortes de fleurs.*

sortie [sɔrti] n. f. Action de sortir : *De nombreuses personnes attendaient à la porte du théâtre la sortie des acteurs.* ★ Porte par où l'on sort : *La sortie principale du cinéma donne sur le boulevard, mais il existe aussi une sortie de secours.*

sortir [sɔrtir] v. tr. (Se conj. comme *sentir.*) Faire aller hors d'un lieu : *Je vais sortir la voiture du garage, car je dois la laver.* ■ V. intr. Aller hors du lieu dans lequel on est : *Nous sommes sortis du théâtre à minuit.*

sot, sotte [so, sɔt] adj. Qui n'est pas intelligent : *Cet enfant n'est pas sot, mais il est très timide.* ■ N. Personne qui n'est pas intelligente.

sottise [sɔtiz] n. f. Manque d'intelligence : *La sottise de son mari, qui veut toujours dépasser tout le monde, a causé l'accident de voiture.* ★ Parole ou action qui indique un manque de jugement ou une ignorance : *L'élève ne savait pas sa leçon et ne répondit que des sottises.*

souci [susi] n. m. Préoccupation grave que donne une personne ou une chose : *Les mauvaises études de ses enfants lui donnent du souci.*

soudain, e [sudɛ̃, ɛn] adj. Qui se produit sans que rien le fasse prévoir : *La mort soudaine de l'homme d'Etat a surpris le pays tout entier.* ■ Adv. Tout à coup : *On entendit soudain une violente explosion.* ■ **Soudainement** adv.

souffle [sufl] n. m. Air chassé des poumons et passant par la bouche : *On entendait à peine le souffle régulier de l'enfant qui dormait.* ★ Vent léger : *Les feuilles de l'arbre tremblent au moindre souffle.*

souffler [sufle] v. intr. Chasser par la bouche l'air des poumons : *L'enfant soufflait sur ses doigts pour les réchauffer.* ★ En parlant du vent, agiter l'air : *Le vent souffle en tempête sur les côtes depuis huit jours.*

souffrance [sufrɑ̃s] n. f. Etat de douleur physique ou morale : *Le blessé mourut dans de grandes souffrances.*

souffrir [sufrir] v. intr. (Se conj. comme *ouvrir.*) Eprouver une souffrance physique ou morale : *Je souffre de l'estomac, et le médecin m'a conseillé de suivre un régime.*

souhaiter [swɛte] v. tr. Exprimer le désir qu'une chose arrive : *Il m'a souhaité du beau temps pour mon voyage.*

soulagement [sulaʒmɑ̃] n. m. Sentiment que l'on éprouve parce qu'on est débarrassé d'une douleur, d'un ennui, etc. : *Elle avait mal à la tête, mais un comprimé lui procura un soulagement immédiat.*

soulager [sulaʒe] v. tr. (Se conj. comme *manger.*) Oter à une personne une partie de sa souffrance physique ou morale : *Le fait de pleurer soulagea son chagrin.*

soulèvement [sulɛvmɑ̃] n. m. Mouvement de bas en haut. ★ Manifestation d'un mécontentement populaire : *Le soulèvement du 14 juillet marqua le début de la Révolution française.*

soulever [sulve] v. tr. (Se conj. comme *mener.*) Elever plus ou moins haut, généralement pour peu de temps : *Je ne peux soulever ce sac, car il est trop lourd. Le vent soulève la poussière sur la route.* ★ FIG. Susciter : *Son discours souleva les applaudissements de la foule.* ■ **Se soulever** v. pron. Se révolter.

soulier [sulje] n. m. Chaussure qui couvre le pied : *Ses souliers étaient trop petits et lui faisaient mal aux pieds.*

souligner [suliɲe] v. tr. Tracer une ligne sous un mot ou un groupe de mots : *Le titre de l'article était souligné.* ★ Signaler une chose d'une manière particulière pour qu'on y fasse attention : *Il a souligné dans son exposé les avantages de l'affaire.*

soumettre [sumɛtr] v. tr. (Se conj. comme *mettre.*) Mettre sous l'autorité de quelqu'un : *César soumit la Gaule, qui devint une province romaine.* ★ Faire subir à une personne ou à une chose une action déterminée : *Le médecin l'a soumis à un traitement énergique.* ★ Proposer une idée, un texte, etc., à l'examen de personnes qui ont le droit de l'accepter ou de le refuser : *Le conseil municipal a accepté le projet de budget que le maire lui avait soumis.*

soumission [sumisjɔ̃] n. f. Fait de se soumettre à l'autorité de quelqu'un : *Les rebelles ont fait acte de soumission.*

soupçonner [supsɔne] v. tr. Penser que quelqu'un est coupable en jugeant d'après certaines apparences : *Les enfants soupçonnent le chat d'avoir mangé le poisson rouge.*

soupe [sup] n. f. Aliment, composé de minces tranches de pain et de bouillon, par lequel on commence parfois le repas. ★ Se dit souvent pour *potage : Nous avons mangé au dîner une soupe aux légumes.*

soupir [supir] n. m. Respiration forte et prolongée, généralement provoquée par un souvenir, une émotion, etc. : *Il poussa un soupir de soulagement en apprenant que son fils était sauvé.*

soupirer [supire] v. tr. Respirer d'une manière profonde et prolongée parce qu'on est triste ou qu'on a des soucis.

souple [supl] adj. Qui se plie en tous sens selon les mouvements qu'on lui impose : *Bien qu'épaisse, cette étoffe de laine est très souple.* ★ FIG. : *On dit qu'un bon diplomate doit être souple et intelligent.*

source [surs] n. f. Eau qui sort de terre et qui donne naissance à un cours d'eau : *On entend couler la source au bas du pré.* ★ FIG. Point d'où une chose tire son origine : *Le charbon est une source de richesse pour le Nord de la France.*

sourcil [sursi] n. m. Touffe de poils située au-dessus des yeux de l'homme : *Elle leva les sourcils en signe d'étonnement.*

sourd, e [sur, surd] adj. Se dit de celui qui ne peut pas entendre : *Il est devenu sourd à la suite d'une blessure à l'oreille.* ★ Se dit d'un son qui n'est pas éclatant : *On a entendu dans le lointain une sourde explosion.* ■ **Sourdement** adv. ■ N. Personne qui ne peut entendre parce qu'elle est privée de l'organe de l'ouïe.

sourire [surir] v. intr. (Se conj. comme *rire.*) Rire à peine, d'un léger mouvement des lèvres et des yeux : *J'ai donné un bonbon à l'enfant, qui m'a souri pour me remercier.*

sourire [surir] n. m. Léger mouvement de la bouche et des yeux qui exprime l'amabilité, le contentement, etc. : *Quand je suis entré dans la boutique, la marchande m'a adressé un sourire aimable.*

souris [suri] n. f. Petit mammifère à longue queue, qui habite souvent

dans les maisons : *Le fermier a mis des pièges dans le grenier pour attraper les souris.*

sous [su] prép. Introduit le nom d'un objet dont la surface inférieure peut être ou non en contact avec la surface supérieure d'un autre objet qu'il domine : *Il trouva enfin sous une pile de livres la lettre qu'il cherchait. L'infirmière glissa un oreiller sous la tête du malade. Il y avait un tapis sous la table de la salle à manger. Le chat s'est caché sous l'armoire. Nous nous sommes assis sous un arbre. Je suis passé en bateau sous le pont.* ★ Marque un rapport de soumission : *Les ouvriers travaillent sous la direction d'un ingénieur.* ★ Introduit le nom qui marque l'époque historique où a lieu un événement : *La France a commencé à s'industrialiser sous le second Empire.*

souscription [suskripsjɔ̃] n. f. Engagement que l'on prend par écrit de s'associer à une entreprise, à une publication, et de payer une certaine somme à cet effet : *On a ouvert une souscription pour un nouveau dictionnaire en dix volumes.* ★ *Faire une souscription,* inviter les gens à verser une certaine somme d'argent en faveur d'un groupe de personnes : *On a fait une souscription en faveur des victimes de l'inondation.*

sous-développé, e [sudevlɔpe] adj. Se dit d'une région qui n'a pas les moyens industriels et commerciaux nécessaires pour tirer parti de ses ressources économiques : *Le devoir des nations riches est d'aider les pays sous-développés.*

sous-marin, e [sumarɛ̃, in] adj. Se dit de ce qui est dans les profondeurs de la mer : *Les pêcheurs avaient remonté dans leurs filets une étrange végétation sous-marine.* ■ N. m. Bâtiment de guerre construit pour naviguer dans les profondeurs de la mer : *Dans un de ses romans, Jules Verne avait prévu le sous-marin.*

sous-officier [suzɔfisje] n. m. Militaire dont le grade est intermédiaire entre celui de caporal et celui d'officier : *Les sous-officiers vivent en contact permanent avec les hommes de troupe.*

sous-sol [susɔl] n. m. Partie de l'écorce terrestre située sous la terre végétale : *Le sous-sol de l'Afrique renferme d'énormes richesses minérales.* ★ Partie d'une maison située au-dessous du niveau du sol, mais généralement plus claire et plus vaste qu'une cave : *Il est descendu au sous-sol pour régler le chauffage central.*

soustraction [sustraksjɔ̃] n. f. Opération par laquelle on enlève un nombre d'un autre : *Le résultat de la soustraction 25 — 7 donne 18.*

soustraire [sustrɛr] v. tr. (Se conj. comme *traire.*) Faire une soustraction : *Si je soustrais 4 de 8, il reste 4.* ★ Enlever une chose à une personne sans qu'elle s'en aperçoive : *L'homme réussit à soustraire mille francs dans la caisse du comptable.*

soutenir [sutnir] v. tr. (Se conj. comme *tenir.*) Tenir par-dessous, en portant une partie du poids ; empêcher de tomber : *Le mur qui soutenait la charpente a cédé et la toiture s'est effondrée.* ★ FIG. Apporter son aide à quelqu'un : *Il ne sait pas quoi faire, et il a grand besoin que vous le souteniez de vos conseils.* ★ Affirmer malgré les arguments contraires : *Vous avez beau me soutenir qu'il est parti hier, je sais qu'il était ici il y a quelques instants.*

souterrain, e [sutɛrɛ̃, ɛn] adj. Se dit de ce qui est sous terre : *Nous sommes descendus dans le gouffre que la rivière souterraine a creusé sous la montagne.* ■ N. m. Passage creusé sous terre : *L'égout passe dans un souterrain creusé sous la rue.*

souvenir [suvnir] n. m. Impression que conserve la mémoire : *Je garde de mon père un souvenir assez vague.*

★ Objet qui rappelle un événement ou un fait personnel ou familial : *Il a rapporté de voyage des souvenirs pour ses enfants.*

souvenir (se) [suvnir] v. pron. (Se conj. comme *venir.*) Retrouver dans la mémoire un fait passé ou l'image d'une personne : *Je me souviens très bien de votre frère que j'ai rencontré en 1950.*

souvent [suvɑ̃] adv. Un grand nombre de fois : *Il ne pleut pas souvent dans les déserts.*

souverain, e [suvrɛ̃, ɛn] adj. Qui a le plus de pouvoir : *Dans une démocratie, le peuple est souverain.* ■ N. Chef d'une monarchie : *Louis XIV a été le souverain de la France pendant plus d'un demi-siècle.*

souveraineté [suvrɛnte] n. f. Autorité absolue : *Les philosophes du XVIIIe siècle ont prétendu que la souveraineté réside essentiellement dans le peuple.*

spécial, e, aux [spesjal, o] adj. Prévu pour un usage déterminé : *Le groupe de touristes américains avait loué un avion spécial, qui les conduisit de New York à Paris.* ■ **Spécialement** adv.

spécialiste [spesjalist] n. Personne qui a des connaissances théoriques ou pratiques spéciales lui permettant de réaliser des travaux déterminés : *Un spécialiste est venu réparer mon poste de télévision.* ★ Médecin qui ne soigne qu'une catégorie déterminée de maladies : *Il souffrait des yeux, et il est allé voir un spécialiste.*

spécialité [spesjalite] n. f. Ce dont on s'occupe principalement : *Les timbres sont sa spécialité : il a une collection magnifique.* ★ Production particulière à une ville, à une région : *Le champagne est la spécialité de Reims.*

spectacle [spɛktakl] n. m. Ce qui attire le regard : *Le coucher de soleil nous offrait, ce jour-là, un spectacle magnifique.* ★ Représentation théâtrale ou séance de cinéma : *Je suis allé hier soir à l'Opéra, où le spectacle a duré plus de trois heures.*

spectateur, trice [spɛktatœr, tris] n. Personne qui regarde quelque chose se passer devant ses yeux : *Il assistait en spectateur au chargement du camion. Il y avait dix mille spectateurs au match de football.*

sphère [sfɛr] n. f. Volume limité par une surface dont tous les points

sont à égale distance d'un même point fixe appelé *centre : La Terre est une sphère aplatie aux deux pôles.*

sphérique [sferik] adj. Qui a la forme d'une sphère : *Le ballon de football est sphérique.*

spirituel, elle [spiritɥɛl] adj. Qui est de la même nature que l'esprit : *Le pape exerce un pouvoir spirituel sur les catholiques.* ★ Qui a de l'esprit : *Personne ne trouve spirituels les gens qui se moquent des malheureux.* ■ **Spirituellement** adv.

splendide [splɑ̃did] adj. Qui est d'une très grande beauté : *Le coucher de soleil offrait un spectacle splendide.*

sport [spɔr] n. m. Jeu ou exercice physique soumis à des règles déterminées : *La boxe est un sport violent.*

sportif, ive [spɔrtif, iv] adj. Se dit de ce qui concerne le sport : *Les règlements sportifs interdisent de discuter la décision de l'arbitre.* ★ Se dit des personnes qui pratiquent les sports : *Vous n'êtes pas très sportif. Vous devriez faire de la gymnastique.* ■ N. Personne qui pratique un sport.

squelette [skəlɛt] n. m. Charpente formée par les os de l'homme ou de certains animaux : *En creusant, on a découvert un squelette d'homme.*

stable [stabl] adj. Qui est solidement établi sur ses bases : *Cette chaise a un pied plus court que les autres et n'est pas stable.* ★ FIG. Qui ne varie pas pendant un certain temps.

stade [stad] n. m. Terrain de sport : *Notre équipe de football est partie au stade pour s'entraîner.* ★ Degré d'une évolution : *L'âge de la pierre est un des premiers stades de la civilisation.*

stage [staʒ] n. m. Période pendant laquelle une personne exerce provisoirement une fonction pour la connaître : *Au cours de leurs études, les futurs ingénieurs font des stages dans les usines.* ★ Période pendant laquelle des ingénieurs, des techniciens, des professeurs, etc., assistent à des conférences, à des cours sur un sujet donné : *Le ministère de l'Education nationale a organisé un stage pour les professeurs de langues vivantes.*

station [stasjɔ̃] n. f. Endroit où s'arrêtent les trains pour laisser monter ou descendre les voyageurs : *On dit une « station » de métro, mais un « arrêt » d'autobus.* ★ Ville ou village où l'on va pour se soigner ou pour pratiquer certains sports : *Nous allons passer une semaine dans une station de sports d'hiver.*

stationnaire [stasjɔnɛr] adj. Se dit d'un état qui ne varie pas : *Son état de santé est stationnaire, mais le médecin espère qu'il sera vite guéri.*

stationnement [stasjɔnmɑ̃] n. m. En parlant des automobiles, action de rester arrêté dans un endroit : *Le stationnement est interdit à Paris devant les arrêts d'autobus.*

statistique [statistik] n. f. Renseignements exacts sur un phénomène donné, obtenus en comptant tous les faits de même ordre produits en un temps donné : *D'après les récentes statistiques, la natalité a augmenté ces dernières années.*

statue [staty] n. f. Représentation d'un être ou d'une chose, faite en pierre, en bois, en bronze, etc. : *Des statues de saints se trouvent de chaque côté des portes de la cathédrale.*

statut [staty] n. m. Texte qui définit les droits et les devoirs d'une catégorie déterminée de personnes : *Le statut général des fonctionnaires leur assure un emploi et un salaire stables.*

sténodactylo [stenodaktilo] n. Personne capable de noter, au moyen de signes spéciaux, tout ce qu'on lui dicte, puis de le taper à la machine : *Le directeur a besoin d'une sténodactylo très rapide.*

stérile [steril] adj. Qui ne peut pas produire : *Les déserts sont stériles, car l'eau manque.* ★ FIG. Qui ne donne pas de résultats : *Nous avons eu une discussion stérile, car nous n'avons trouvé aucune solution au problème.*

stimuler [stimyle] v. tr. En parlant des personnes, rendre plus actif : *Les félicitations de ma mère m'ont stimulé.*

stock [stɔk] n. m. Quantité de marchandises déposées dans une usine, chez un commerçant, etc. : *Le commerçant liquida ses stocks avant de vendre son magasin.*

store [stɔr] n. m. Rideau de tissu, de bois, de métal, qui se lève ou s'abaisse devant une fenêtre : *Il va falloir baisser les stores, car le soleil est trop chaud.*

structure [stryktyr] n. f. Manière dont un ensemble est construit ou organisé : *Les techniciens tiennent une grande place dans la structure de la société moderne.*

studio [stydjo] n. m. Pièce principale d'un petit appartement moderne : *Il n'a qu'un studio dans lequel il travaille et prend ses repas.* ★ Installation où l'on prépare des films, des émissions de radio, de télévision : *Quand l'actrice arriva au studio, le metteur en scène la présenta aux autres acteurs du film.*

stupéfait, e [stypefɛ, ɛt] adj. Se dit d'une personne que la surprise rend immobile : *Il resta stupéfait lorsqu'il vit que le chien avait mangé le rôti pendant son absence.*

stupide [stypid] adj. Qui montre une absence totale d'intelligence : *Il est stupide d'abîmer les fleurs des jardins publics.* ■ **Stupidement** adv.

style [stil] n. m. Manière d'écrire particulière à une personne : *Je viens de lire un roman écrit dans un style clair et élégant.* ★ Manière particulière à un artiste, à une époque : *Le style Empire est sobre et un peu froid.*

stylo [stilo] n. m. (abrév. de *stylographe.*) Porte-plume muni d'un réservoir d'encre : *L'étudiant remplit son*

stylo avant de commencer sa composition.

subir [sybir] v. tr. Supporter bon gré, mal gré, une personne ou une chose : *Nous avons subi, cette année, un hiver extrêmement froid.* ★ Fig. *Subir un changement,* recevoir une transformation : *On a fait subir certains changements à l'organisation du bureau pour l'améliorer.*

subit, e [sybi, sybit] adj. Qui se produit d'une manière soudaine : *Sa maladie a été subite; rien ne la laissait prévoir.* ■ **Subitement** adv.

subjonctif [sybʒɔ̃ktif] n. m. Mode du verbe employé généralement dans les propositions subordonnées lorsque le verbe de la proposition principale exprime le doute, la possibilité, la volonté.

subordonné, e [sybɔrdɔne] adj. Se dit d'une personne qui, dans une administration, est sous les ordres d'une autre. ★ Gramm. Se dit d'une proposition qui dépend d'une autre : *Dans la phrase « J'entends un enfant qui chante », « qui chante » est la proposition subordonnée.* ■ N. Personne qui, dans une administration, reçoit les ordres d'une autre : *Le directeur a réuni ses subordonnés dans son bureau.*

substance [sybstɑ̃s] n. f. Matière dont une chose est formée : *L'huile est une substance grasse.*

substituer [sybstitɥe] v. tr. Mettre une personne ou une chose à la place d'une autre : *Les voleurs substituèrent une reproduction à un tableau de maître.*

subvention [sybvɑ̃sjɔ̃] n. f. Somme d'argent que verse l'Etat, le département, etc., à un particulier ou à un organisme privé, pour l'aider dans ses affaires : *Le conseil municipal a voté une subvention de dix mille francs à l'association sportive de la ville.*

succéder [syksede] v. intr. (Se conj. comme *céder.*) Venir tout de suite après : *Le jour succède à la nuit.* ■ **Se succéder** v. pron. En parlant de plusieurs choses ou de plusieurs personnes, venir l'une après l'autre : *Les voisins se sont succédé chez lui toute la journée pour le féliciter de son succès.*

succès [syksɛ] n. m. Résultat heureux d'une entreprise : *Cette pièce de théâtre a eu tant de succès qu'elle sera reprise l'année prochaine.*

successeur [syksɛsœr] n. m. Personne qui succède à une autre : *Le* *préfet attend son successeur, avant de rejoindre son nouveau poste.*

successif, ive [syksɛsif, iv] adj. Se dit des choses qui se succèdent : *Des échecs successifs lui ont fait abandonner ses études.* ■ **Successivement** adv.

succession [syksɛsjɔ̃] n. f. En parlant de plusieurs événements, action de se succéder : *Au cours de la Seconde Guerre mondiale, la France et ses alliés connurent d'abord une succession de défaites.* ★ Ensemble des choses dont on hérite : *Le notaire a réglé le partage de la succession entre mes frères et moi.*

succursale [sykyrsal] n. f. Etablissement qu'une maison de commerce installe et fait fonctionner dans une autre ville, une autre région que celle où elle est elle-même installée : *La maison où il travaille l'envoie faire un stage dans une de ses succursales de province.*

sucer [syse] v. tr. (Se conj. comme *annoncer.*) Presser quelque chose avec les lèvres, généralement pour en tirer un liquide : *Elle suçait son pouce en regardant sa poupée.*

sucre [sykr] n. m. Substance agréable et douce extraite de divers végétaux, et que l'on utilise en particulier pour adoucir le goût de certains aliments ou de certaines boissons : *On envoya la bonne acheter un kilo de sucre en poudre et deux kilos de sucre en morceaux.*

sucrer [sykre] v. tr. Rendre un goût plus doux, en ajoutant du sucre : *Aimez-vous le café bien sucré?*

sud [syd] n. m. Celui des points cardinaux qui est opposé au nord : *L'Espagne est située au sud de la France.*

sueur [sɥœr] n. f. Liquide qui sort de la peau en toutes petites gouttes, quand on a très chaud : *La chaleur était forte, et il essuya la sueur qui lui coulait sur le front.*

suffire [syfir] v. intr. (voir tableau p. 358). Etre en assez grande quantité : *Mon salaire n'est pas très élevé, mais il me suffit pour vivre.* ■ V. impers. *Il suffit de,* c'est assez de : *Avec le téléphone automatique, il suffit de composer un numéro pour entrer en communication avec quelqu'un.*

suffixe [syfiks] n. m. Terminaison ajoutée à la racine d'un mot et qui en modifie le sens : *Dans septième, le suffixe « ième » indique l'ordre.*

suffrage [syfraʒ] n. m. Vote en faveur de quelqu'un ou de quelque chose : *Les membres de l'Assemblée nationale sont élus au suffrage universel.*

suicider (se) [sɥiside] v. pron. Se tuer volontairement : *Il s'est suicidé en se jetant dans la Seine.*

suite [sɥit] n. f. Ordre dans lequel les choses se suivent : *On n'a pas compris son discours, car il n'y avait pas de suite dans ses idées.* ★ Série de choses qui se suivent : *Nous avons été retardés par une suite d'incidents désagréables.* ★ Ensemble des choses qui viennent après une autre : *J'ai commencé un roman, et j'aimerais en connaître la suite.* ★ Conséquence d'une autre chose : *On craint que sa maladie n'ait des suites graves.* ■ LOC. PRÉP. *A la suite de,* après. ■ LOC. ADV. *Tout de suite,* sans attendre : *Je lui ai téléphoné de venir, et il est arrivé tout de suite.*

suivre [sɥivr] v. tr. (voir tableau p. 359). Aller derrière quelqu'un : *Mon chien me suit partout.* ★ Se trouver après une chose : *L'hiver suit l'automne. La maison de nos cousins suit la nôtre.* ★ Aller en gardant une direction indiquée ou déterminée : *Suivez le boulevard, tournez à droite, et vous arriverez sur la place.* ★ Obéir à une règle, à un ordre : *Si vous suivez nos conseils, il ne vous arrivera pas d'ennuis.* ★ Assister à une suite de cours, de concerts, etc. : *J'ai suivi, cet hiver, un cours d'histoire de l'art.* ■ **Se suivre** v. pron. Etre placé l'un après l'autre : *Les jours se suivent et ne se ressemblent pas.*

sujet [syʒɛ] n. m. Matière sur laquelle on parle, on écrit, etc. : *Cette situation fournirait un excellent sujet de comédie.* ★ GRAMM. Mot ou groupe de mots qui représente la personne ou la chose dont le verbe exprime l'état ou l'action. ■ LOC. PRÉP. *Au sujet de,* en ce qui concerne.

superficiel, elle [sypɛrfisjɛl] adj. Qui ne touche que la surface : *Elle s'est fait une brûlure superficielle avec son fer à repasser.* ★ FIG. : *Les esprits superficiels ne peuvent comprendre les philosophes.* ■ **Superficiellement** adv.

supérieur, e [syperjœr] adj. Qui est situé au-dessus, par la position, le degré, le rang social, etc. : *Les bras sont les membres supérieurs de l'homme. Il a été battu, car son adversaire lui était supérieur en vitesse et en poids.* ■ **Supérieurement** adv. ■ N. Personne qui commande en raison de son grade : *La discipline impose d'obéir aux ordres de ses supérieurs.*

supériorité [syperjɔrite] n. f. Etat d'une personne ou d'une chose qui est au-dessus des autres par une qualité : *Ce qui fait la supériorité de notre tissu, c'est qu'il ne se froisse pas.*

superlatif [sypɛrlatif] n. m. GRAMM. Le plus haut ou le plus bas degré que peut atteindre la manière d'être ou d'agir : *« Très vite » et « le plus vite » sont des superlatifs de « vite ».*

superstition [sypɛrstisjɔ̃] n. f. Manière de penser qui attribue faussement à certaines paroles ou à certains faits des conséquences inévitables : *C'est une superstition de croire qu'il ne faut jamais être treize à table.*

supplément [syplemɑ̃] n. m. Ce qu'on ajoute à quelque chose pour le rendre plus complet : *Le prix du repas est de six francs, mais il faut payer un supplément pour la boisson.*

supplémentaire [syplemɑ̃tɛr] adj. Qui est en supplément : *Je ne peux pas prendre de colis supplémentaires, car mon camion est déjà plein.*

supplier [syplije] v. tr. Prier en insistant beaucoup, pour faire pitié : *Il m'a supplié de lui acheter un ballon rouge, et j'ai cédé.*

supporter [sypɔrte] v. tr. Porter en étant au-dessous : *D'énormes piliers supportent la voûte de l'église.* ★ FIG. Subir le poids de soucis, d'ennuis, etc. : *Elle a supporté la douleur avec courage.* ★ Subir un effet sans en être gêné : *Il dort mal au bord de la mer, car il ne supporte pas le climat.*

supposer [sypoze] v. tr. Penser qu'une chose peut être vraie : *J'ai supposé que vous ne viendriez plus, et je suis parti.*

supposition [sypozisjɔ̃] n. f. Action de supposer : *Comme il était en retard, nous avons fait plusieurs suppositions, mais aucune n'était exacte.* ★ Chose supposée : *Les suppositions des journalistes se sont révélées fausses.*

suppression [syprɛsjɔ̃] n. f. Action de supprimer : *On a décidé au dernier moment la suppression de la cérémonie, les personnalités n'ayant pu arriver à temps.*

supprimer [syprime] v. tr. Faire disparaître complètement : *La révolution de 1789 avait supprimé les titres de noblesse.*

sur [syr] prép. Introduit le nom d'un objet dont la surface supérieure est en contact avec la surface inférieure d'un autre objet qui le supporte ou qu'il domine : *Il y a une pendule sur la cheminée. Les fenêtres de la maison donnent sur la cour.* ★ FIG. Introduit le nom de la personne ou de la chose prise comme modèle : *Il a copié son devoir sur le mien.* ★ FIG. Introduit le nom de la personne ou de la chose dont il est question : *Je n'ai aucune opinion sur ce problème.* ★ Introduit un nom désignant une direction : *Le chasseur tira sur le lapin et le manqua.*

sûr, e [syr] adj. Qui met à l'abri du danger : *La grotte offrait un abri très sûr contre la pluie.* ★ Qui atteint toujours son but : *L'ouvrier manie sa pioche d'une main sûre.* ★ Qui n'éprouve aucun sentiment d'inquiétude en pensant à une chose ou à une personne : *Il n'hésita pas un instant à répondre, car il était sûr de sa mémoire.* ■ **Sûrement** adv.

surcharge syrʃarʒ] n. f. Poids ajouté à la charge normale : *Il est interdit aux chauffeurs de car de prendre des voyageurs en surcharge.*

surface [syrfas] n. f. Etendue extérieure d'un corps : *Les oiseaux volaient à la surface du lac. La surface d'un rectangle s'obtient en multipliant la longueur par la largeur.*

surgir [syrʒir] v. tr. Apparaître très brusquement : *Nous avons vu une voiture surgir en face de nous, au sommet de la côte.*

surmenage [syrmənaʒ] n. m. Etat de grande fatigue causé par un excès d'activité physique ou mentale : *Le surmenage peut avoir de graves conséquences pour la santé.*

surmonter [syrmɔ̃te] v. tr. Etre situé au-dessus de ou au sommet de : *Un drapeau surmontait autrefois la tour Eiffel.* ★ FIG. Vaincre un obstacle : *Les deux fiancés eurent à surmonter l'opposition de leurs familles pour pouvoir se marier.*

surplus [syrply] n. m. Ce qui est en plus de la quantité nécessaire : *Le surplus de la récolte a été vendu à bas prix.*

surprendre [syrprɑ̃dr] v. tr. (Se conj. comme *prendre.*) Arriver auprès de quelqu'un à l'improviste : *Elle surprit son petit frère en train d'écouter à la porte.* ★ FIG. : *La nouvelle de son prochain mariage nous a beaucoup surpris.* ★ *Surprendre un secret,* le découvrir.

surprise [syrpriz] n. f. Etonnement brusque causé par une chose imprévue : *Elle n'a pu cacher sa surprise en apprenant notre départ.* ★ *Surprise-partie,* réunion privée au cours de laquelle on danse.

sursauter [syrsote] v. intr. Faire un brusque mouvement sous l'effet de la surprise : *Elle est si nerveuse qu'elle sursaute au moindre bruit.*

sursis [syrsi] n. m. Temps qu'on décide de laisser passer avant de mettre en application un règlement : *Les étudiants qui le demandent obtiennent un sursis pour terminer leurs études avant de faire leur service militaire.*

surtout [syrtu] adv. Plus que le reste : *J'aime beaucoup les gâteaux, mais surtout les tartes aux cerises.*

surveillance [syrvɛjɑ̃s] n. f. Action de surveiller : *Les gendarmes à motocyclette sont chargés de la surveillance de la route.*

surveiller [syrvɛje] v. tr. Veiller avec beaucoup d'attention à ce que tout se passe bien : *Elle surveille les enfants pendant qu'ils jouent sur la plage.*

survenir [syrvənir] v. intr. (Se conj. comme *venir.*) Arriver brusquement : *Un incident est survenu au cours du voyage : la voiture a perdu une roue.*

survivant, e [syrvivɑ̃, ɑ̃t] adj. Se dit de qui est encore vivant après la mort d'une autre personne. ■ N. Personne qui est encore vivante, alors que d'autres ont péri : *Le bateau a fait naufrage et l'on n'a retrouvé aucun survivant.*

susceptible [sysɛptibl] adj. Qui est capable d'être modifié : *La vitesse des avions modernes est susceptible d'être encore augmentée.* ★ FIG. Qui se blesse facilement de ce qu'on lui dit : *Il est si susceptible qu'on ne peut lui faire aucune remarque.*

susciter [sysite] v. tr. Etre la cause de quelque chose : *Le record battu par le coureur suscita l'admiration du public.*

suspect, e [syspɛ, ɛkt] adj. Se dit des personnes ou des choses que l'on peut soupçonner : *La police l'a arrêté pour activités suspectes.* ■ N. Personne que l'on soupçonne.

suspendre [syspɑ̃dr] v. tr. (Se conj. comme *rendre*.) Accrocher loin du sol, de manière à laisser pendre : *L'ampoule électrique est suspendue au plafond par un fil.* ★ FIG. Arrêter une activité pour quelque temps : *Tout travail est suspendu dans notre usine, pendant les vacances.*

syllabe [silab] n. f. GRAMM. Groupe de lettres qui se prononce d'une seule émission de voix : « *Année* » *est un mot composé de deux syllabes.*

symbole [sɛ̃bɔl] n. m. Objet ou signe par lequel on représente une notion abstraite : *La balance est le symbole de la Justice.*

symbolique [sɛ̃bɔlik] adj. Qui a la valeur d'un symbole : *Il y a des figures symboliques sur les pièces de monnaie.* ■ **Symboliquement** adv.

symétrie [simetri] n. f. Correspondance régulière entre différents corps ou les parties d'un même corps : *Les deux vases étaient posés avec symétrie sur la cheminée, de chaque côté de la pendule.*

symétrique [simetrik] adj. Disposé avec symétrie : *La façade de l'église est encadrée de deux tours symétriques.* ■ **Symétriquement** adv.

sympathie [sɛ̃pati] n. f. Correspondance de sentiments qui se manifeste entre deux personnes : *Dès que je l'ai vu, j'ai éprouvé pour lui une grande sympathie.*

sympathique [sɛ̃patik] adj. Se dit de ce qui attire la sympathie : *Comme je l'ai trouvé sympathique, je l'ai invité à venir nous voir.*

symphonie [sɛ̃fɔni] n. f. Œuvre musicale en plusieurs parties, composée pour un orchestre : *Beethoven a écrit neuf symphonies.*

symptôme [sɛ̃ptom] n. m. Signe auquel on reconnaît la maladie dont une personne est atteinte : *Le malade présentait tous les symptômes de la tuberculose.* ★ FIG. : *Cette grève est le symptôme d'un profond malaise économique.*

synagogue [sinagɔg] n. f. Edifice où s'assemblent les israélites pour célébrer leur culte.

syndical, e, aux [sɛ̃dikal, o] adj. Qui appartient à un syndicat : *Les représentants des différentes organisations syndicales ont été reçus par le ministre du Travail.*

syndicat [sɛ̃dika] n. m. Groupement formé pour la défense d'intérêts communs : *Les syndicats ouvriers défendent les intérêts des travailleurs.*

synonyme [sinɔnim] adj. Se dit d'un mot qui a presque le même sens qu'un autre : « *Colère* » *et* « *fureur* » *sont des mots synonymes.* ■ N. m.

Mot qui a à peu près le même sens qu'un autre : « *Tristesse* » *est un synonyme de* « *chagrin* ».

syntaxe [sɛ̃taks] n. f. GRAMM. Partie de la grammaire qui apprend à organiser les mots dans la proposition et les propositions dans la phrase : *Cet étudiant étranger a un vocabulaire important, mais il fait encore des fautes de syntaxe.*

synthèse [sɛ̃tɛz] n. f. Méthode de travail qui consiste à reconstituer un tout complexe, en partant des éléments simples qui composent ce tout : *Le blanc est le résultat de la synthèse des autres couleurs.*

synthétique [sɛ̃tetik] adj. Se dit d'un produit réalisé par synthèse : *On fabrique aujourd'hui des caoutchoucs synthétiques.*

systématique [sistematik] adj. Qui suit de très près un plan logique : *Avant de fournir ses conclusions, l'expert s'est livré à une étude systématique des faits.*

système [sistɛm] n. m. Ensemble d'éléments organisés en vue d'un service ou d'une fonction : *Le système nerveux des animaux supérieurs est un mécanisme compliqué. La démocratie est le système de gouvernement le plus répandu en Europe.*

T

t'. V. TE.

ta [ta] adj. poss. f. V. TON.

tabac [taba] n. m. Plante dont on fait sécher les feuilles pour les fumer : *L'abus du tabac affaiblit la mémoire.*

table [tabl] n. f. Meuble composé d'une surface plane posée sur un ou plusieurs pieds : *La pendule était posée sur une table de style Louis XV.*

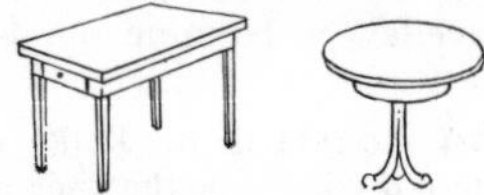

★ Liste établie d'une manière méthodique : *A l'école primaire, les élèves apprennent leur table de multiplication. Elle consulta la table des matières pour connaître le contenu du livre.*

tableau [tablo] n. m. Ouvrage de peinture exécuté sur un panneau de bois, de carton, etc., ou sur toile : *Les tableaux des impressionnistes représentent souvent des paysages.* ★ Panneau, généralement peint en noir, sur lequel on écrit à la craie dans une classe : *Le professeur a écrit au tableau les mots difficiles de la dictée.* ★ Feuille sur laquelle certains renseignements sont inscrits de manière méthodique : *Il consulta à la gare le tableau où figuraient les heures de départ et d'arrivée des trains.*

tablier [tablije] n. m. Pièce d'étoffe, de cuir, etc., qu'on met devant soi pour protéger ses vêtements de la poussière, des taches, etc. : *Le cuisinier portait un long tablier blanc.*

tabouret [taburɛ] n. m. Siège sans

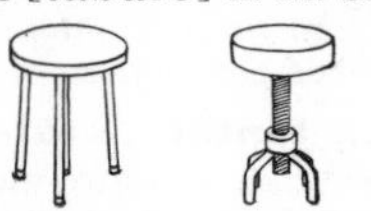

bras ni dossier, où peut s'asseoir une seule personne : *On peut régler la hauteur des tabourets de piano.*

tache [taʃ] n. f. Marque naturelle sur le corps d'un homme ou d'un animal : *Son chien est blanc avec des taches noires.* ★ Marque qui a sali quelque chose : *En mangeant, il a fait une tache sur sa cravate.*

tâche [tɑʃ] n. f. Travail que l'on doit faire : *Elle s'est donné pour tâche d'aider ses enfants dans leurs études.*

tacher [taʃe] v. tr. Faire une tache : *L'enfant a taché son livre avec de l'encre.*

tâcher [tɑʃe] (**de** + infinitif) v. intr. Faire des efforts pour : *Je tâcherai de réussir le travail que j'ai commencé.*

tact [takt] n. m. Sentiment délicat de ce qu'on peut (ou ne peut pas) dire ou faire : *En faisant des plaisanteries de mauvais goût, il a montré qu'il n'avait aucun tact.*

tactique [taktik] n. f. Art de faire manœuvrer une armée : *Napoléon remporta bien des victoires grâce à la rapidité de sa tactique.* ★ Art de manœuvrer pour arriver à un résultat.

taille [taj] n. f. Action de tailler ou de couper pour donner une certaine forme : *La taille des arbres se fait en hiver.* ★ *Pierre de taille,* pierre dure que l'on peut tailler en blocs réguliers, afin de l'employer dans la construction : *La brique et le ciment armé remplacent la pierre de taille dans nos maisons modernes.* ★ Dimension du corps humain en hauteur (et de certains objets) : *C'était un homme de haute taille, qui mesurait plus d'un* *mètre quatre-vingts.* ★ Partie relativement étroite du corps humain, située à peu près au milieu du tronc : *Cette jeune femme a la taille fine.* ★ *Le tour de taille,* la dimension de la taille.

tailler [taje] v. tr. Couper quelque chose en lui donnant une forme déterminée : *J'ai taillé mon crayon avant de dessiner.*

tailleur [tajœr] n. m. Personne dont le métier est de faire des vêtements d'homme sur mesure : *Avant de commencer à couper l'étoffe, le tailleur prend les mesures de son client.*

taire [tɛr] v. tr. (voir tableau p. 359). Ne pas dire : *Il a tu son secret jusqu'à la mort.* ■ **Se taire** v. pron. Ne pas parler : *Il est bon de parler et meilleur de se taire.*

talent [talɑ̃] n. m. Aptitude supérieure qui permet de réussir dans certains arts, certaines techniques, etc. : *Ce peintre a du talent, et ses toiles ont beaucoup de succès.*

talon [talɔ̃] n. m. Partie arrière du pied : *Elle ne pouvait plus marcher, car sa chaussure la blessait au talon.*

★ Partie plus ou moins haute de bois, de cuir, etc., située sous la semelle, à l'arrière de la chaussure : *Arrivée à la campagne, la jeune femme enleva ses chaussures à hauts talons pour mettre ses sandales.* ★ Partie d'un carnet qui reste quand on en a détaché le ticket, le chèque, etc. : *Il inscrivit soigneusement le montant du chèque sur le talon.*

talus [taly] n. m. Terrain en pente situé au bord d'un chemin, d'une route, etc., et le long d'un fossé : *La voiture heurta le talus et alla s'écraser contre un arbre.*

tambour [tɑ̃bur] n. m. Instrument de musique fait d'un cylindre de bois creux, fermé à chaque extrémité par

une peau tendue sur laquelle on frappe : *Autrefois, dans les villages, on battait du tambour pour annoncer les nouvelles.* ★ Homme qui bat du tambour.

tampon [tɑ̃pɔ̃] n. m. Petite masse de matière quelconque destinée à boucher un trou. ★ Instrument qui sert à faire une marque à l'encre sur un objet : *La secrétaire utilise un tampon qui porte la signature de son directeur.*

tamponner [tɑ̃pɔne] v. tr. Boucher avec un tampon. ★ Marquer à l'aide d'un tampon : *L'employé de la poste a tamponné les lettres avant de les envoyer à la gare.* ★ En parlant de véhicules et surtout de trains, rencontrer brutalement un autre véhicule : *La locomotive tamponna un wagon de marchandises.*

tandis que [tɑ̃dikə] conj. Pendant tout le temps que (avec une idée d'opposition) : *Tandis que je travaille, ils s'amusent.*

tant [tɑ̃] adv. Une si grande quantité : *Il a tant d'argent qu'il ne connaît pas sa fortune.* ★ *Tant mieux,* cela est bien ainsi. ★ *Tant pis,* cela est malheureux, ce n'est pas ce que je voulais. ■ Loc. conj. *Tant que,* pendant tout le temps que : *Tant que tu vivras, je resterai près de toi.*

tante [tɑ̃t] n. f. Sœur du père ou de la mère : *Sa mère étant morte, l'enfant fut élevé par sa tante.*

tantôt..., tantôt... [tɑ̃to] adv. A un moment..., à un autre moment : *Il est tantôt gai, tantôt triste.*

taper [tape] v. tr. Ecrire en se servant d'une machine : *La secrétaire a tapé plusieurs lettres ce matin.* ■ V. intr. Donner un coup sur un objet : *Il tapa sur le clou pour l'enfoncer.*

tapis [tapi] n. m. Pièce de tissu épais

qu'on met par terre ou sur une table : *Les tapis de Perse sont célèbres dans le monde entier.*

tapisserie [tapisri] n. f. Ouvrage de laine, de soie, etc., qui sert à décorer un mur, un meuble, etc. : *Le fauteuil était recouvert de tapisserie à l'aiguille.*

taquiner [takine] v. tr. Agacer légèrement : *Le petit garçon s'amusait à taquiner sa sœur en lui cachant ses jouets.*

tard [tar] adv. Dans un moment avancé du jour ou de la saison : *Je me suis couché très tard hier et j'ai eu du mal à me lever ce matin.*

tarder [tarde] v. intr. Agir avec retard : *Vous avez beaucoup tardé à répondre à ma lettre.*

tarif [tarif] n. m. Prix fixé à l'avance et figurant sur une liste ou sur un tableau : *Les tarifs des transports sont plus élevés qu'avant la guerre.*

tarte [tart] n. f. Gâteau de forme plate et souvent circulaire, garni de fruits, de crème, etc. : *Comme dessert, nous avons eu de la tarte aux fraises.*

tartine [tartin] n. f. Tranche de pain sur laquelle on a étalé une couche de beurre, de confiture, etc. : *Les Français mangent généralement des tartines de beurre pour leur petit déjeuner.*

tas [tɑ] n. m. Masse d'objets mis ou jetés les uns sur les autres : *Les enfants jouaient sur un tas de sable devant la maison en construction.*

tasse [tɑs] n. f. Petit récipient de porcelaine, de faïence, etc., muni

d'une anse, et dans lequel on boit : *Cette tasse est trop petite, je prendrai mon café au lait dans un bol.*

tasser [tɑse] v. tr. Presser pour diminuer le volume : *On pourra remettre toute la terre dans le trou en la tassant bien.*

tâter [tɑte] v. tr. Toucher pour se rendre compte : *J'ai tâté son front, qui était brûlant de fièvre, et j'ai appelé le médecin.*

taudis [todi] n. m. Logement malpropre et malsain : *Ce mendiant habite un taudis dans la banlieue.*

taureau [toro] n. m. Mâle de la vache : *Dans le sud de la France, comme en Espagne, on aime les courses de taureaux.*

taux [to] n. m. Ce que rapportent cent francs prêtés pendant un an : *Un taux de 5 % me paraît fort raisonnable.* ★ Proportion d'un élément dans un mélange : *Le taux de l'or, dans les pièces de monnaie, est déterminé par la loi.* ★ Somme à laquelle se monte un salaire, un impôt, un droit : *Le taux des salaires s'élève régulièrement depuis des années.*

taxe [taks] n. f. Prix officiellement fixé. ★ Impôt indirect : *La taxe sur l'essence rapporte à l'Etat des sommes considérables.*

taxer [takse] v. tr. Fixer un prix officiel au-delà duquel on n'a pas le droit de vendre une marchandise : *L'Etat a taxé le prix du blé.*

taxi [taksi] n. m. Automobile munie d'un appareil qui indique, selon la distance parcourue, la somme que le client doit payer au chauffeur : *Les taxis sont arrêtés en file le long du trottoir.*

te [tə] pron. pers. (**t'** devant une voyelle ou un *h* muet). Désigne la personne à qui l'on s'adresse (lorsque ce n'est pas le sujet du verbe) et avec qui l'on a des rapports familiers : *Je t'invite à dîner dimanche prochain, je te téléphonerai pour te le confirmer.*

technicien, enne [tɛknisjɛ̃, ɛn] n. Personne qui connaît une technique déterminée.

technique [tɛknik] adj. Qui concerne les procédés matériels ou scientifiques employés dans un art, une science, etc. : *L'équipement technique du pays s'est beaucoup développé depuis la guerre.* ■ N. f. Ensemble des procédés particuliers à un art, à un métier, etc. : *Les découvertes scientifiques ont permis à la technique de se développer rapidement.*

teindre [tɛ̃dr] v. tr. (Se conj. comme *craindre.*) Faire prendre à un tissu une autre couleur que sa couleur première : *J'ai fait teindre en noir ce vêtement gris.*

teint [tɛ̃] n. m. Couleurs naturelles du visage : *Les enfants des villes ont souvent le teint pâle.*

teinturerie [tɛ̃tyrri] n. f. Magasin où l'on donne les vêtements à nettoyer ou à teindre : *Cette robe est couverte de taches, porte-la donc à la teinturerie.*

tel, telle [tɛl] adj. Qui est d'une qualité comparable à ce dont on parle : *Un proverbe dit : tel père tel fils. J'ai retrouvé mon amie telle que je l'avais quittée.* ★ *Tel... que,* si grand que : *Son exposition a eu un tel succès qu'il a vendu tous ses tableaux.* ■ **Tellement** adv. A un degré si grand : *Il a tellement travaillé, ces derniers temps, qu'il est maintenant très fatigué.*

télégramme [telegram] n. m. Texte que l'on télégraphie : *J'ai envoyé un télégramme à mes amis pour annoncer mon arrivée.*

télégraphier [telegrafje] v. tr. Transmettre un texte à grande distance au moyen d'appareils électriques : *J'ai télégraphié à New York l'heure exacte de votre arrivée.*

téléphone [telefɔn] n. m. Ensemble de mécanismes électriques qui transmettent et reproduisent la parole à distance : *Le téléphone fut installé entre Paris et Bruxelles en 1886.* ★ Appareil qui permet de téléphoner : *Le téléphone est dans la chambre, sur la table près du lit.* ★ FAM. *Un coup de téléphone,* une communication par téléphone : *J'ai reçu hier un coup de téléphone de mon frère, qui m'invitait à dîner.*

téléphoner [telefɔne] v. intr. Parler au téléphone : *Je téléphonerai pour vous donner de mes nouvelles.*

télévision [televizjɔ̃] n. f. Transmission d'images à distance : *La télévision peut être un moyen d'enseignement.* ★ *Poste de télévision,* appareil qui permet de recevoir les images transmises à distance.

tellement [tɛlmɑ̃] adv. V. TEL.

témoignage [temwaɲaʒ] n. m. Ce que l'on montre par des paroles ou des actions : *Depuis que je lui ai rendu service, j'ai reçu de nombreux témoignages de sa reconnaissance.* ★ Preuve apportée par une personne devant la justice : *Son témoignage a prouvé l'innocence de l'accusé.*

témoigner [temwaɲe] v. tr. Faire paraître un sentiment, une manière d'être : *Il a témoigné beaucoup d'admiration en visitant la Sainte-Chapelle.* ■ V. intr. Faire un témoignage : *Après le vol, on m'a demandé de témoigner.*

témoin [temwɛ̃] n. m. Personne qui a vu ou entendu un fait : *J'ai été le témoin de cet accident d'automobile.* ★ Personne qui témoigne devant un tribunal : *Le témoin a juré de dire toute la vérité.* ★ Personne qui vient affirmer l'exactitude d'une déclaration, quand il s'agit de mariage, de signature, etc. : *Notre mariage fut très simple : il n'y avait que les deux témoins.*

tempe [tɑ̃p] n. f. Partie de la tête comprise entre le front, l'œil et l'oreille : *Une blessure à la tempe peut être mortelle.*

tempérament [tɑ̃peramɑ̃] n. m. Etat organique qui caractérise une personne et explique sa manière de réagir : *Il est d'un tempérament délicat et se fatigue très vite.*

température [tɑ̃peratyr] n. f. Degré de chaleur ou de froid : *On a constaté, cette année, des températures assez élevées à Paris vers la fin de juillet.* ★ Fièvre d'un malade : *Mon père s'est couché en rentrant à la maison, car il avait de la température.*

tempéré, e [tɑ̃pere] adj. Se dit d'un pays, d'un climat, dans lequel il ne fait ni trop chaud ni trop froid : *La France est située tout entière dans la zone tempérée nord.*

tempête [tɑ̃pɛt] n. f. Trouble de l'atmosphère se manifestant notamment par un grand vent, de la pluie, etc. : *Le navire a fait naufrage au cours d'une tempête dans les mers du Sud.*

temple [tɑ̃pl] n. m. Bâtiment réservé au culte d'un dieu. ★ Bâtiment réservé au culte protestant : *Dans notre petite ville, il y a une église catholique et un temple protestant.*

temporaire [tɑ̃pɔrɛr] adj. Qui ne doit durer qu'un certain temps : *Pendant la maladie du directeur, il occupa ses fonctions à titre temporaire.* ■ **Temporairement** adv.

temps [tɑ̃] n. m. Mesure de la durée des phénomènes : *On a calculé le temps que met la lumière du soleil à nous parvenir.* ★ *Avoir le temps de faire quelque chose,* disposer d'un temps suffisant pour faire quelque chose : *Aurez-vous le temps de terminer cette robe avant de partir en vacances?* ★ *Perdre du temps, perdre son temps,* ne rien faire ou mettre trop de temps à faire quelque chose : *J'ai perdu beaucoup de temps en cherchant un endroit pour garer ma voiture.* ★ *Prendre son temps,* faire une chose sans se presser : *Prenez tout votre temps, car je voudrais que ce travail soit bien fait.* ★ *Il est temps,* le moment est venu : *Il est très tard, et il est temps d'aller se coucher.* ★ Moment précis où un fait se passe : *Voici venir le temps où l'on doit faire la moisson.* ★ Etat de l'atmosphère ou du ciel : *Le temps est lourd, on dirait qu'un orage se prépare. Au bord de la mer, le temps est souvent nuageux.* ★ MUS. Unité de division de la mesure : *Les marches militaires sont en général composées sur une mesure à deux temps.* ★ GRAMM. Forme du verbe qui sert à exprimer un rapport de temps avec le moment où l'on parle ou avec celui qui est indiqué par le verbe de la principale : *L'imparfait du subjonctif est un temps que l'on n'emploie presque plus dans le français parlé.* ■ LOC. ADV. *A temps,* assez tôt : *Il arriva juste à temps à la gare pour monter dans le train qui partait.* ★ *En même temps,* au même moment. ★ *De temps en temps,* quelquefois : *Je vais déjeuner de temps en temps dans ce restaurant.* ★ *Tout le temps,* toujours : *Il a plu tout le temps pendant mes vacances.*

tenace [tənas] adj. Qui tient à quelque chose ou persévère dans ses sentiments ou ses idées : *Il a un caractère tenace et finit toujours par obtenir ce qu'il désire.*

tendance [tɑ̃dɑ̃s] n. f. Force qui pousse une personne ou un objet dans une direction déterminée : *Mon fils a une tendance à la paresse.*

tendre [tɑ̃dr] adj. Qui peut être facilement coupé : *J'ai demandé au boucher un bifteck bien tendre.* ★ Qui témoigne de la sensibilité : *Cette mère est très tendre avec ses enfants.* ■ **Tendrement** adv.

tendre [tɑ̃dr] v. tr. (Se conj. comme *rendre.*) Tirer sur quelque chose pour l'allonger ou le rendre raide : *Elle a tendu une corde entre deux arbres pour y faire sécher du linge.* ★ Allonger dans une direction déterminée : *Je lui ai tendu la main en signe d'amitié.* ★ Présenter quelque chose : *L'enfant tendit la joue et sa mère l'embrassa.* ■ V. intr. Aller dans une certaine direction : *La natalité tend à augmenter dans cette région.*

tendresse [tɑ̃drɛs] n. f. Qualité de ce qui témoigne de l'amour, de l'affection, etc. : *La tendresse de ses paroles m'a touché.*

tenir [tənir] v. tr. (voir tableau p. 359). Avoir dans la main ou dans les bras, de manière à ne pas laisser échapper : *Le petit garçon tenait un beau ballon rouge que sa mère venait de lui acheter.* ★ Ne pas laisser échapper : *Il fut tenu en prison trois mois sans être jugé.* ★ Avoir un établissement sous sa direction : *Il tient un hôtel depuis trente ans, et il a décidé de prendre sa retraite.* ★ Faire rester dans une certaine position ou dans un certain état : *Le médecin fit une piqûre au malade et lui dit de tenir le bras plié pendant quelques instants.* ★ Réaliser ce que l'on a promis : *Il m'a dit qu'il m'emmènerait en promenade, j'espère qu'il tiendra sa parole.* ★ *Tenir un rôle,* jouer un rôle dans une pièce de théâtre ou dans un film. ■ V. intr. Etre attaché à quelque chose : *Le bouton de ma veste ne tient presque plus, j'ai peur de le perdre.* ★ FIG. : *Il tenait beaucoup à son chien, et sa mort lui a causé de la peine.* ★ Vouloir de toutes ses forces : *Je tiens à assister au mariage de mon frère.* ★ *Tenir compte de quelque chose,* agir en faisant attention à quelque chose : *Les avions tiennent compte de la vitesse du vent pour décoller.* ■ **Se tenir** v. pron. Rester dans un certain lieu ou conserver une certaine attitude : *Il aimait se tenir à la fenêtre pour regarder les passants.*

tennis [tɛnis] n. m. Sport qui oppose deux ou quatre joueurs et qui consiste à envoyer et à recevoir une balle par-dessus un filet, au moyen d'une raquette : *Les joueurs de tennis échangèrent quelques balles avant de commencer la partie.*

tension [tɑ̃sjɔ̃] n. f. Etat de ce qui est tendu : *La tension des cordes du violon doit être souvent réglée.* ★ Effort par lequel on dirige vers un seul objet toutes ses facultés intellectuelles : *Conduire un autobus exige une grande tension d'esprit.* ★ Etat existant entre des personnes ou des pays lorsque leurs relations sont parvenues à un désaccord extrême : *La tension internationale semble diminuer.*

tentative [tɑ̃tativ] n. f. Essai par lequel on s'efforce de faire une chose : *Il a fallu plusieurs tentatives pour arriver au sommet de la montagne.*

tente [tɑ̃t] n. f. Abri de toile que

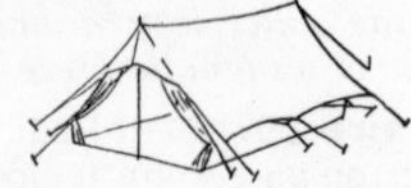

l'on dresse en plein air : *Les campeurs*

ont installé leur tente au bord d'une rivière.

tenter [tɑ̃te] v. tr. Essayer de faire une chose difficile : *Ce savant a tenté de nombreuses expériences sur les souris.* ★ Provoquer un désir : *Elle a vu dans une vitrine une robe qui la tente beaucoup.*

tenue [təny] n. f. Manière dont une chose est entretenue : *Elle a cessé de travailler dans un bureau, pour s'occuper de la tenue de sa maison.* ★ Manière de se présenter ou d'agir en société : *Il est arrivé sans cravate, et nous lui avons fait remarquer que sa tenue était négligée.*

terme [tɛrm] n. m. Ce qui marque la fin, dans l'espace ou dans le temps : *La mort est le terme de la vie.* ★ Mot qui exprime une idée ou un sentiment : *Le verbe est un terme important de la phrase.* ■ Pl. Rapports que l'on a avec une personne : *Je suis en très bons termes avec mes voisins.*

terminaison [tɛrminɛzɔ̃] n. f. Dernière partie d'un mot : *Dans le verbe « aimer », « er » est la terminaison de l'infinitif.*

terminer [tɛrmine] v. tr. Mener une chose jusqu'à son terme : *Le discours terminé, le public applaudit.* ★ Etre la dernière partie d'une chose. ■ **Se terminer** v. pron. S'achever, en parlant d'une surface ou d'une durée : *Nous sommes en décembre; l'année va bientôt se terminer.*

terminus [tɛrminys] n. m. Dernière gare ou dernier arrêt sur une ligne de transports : *Paris est le terminus des grandes lignes de chemin de fer français.*

terrain [tɛrɛ̃] n. m. Espace de terre délimité et destiné à un usage déterminé : *Nous avons acheté un terrain au bord de la mer pour y faire bâtir une maison.*

terrasse [tɛras] n. f. Surface horizontale aménagée dans un parc pour que l'on puisse se promener ou admirer un paysage : *De la terrasse du jardin, on avait une vue magnifique sur les environs.* ★ Surface horizontale aménagée au sommet d'une maison. ★ Partie du trottoir longeant un café et où sont placées des chaises et des tables : *De nombreux touristes étaient installés aux terrasses des cafés.*

terre [tɛr] n. f. Planète habitée par l'homme : *La Terre tourne autour du Soleil.* ★ Partie supérieure du sol dans laquelle poussent les plantes : *Le jardinier retournait la terre avec une bêche.* ★ Le sol : *Il a fallu creuser profondément la terre pour trouver de l'eau.* ★ *Par terre,* sur le sol, sur le plancher : *Toutes les chaises étant occupées, il s'assit par terre.*

terrestre [tɛrɛstr] adj. Qui appartient à la terre : *L'écorce terrestre renferme de nombreux minerais.* ★ Qui vit sur la terre.

terreur [tɛrœr] n. f. Très grande peur : *La peste répandait autrefois la terreur.*

terrible [tɛribl] adj. Qui cause une très grande peur : *Il tomba du toit en poussant un cri terrible.* ■ **Terriblement** adv.

territoire [tɛritwar] n. m. Etendue de terre qui dépend d'un gouvernement, d'une administration : *La Belgique touche le territoire français.*

tes [tɛ] adj. poss. pl. de TON et TA.

test [tɛst] n. m. Epreuve qui sert à reconnaître et à mesurer des aptitudes physiques ou intellectuelles : *Dans cette usine, on fait passer des tests à tous les ouvriers avant de les embaucher.*

testament [tɛstamɑ̃] n. m. Ecrit par lequel on laisse, après sa mort, la propriété de ses biens à certaines personnes : *En ouvrant son testament,* *on a vu qu'il léguait sa maison à l'une de ses amies d'enfance.*

tête [tɛt] n. f. Partie supérieure du corps de l'homme ou partie antérieure du corps des animaux, contenant le cerveau : *Il s'était blessé à la tête et avait le visage couvert de sang.* ★ Siège de la pensée : *Il s'est mis dans la tête de changer de métier.* ★ FIG. Partie supérieure d'une chose : *On a coupé la tête des arbres qui donnaient trop d'ombre aux maisons de l'avenue.* ★ Partie antérieure d'une chose : *Il s'installa en tête du train, dans la voiture qui suivait la locomotive.* ★ *Etre à la tête de,* commander : *Grâce à son activité, il est maintenant à la tête d'une affaire importante.* ★ *Tenir tête,* résister. ■ N. m. *Tête-à-tête,* conversation particulière entre deux personnes.

téter [tete] v. tr. (Se conj. comme *céder.*) Sucer la mamelle de sa mère pour en tirer le lait : *Mon chien est tout jeune, il tète encore sa mère.*

têtu, e [tɛty] adj. Se dit d'une personne que rien ne fait changer d'idée : *Cet enfant est têtu, il ne tient pas compte des conseils de ses parents.*

texte [tɛkst] n. m. Suite de phrases écrites ou imprimées : *J'ai trouvé dans le « Journal officiel » le texte de la dernière loi sur les loyers.*

textile [tɛkstil] adj. Qui concerne les tissus : *Le Nord de la France est un centre important d'industrie textile.* ■ N. m. Matière avec laquelle on fabrique des tissus : *Les principaux textiles sont la laine, le coton, le Nylon et la soie.*

thé [te] n. m. Boisson faite avec la feuille d'un petit arbre qui pousse surtout en Extrême-Orient : *Pendant leur repas, les Chinois boivent le thé chaud et sans sucre.*

théâtre [teɑtr] n. m. Bâtiment où l'on représente des ouvrages dramatiques : *Nous allons plus souvent au théâtre qu'au cinéma.* ★ *Pièce de théâtre,* œuvre destinée à être jouée par des acteurs. ★ Ensemble des œuvres dramatiques : *Le théâtre de Molière n'a cessé d'avoir du succès depuis le XVIIe siècle.* ★ La profession de comédien : *Cette jeune fille qui suit des cours d'art dramatique a l'intention de faire du théâtre.*

thème [tɛm] n. m. Sujet sur lequel on parle ou l'on écrit : *Le ministre a pris les constructions scolaires comme thème de son discours.* ★ Texte qu'un élève doit traduire de sa langue maternelle dans une autre langue : *La plupart des élèves prétendent que le thème est beaucoup plus difficile que la version.*

théorie [teɔri] n. f. Système d'idées organisé qui donne l'explication complète de certains faits : *La théorie atomique a permis d'établir la parenté de toutes sortes de phénomènes qu'on croyait indépendants.*

théorique [teɔrik] adj. Qui appartient à la théorie : *Les connaissances théoriques ne suffisent pas à un ingénieur, qui doit savoir comment les appliquer.* ■ **Théoriquement** adv.

thermomètre [tɛrmɔmɛtr] n. m. Instrument destiné à mesurer la température : *Il fait trop chaud dans cette pièce : le thermomètre marque vingt-cinq degrés.*

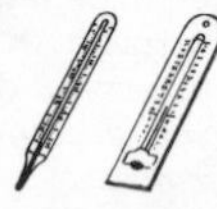

ticket [tikɛ] n. m. Billet de métro, d'autobus, etc. : *On fait contrôler son ticket de métro avant de passer sur le quai.*

tiède [tjɛd] adj. Qui n'est ni chaud ni froid : *Je n'aime pas le café tiède, je le bois très chaud.*

tien, tienne [tjɛ̃, tjɛn] (pl. **tiens, tiennes**) pron. poss. (S'emploie toujours précédé de l'article.) Ce qui est à toi : *Mon chien est noir, le tien est blanc. Ma maison est plus petite que la tienne.*

tiers [tjɛr] n. m. Une des parties d'un tout divisé en trois parties égales : *Nous étions trois enfants; mon père, par testament, nous a laissé à chacun le tiers de sa fortune.*

tige [tiʒ] n. f. Partie généralement verte de la plante, qui porte les feuilles : *A l'extrémité de la tige, il y avait une fleur magnifique.*

timbre [tɛ̃br] n. m. Marque imprimée au nom de l'Etat sur du papier, dont on se sert pour les actes publics. ★ Petit carré de papier qu'on colle sur une lettre pour en payer le port (on dit aussi TIMBRE-POSTE) : *Collez un timbre sur l'enveloppe avant de mettre votre lettre à la poste.*

timbrer [tɛ̃bre] v. tr. Appliquer un timbre sur une lettre, un paquet, etc. : *L'acte d'achat d'un immeuble est rédigé sur papier timbré.*

timide [timid] adj. Qui manque de confiance en soi : *Les enfants timides n'osent pas parler en présence des grandes personnes.* ★ Qui montre un manque de confiance en soi : *La jeune fille m'adressa un sourire timide.* ■ **Timidement** adv.

tir [tir] n. m. Action de lancer un projectile vers un but : *Le tir à l'arc est un exercice qui demande de l'adresse.*

tirer [tire] v. tr. Faire venir à soi une personne ou une chose en la tenant : *Elle a dû tirer son frère par la main pour l'amener à l'école. La locomotive tirait un long train de marchandises.* ★ Obtenir en traitant une matière première : *On tire l'essence du pétrole.* ★ Imprimer : *On avait tiré dix mille exemplaires de son livre.* ★ Lancer avec une arme à feu : *Le chasseur tira un coup de fusil sur un lapin et le tua.* ★ *Tirer un trait,* tracer une ligne droite. ★ *Tirer un chèque,* remplir et signer un chèque pour payer ou recevoir soi-même de l'argent. ★ *Tirer quelque chose au sort,* faire désigner quelque chose par le hasard : *Le gros lot de la loterie fut tiré au sort.* ■ V. intr. Lancer un projectile avec une arme à feu : *Les canons tirèrent sur l'ennemi.* ■ **Se tirer de** v. pron. Sortir avec succès d'une situation difficile : *Le problème était difficile, mais il s'en est brillamment tiré.*

tiroir [tirwar] n. m. Partie d'un meuble qu'on peut tirer et repousser à l'aide d'un bouton ou d'une clef : *Je ne retrouve plus les ciseaux que j'avais mis hier soir dans le tiroir de mon bureau.*

tissu [tisy] n. m. Matière obtenue à partir de fils de laine, de coton ou de textiles artificiels, et qui sert à faire des vêtements, du linge, etc. : *Le tailleur téléphona au marchand de tissus pour commander une pièce d'étoffe.* ★ Matière vivante faite d'une catégorie déterminée de cellules et dont se composent les organes des animaux et des végétaux : *Après cette petite blessure, il faudra laisser aux tissus le temps de se reconstituer.*

titre [titr] n. m. Nom qui situe celui qui en est pourvu à un rang plus ou moins élevé dans la société : *Le descendant actuel des rois de France porte le titre de comte de Paris.* ★ Document donnant à une personne certains honneurs ou le droit d'occuper une fonction déterminée : *Il a terminé ses études, et il a maintenant le titre de docteur en médecine.* ★ Nom donné à une œuvre littéraire ou artistique par son auteur : *L'œuvre la plus connue de Flaubert a pour titre « Madame Bovary ».*

titulaire [titylɛr] adj. Se dit d'une personne qui possède un titre lui assurant un emploi de manière durable : *Il est titulaire d'un poste de professeur dans un lycée de Paris.*

toi [twa] pron. pers. Désigne la personne à qui l'on s'adresse, quand c'est le sujet, soit employé seul, soit pour répéter *tu : Toi, tu iras en voiture; moi, je prendrai le train.* ★ Désigne la personne à qui l'on s'adresse (lorsqu'elle n'est pas sujet du verbe) et avec qui l'on a des rapports familiers : *Ce cadeau est pour toi.*

toile [twal] n. f. Sorte de tissu, souvent de coton : *Ma femme a acheté de la toile très solide pour faire des draps de lit.* ★ FIG. Tableau peint sur toile : *Cette toile de Cézanne a été vendue cinq cent mille francs.*

toilette [twalɛt] n. f. Action de se laver et de se coiffer : *Il attendait sa fille qui faisait longuement sa toilette dans la salle de bains.* ★ Dans un lieu public, lavabo et w.-c. : *Pouvez-vous m'indiquer où sont les toilettes?* ★ Vêtements avec lesquels s'habillent les femmes quand elles veulent être élégantes : *Mon amie dépense beaucoup d'argent pour sa toilette.*

toit [twa] n. m. Construction qui couvre un bâtiment : *Il possède une petite maison de campagne, au toit de tuiles rouges.*

tôle [tol] n. f. Feuille de métal : *Cette automobile est fabriquée avec des tôles d'acier très résistantes.*

tolérer [tɔlere] v. tr. (Se conj. comme *céder.*) Accepter quelque chose sans l'approuver : *Louis XVI tolérait des abus contre lesquels il n'osait pas lutter.*

tombe [tɔ̃b] n. f. Fosse recouverte de terre, de marbre, etc., où l'on a enterré un mort : *La tombe de son grand-père se trouve dans un cimetière de campagne.*

tomber [tɔ̃be] v. intr. (Se conj. avec l'auxiliaire *être.*) Etre entraîné vers le sol par l'effet de son poids : *Le tableau tomba, car le clou était mal fixé. L'orage a éclaté, la pluie va tomber.* ★ Perdre son équilibre : *L'enfant s'est pris le pied dans une chaise et il est tombé sur le plancher.* ★ Se détacher : *Ses cheveux tombent, il sera bientôt chauve.* ★ FIG. Arriver, avoir lieu par hasard : *Cette année, Pâques tombe le 3 avril.* ★ *Tomber malade,* être brusquement victime d'une maladie. ★ FAM. *Tomber sur,* rencontrer par hasard.

ton, ta, tes [tɔ̃, ta, tɛ] adj. poss. 2ᵉ pers. du sing. Qui est à toi : *Je viens de rencontrer ton père, ta mère et tes frères.*

ton [tɔ̃] n. m. Hauteur d'un son. ★ Intervalle qui sépare les deux premières notes d'une gamme. ★ Manière de parler exprimant un sentiment : *Il donne des ordres à ses employés sur un ton désagréable.* ★ Degré dans l'éclat d'une couleur : *Les tableaux de Claude Monet sont souvent peints avec des tons très délicats.*

tonnage [tɔnaʒ] n. m. Volume des marchandises, exprimé en tonneaux, que peut transporter un navire de commerce : *On transporte le pétrole dans des navires de fort tonnage.*

tonne [tɔn] n. f. Poids de mille kilos : *Je me suis fait livrer deux tonnes de charbon pour le chauffage de mon appartement.*

tonneau [tɔno] n. m. Récipient de bois à deux fonds, servant à contenir des liquides : *On conserve le vin dans*

des tonneaux avant de le mettre en bouteilles. ★ Contenu d'un tonneau. ★ Unité de capacité de transport d'un navire.

tonner [tɔne] v. impers. Se dit du bruit que fait entendre le tonnerre : *On voit des éclairs et on entend tonner, il y a un orage au loin.*

tonnerre [tɔnɛr] n. m. Bruit qui accompagne un éclair : *Notre chien a peur de l'orage, il se cache quand il entend le tonnerre.* ★ FIG. : *Le discours du député fut salué par un tonnerre d'applaudissements.*

torchon [tɔrʃɔ̃] n. m. Linge destiné à essuyer la vaisselle : *Elle a pris un torchon pour essuyer les verres.*

tordre [tɔrdr] v. tr. (Se conj. comme *rendre.*) Tourner en sens contraire les deux extrémités d'un objet : *Après la lessive, elle a tordu le linge et l'a étendu sur un fil de fer.* ★ Tourner à droite ou à gauche l'extrémité d'un objet dont l'autre extrémité est fixe : *Les enfants se sont battus, et le plus grand a tordu le bras à l'autre.*

torpiller [tɔrpije] v. tr. Attaquer ou couler un navire en utilisant des projectiles sous-marins : *Le sous-marin a torpillé le navire ennemi.*

torrent [tɔrɑ̃] n. m. Cours d'eau coulant avec violence : *Le torrent descendait de la montagne entre des blocs de pierre.*

torride [tɔrid] adj. Se dit d'une température ou d'un pays extrêmement chauds : *Le centre de l'Afrique a un climat torride.*

tort [tɔr] n. m. Manière d'agir contraire au droit et à la raison : *Il a perdu son procès, car tous les torts étaient de son côté.* ★ *Avoir tort,* ne pas avoir raison.

torture [tɔrtyr] n. f. Souffrance cruelle qu'on fait subir à une personne pour la punir ou pour l'obliger à parler : *Au Moyen Age, les prisonniers subissaient souvent d'horribles tortures.*

tôt [to] adv. Au bout de peu de temps : *Partez maintenant, vous pourrez ainsi revenir plus tôt.* ★ Avant l'heure habituelle : *Quand je suis à la campagne, je me lève et je me couche tôt.*

total, e, aux [tɔtal, o] adj. Qui concerne toutes les parties d'un ensemble : *Le bombardement a causé la destruction totale du village.* ★ Se dit du nombre obtenu par une addition : *Le nombre total des élèves de l'école s'élève à huit cents.* ■ **Totalement** adv. ■ N. m. Nombre que l'on obtient en faisant une addition : *Le total de 4 et 3 est 7.*

toucher [tuʃe] v. tr. Poser la main sur quelqu'un ou sur quelque chose : *Vous n'êtes pas assez grand pour toucher le haut du mur.* ★ Recevoir ce qui est dû : *J'ai touché ce soir l'argent de mon salaire.* ★ Etre en contact avec : *Ma maison touche celle de mes amis.* ★ FIG. Etre en rapport avec : *Cette affaire ne me touche pas, je n'y suis pour rien.* ★ Emouvoir la sensibilité d'une personne : *J'ai été très touché de votre gentille lettre.* ■ V. intr. Mettre la main sur quelque chose pour le manier : *Ne touchez pas à ce vase, il est très fragile.* ■ N. m. Organe des sens par lequel on éprouve la sensation de contact.

touffe [tuf] n. f. Ensemble de choses minces et légères de même nature formant une sorte de bouquet : *Le petit garçon prit des ciseaux et se coupa une touffe de cheveux.*

toujours [tuʒur] adv. Pendant tout le temps passé : *J'ai toujours pris mon café sans sucre.* ★ En toute occasion : *Comme elle est bavarde! Elle est toujours prête à parler.* ★ Encore à présent : *Il habitait à la campagne il y a trois ans, et je crois qu'il y est toujours.* ★ Pendant tout le temps futur : *Il a dit à sa fiancée qu'il l'aimerait toujours.*

tour [tur] n. f. Bâtiment très élevé qui peut faire partie d'une église, d'un

château, etc. : *Les enfants montèrent à la tour de l'église pour regarder les cloches.*

tour [tur] n. m. Mouvement que fait un corps quand il décrit un cercle : *Chaque tour de roue de la voiture nous rapproche de l'arrivée.* ★ Mouvement qui ramène au point de départ : *Le tour de France est l'épreuve sportive la plus populaire d'Europe. Tous les matins, je vais faire un tour avec le chien.* ★ Quand plusieurs actions ont lieu en série, moment où chacune d'elles a lieu : *Votre valise est lourde, nous la porterons chacun à notre tour.* ■ LOC. ADV. *Tour à tour,* l'un après l'autre.

tourisme [turism] n. m. Action de voyager pour son plaisir : *Le tourisme s'est beaucoup développé depuis la naissance de l'automobile.*

touriste [turist] n. Personne qui voyage pour voir des paysages ou des monuments : *De nombreux touristes étrangers visitent Paris chaque année.*

tournant [turnɑ̃] n. m. Endroit où une rue, une rivière, etc., change de direction : *Installés non loin d'un tournant de la route, des gendarmes observaient la circulation.*

tournée [turne] n. f. Voyage fixé à l'avance que fait une personne pour des raisons professionnelles : *La troupe du théâtre de Marseille fait une tournée dans les villes du Midi.*

tourner [turne] v. tr. Changer la position par un mouvement circulaire : *Il tourna le bouton électrique pour éclairer la pièce. Il tourna la tête et regarda de mon côté.* ★ Enregistrer avec une caméra : *On tourne en ce moment un film sur la vie des insectes.* ■ V. intr. Se déplacer par un mouvement circulaire : *La Terre tourne autour du Soleil en 365 jours. L'autobus a tourné à droite.* ★ Devenir aigre (en parlant de certains liquides et de certains fruits) : *Quand il fait chaud, le lait tourne facilement.* ■ **Se tourner** v. pron. Changer son corps de position par un mouvement circulaire : *Il se tourna légèrement de mon côté pour me parler.*

tousser [tuse] v. intr. Chasser l'air par la bouche en faisant du bruit : *Vous toussez depuis longtemps, vous devriez aller voir un médecin.*

tout, toute, tous, toutes [tu, tut, tus, tut] adj. Indique qu'une chose est considérée en entier : *Toute la ville a été réveillée par l'explosion.* ■ Adj. indéf. N'importe lequel : *En toute occasion, j'essaierai de vous aider.* ■ **Tout, tous, toutes** pron. indéf. L'ensemble des êtres ou des choses dont on parle : *Tous sont arrivés par le train. Tout est bien qui finit bien.* ■ **Tout** (*toute, toutes* devant un nom féminin commençant par une consonne ou un *h* aspiré) adv. Entièrement : *Les murs de ma chambre sont tout bleus et la porte est toute blanche. Elle était tout heureuse de se marier.* ■ **Tout** n. m. Ensemble des éléments d'une chose : *J'ai corrigé plusieurs passages de mon article, mais il me reste à relire le tout.*

toutefois [tutfwa] adv. Malgré cela : *Il a beaucoup travaillé et n'a pu toutefois réussir son examen.*

toxique [tɔksik] adj. Qui contient du poison : *Ce médicament doit être pris avec précaution, car c'est un produit toxique.* ■ N. m. Nom que l'on donne à tout poison.

trace [tras] n. f. Suite de marques indiquant le passage d'un homme ou d'un animal : *La police a relevé des traces de pas dans la maison.*

tracer [trase] v. tr. (Se conj. comme *annoncer.*) Marquer quelque chose au moyen de lignes : *L'enfant traça quelques mots à la craie sur le tableau.*

tract [trakt] n. m. Feuille imprimée, distribuée pour faire de la propagande politique, religieuse, commerciale, etc. : *Avant les élections, le candidat a fait distribuer des tracts dans la région.*

tracteur [traktœr] n. m. Véhicule à moteur qui tire les machines agricoles : *Les tracteurs permettent aux paysans une économie considérable de main-d'œuvre et de temps.*

tradition [tradisjɔ̃] n. f. Manière d'agir, de se conduire ou de penser, transmise de père en fils par l'exemple ou la parole : *Les traditions sont plus fortes en province qu'à Paris.*

traduction [tradyksjɔ̃] n. f. Travail qui consiste à traduire : *La traduction est un exercice difficile qui demande beaucoup d'attention.* ★ Texte traduit : *Cette traduction est excellente, car elle est exacte et élégante.*

traduire [tradɥir] v. tr. (Se conj. comme *conduire.*) Faire passer un texte parlé ou écrit d'une langue dans une autre : *L'interprète a traduit en français le discours du ministre allemand.* ★ FIG. Exprimer des sentiments : *Le regard du prisonnier traduisait son inquiétude.*

trafic [trafik] n. m. Circulation des marchandises : *Le trafic a été très fort dans le port, le mois dernier.* ★ Importance et fréquence des trains, des autocars, etc. ★ Commerce illégal : *On ne sait de quoi il vit, la police suppose qu'il se livre au trafic d'armes.*

tragédie [traʒedi] n. f. Pièce de théâtre mettant en scène des personnages illustres, et destinée à provoquer la terreur ou la pitié : *La tragédie française au XVIIe siècle présentait une seule action se déroulant en un seul jour et dans un seul lieu.*

tragique [traʒik] adj. Qui appartient à la tragédie : *Racine est le plus grand de nos auteurs tragiques.* ★ Se dit de ce qui inspire la terreur ou la pitié : *Un tragique accident d'aviation a causé la mort de cinquante personnes.* ■ **Tragiquement** adv.

trahir [trair] v. tr. Livrer ou tromper une personne ou un groupe auquel on doit être fidèle : *L'espion a trahi sa patrie.* ★ FIG. Faire connaître ce qui devrait rester caché : *Il a trahi le secret qu'il avait promis de garder.* ■ **Se trahir** v. pron. Laisser voir involontairement ce que l'on pense ou ce que l'on est.

trahison [traizɔ̃] n. f. Action de celui qui trahit : *En temps de guerre, le crime de trahison est puni par la peine de mort.*

train [trɛ̃] n. m. Vitesse à laquelle on se déplace. ★ *Train de vie,* manière dont on utilise ses ressources pour vivre : *Cet homme d'affaires a un château et trois voitures, il mène un grand train de vie.* ★ *Etre en train de* (+ infinitif), être occupé à : *J'étais en train d'arroser le jardin, quand il est venu.* ★ Ensemble constitué par une locomotive et les wagons qu'elle traîne : *Des trains rapides relient Paris à Nice en douze heures.* ★ *Train de marchandises,* train qui ne comprend que des wagons de marchandises.

traîner [trɛne] v. tr. Tirer derrière soi, en laissant toucher terre : *L'enfant s'amusait à traîner une bobine au bout d'une ficelle.* ■ V. intr. Toucher au sol en se déplaçant : *Certains chevaux ont la queue si longue qu'elle traîne par terre.* ★ En parlant d'un objet, avoir été laissé involontairement à un endroit où il ne devrait pas être :

Ses chaussures traînent encore dans le couloir. ■ **Se traîner** v. pron. Se déplacer avec peine : *Des soldats blessés se traînaient vers le poste de secours.*

traire [trɛr] v. tr. (v. tableau p. 359). Tirer le lait d'une vache, d'une chèvre, etc. : *La fermière trait ses vaches matin et soir.*

trait [trɛ] n. m. Ligne que l'on trace : *Il a fait un trait sous le mot que j'avais mal écrit.* ■ N. m. pl. Ensemble des lignes qui donnent un caractère particulier à un visage : *Bien que cette femme ait des traits réguliers, elle n'est pas jolie.*

traité [trɛte] n. m. Texte fixant après discussion les droits et les devoirs de plusieurs Etats les uns envers les autres : *La France et l'Angleterre viennent de conclure un traité commercial.* ★ Manuel où l'on expose en ordre ce qu'il faut savoir dans une matière déterminée : *Pour préparer son examen, l'étudiant doit consulter un gros traité de géométrie.*

traitement [trɛtmɑ̃] n. m. Manière d'agir envers une personne : *Cet enfant a subi de mauvais traitements, et il est tombé malade.* ★ Salaire d'un fonctionnaire : *Les instituteurs touchent leur traitement à la fin du mois.* ★ Manière de soigner un malade ou une maladie : *Le médecin lui a ordonné un traitement aux antibiotiques.*

traiter [trɛte] v. tr. Agir à l'égard de quelqu'un d'une manière déterminée : *Il m'a traité avec beaucoup d'amitié.* ★ Discuter de quelque chose, pour en tirer une conclusion : *Nous avons vendu notre maison, c'est le notaire qui a traité l'affaire. L'orateur a rapidement traité la question.* ★ Faire subir à un produit certaines transformations : *On traite le pétrole dans les raffineries pour en faire de l'essence.* ★ *Traiter quelqu'un de,* l'insulter en lui donnant le nom de : *Le chauffeur de taxi traita l'automobiliste de maladroit.*

traître, esse [trɛtr, trɛtrɛs] n. Personne qui trahit.

trajectoire [traʒɛktwar] n. f. Trajet suivi par un projectile, de son point de départ à son point d'arrivée : *Les savants ont suivi avec attention la trajectoire de la fusée.*

trajet [traʒɛ] n. m. Ligne que suit une personne ou une chose pour aller d'un point à un autre : *Sur le trajet Paris-Lille, le train ne s'arrête pas.* ★ Durée d'un parcours : *Le temps ne m'a pas paru long, car j'ai dormi pendant tout le trajet.*

tramway [tramwɛ] n. m. Véhicule électrique roulant en ville sur rails : *On a supprimé tous les tramways à Paris.*

tranche [trɑ̃ʃ] n. f. Partie mince et coupée régulièrement dans un pain, dans un morceau de viande, etc. : *La charcutière coupe des tranches de jambon à la machine.*

trancher [trɑ̃ʃe] v. tr. Séparer un morceau du reste, d'un seul coup : *Louis XVI eut la tête tranchée en 1793.* ★ *Trancher une question,* régler une question d'une manière définitive.

tranquille [trɑ̃kil] adj. Où ne se manifeste aucun mouvement : *L'eau du lac était claire et tranquille.* ★ Se dit des personnes qui manifestent peu d'agitation : *C'est un enfant tranquille, qui aime lire et jouer sans bruit.* ■ **Tranquillement** adv.

tranquillité [trɑ̃kilite] n. f. Etat des choses et des gens tranquilles : *Le chant du coq troubla la tranquillité de la nuit.*

transformation [trɑ̃sfɔrmasjɔ̃] n. f. Changement d'une forme en une autre : *Cette usine a subi de nombreuses transformations depuis dix ans.*

transformer [trɑ̃sfɔrme] v. tr. Faire passer d'une forme en une autre : *Dans un conte, une fée transforme une jeune fille en oiseau. Le ver à soie se transforme en papillon.*

transitif, ive [trɑ̃zitif, iv] adj. GRAMM. Se dit des verbes dont l'action s'exerce sur un complément d'objet direct.

transition [trɑ̃zisjɔ̃] n. f. Passage d'un état à un autre : *La brusque transition du chaud au froid est dangereuse pour la santé.* ★ Passage d'une idée à une autre ; liaison des éléments d'un ouvrage : *L'auteur passe sans transition d'un personnage à un autre, ce qui rend son livre fort difficile à comprendre.*

transmettre [trɑ̃smɛtr] v. tr. (Se conj. comme *mettre.*) Faire parvenir d'un lieu à un autre, d'une personne à une autre : *La lettre m'a été transmise avec retard.*

transmission [trɑ̃smisjɔ̃] n. f. Action de transmettre : *La transmission des maladies se fait le plus souvent par les microbes. La transmission du concert par la radio aura lieu ce soir.* ★ Pl. Service de l'armée qui s'occupe du téléphone, de la radio, etc.

transparent, e [trɑ̃sparɑ̃, ɑ̃t] adj. Qui laisse passer assez de lumière pour que l'on puisse voir à travers : *On a fait remplacer les vitres transparentes de la salle de bains par des vitres opaques.*

transpirer [trɑ̃spire] v. intr. Produire de la sueur sous l'action de la chaleur ou de l'effort : *Ne marchez pas trop vite, vous allez transpirer.*

transport [trɑ̃spɔr] n. m. Action de porter un objet ou une personne d'un lieu dans un autre : *Le transport du charbon se fait par train ou par bateau.* ★ Pl. Système organisé permettant de porter les personnes ou les choses d'un lieu à un autre : *Les transports aériens sont plus rapides que les transports par mer.*

transporter [trɑ̃spɔrte] v. tr. Porter d'un lieu dans un autre : *On vient de construire un nouveau paquebot capable de transporter un grand nombre de passagers.*

travail (pl. **travaux**) [travaj, travo] n. m. Activité intellectuelle ou physique, conduite avec application, en vue d'un but déterminé : *Pour aménager une nouvelle route, on vient d'entreprendre d'importants travaux.* ★ Résultat produit par cette activité : *Les derniers travaux publiés par le savant ont attiré l'attention du public cultivé.*

travailler [travaje] v. tr. Soumettre à un travail : *Cet ébéniste travaille fort bien le bois et ne fabrique que des meubles de style.* ■ V. intr. Exercer une activité déterminée : *Les ouvriers ont travaillé quarante heures, cette semaine.*

travailleur, euse [travajœr, øz] adj. Se dit des personnes qui aiment le travail : *Il reproche à son fils de ne pas être travailleur et de ne penser qu'à s'amuser.* ■ N. Personne qui est obligée de travailler pour gagner de quoi vivre : *On dit souvent que les travailleurs sont moins heureux à la ville qu'à la campagne.*

travers [travɛr] n. m. Etendue d'un corps que l'on considère dans sa largeur ou dans son épaisseur. ■ LOC. PRÉP. *A travers,* par un lieu en allant d'un bout à l'autre de celui-ci : *Nous avons fait une belle promenade à travers la forêt.* ★ *Au travers de,* en traversant avec effort un lieu, un objet : *Elle eut beaucoup de mal à passer l'aiguille au travers du tissu.* ★ *En travers de,* d'un côté à l'autre, en suivant le sens de la largeur : *Un arbre était tombé en travers de la route au cours du dernier orage.* ■ LOC. ADV.

De travers, d'une manière oblique. ★ FIG. Autrement qu'il ne faudrait : *Cette vieille dame est un peu sourde; elle comprend tout de travers.*

traverser [travɛrse] v. tr. Passer d'un côté à l'autre : *Cette femme a traversé la Manche à la nage. La Seine traverse Paris.* ★ FIG. : *Pendant qu'il me parlait, une idée m'a brusquement traversé l'esprit.*

treize [trɛz] adj. num. Douze plus un. ■ N. m. Nom de nombre égal à douze plus un.

tréma [trema] n. m. Double point placé horizontalement sur les voyelles *e, i, u,* pour indiquer qu'on doit les prononcer séparément : « *Naïf* » *s'écrit avec un tréma sur l'*« *i* ».

tremblement [trɑ̃bləmɑ̃] n. m. Agitation involontaire du corps ou d'un membre, causée par le froid, la peur, la maladie, une forte émotion : *Un tremblement nerveux s'empara de l'acteur quand il fut sur le point d'entrer en scène.* ★ Suite de secousses qui ébranlent le sol, un objet, etc. : *Un tremblement de terre détruisit la moitié de la ville.*

trembler [trɑ̃ble] v. intr. Etre agité de petits mouvements plus ou moins rapides et plus ou moins violents : *Il était resté longtemps sous la pluie, et il tremblait de froid.* ★ FIG. Avoir peur : *Une mère attentive tremble souvent pour ses enfants.*

tremper [trɑ̃pe] v. tr. Mouiller dans (ou avec) un liquide : *L'enfant trempa sa plume dans l'encre et se mit à écrire.* ■ V. intr. Rester plongé dans un liquide : *Le linge trempa toute la nuit dans la lessive.*

trente [trɑ̃t] adj. num. Trois fois dix : *Le mois de juin a trente jours et le mois de juillet en a trente et un.*

très [trɛ] adv. A un haut degré : *Cet homme, très sage et très estimé, agit toujours très prudemment.*

trésor [trezɔr] n. m. Grande quantité de choses précieuses que l'on a mises en réserve et que l'on a cachées : *L'avare avait enterré un trésor dans son jardin.*

trésorier, ère [trezɔrje, ɛr] n. Personne qui administre les revenus d'une association : *Le trésorier a déclaré que beaucoup de membres de notre société n'avaient pas encore payé leur droit d'inscription.*

trêve [trɛv] n. f. Arrêt temporaire dans un conflit, une maladie, etc. : *On accorda une trêve à l'ennemi pour qu'il puisse ramasser ses blessés.*

triangle [trijɑ̃gl] n. m. En géomé-

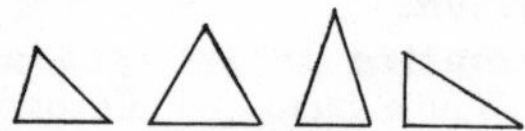

trie, figure fermée qui a trois angles et trois côtés.

tribu [triby] n. f. Dans certaines sociétés, ensemble des familles ayant un même ancêtre et groupées autour d'un chef : *Dans cette région du désert, les tribus nomades vivent sous la tente.*

tribunal [tribynal] n. m. Bâtiment où l'on rend la justice : *L'avocat, qui était en retard, pénétra rapidement dans le tribunal.* ★ Ensemble des juges réunis pour juger : *Il a été convoqué devant le tribunal.*

tribune [tribyn] n. f. Construction élevée, de bois ou de pierre, d'où un orateur parle à un public : *Le Premier ministre monta à la tribune de l'Assemblée nationale.* ★ Construction, couverte ou non, que l'on a aménagée pour que l'on puisse voir plus facilement un spectacle sportif ou une fête.

tricher [triʃe] v. intr. Tromper au jeu et dans de petites choses : *Il cessa de jouer aux cartes avec son ami, car il s'aperçut que celui-ci trichait.*

tricolore [trikɔlɔr] adj. Qui est de trois couleurs : *Le drapeau français est tricolore; il est bleu, blanc, rouge.*

tricot [triko] n. m. Action de tricoter : *Elle faisait beaucoup de tricot, car elle attendait la naissance d'un bébé.* ★ Vêtement que l'on a tricoté à la main ou à la machine : *Les soirées sont fraîches, et je vous conseille de prendre un tricot.*

tricoter [trikɔte] v. tr. Fabriquer un tissu à grosses mailles, soit à la main, avec des aiguilles, soit avec une machine : *La grand-mère tricote des chaussettes pour son petit-fils.*

trier [trije] v. tr. Mettre à part un certain nombre de choses qu'on choisit dans un ensemble : *Le fermier tria les meilleures graines pour les planter.*

trimestre [trimɛstr] n. m. Espace de trois mois : *L'année se divise en quatre trimestres.*

triompher [trijɔ̃fe] v. intr. Remporter une victoire éclatante : *Un philosophe a dit qu'il était plus facile de triompher de ses ennemis que de ses passions.*

triste [trist] adj. Qui éprouve une souffrance morale : *Cet homme est triste depuis qu'il a quitté sa patrie.* ★ Qui montre un état de souffrance morale : *Leur enfant ne semble pas heureux : son visage est toujours triste.* ★ Qui provoque une souffrance morale : *L'accident de voiture offrit aux passants un triste spectacle.* ■ **Tristement** adv.

tristesse [tristɛs] n. f. Etat dans lequel on éprouve une souffrance morale : *Il alla au théâtre pour essayer de dissiper sa tristesse.* ★ Caractère de ce qui rend triste : *L'enfant fut ému par la tristesse de ce paysage d'hiver.*

trois [trwa] adj. num. Deux plus un. ■ N. m. Nom de nombre égal à deux plus un.

troisième [trwazjɛm] adj. num. Indique la place qui suit la deuxième.

tromper [trɔ̃pe] v. tr. Faire croire à quelqu'un ce qui n'est pas vrai, en lui mentant : *Il est facile de tromper les hommes par de belles promesses.* ■ **Se tromper** v. pron. Faire une erreur : *Je dois recommencer mes calculs, car je me suis trompé.*

tronc [trɔ̃] n. m. Partie de la tige des arbres, depuis la naissance des racines jusqu'à la naissance des branches : *Il plaça une échelle contre le tronc de l'arbre et monta cueillir des cerises.* ★ Partie du corps humain et de certains animaux qui ne comprend ni la tête ni les membres : *A l'intérieur du tronc se trouvent les poumons, le cœur et les organes de la digestion.*

trop [tro] adv. Plus qu'il ne faut : *Ne mangez pas trop, si vous ne voulez pas grossir.*

tropical, e, aux [trɔpikal, o] adj. Qui appartient aux régions les plus chaudes de la terre : *Il vit depuis longtemps non loin de l'équateur, mais il n'a jamais pu s'adapter au climat tropical.*

trottoir [trɔtwar] n. m. Espace réservé aux piétons, de chaque côté d'une rue : *Il est interdit de circuler à bicyclette sur les trottoirs.*

trou [tru] n. m. Ouverture faite ou existant dans un corps : *Il y a un trou dans le mur, il faudra le faire boucher.*

trouble [trubl] n. m. Désordre qui se manifeste dans un milieu qui était tranquille : *Elle souffre de troubles nerveux, et le docteur lui a conseillé le repos. Des troubles politiques se sont succédé au début du XXe siècle.*

trouble [trubl] adj. Qui n'est pas clair : *L'eau des fleuves est souvent trouble à la fin du printemps.* ★ FIG : *C'est une affaire assez trouble, dont la justice devrait s'occuper.*

troubler [truble] v. tr. Rendre opaque un liquide qui était transparent : *L'enfant jeta une pierre qui troubla l'eau du bassin.* ★ FIG. Provoquer un désordre : *La manifestation a troublé l'ordre public.* ■ **Se troubler** v. pron. Eprouver une émotion qui cause de l'embarras : *L'étudiante s'est troublée et n'a pu répondre.*

trouer [true] v. tr. Faire un trou : *Mon fils a encore troué ses chaussettes.*

troupe [trup] n. f. Nombre plus ou moins grand de gens, assemblés généralement sous l'autorité d'un chef : *Une troupe de voleurs attaqua le voyageur, quand il fut sorti de la ville.* ★ *Les troupes* ou *la troupe,* soldats qui forment une armée : *La troupe a fait son entrée en ville, précédée de la musique militaire.* ★ Groupe de comédiens qui ont l'habitude de jouer ensemble : *La plus grande partie de la troupe s'est réunie pour répéter le prochain spectacle.*

troupeau [trupo] n. m. Groupe d'animaux domestiques de même espèce : *L'auto s'arrêta, car un troupeau de vaches traversait la route.*

trouver [truve] v. tr. Découvrir quelqu'un ou quelque chose que l'on cherchait ou que l'on rencontre par hasard : *Après des mois de recherches, ils ont enfin trouvé un appartement. J'ai trouvé cet argent dans la rue.* ★ Découvrir ou inventer grâce à un travail intellectuel : *On dit qu'un savant a trouvé un vaccin contre la grippe.* ★ Avoir une opinion déterminée sur quelqu'un ou sur quelque chose : *Je trouve cette comédie mal construite.* ■ **Se trouver** v. pron. Etre dans un lieu : *Notre-Dame de Paris se trouve dans l'île de la Cité.* ★ Se sentir : *Je me trouve mieux depuis que je prends ce nouveau médicament.*

truc [tryk] n. m. FAM. Procédé que l'on utilise pour se tirer d'embarras : *Il a trouvé un truc très commode pour faire de la peinture sans se salir.* ★ FAM. Mot que l'on emploie pour désigner un objet dont on ne se rappelle plus le nom : *Comment s'appelle donc ce truc-là? — Mais c'est une bêche!*

tu [ty] pron. pers. Désigne la personne à qui l'on s'adresse, qui est le sujet du verbe, et avec qui l'on a des rapports familiers : *Maman, tu as une jolie robe aujourd'hui!*

tube [tyb] n. m. Tuyau cylindrique, naturel ou artificiel, généralement étroit, et destiné à un certain usage : *J'ai acheté un tube de comprimés chez le pharmacien.*

tuberculose [tybɛrkyloz] n. f. Maladie due à un microbe qui se loge le plus souvent dans les poumons : *Il fut atteint de tuberculose, mais il guérit rapidement.*

tuer [tɥe] v. tr. Oter la vie d'une manière violente : *On le tua d'un coup d'épée.* ★ Détruire la santé : *La misère et les soucis l'ont tuée lentement.* ■ **Se tuer** v. pron. : *Le maçon s'est tué en tombant d'une échelle. Il s'est tué quand il a vu qu'il était ruiné.*

tuile [tɥil] n. f. Plaque de terre cuite utilisée pour couvrir les toits : *Ce village est charmant avec ses maisons couvertes de tuiles rouges.*

tunnel [tynɛl] n. m. Passage souterrain par lequel passe une route, une voie ferrée, etc. : *Les lampes s'allumèrent quand le train entra dans le tunnel.*

tutoyer [tytwaje] v. tr. (Se conj. comme *payer.*) Employer la deuxième personne du singulier quand on parle à des gens que l'on connaît intimement : *En France, les parents tutoient leurs enfants.*

tuyau [tɥijo] n. m. Tube de métal, de caoutchouc, etc., qui sert au passage des liquides ou des gaz : *Il adapta le tuyau au robinet et se mit à arroser le jardin.*

type [tip] n. m. Personne ou objet qu'on peut considérer comme un modèle : *Molière et Balzac ont peint des types humains qu'on rencontre tous les jours.* ★ Sorte d'objet qui possède des caractères déterminés qui le distinguent des autres : *Ce type de moteur consomme très peu d'huile.* ★ FAM. Individu quelconque.

typique [tipik] adj. Qui possède certaines caractéristiques : *Le paysage que l'on rencontre dans les pays de mines est tout à fait typique.*

tyrannique [tiranik] adj. Qui exerce une autorité excessive : *C'est un père tyrannique qui ne permet jamais à ses enfants de parler à table.*

U

ultimatum [yltimatɔm] n. m. Conditions imposées par un Etat à un autre Etat, et qui, en cas de refus, entraînent la guerre ou de graves conséquences.

un, une [œ̃, yn] adj. num. Le premier des nombres : *Un et un font deux.*

un [œ̃] art. indéf. m. sing. (**une** [yn] f. sing., **des** [dɛ] m. et f. pl.). Indique que le nom qui le suit n'est pas déterminé : *J'ai vu dans la rue un homme qui jouait de la guitare. Il posa une lampe sur la cheminée. Il y a des livres sur la table.* ■ Pron. indéf. *L'un... l'autre...*, V. AUTRE.

unanimité [ynanimite] n. f. Accord complet des opinions ou des suffrages. ■ LOC. ADV. *A l'unanimité*, avec l'accord de tous : *Le président de l'assemblée fut élu à l'unanimité.*

uni, e [yni] adj. Dont la surface ne présente aucune inégalité ou aucun ornement. ★ Qui est d'un seul ton : *Elle porte toujours des robes unies.*

uniforme [ynifɔrm] adj. Qui est toujours pareil : *La rue était bordée de maisons grises et uniformes.* ■ **Uniformément** adv. ■ N. m. Costume que doivent porter certaines personnes appartenant à une même catégorie : *Les infirmières ont souvent un uniforme blanc.*

union [ynjɔ̃] n. f. Rapport établi entre différentes personnes ou différentes choses pour les rapprocher de manière permanente : *Entre les deux pays, l'union économique a précédé l'union politique.*

unique [ynik] adj. Qui est seul de son espèce : *Je suis fils unique, je n'ai ni frères ni sœurs.* ■ **Uniquement** adv.

unir [ynir] v. tr. Joindre l'un à l'autre : *Les deux partis se sont unis pour les élections.*

unité [ynite] n. f. Chacune des parties semblables qui composent un nombre. ★ Etat dans lequel différents éléments ne constituent plus qu'un seul ensemble : *Cet ouvrage, dû à la collaboration de plusieurs auteurs, manque évidemment d'unité.*

univers [ynivɛr] n. m. L'ensemble des choses qui existent : *La physique d'aujourd'hui a émis des théories nouvelles sur l'origine de l'univers.*

universel, elle [ynivɛrsɛl] adj. Qui concerne l'univers. ★ Qui concerne tout le monde : *En France, les* *députés sont élus au suffrage universel.* ■ **Universellement** adv.

université [yniversite] n. f. Groupe d'établissements scolaires (appelés « facultés ») qui donnent aux étudiants un enseignement supérieur : *L'Université de Paris a été créée au Moyen Age.*

uranium [yranjɔm] n. m. Métal rare dont il est possible de faire éclater l'atome et qui est utilisé dans l'industrie atomique.

urbanisme [yrbanism] n. m. Art d'aménager des villes : *Dans son livre sur l'urbanisme, l'architecte propose de construire des maisons très hautes, séparées par de vastes jardins.*

urgence [yrʒɑ̃s] n. f. Caractère de ce qui doit être fait rapidement : *Le médecin est allé chez des amis, mais il a dit qu'en cas d'urgence il était possible de l'appeler par téléphone.*

urgent, e [yrʒɑ̃, ɑ̃t] adj. Qui ne peut être retardé sans dommage : *Il faut absolument que je sois de bonne heure à mon bureau, car j'ai une affaire urgente à régler.*

urne [yrn] n. f. Boîte dans laquelle

on dépose les bulletins de vote.

usage [yzaʒ] n. m. Emploi de quelque chose : *Quel est l'usage de cet outil?* ★ Droit d'utiliser une chose : *Je vous loue la maison, mais je me réserve l'usage du jardin.*

usager [yzaʒe] n. m. Personne qui se sert habituellement de quelque chose : *Les usagers de la route protestent au sujet de l'augmentation du prix de l'essence.*

usé, e [yze] adj. Abîmé, parce qu'il a beaucoup servi : *Les pneus de votre voiture sont usés, il faudrait les changer.*

user [yze] v. tr. Abîmer quelque chose dont on s'est beaucoup servi : *Notre jeune fils a usé en quelques semaines une solide paire de chaussures.* ★ FIG. Affaiblir progressivement : *Vous usez votre vue à travailler ainsi sans lumière.* ■ **S'user** v. pron. S'abîmer par suite d'un usage prolongé : *Le vêtement que j'ai acheté n'est pas solide, il s'usera vite.*

usine [yzin] n. f. Etablissement industriel important où l'on transforme des matières premières, et où l'on fabrique des objets en se servant de machines : *Les cheminées de l'usine de produits chimiques fumaient au-dessus de la ville.*

ustensile [ystɑ̃sil] n. m. Objet servant à la vie courante : *Les ustensiles de cuisine sont rangés dans le buffet.*

usuel, elle [yzɥɛl] adj. Dont on se sert habituellement : *Le métro est le moyen de transport usuel de la plupart des Parisiens.*

usure [yzyr] n. f. Modification subie par une chose dont on se sert beaucoup : *Elle constata avec regret l'usure de sa robe.*

utile [ytil] adj. Qui rend service : *On doit protéger les animaux utiles.* ■ **Utilement** adv.

utilisation [ytilizasjɔ̃] n. f. Action d'employer quelque chose dans une intention déterminée : *On prévoit l'utilisation de l'énergie atomique comme moyen de chauffage.*

utiliser [ytilize] v. tr. Employer quelque chose : *Vous ne devriez pas utiliser ce mot-là, car il n'est pas français.*

utilité [ytilite] n. f. Service que rend une personne ou un objet : *Les livres n'ont aucune utilité pour quelqu'un qui ne sait pas lire.*

vacances [vakɑ̃s] n. f. pl. Période de l'année pendant laquelle le travail est arrêté dans une école, dans une administration, dans une usine, etc. : *Les vacances scolaires ont généralement lieu en France du 1er juillet au 15 septembre.*

vaccin [vaksɛ̃] n. m. Remède qu'on obtient à partir de microbes et qui permet de lutter contre la maladie que donnent ces microbes : *Ce sont les vaccins qui ont fait disparaître d'Europe les épidémies.*

vacciner [vaksine] v. tr. Introduire un vaccin dans le sang, pour protéger d'une maladie : *Il est prudent de faire vacciner les enfants.*

vache [vaʃ] n. f. Animal à cornes, femelle du taureau, dont le lait est

très abondant et apprécié : *Le lait de vache est donné fréquemment comme nourriture aux bébés.*

vague [vag] adj. Qui manque de précision : *Quand je lui ai demandé un emploi, il m'a répondu d'une manière très vague.* ★ *Terrain vague,* terrain situé souvent dans une ville, et qui n'est ni cultivé ni habité. ■ **Vaguement** adv.

vague [vag] n. f. Masse d'eau qui s'élève et retombe sur la surface d'une mer, d'un lac, etc. : *A marée haute, les vagues viennent se briser contre les rochers.*

vain, e [vɛ̃, vɛn] adj. Qui ne donne pas de résultats : *Il a fait de vains efforts pour se débarrasser de l'habitude de fumer.* ■ LOC. ADV. *En vain,* inutilement : *C'est en vain qu'on a cherché jusqu'ici à limiter les armements.* ■ **Vainement** adv.

vaincre [vɛ̃kr] v. tr. (voir tableau p. 359). Etre plus fort qu'un ennemi ou qu'un concurrent : *Les Japonais ont vaincu les Russes en 1905.* ★ Surmonter ce qui fait obstacle : *Il faudra vaincre votre paresse, si vous voulez réussir dans le commerce.*

vaincu, e [vɛ̃ky] n. Personne qui a été battue ou qui a subi une défaite : *Les vaincus demandèrent la paix.*

vainqueur [vɛ̃kœr] adj. Qui a vaincu dans une bataille, dans une affaire difficile, etc. : *Les généraux vainqueurs furent acclamés par le peuple.* ■ N. m. Personne qui a remporté une victoire : *On a remis un prix au vainqueur de la course.*

vaisselle [vɛsɛl] n. f. Ensemble des récipients (assiettes, plats, etc.) destinés au service de la table : *Nous mangeons d'habitude dans de la vaisselle de faïence.*

valable [valabl] adj. Qui remplit les conditions nécessaires pour produire un certain effet : *Le voyageur n'a pas pu franchir la frontière, car son passeport n'était plus valable.*

valeur [valœr] n. f. Ce que vaut une personne ou une chose : *Mon ami, qui est un médecin remarquable, est certainement un homme de grande valeur. J'attache plus de valeur à la bonté qu'à l'intelligence.* ★ Ce que vaut une chose en argent : *Ce bijou a une valeur de dix mille francs.*

valise [valiz] n. f. Sorte de grande boîte rectangulaire munie d'une poignée, et dont on se sert pour transporter en voyage les objets dont on a besoin : *Aussitôt entré dans le compar-*

timent, il plaça les valises dans le filet au-dessus de sa tête. ★ *Faire ses va-*

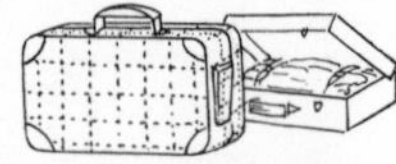

lises, placer dans des valises les objets que l'on désire emporter.

vallée [vale] n. f. Dépression située entre deux montagnes ou deux collines : *La vallée de Chamonix s'étend au pied du mont Blanc.* ★ Dépression que suit un cours d'eau : *La vallée de la Loire s'allonge sur plus de mille kilomètres.*

valoir [valwar] v. intr. (voir tableau p. 359). Avoir un certain prix, un certain mérite : *Cette montre vaut cent francs.* ★ *Ne rien valoir,* n'avoir aucune valeur : *Votre travail est fait trop vite, il ne vaut rien;* être nuisible : *Boire beaucoup de café ne lui vaut rien.* ■ V. impers. **Valoir mieux.** Etre préférable : *Il vaudrait mieux que je finisse mon travail, plutôt que d'aller au cinéma.*

vanité [vanite] n. f. Forme ridicule de l'orgueil qui se manifeste par un désir de paraître et de briller : *Mon collègue ne parle que de lui-même, sa vanité fait rire tout le monde.*

vanter [vɑ̃te] v. tr. Dire beaucoup de bien de quelqu'un, de quelque chose : *Le ministre a vanté les mérites de son gouvernement.* ■ **Se vanter** v. pron. Tirer vanité de quelque chose : *Rien n'est plus ridicule que les gens qui se vantent de leur fortune.*

vapeur [vapœr] n. f. Gaz qui s'élève d'un liquide que l'on chauffe : *Quand on fait bouillir de l'eau, la cuisine se remplit de vapeur.* ★ *Machine à vapeur, bateau à vapeur,* machine ou bateau qui fonctionnent en utilisant la force motrice de la vapeur d'eau.

variable [varjabl] adj. Qui est susceptible de se modifier : *Il fait moins froid qu'hier, la température est variable ces jours-ci.*

variation [varjasjɔ̃] n. f. Changement plus ou moins important et fréquent : *A la suite du changement de ministère, la politique a subi des variations importantes.*

varier [varje] v. tr. Soumettre quelqu'un ou quelque chose à des changements successifs. ■ V. intr. Présenter des changements : *Au cours de l'interrogatoire, l'accusé a varié dans ses réponses.*

variété [varjete] n. f. Caractère de ce qui varie : *La variété de ses occupations empêche mon père de s'ennuyer.*

vase [vɑz] n. m. Récipient de nature et de forme variées. ★ Récipient destiné à recevoir des fleurs : *Ma femme*

a mis des roses dans un des vases de la salle à manger.

vase [vɑz] n. f. Boue qui se dépose au fond d'une rivière, d'un lac, etc. : *Le pêcheur eut du mal à déplacer le bateau qui était enfoncé dans la vase.*

vaste [vast] adj. Qui est de dimensions considérables : *Une vaste plaine s'étendait au pied de la montagne.*

veau [vo] n. m. Petit de la vache qui tète encore, et dont la chair est vendue en boucherie : *Je n'aime pas la viande de veau, je préfère les viandes rouges.*

vedette [vədɛt] n. f. Artiste très célèbre : *Ce film américain est joué par plusieurs grandes vedettes.*

végétal, e, aux [veʒetal, o] adj. Qui a rapport aux plantes : *La couleur verte est très répandue dans le règne végétal.* ■ N. m. Synonyme scientifique de « plante » : *Les végétaux sont des organismes vivants comme les animaux; mais, contrairement à ceux-ci, ils ne peuvent pas se déplacer.*

végétation [veʒetasjɔ̃] n. f. Ensemble des végétaux qui poussent dans une région : *Dans les pays très froids, la végétation est courte et rare.*

véhicule [veikyl] n. m. Moyen de transport par terre, par eau ou par air : *La voiture à chevaux est un véhicule peu rapide.*

veille [vɛj] n. f. Le jour qu'une nuit sépare du jour suivant : *Quand je dois partir en voyage de bonne heure, je fais mes bagages la veille.*

veiller [vɛje] v. tr. Passer la nuit à garder quelqu'un : *La religieuse veilla le mort en priant toute la nuit.* ■ V. intr. Prendre soin de quelqu'un ou de quelque chose : *Une bonne mère veille sur ses enfants.*

veine [vɛn] n. f. Canal long et étroit qui ramène le sang au cœur : *L'infirmière lui fit une piqûre à la veine du bras.* ★ FAM. Chance.

vélo [velo] n. m. Nom familier de la bicyclette : *On lui a volé son vélo pendant qu'il était chez le coiffeur.*

velours [vəlur] n. m. Etoffe couverte d'un côté de poils très serrés et courts : *Pour l'hiver, ma femme s'est acheté une robe en velours.*

vendange [vɑ̃dɑ̃ʒ] n. f. Récolte du raisin : *L'automne est la saison des vendanges.*

vendeur, euse [vɑ̃dœr, øz] n. Personne dont le métier est de vendre quelque chose : *Il y a cinq vendeuses dans ce magasin d'alimentation.*

vendre [vɑ̃dr] v. tr. (Se conj. comme *rendre*.) Céder quelque chose à un certain prix : *J'ai vendu un terrain en faisant un bénéfice considérable.*

vendredi [vɑ̃drədi] n. m. Sixième jour de la semaine : *Après le congé du jeudi, les écoliers retournent en classe le vendredi matin.*

vengeance [vɑ̃ʒɑ̃s] n. f. Peine infligée à titre de punition et de représailles.

venger [vɑ̃ʒe] v. tr. (Se conj. comme *manger*.) Tirer vengeance de quelqu'un coupable d'une offense, d'un crime, etc. : *Quand un criminel est condamné, on dit que la société a été vengée.* ■ **Se venger** v. pron. Exercer une vengeance : *Je me suis vengé, dix ans après, de l'injure qu'il m'avait faite.*

venimeux, euse [vənimø, øz] adj. Se dit des animaux qui produisent un liquide qui empoisonne : *Beaucoup de serpents sont venimeux.* ★ FIG. Se dit de paroles ou d'écrits qui expriment de la méchanceté.

venir [vənir] v. intr. (voir tableau p. 359). Se rendre à l'endroit où l'on est appelé : *Je suis malade, à quelle heure le médecin viendra-t-il?* ★ *Venir de,* être apporté de ou transmis par : *Ce café vient du Brésil.* ★ Arriver d'un certain lieu : *D'où venez-vous? Je viens des Etats-Unis.* ★ Succéder à : *L'été vient après le printemps.* ★ *Faire venir,* appeler une personne pour qu'elle vienne, ou faire apporter quelque chose : *Le réfrigérateur ne fonctionnait plus, nous avons fait venir l'électricien.* ★ *Venir de* (+ infinitif), indique un passé très proche : *Je venais de terminer mon travail quand il est arrivé.*

vent [vɑ̃] n. m. Masse d'air qui se déplace dans une certaine direction : *Pendant la tempête, le vent soufflait avec une force terrible.* ★ *Instrument à vent,* instrument de musique dont le son est produit par l'air que souffle le musicien.

vente [vɑ̃t] n. f. Action de céder définitivement un objet en échange d'une certaine somme d'argent : *Après la mort de mon père, notre maison a été mise en vente.*

ventilateur [vɑ̃tilatœr] n. m. Appareil qui produit du vent destiné à agiter ou à renouveler l'air d'une

pièce : *J'ai placé un ventilateur pour chasser les mauvaises odeurs de ma cuisine.*

ventre [vɑ̃tr] n. m. Partie du corps qui contient les intestins : *Cet enfant a mal au ventre, il a dû trop manger de bonbons.* ★ *A plat ventre,* couché sur la partie antérieure du corps.

venue [vəny] n. f. Action de venir dans un lieu : *Votre venue chez moi est un plaisir pour tous.* ★ *Allées et venues,* action d'aller et venir plusieurs fois.

ver [vɛr] n. m. Animal long et mou, sans squelette et sans membres : *En travaillant la terre dans mon jardin, j'ai trouvé de gros vers rouges.*

verbal, e, aux [vɛrbal, o] adj. Qui est exprimé de vive voix : *Je reste inquiet, car il ne m'a fait que des promesses verbales et j'aurais préféré un accord écrit.* ■ **Verbalement** adv.

verbe [vɛrb] n. m. Mot qui, dans la phrase, exprime l'action ou l'état, et qui, en français, change de forme selon le mode, le temps, la personne et le nombre.

verdict [vɛrdik] n. m. Réponse du jury aux questions posées par le tribunal : *Après la lecture du verdict, le juge a prononcé sa sentence.* (S'emploie à tort très souvent au lieu de SENTENCE.)

vérification [verifikasjɔ̃] n. f. Action de constater l'exactitude d'un événement, d'une opération commerciale, etc. : *Dans une banque, la vérification des comptes a lieu tous les soirs.*

vérifier [verifje] v. tr. Examiner une chose pour savoir si elle est vraie ou exacte : *Nous allons vérifier les comptes du caissier, pour voir s'il n'y a pas d'erreur.* ★ Montrer par l'expérience qu'une théorie ou une supposition sont exactes.

véritable [veritabl] adj. Qui a une existence réelle : *Je n'invente rien, je vous raconte là une histoire véritable.* ★ Qui mérite réellement le nom qu'il porte : *La rupture du barrage a provoqué une véritable catastrophe.* ■ **Véritablement** adv.

vérité [verite] n. f. Qualité de ce qui est vrai : *Au tribunal, les témoins jurent de dire toute la vérité.* ★ Chose vraie : *Toutes les vérités ne sont pas bonnes à dire.* ■ LOC. ADV. *En vérité, à la vérité,* vraiment.

vernis [vɛrni] n. m. Substance, souvent brillante, dont on recouvre certains objets pour les protéger : *Le peintre passa une couche de vernis sur son tableau dès que celui-ci fut sec.*

verre [vɛr] n. m. Matière solide, transparente et fragile, fabriquée avec du sable fondu et d'autres produits : *Avec le verre, on fait notamment des*

vitres, des miroirs et des bouteilles. ★ Objet en verre utilisé pour boire : *Il posa un verre devant son assiette.* ★ Contenu d'un verre : *Comme il avait soif, il but un grand verre d'eau.*

verrou [vɛru] n. m. Pièce de métal que l'on pousse pour fermer une porte : *Ma femme a fait placer un verrou à la porte d'entrée.*

vers [vɛr] prép. Dans la direction de : *Le malade tourna les yeux vers son médecin.* ★ A peu près à l'époque, au moment de : *Tous les soirs, vers sept heures, je quitte mon travail.*

vers [vɛr] n. m. Suite de mots qui comportent un rythme déterminé et dont l'ensemble constitue souvent une poésie : *Les tragédies de Racine sont écrites en vers.*

versant [vɛrsɑ̃] n. m. Chacune des pentes d'une montagne : *La Garonne prend sa source dans le versant nord des Pyrénées.*

verser [vɛrse] v. tr. Faire couler un liquide : *J'ai versé du vin dans mon verre.* ★ *Verser des larmes,* pleurer. ★ Payer une certaine somme : *J'ai versé à la caisse l'argent que je devais.*

version [vɛrsjɔ̃] n. f. Travail scolaire qui consiste à traduire une langue étrangère dans la langue maternelle : *Les élèves préfèrent généralement la version au thème.* ★ Manière de raconter un fait : *Les journalistes ont fourni sur les événements différentes versions.*

vert, e [vɛr, vɛrt] adj. Couleur qui est obtenue en mélangeant du bleu et du jaune : *La couleur verte est très répandue dans la nature.* ★ Qui n'est pas encore arrivé à maturité : *Le raisin est encore vert au mois d'août.* ★ *Légumes verts,* légumes frais. ■ N. m. Couleur verte : *Au soleil, l'océan est d'un beau vert.*

vertébral, e, aux [vɛrtebral, o] adj. *Colonne vertébrale,* V. COLONNE.

vertical, e, aux [vɛrtikal, o] adj. Dirigé vers le centre de la terre : *Cette maison a été mal construite, ses murs ne sont pas verticaux.* ■ **Verticalement** adv.

vertige [vɛrtiʒ] n. m. Sensation éprouvée par quelqu'un qui croit voir les objets tourner autour de lui : *Quand je monte au clocher de l'église et que je regarde en bas, je suis pris de vertige.*

vertu [vɛrty] n. f. Force d'âme qui pousse à agir selon le bien : *Sa femme a toutes les vertus, sauf la patience.* ■ LOC. PRÉP. *En vertu de,* conformément à.

veste [vɛst] n. f. Vêtement de dessus qui couvre la partie supérieure du corps : *Elle s'est acheté une veste de cuir et une jupe de drap.*

vestiaire [vɛstjɛr] n. m. Salle se trouvant dans un lieu public, et où l'on dépose ses vêtements et différents objets que l'on reprend en sortant : *Avant d'aller s'asseoir dans la salle, il a laissé son manteau au vestiaire.*

vestige [vɛstiʒ] n. m. Reste laissé par une chose qui a été détruite presque totalement : *L'Antiquité nous a laissé de remarquables vestiges d'architecture.*

veston [vɛstɔ̃] n. m. Vêtement d'homme, fermé par des boutons, et

qui se porte sur le gilet ou le tricot : *Un costume d'homme se compose d'un veston et d'un pantalon.*

vêtement [vɛtmɑ̃] n. m. Ce qui sert à couvrir le corps : *J'achète des vêtements chauds à mes enfants au début de l'hiver.*

veuf, veuve [vœf, vœv] n. Personne dont la femme (ou le mari) est morte, et qui n'est pas remariée : *Notre amie, restée veuve, a réussi à élever convenablement ses enfants.*

vexer [vɛkse] v. tr. FAM. Causer à quelqu'un une humiliation légère : *Mon père a vexé André en le traitant de menteur.*

viande [vjɑ̃d] n. f. Chair de certains animaux (sauf celle des poissons), dont l'homme se nourrit : *Beaucoup de Français préfèrent la viande rouge (bœuf, mouton, etc.) à la viande blanche (veau, volaille, etc.).*

vice [vis] n. m. Défaut grave dont on ne peut se corriger : *Le jeu est devenu chez lui un véritable vice.*

vice-président, e [visprezidɑ̃, ɑ̃t] (pl. **vice-présidents**) N. Personne qui est désignée pour remplacer un président en cas d'absence, de maladie ou de mort de celui-ci.

victime [viktim] n. f. Personne qui meurt de mort violente et imprévue : *Un accident de chemin de fer a fait quarante victimes.* ★ Personne qui subit un dommage, qui souffre ou qui meurt par la faute de quelqu'un : *Il a été victime d'un vol pendant son absence.*

victoire [viktwar] n. f. Avantage remporté sur un ennemi ou un concurrent dans une lutte physique ou morale : *La victoire de la Marne sauva la France en 1914.*

victorieux, euse [viktɔrjø, øz] adj. Qui a remporté une victoire. ■ **Victorieusement** adv.

vide [vid] adj. Qui ne contient rien : *La valise était légère, car elle était presque vide.* ■ N. m. Espace qui n'est pas occupé : *Je n'aimerais pas sauter en parachute, car j'ai peur du vide.*

vider [vide] v. tr. Enlever tout ce que contient une chose : *Elle vida la bouteille de lait dans la casserole.* ★ Faire sortir les personnes qui se trouvent dans un lieu : *L'hôpital a été vidé rapidement, quand l'incendie a éclaté.*

vie [vi] n. f. Ensemble des activités qui permettent à un être organisé (homme, animal ou plante) de se nourrir, de se reproduire, etc. : *Chez beaucoup d'animaux, le cœur est l'un des organes indispensables à la vie.* ★ *Ne plus donner signe de vie,* sembler mort. ★ Espace de temps qui s'écoule entre la naissance et la mort : *Il a travaillé toute sa vie.* ★ Histoire de l'existence d'une personne connue : *Je suis en train de lire la vie de Napoléon.* ★ Les conditions d'existence (nourriture, logement, etc.) : *La vie est plus chère à Paris qu'en province.*

vieil, vieille [vjɛj] adj. V. VIEUX.

vieillard [vjɛjar] n. m. Homme âgé. ★ *Les vieillards,* les personnes âgées des deux sexes : *Les enfants doivent respecter les vieillards.*

vieillesse [vjɛjɛs] n. f. Le dernier âge de la vie : *La vieillesse amène souvent des infirmités.*

vieillir [vjɛjir] v. intr. Devenir vieux : *Il n'est pas trop désagréable de vieillir quand on est bien portant.* ★ Paraître vieux : *Il a vieilli subitement depuis la mort de son fils.*

vierge [vjɛrʒ] adj. Qui est intact, qui n'a pas été utilisé, etc. : *Il est difficile de se déplacer dans la forêt vierge.*

vieux, vieille [vjø, vjɛj] adj. (**vieil** devant un nom masculin commençant par une voyelle ou un *h* muet). Qui vit ou existe depuis longtemps : *Un vieil homme vendait des légumes au marché. Cet arbre est très vieux, il a été planté par mon grand-père. Nous avons visité une vieille église très curieuse.* ■ N. Personne âgée.

vif, vive [vif, viv] adj. Qui est en vie : *Jeanne d'Arc a été brûlée vive.* ★ Qui agit ou qui pense avec rapidité : *Ma secrétaire comprend rapidement ce qu'on lui dit, car elle a une vive intelligence.* ★ Qui se manifeste d'une manière violente : *Depuis qu'il y a du vent, le froid semble plus vif.* ★ Se dit d'une couleur qui a beaucoup d'éclat :

Elle portait une robe d'un rouge vif. ■ **Vivement** adv.

vigilant, e [viʒilɑ̃, ɑ̃t] adj. Qui observe avec beaucoup d'attention : *L'enfant jouait au bord de l'eau sous les yeux vigilants de sa mère.*

vigne [viɲ] n. f. Plante qui produit le raisin. ★ Terrain planté de vignes : *Je cultive une vigne qui me donne cinq ou six tonneaux de vin.*

vigoureux, euse [vigurø, øz] adj. Qui a de la force physique ou morale : *Les enfants qui vivent à la campagne sont en général vigoureux.* ■ **Vigoureusement** adv.

vigueur [vigœr] n. f. Force physique ou morale : *Il était dans toute la vigueur de la jeunesse.* ★ *En vigueur,* qui est toujours appliqué, en parlant d'une loi, d'un règlement, etc.

vilain, e [vilɛ̃, ɛn] adj. Qui est laid physiquement ou moralement : *Elle est assez jolie femme, mais elle a de vilaines dents.* ★ *Un vilain temps,* un temps pluvieux.

villa [villa] n. f. Jolie maison avec jardin, située en banlieue, à la campagne, etc. : *Je passe mes vacances dans ma villa de la Côte d'Azur.*

village [vilaʒ] n. m. Petit groupe de maisons à la campagne, habitées surtout par des paysans : *Le maire du village est un fermier.*

ville [vil] n. f. Ensemble de maisons disposées le long de rues, de boulevards, etc. : *Paris est une très grande ville.*

vin [vɛ̃] n. m. Jus de raisin ayant subi une fermentation : *Je préfère le vin rouge au vin blanc.*

vinaigre [vinɛgr] n. m. Liquide d'un goût piquant, provenant de la fermentation acide du vin : *Il y a trop de vinaigre dans la salade.*

vingt [vɛ̃] adj. num. Deux fois dix.

violence [vjɔlɑ̃s] n. f. Très grande force : *Le vent d'ouest soufflait avec violence.*

violent, e [vjɔlɑ̃, ɑ̃t] adj. Qui agit avec une force brutale : *Je souffrais d'un violent mal de tête.* ★ *Une mort violente,* qui n'est causée ni par l'âge ni par la maladie. ■ **Violemment** adv.

violer [vjɔle] v. tr. Nuire gravement à quelqu'un ou à quelque chose qu'on doit respecter : *Le ministre est accusé d'avoir violé la loi.*

violet, ette [vjɔlɛ, ɛt] adj. Qui est de la couleur formée d'un mélange de rouge et de bleu : *Son visage était violet de froid.* ■ N. m. Couleur violette.

violon [vjɔlɔ̃] n. m. Instrument de musique en bois, à quatre cordes, que

l'on tient avec la main et le menton : *Il faut beaucoup d'oreille pour jouer du violon.*

virage [viraʒ] n. m. Endroit où une route tourne brusquement : *Il y a de nombreux virages dans les routes de montagne.*

virgule [virgyl] n. f. Signe de ponctuation (**,**) qui marque une brève séparation entre certains membres d'une phrase : *L'enfant lisait avec soin, en élevant la voix avant chaque virgule.*

vis [vis] n. f. Petite pièce de métal que l'on enfonce, en la faisant tourner sur elle-même, pour fixer ensemble des morceaux de bois ou de métal : *Il démonta le poste de radio en prenant soin de ne pas perdre les vis.*

vis-à-vis (de) [vizavi] LOC. PRÉP. En face de : *A table, nous étions placés vis-à-vis l'un de l'autre.*

visa [viza] n. m. Signature ou formule qui rend valable un acte, et notamment un passeport : *Je pourrai partir quand le consulat de Bulgarie m'aura accordé un visa.*

visage [vizaʒ] n. m. Ensemble des traits d'une personne : *Ses cheveux sont gris, mais son visage est resté jeune.*

viser [vize] v. tr. Diriger une arme vers un but : *Le chasseur visa le loup et tira.*

visible [visibl] adj. Qui peut être vu : *Les microbes ne sont visibles qu'au microscope.* ■ **Visiblement** adv.

visite [vizit] n. f. Action d'aller voir quelqu'un chez lui : *Des amis m'ont fait une visite hier après-midi.* ★ Action de se rendre en un lieu pour examiner quelque chose : *La visite des musées a lieu tous les jours, sauf le mardi.* ★ Action du médecin qui examine un malade : *Le blessé parlait à l'infirmière en attendant la visite du docteur.*

visiter [vizite] v. tr. Parcourir un lieu en examinant ce qui se trouve à l'intérieur : *Mes amis ont visité hier la cathédrale.*

visiteur, euse [vizitœr, øz] n. Personne qui va voir quelqu'un par politesse ou par amitié, ou qui va voir quelque chose par intérêt ou curiosité : *La tour Eiffel est le monument de Paris qui reçoit le plus de visiteurs.*

vitamine [vitamin] n. f. Substance qui se trouve dans certains aliments et dont l'absence cause des désordres dans l'organisme : *La salade crue n'est pas un aliment nourrissant, mais elle est riche en vitamines.*

vite [vit] adv. Avec un mouvement rapide : *Le père marchait si vite que son fils ne pouvait le suivre.* ★ En peu de temps : *Il apprend vite ses leçons, mais il les oublie encore plus vite.*

vitesse [vitɛs] n. f. Rapidité du mouvement : *La vitesse des locomotives électriques peut dépasser cent trente kilomètres à l'heure.*

vitre [vitr] n. f. Panneau de verre qu'on met à une fenêtre, à une voiture, etc., pour donner de la lumière : *La vieille dame restait derrière la vitre de sa chambre à observer les passants.*

vitrine [vitrin] n. f. Partie d'une boutique qui est séparée de la rue par une grande vitre, et où sont exposés certains objets : *L'enfant regarda les gâteaux dans la vitrine du pâtissier.*

vivacité [vivasite] n. f. Manière d'agir rapide : *Les vieillards ont perdu la vivacité de la jeunesse.*

vivant, e [vivɑ̃, ɑ̃t] adj. Qui est en vie : *Les spectateurs de l'accident crurent qu'il était mort, mais le médecin dit qu'il était encore vivant.*

vive [viv] interj. Cri par lequel on exprime un souhait : *Le président a terminé son discours en criant : « Vive la France! »*

vivre [vivr] v. intr. (voir tableau p. 359). Se dit des plantes, des animaux et de l'homme qui sont entre la naissance et la mort : *Les hommes de notre époque vivent en général plus vieux que leurs ancêtres.* ★ Habiter dans un certain lieu : *Mon père a vécu quarante ans à la campagne.* ★ Passer sa vie dans certaines conditions : *Certains pensent que pour vivre heureux il faudrait vivre seul.* ★ Habiter avec quelqu'un : *Ma cousine vit avec sa fille et son gendre.*

vocabulaire [vɔkabylɛr] n. m. Ensemble des mots qui appartiennent à une langue, ou plus spécialement à un groupe social, à une science, etc. : *Les dictionnaires élémentaires ne définissent pas tous les mots du vocabulaire français.*

vœu [vø] n. m. Promesse solennelle faite à Dieu ou à soi-même. ★ Souhait de voir s'accomplir quelque chose :

Le gouvernement n'a pas réalisé tous les vœux du pays. ★ Souhaits que l'on présente à quelqu'un, à l'occasion de la nouvelle année : *J'ai présenté mes vœux à ma grand-mère le 1er janvier.*

voici [vwasi] prép. Mot qui introduit ce que l'on va dire ou ce qui va arriver immédiatement : *Voici un agent, il va constater l'accident.*

voie [vwa] n. f. Chemin qui mène d'un point à un autre : *La route nationale n° 7 est une importante voie de communication.*

voilà [vwala] prép. Mot qui sert à désigner dans le temps ou dans l'espace une personne, une chose ou une situation plus ou moins éloignée : *Voilà l'argent que je vous devais; comptez-le.*

voile [vwal] n. f. Pièce d'étoffe que l'on fixe à un mât et qui, poussée par le vent, permet au bateau d'avancer : *Un bateau à voiles blanches quitta le port à marée haute.* ■ N. m. Pièce d'étoffe destinée à cacher quelque chose : *Les religieuses portent souvent un voile sur la tête.*

voir [vwar] v. tr. (voir tableau p. 359). Connaître par la vue : *Mon grand-père est presque aveugle, il n'y voit plus.* ★ Rendre visite à quelqu'un ou visiter un pays : *Celui qui a beaucoup vu peut avoir beaucoup retenu.* ★ Saisir par la pensée, comprendre : *Je vois que je me suis trompé.* ★ Constater un fait : *Elle a abandonné ses cinq enfants, on n'a jamais rien vu de pareil.*

voisin, e [vwazɛ̃, in] adj. Peu éloigné dans l'espace : *La France et la Belgique sont deux Etats voisins.* ■ N. Personne qui habite à proximité de quelqu'un : *Les deux voisines allaient ensemble au marché, le matin.*

voiture [vwatyr] n. f. Véhicule qui sert à transporter les personnes et les marchandises : *La voiture du paysan était tirée par un cheval.* ★ Dans les chemins de fer, wagon utilisé pour les voyageurs : *Le chef de gare cria : « Messieurs les voyageurs, en voiture! Fermez les portières. »*

voix [vwa] n. f. Sons produits par l'air chassé des poumons à travers certains organes de la bouche et du nez : *L'avocat a une voix très agréable.* ★ FIG. Suffrage exprimé par un vote : *Les députés de gauche ont donné leurs voix au ministère.*

vol [vɔl] n. m. Suite des mouvements d'ailes par lesquels un oiseau ou un insecte se soutiennent et se dirigent dans l'air : *Le vol des oiseaux a donné à l'homme l'idée de l'aviation.* ★ *Prendre son vol,* s'élancer dans les airs. ★ Déplacement, dans l'air, d'un avion, etc. : *Le pilote a effectué plus de deux mille heures de vol.* ■ LOC. ADV. *A vol d'oiseau,* se dit d'un trajet en ligne droite, sans aucun détour.

vol [vɔl] n. m. Action de celui qui prend une chose sans avoir l'intention de la rendre : *Un vol a été constaté dans le musée; un tableau a disparu.*

volaille [vɔlaj] n. f. Oiseau ou ensemble des oiseaux que l'on élève dans une ferme pour leur chair ou pour leurs œufs : *La fermière jeta du grain à la volaille.*

volant [vɔlɑ̃] n. m. Sorte de roue que manœuvre le conducteur d'une

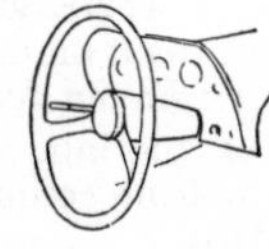

automobile pour changer de direction : *Il a été blessé au volant de sa voiture, dans un accident de la route.*

voler [vɔle] v. intr. Se maintenir en l'air au moyen d'ailes : *Certains oiseaux volent bas avant la pluie. L'avion volait très haut dans le ciel.*

voler [vɔle] v. tr. Prendre par ruse ou par force ce qui appartient à autrui : *Un cambrioleur a volé les bijoux de la princesse.*

volet [vɔlɛ] n. m. Panneau de bois ou de fer qui sert à boucher une fenêtre et à donner de l'obscurité à une pièce : *Je ferme les volets de ma chambre avant de me coucher.*

voleur, euse [vɔlœr, øz] n. Personne qui prend sans permission le bien d'autrui : *Des voleurs ont pénétré cette nuit chez moi.*

volontaire [vɔlɔ̃tɛr] adj. Qui est produit par la volonté. ★ Qui agit selon sa seule volonté : *Beaucoup d'enfants sont volontaires.* ■ **Volontairement** adv.

volonté [vɔlɔ̃te] n. f. Pouvoir de se décider à faire ou à ne pas faire quelque chose. ★ Energie plus ou moins grande avec laquelle on agit : *Cet enfant a beaucoup de volonté, il réussira dans la vie.* ★ Intention de faire ou de ne pas faire quelque chose : *Certaines personnes font souvent le mal avec la volonté de faire le bien.*

volontiers [vɔlɔ̃tje] adv. De bon gré, avec plaisir : *Si je lui demande de l'argent, il m'en prête volontiers.*

volume [vɔlym] n. m. Grosseur d'un corps qui s'étend dans les trois dimensions de l'espace : *Il y a dans mon jardin un bassin dont le volume est de 30 m³.* ★ Texte, généralement imprimé, constituant un livre : *Le dictionnaire a été édité en deux volumes.*

vomir [vomir] v. intr. Rejeter avec effort par la bouche ce qui était dans l'estomac : *Mon fils a souvent envie de vomir quand il est en voiture.*

vos [vo] adj. poss. V. VOTRE.

vote [vɔt] n. m. Opinion donnée soit sur un bulletin, soit par la parole, au sujet d'une décision ou d'une élection : *En France, le droit de vote est accordé aux hommes et aux femmes.*

voter [vɔte] v. tr. Participer par son vote à une élection ou à une décision : *Les députés votèrent le budget sans discussion.*

votre [vɔtr] (pl. **vos** [vo]) adj. poss. 2ᵉ pers. du pl. Qui est à vous : *Votre travail sera terminé avant le mien.*

vôtre [votr] (pl. **vôtres**) pron. poss. (S'emploie presque toujours précédé de l'article.) 2ᵉ pers. du pl. Ce qui est à vous (personne ou chose) : *Mes parents sont partis, les vôtres sont restés. Venez me voir, ma maison est la vôtre.*

vouloir [vulwar] v. tr. (voir tableau p. 359). Avoir le désir, la volonté de faire quelque chose : *Il voulait sortir, mais la pluie l'en a empêché.* ★ Exiger avec autorité : *Je veux que ce travail soit fait avant demain.* ★ *Vouloir dire,* avoir une certaine signification.

vous [vu] pron. pers. Désigne la personne à qui l'on s'adresse, et avec qui l'on a des rapports non familiers : *Bonjour, monsieur, comment allez-vous?* ★ Désigne les personnes à qui l'on s'adresse : *Pierre et Françoise, voulez-vous un bonbon? Vous vous êtes levés bien tard, ce matin.*

voûte [vut] n. f. Partie haute et courbe qui sert de plafond à certains édifices : *Les voûtes de la cathédrale sont très hautes.*

voyage [vwajaʒ] n. m. Déplacement, généralement assez long, qu'on fait pour se rendre dans une autre ville ou dans un autre pays : *On dit que les voyages forment la jeunesse.*

voyager [vwajaʒe] v. intr. (Se conj. comme *manger.*) Se déplacer en parcourant un chemin assez long : *Ses affaires l'ont obligé à voyager dans toute l'Europe.*

voyageur, euse [vwajaʒœr, øz] n. Personne qui change de lieu, ou qui a l'habitude de faire des voyages : *Les* *trains de voyageurs sont plus rapides que les trains de marchandises.*

voyelle [vwajɛl] n. f. Son produit par le passage de l'air dans l'appareil de la voix, avec le concours de la bouche plus ou moins ouverte : « *A, e, i, o, u, y* » *sont les voyelles de l'alphabet français.*

vrai, e [vrɛ] adj. Qui est conforme à ce qui est : *Cela est aussi vrai que* « *deux et deux font quatre* ». ■ **Vraiment** adv.

vraisemblable [vrɛsɑ̃blabl] adj. Qui paraît vrai : *Il est peu vraisemblable qu'il existe des êtres vivants sur la lune.* ■ **Vraisemblablement** adv.

vue [vy] n. f. Celui des cinq sens qui permet de voir les formes et les couleurs : *Mon père porte des lunettes, car il a une mauvaise vue.* ★ Ce qu'on peut regarder : *On a une jolie vue depuis votre fenêtre.* ★ *Point de vue,* endroit d'où l'on peut découvrir un vaste paysage. ★ FIG. Manière d'examiner les choses : *Chacun juge selon son point de vue.* ★ *Perdre de vue,* cesser de voir. ■ LOC. PRÉP. *En vue de,* pour.

vulgaire [vylgɛr] adj. Qui est grossier, sans élégance : *Il est vulgaire de toujours parler d'argent.*

vulgarité [vylgarite] n. f. Caractère de ce qui manque de distinction, d'élégance : *Sa vulgarité lui interdit l'accès à un poste élevé.*

vulnérable [vylnerabl] adj. Qui peut être facilement blessé ou attaqué : *Le pays est très vulnérable, car son armée est mal équipée.*

W - X - Y - Z

wagon [vagɔ̃] n. m. Voiture tirée par une locomotive, et qui sert au transport des personnes ou des marchandises : *Le train de marchandises se composait de trente wagons.*

w.-c. n. m. (abrév. de *water-closet*). Lieu où l'on se retire pour éliminer les déchets solides ou liquides de la digestion.

week-end [wikɛnd] n. m. Fin de la semaine (comprenant le samedi et le dimanche) : *Je passe tous les week-ends à la campagne.*

y [i] pron. pers. inv. A ceci, à cela : *Vous m'avez déjà parlé de cette affaire, j'y penserai. Aimez-vous jouer au football? — Oui, j'y joue souvent.* ★ Indique le lieu où l'on est, ou celui où l'on va : *Je connais bien cette ville, j'y suis resté dix ans et j'y retourne souvent.*

zéro [zero] n. m. Chiffre qui, par lui-même, n'exprime aucun nombre (s'écrit **0**).

zigzag [zigzag] n. m. Sorte de ligne brisée : *Il atteignit le sommet de la montagne par un sentier en zigzag.*

zinc [zɛ̃g] n. m. Métal gris, assez mou, utilisé surtout pour couvrir les toits ou pour fabriquer les tuyaux.

zone [zon] n. f. Partie d'une région que l'on considère comme isolée de l'ensemble : *La France est située dans une zone de climat tempéré.*

zut ! [zyt] interj. FAM. Exclamation qui marque que l'on est ennuyé ou irrité : *Zut! j'ai oublié mon stylo!*

TABLEAU DES VERBES IRRÉGULIERS

abréger

Se conjugue à la fois comme *céder* (j'abrège, il abrège, j'abrégerai) et comme *manger* (nous abrégeons, j'abrégeais).

acquérir

Ind. prés. : j'acquiers, nous acquérons, ils acquièrent; *imparf. :* j'acquérais; *passé simple :* j'acquis; *fut. :* j'acquerrai; *passé comp. :* j'ai acquis; *subj. prés. :* que j'acquière, que nous acquérions, qu'ils acquièrent; *part. prés. :* acquérant.

aller

Ind. prés. : je vais, tu vas, il va, nous allons, vous allez, ils vont; *imparf. :* j'allais; *passé simple :* j'allai; *fut. :* j'irai; *passé comp. :* je suis allé; *subj. prés. :* que j'aille, que nous allions, qu'ils aillent; *impér. :* va, allons, allez; *part. prés. :* allant.

annoncer

S'écrit avec *-ç-* devant *a* ou *o* : j'annonce, nous annonçons; j'annonçais; j'annoncerai.

appeler

Prend *-ll-* devant une syllabe muette : j'appelle, nous appelons; j'appelais; j'appellerai.

asseoir

Ind. prés. : j'assieds, nous asseyons, ils asseyent, ou j'assois, nous assoyons, ils assoient; *imparf. :* j'asseyais, nous asseyions, ou j'assoyais, nous assoyions; *passé simple :* j'assis; *fut. :* j'assiérai, ou j'assoirai; *passé comp. :* j'ai assis; *subj. prés. :* que j'asseye, que nous asseyions, qu'ils asseyent, ou que j'assoie, que nous assoyions, qu'ils assoient; *impér. :* assieds, asseyons, asseyez, ou assois, assoyons, assoyez; *part. prés. :* asseyant ou assoyant.

avoir

Ind. prés. : j'ai, tu as, il a, nous avons, vous avez, ils ont; *imparf. :* j'avais; *passé simple :* j'eus; *fut. :* j'aurai; *passé comp. :* j'ai eu; *subj. prés. :* que j'aie, que nous ayons, qu'ils aient; *impér. :* aie, ayons, ayez; *part. prés. :* ayant.

battre

Ind. prés. : je bats, nous battons; *imparf. :* je battais; *passé simple :* je battis; *fut. :* je battrai; *passé comp. :* j'ai battu; *subj. prés. :* que je batte; *part. prés. :* battant.

boire

Ind. prés. : je bois, nous buvons, ils boivent; *imparf. :* je buvais; *passé simple :* je bus; *fut. :* je boirai; *passé comp. :* j'ai bu; *subj. prés. :* que je boive, que nous buvions, qu'ils boivent; *part. prés. :* buvant.

bouillir

Ind. prés. : je bous, nous bouillons, ils bouillent; *imparf. :* je bouillais; *passé simple :* je bouillis; *fut. :* je bouillirai; *passé comp. :* j'ai bouilli; *subj. prés. :* que je bouille; *part. prés. :* bouillant.

céder

Prend un *-è-* ouvert devant une syllabe muette (je cède, nous cédons, je cédais), sauf au *futur* et au *conditionnel* (je céderai).

conclure

Ind. prés. : je conclus, nous concluons; *imparf. :* je concluais; *passé simple :* je conclus; *fut. :* je conclurai; *passé comp. :* j'ai conclu; *subj. prés. :* que je conclue; *part. prés. :* concluant.

conduire

Ind. prés. : je conduis, nous conduisons; *imparf. :* je conduisais; *passé simple :* je conduisis; *fut. :* je conduirai; *passé comp. :* j'ai conduit; *subj. prés. :* que je conduise; *part. prés. :* conduisant.

coudre

Ind. prés. : je couds, nous cousons; *imparf. :* je cousais; *passé simple :* je cousis; *fut. :* je coudrai; *passé comp. :* j'ai cousu; *subj. prés. :* que je couse; *part. passé :* cousant.

courir

Ind. prés. : je cours, nous courons; *imparf. :* je courais; *passé simple :* je courus; *fut. :* je courrai; *passé comp. :* j'ai couru; *subj. prés. :* que je coure; *part. prés. :* courant.

craindre

Ind. prés. : je crains, nous craignons; *imparf. :* je craignais; *passé simple :* je craignis; *fut. :* je craindrai; *passé comp. :* j'ai craint; *subj. prés. :* que je craigne; *part. prés. :* craignant.

croire

Ind. prés. : je crois, nous croyons, ils croient; *imparf. :* je croyais; *passé simple :* je crus; *fut. :* je croirai; *passé comp. :* j'ai cru; *subj. prés. :* que je croie, que nous croyions; *part. prés. :* croyant.

cueillir

Ind. prés. : je cueille, nous cueillons; *imparf. :* je cueillais; *passé simple :* je cueillis; *fut. :* je cueillerai; *passé comp. :* j'ai cueilli; *subj. prés. :* que je cueille; *part. prés. :* cueillant.

devoir

Se conjugue comme *recevoir* (je dois, nous devons, je devais), sauf au *part. passé :* dû (fém. : due; pl. : dus, dues).

dire

Ind. prés. : je dis, tu dis, il dit, nous disons, vous dites, ils disent; *imparf. :* je disais; *passé simple :* je dis; *fut. :* je dirai; *passé comp. :* j'ai dit; *subj. prés. :* que je dise; *impér. :* dis, disons, dites; *part. prés. :* disant.

dissoudre

Ind. prés. : je dissous, nous dissolvons; *imparf. :* je dissolvais; *passé simple :* inusité; *fut. :* je dissoudrai; *passé comp. :* j'ai dissous; *subj. prés. :* que je dissolve; *part. prés. :* dissolvant. Le *part. passé* dissous fait au fém. dissoute.

écrire

Ind. prés. : j'écris, nous écrivons; *imparf. :* j'écrivais; *passé simple :* j'écrivis; *fut. :* j'écrirai; *passé comp. :* j'ai écrit; *subj. prés. :* que j'écrive; *part. prés. :* écrivant.

émouvoir

Ind. prés. : j'émeus, nous émouvons, ils émeuvent; *imparf. :* j'émouvais; *passé simple :* j'émus; *fut. :* j'émouvrai; *passé comp. :* j'ai ému; *subj. prés. :* que j'émeuve, que nous émouvions, qu'ils émeuvent; *part. prés. :* émouvant.

envoyer

Se conjugue comme *payer,* sauf au *fut. :* j'enverrai, et au *condit. :* j'enverrais.

être

Ind. prés. : je suis, tu es, il est, nous sommes, vous êtes, ils sont; *imparf. :* j'étais; *passé simple :* je fus; *fut. :* je serai; *passé comp. :* j'ai été; *subj. prés. :* que je sois, que nous soyons, qu'ils soient; *impér. :* sois, soyons, soyez; *part. prés. :* étant.

faillir

Ne s'emploie qu'au *passé simple :* je faillis, et aux *temps comp. :* j'ai failli.

faire

Ind. prés. : je fais, nous faisons, vous faites, ils font; *imparf. :* je faisais; *passé simple :* je fis; *fut. :* je ferai; *passé comp. :* j'ai fait; *subj. prés. :* que je fasse; *impér. :* fais, faisons, faites; *part. prés. :* faisant.

falloir

Ind. prés. : il faut; *imparf. :* il fallait; *passé simple :* il fallut; *fut. :* il faudra; *passé comp. :* il a fallu; *subj. prés. :* qu'il faille. Pas de *part. prés.*

fuir

Ind. prés. : je fuis, nous fuyons, ils fuient; *imparf. :* je fuyais; *passé simple :* je fuis; *fut. :* je fuirai; *passé comp. :* j'ai fui; *subj. prés. :* que je fuie, que nous fuyions; *part. prés. :* fuyant.

jeter

Prend - *tt* - devant une syllabe muette : je jette, nous jetons; je jetais; je jetterai.

lire

Ind. prés. : je lis, nous lisons; *imparf. :* je lisais; *passé simple :* je lus; *fut. :* je lirai; *passé comp. :* j'ai lu; *subj. prés. :* que je lise; *part. prés. :* lisant.

manger

Prend un - *e* - devant *a* ou *o* : je mange, nous mangeons ; je mangeais, nous mangions.

maudire

Se conj. comme *dire,* sauf au pl. de l'*ind. prés.* et de l'*impér. :* nous maudissons, vous maudissez, ils maudissent ; maudissons, maudissez ; à l'*imparfait :* je maudissais, et au *part. prés. :* maudissant.

mener

Prend un - *è* - devant une syllabe muette : je mène, nous menons ; je menais ; je mènerai.

mettre

Ind. prés. : je mets, nous mettons ; *imparf. :* je mettais ; *passé simple :* je mis ; *fut. :* je mettrai ; *passé comp. :* j'ai mis ; *subj. prés. :* que je mette ; *part. prés. :* mettant.

moudre

Ind. prés. : je mouds, nous moulons ; *imparf. :* je moulais ; *passé simple :* je moulus ; *fut. :* je moudrai ; *passé comp. :* j'ai moulu ; *subj. prés. :* que je moule ; *part. prés. :* moulant.

mourir

Ind. prés. : je meurs, nous mourons, ils meurent ; *imparf. :* je mourais ; *passé simple :* je mourus ; *fut. :* je mourrai ; *passé comp. :* je suis mort ; *subj. prés. :* que je meure, que nous mourions, qu'ils meurent ; *part. prés. :* mourant.

naître

Se conjugue comme *paraître,* sauf au *passé simple :* je naquis, et aux *temps composés :* je suis né.

ouvrir

Ind. prés. : j'ouvre, nous ouvrons ; *imparf. :* j'ouvrais ; *passé simple :* j'ouvris ; *fut. :* j'ouvrirai ; *passé comp. :* j'ai ouvert ; *subj. prés. :* que j'ouvre ; *part. prés. :* ouvrant.

paraître

Ind. prés. : je parais, il paraît, nous paraissons ; *imparf. :* je paraissais ; *passé simple :* je parus ; *fut. :* je paraîtrai ; *passé comp. :* j'ai paru ; *subj. prés. :* que je paraisse ; *part. prés. :* paraissant.

payer

Change - *y* - en - *i* - devant un - *e* - muet : je paie, nous payons ; je payais ; je paierai.

plaire

Ind. prés. : je plais, il plaît, nous plaisons ; *imparf. :* je plaisais ; *passé simple :* je plus ; *fut. :* je plairai ; *passé comp. :* j'ai plu ; *subj. prés. :* que je plaise ; *part. prés. :* plaisant.

pleuvoir

Ind. prés. : il pleut ; *imparf. :* il pleuvait ; *passé simple :* il plut ; *fut. :* il pleuvra ; *passé comp. :* il a plu ; *subj. prés. :* qu'il pleuve.

pouvoir

Ind. prés. : je peux ou je puis, tu peux, il peut, nous pouvons, vous pouvez, ils peuvent ; *imparf. :* je pouvais ; *passé simple :* je pus ; *fut. :* je pourrai ; *passé comp. :* j'ai pu ; *subj. prés. :* que je puisse ; *part. prés. :* pouvant.

prendre

Ind. prés. : je prends, nous prenons, ils prennent ; *imparf. :* je prenais ; *passé simple :* je pris ; *fut. :* je prendrai ; *passé comp. :* j'ai pris ; *subj. prés. :* que je prenne, que nous prenions, qu'ils prennent ; *part. prés. :* prenant.

prévoir

Se conjugue comme *voir,* sauf au *fut. :* je prévoirai, et au *condit. :* je prévoirais.

recevoir

Ind. prés. : je reçois, nous recevons, ils reçoivent ; *imparf. :* je recevais ; *passé simple :* je reçus ; *fut. :* je recevrai ; *passé comp. :* j'ai reçu ; *subj. prés. :* que je reçoive, que nous recevions, qu'ils reçoivent ; *part. prés. :* recevant.

rendre

Ind. prés. : je rends, nous rendons ; *imparf. :* je rendais ; *passé simple :* je rendis ; *fut. :* je rendrai ; *passé comp. :* j'ai rendu ; *subj. prés. :* que je rende ; *part. prés. :* rendant.

résoudre

Se conjugue comme *dissoudre,* mais possède un *passé simple :* je résolus, et fait au *part. passé :* résolu.

rire

Ind. prés. : je ris, nous rions ; *imparf. :* je riais, nous riions ; *passé simple :* je ris ; *fut. :* je rirai ; *passé comp. :* j'ai ri ; *subj. prés. :* que je rie, que nous riions ; *part. prés. :* riant.

savoir

Ind. prés. : je sais, nous savons ; *imparf. :* je savais ; *passé simple :* je sus ; *fut. :* je saurai ; *passé comp. :* j'ai su ; *subj. prés. :* que je sache ; *impér. :* sache, sachons, sachez ; *part. prés. :* sachant.

sentir

Ind. prés. : je sens, nous sentons ; *imparf. :* je sentais ; *passé simple :* je sentis ; *fut. :* je sentirai ; *passé comp. :* j'ai senti ; *subj. prés. :* que je sente ; *part. prés. :* sentant.

suffire

Ind. prés. : je suffis, nous suffisons ; *imparf. :* je suffisais ; *passé simple :* je suffis ; *fut. :* je suffirai ; *passé comp. :* j'ai suffi ; *subj. prés. :* que je suffise ; *part. prés. :* suffisant.

suivre

Ind. prés. : je suis, nous suivons; *imparf. :* je suivais; *passé simple :* je suivis; *fut. :* je suivrai; *passé comp. :* j'ai suivi; *subj. prés. :* que je suive; *part. prés. :* suivant.

taire

Se conjugue comme *plaire,* sauf à la 3e pers. du sing. du *présent* de l'*ind. :* il tait.

tenir

Ind. prés. : je tiens, nous tenons, ils tiennent; *imparf. :* je tenais*; passé simple :* je tins; *fut. :* je tiendrai; *passé comp. :* j'ai tenu; *subj. prés. :* que je tienne, que nous tenions, qu'ils tiennent; *part. prés. :* tenant.

traire

Ind. prés. : je trais, nous trayons; *imparf. :* je trayais; pas de *passé simple; fut. :* je trairai; *passé comp. :* j'ai trait; *subj. prés. :* que je traie, que nous trayions; *part. prés. :* trayant.

vaincre

Ind. prés. : je vaincs, tu vaincs, il vainc, nous vainquons; *imparf. :* je vainquais; *passé simple :* je vainquis; *fut. :* je vaincrai; *passé comp. :* j'ai vaincu; *subj. prés. :* que je vainque; *part. prés. :* vainquant.

valoir

Ind. prés. : je vaux, il vaut, nous valons; *imparf. :* je valais; *passé simple :* je valus; *fut. :* je vaudrai; *passé comp. :* j'ai valu; *subj. prés. :* que je vaille, que nous valions, qu'ils vaillent; *part. prés. :* valant.

venir

Se conjugue comme *tenir,* mais avec l'auxiliaire *être :* je suis venu.

vivre

Ind. prés. : je vis, nous vivons; *imparf. :* je vivais; *passé simple :* je vécus; *fut. :* je vivrai; *passé comp. :* j'ai vécu; *subj. prés. :* que je vive; *part. prés. :* vivant.

voir

Ind. prés. : je vois, nous voyons, ils voient; *imparf. :* je voyais; *passé simple :* je vis; *fut. :* je verrai; *passé comp. :* j'ai vu; *subj. prés. :* que je voie, que nous voyions; *part. prés. :* voyant.

vouloir

Ind. prés. : je veux, nous voulons, ils veulent; *imparf. :* je voulais; *passé simple :* je voulus; *fut. :* je voudrai; *passé comp. :* j'ai voulu; *subj. prés. :* que je veuille, que nous voulions, qu'ils veuillent; *impér. :* veuille, veuillons, veuillez; *part. prés. :* voulant.

— édition 1980 —

IMPRIMERIE HÉRISSEY. — 27000 - ÉVREUX
Septembre 1963. — Dépôt légal 1963-3e.
No de série Éditeur 10043 — No 25767.
IMPRIMÉ EN FRANCE *(Printed in France)*.
20 135 O-6-80.